北京古籍叢書

[清]周家楣 [清]繆荃孫 編纂

左笑鴻 點校

光緒順天府志

第十二册

圖書在版編目（CIP）數據

光緒順天府志．第十二册 /（清）周家楣，（清）繆荃孫編纂；左笑鴻點校．— 北京：北京出版社，2018. 2
（北京古籍叢書）
ISBN 978-7-200-13594-7

Ⅰ．①光… Ⅱ．①周… ②繆… ③左… Ⅲ．①北京—地方志—清代 Ⅳ．① K291

中國版本圖書館 CIP 數據核字（2017）第 283011 號

項目策劃：安　東　　項目統籌：許　可
責任編輯：喬天一　許　可　　責任印製：宋　超
裝幀設計：郭　宇

北京古籍叢書
光緒順天府志
第十二册
［清］周家楣　［清］繆荃孫　編纂
左笑鴻　點校

出　版　北京出版集團公司
　　　　北京出版社
地　址　北京北三環中路六號
郵　編　一〇〇一二〇
網　址　www.bph.com.cn
總發行　北京出版集團公司
經　銷　新華書店
印　刷　北京京華虎彩印刷公司
開　本　八八〇毫米×一二三〇毫米　三十二
印　張　十四點七五
字　數　二六六千字
版　次　二〇一八年二月第一版
印　次　二〇一八年二月第一次印刷

書號　ISBN 978-7-200-13594-7
定價　128.00 圓

人物志五

先賢五

黄岡洪良品纂　江陰繆荃孫覆輯

遼

韓延徽子德樞子紹勳 德樞紹芳　康默記孫延壽

劉珂　室昉　馬得臣

張儉　牛温舒　楊佶

楊績　楊晳　劉伸

王鼎　張衍

金

韓昉　程寀　任熊祥

劉彥宗孫仲誨　左泌姪光慶　趙元

韓企先子鐸
韓錫曾孫玉玉子不疑
劉徽柔
張亨
王敂子師揚
劉仲洙
巨構
梁斗南
范中
吕貞幹姪子羽
完顏仲元
王毅
董文甫
張潛
李天翼

翟永固
劉中
王中安子賁質
丁暐仁
馬琪
馬百禄
梁瑝
龐鑄
杜時昇
高斯誠
完顏阿林
馬肩龍
王彪
李伯淵
崔禮

高昌福
賈少沖子益
王翛
馬惠迪
宋扆
閻公貞
崔遵
趙伯成
趙質
高永
劉德基
蕭漢傑
王鬱
張天綱

遼

韓延徽，字藏明，幽州安次人。父夢殷，累官薊、儒、順三州刺史。延徽少英敏，燕帥劉仁恭奇之，召爲幽都府文學、平州録事參軍，同馮道祗候院，授幽州觀察度支使。遼史列傳。守光與六鎮搆怨，自稱燕帝。延徽諫之，不從，守光置斧質於庭曰：敢諫者斬！孫鶴力諫，守光殺之；延徽以幕府之舊，且素重之，得全。契丹國志十六。守光末年衰困，遣延徽求援於契丹，太祖怒其不拜，留之，使牧馬於野。延徽有智畧，頗知屬文，舒嚕原作述律。后言曰：延徽能守節不屈，此今之賢者，奈何辱以牧圉！宜禮而用之。太祖召延徽與語，悦之，遂以爲謀主，舉動訪焉。延徽始教契丹建牙開府，築城郭，立市里，以處漢人，使各有配偶，墾藝荒田。由是漢人各安生業，逃亡者亦少。契丹威服諸國，延徽有助焉。通鑑二百六十九。居久之，慨然復懷故鄉里，賦詩見志，遂亡歸唐。宏簡録二百十。晉王欲置之幕府掌書記，王緘疾之，延徽不自安，通鑑。懼及難，返幽州省親，匿故人王德明舍。宏簡録。德明問所之，案：王德明即張文禮也。延徽曰：今河北皆爲晉有，吾將復詣契丹耳。德明曰：叛而復往，得無取死乎？契丹國志。延徽笑曰：彼失我，如失左右手，其見我必喜，遼史列傳。安肯害我？既省母，遂復入契丹。太祖聞其至，大喜，通鑑。拊其背曰：嚮者何往？延徽曰：思母，欲告歸，恐不聽，故私歸耳。契丹國志。太祖大悦，賜名曰實喇，原作匣列。遼言復來也。卽命爲守政事令、崇文館大學士，中外事悉令參決。天贊四年，從征渤海，大諲譔乞降；既而復叛，與諸將破其城，以功拜左僕射。又與康默記攻長嶺府，拔之。遼史列傳。晉王遣使至契丹，延徽寓書於晉王，敍所以北去之意，且曰：非不戀英主，非不思故鄉，所以不留，正懼王緘之讒耳。因以老母爲託，且曰：延徽在此，契丹必不敢南牧。故終同光之世，契丹不深入者，延徽之力也。契丹國志。師還，遇太祖崩，哀動左右。太宗封魯國公，仍爲政事令。使晉還，改南京三司使。宏簡録。世宗朝，遷南府宰相，建政事省，設張理具，稱盡力吏。天禄三年六月，河東使請行册禮，帝召延徽定其制，延徽奏，一遵太宗册晉帝禮，從之。應曆中，致仕。初，延徽南奔，太祖夢白鶴自帳中出；比還，復入帳中。詰旦謂侍臣曰：延徽至矣。已而果然。遼史列傳。卒，年七十八。上聞震悼，贈尚書令，葬幽州之魯郭。仍世爲崇文令公。子德樞。宏簡録。

德樞年甫十五，太宗見之，謂延徽曰：是兒，卿家之福，朕國之寶。未冠，守左羽林大將軍，遷特進太尉。遼史列傳。時漢人降與轉徙者多寓東平，宏簡録。丁歲災，饑饉疾厲，德樞請往撫字之，授遼興軍節度使。下車整紛剔蠹，恩煦信孚，勸農桑，興教化，期月，民獲蘇息。入爲南院宣徽使，遥授天平軍節度使，平、灤、營三州管內觀察處置等使，門下平章事。已而加開府儀同三司、行侍中，封趙國公。保甯元年卒。子紹勳、紹芳。（遼史列傳。）

紹勳仕至東京户部使，會大延琳叛，被執，不屈，以鋸解之。憤駡至死。（遼史韓延徽傳。）

紹芳，太平三年爲樞密直學士。重熙間，參知政事，加兼侍中。十二年，議征李元昊，力諫不聽，出爲廣德軍節度使。聞敗，嘔血卒。（宏簡録。）

康默記，本名照，少爲薊州衙校。（案：康默記，史不詳其何處人，薊州舊志列鄉賢内，當是薊州人，今從之。）太祖侵薊得之，愛其材，隸麾下，得與佐命功臣遇。一切蕃、漢事相干涉，屬默記折衷之。時諸部新附，文法未備，令推析律意，論次重輕，悉合上意，不差毫釐。（宏簡録二百十。）罹禁網者，人人自以爲不寃。頃之，拜左尚書。神册三年，（遼史列傳。）城皇都，以默記充版築使，（遼太祖紀。）董役，人咸勸趨，百日而訖事。五年，爲皇都夷勒希巴。（原作夷离畢。）會出師居庸關，命默記將漢軍進逼長蘆水寨，俘馘甚衆。天贊四年十二月，詔曰：渤海世讎未雪，豈宜安駐？乃舉兵親征。（遼太祖紀。）默記與韓知古從。後大諲譔叛，命諸將攻之。默記分薄東門，率驍勇先登，既拔，與韓延徽下長嶺府。軍還，已下城邑多叛，默記與阿古齊（原作阿古只。）平之。既破輝發（原作回跋。）城歸，（遼史列傳。）太祖崩，復董山陵，功畢而卒。孫延壽。（宏簡録。）

延壽，字胤昌，少倜儻，謂其所親：大丈夫爲將，當效節邊陲，馬革裹屍。景宗特授千牛衛大將軍。宋人攻南京，諸將既成列，延壽獨奮擊陣前，敵遂大潰。以功遥授保大軍節度使。乾亨三年卒。遼史列傳。

劉珂，晞次子，尚世宗妹燕國公主。少善射，以材能稱。賦性謹重，未嘗有過，爲太宗所知。忿石晉負恩，連年南牧。戰定州時深入，帝馬陷泥濘中，珂下馬奉帝出，身被數十瘡，流血滿體。太宗壯之，遷林牙行宫都部署、西北路兵馬招討使。從入大梁，授同知府事，尋校漢人樞密使，封吴王。契丹國志十六。

室昉，字夢奇，南京人。按：宛平志作析津人。幼謹厚篤學，不出外户者二十年，雖里人莫識，其精如此。會同初，登進士第，爲盧龍巡捕官。遼史列傳。太宗入汴受册禮，詔昉知制誥，總禮儀事。爲南京留守判官。宏簡録二百十。應曆間，累遷翰林學士，出入禁闥十餘年，數延問古今治〔亂〕得失，奏對稱旨。上多昉有理劇才，改南京副留守，決訟平允，人皆便之。遷工部尚書，尋改樞密副使，參知政事。頃之，拜樞密使，兼北府宰相，加同政事門下平章事。統和元年，告老，不許。進尚書無逸篇以諫，太后聞而嘉奬。二年秋，詔修諸嶺路，昉發民夫二十萬，一日畢功。是時，昉與韓德讓、耶律色珍原作斜軫。相友善，同心輔政，遼史列傳。整革蠹弊，知無不言，務在息民薄賦。畿輔唐志七十一。四年，南征還，奏山西四州自宋兵至後，人民轉徙，盗賊充斥；乞下有司禁止，命新州節度使蒲打里選人分道巡檢。從之。宏簡録。八年，復請致政。詔入朝免拜，賜几杖，太后遣閤門使李從訓特詔勞問，令常居南京，封鄭國公。初，晉國公主建佛寺于南京，上許賜額。昉奏曰：詔書悉罪無名寺院，今以主請賜額，不惟違前詔，恐此風愈熾。上從之。表進所撰實録二十卷，手詔褒之，加政事令，賜帛六百匹。九年，薦韓德讓自代，不從，遼史列傳。賜貂皮衾褥，許乘輦入朝。病劇，遣翰林學士張幹就第授中京留守，加尚父。卒，年七十五。上嗟悼，輟朝二日，贈尚書令。遺言戒厚葬。恐人譽過情，自志其墓。宏簡録。

馬得臣，南京人。好學博古，善屬文，尤長於詩。保寧間，累遷政事舍人、翰林學士。常預朝議，以正直稱。遼史列傳。統和二年，改宣政殿，仍兼侍讀學士。聖宗閲唐高祖、太宗、玄宗三紀，命録其行事可法者以進。宏簡録二百十。時上擊鞠無度，上書諫曰：臣竊觀房玄齡、杜如晦，隋季書生，向不遇太宗，安能爲一代名相？臣雖不才，陛下在東宮，幸列侍從，今又得侍聖讀，未有裨補聖明。陛下嘗問臣以貞觀、開元之事，臣請畧陳之。昔唐太宗侍太上皇宴罷，則挽輦至内殿；玄宗與兄弟歡飲，盡家人禮。陛下嗣祖考之祚，躬侍太后，可謂至孝。臣更望定省之餘，敦睦六親，加以愛敬，則陛下親親之道，比隆二帝矣。臣又聞二帝耽玩經史，數引公卿講學，至于日昃。故二帝當時天下翕然嚮風，以隆文治。今陛下游心典籍，分解章句，臣願研究經理，深造而篤行之，二帝之治，不難致矣。臣又聞，太宗射豕，唐儉切諫；玄宗臂鷹，韓休懇言。二帝莫不樂從。今陛下以毬馬爲樂，愚臣思之，有不宜者三：君臣同戲，不免分争，君得臣愧，此負彼喜，一不宜；躍馬揮杖，縱横馳鶩，不顧上下之分，争先取勝，失人臣禮，二不宜；輕萬乘之尊，圖一時之樂，萬（一）有銜勒之失，其如社稷、太后何？三不宜。儻陛下不以臣言爲迂，少賜省覽，天下之福，羣臣之願也。書奏，帝嘉歎良久。遼史列傳。統和七年，卒。贈太子太保，賜錢十萬，粟百石，有司給葬。宏簡録。

張儉，宛平人。端慤清儉，不事外飾。宛平王志。統和十四年，進士第一，調雲州幕官。聖宗獵雲中，故事，車駕經行，長吏當有所獻。節度使進曰：臣境無他産，惟幕僚張儉，一代之寶，願以爲獻。宏簡録二百十。先是，聖宗夢四人侍側，賜食，人二口，至聞儉名，始悟。因召見，容止樸野，訪及世務，占奏三十餘事，由此顧遇特異，踐歷清華，號稱明幹。遼史列傳。開泰二年，拜政事舍人，宏簡録。累遷同知樞密院事。太平五年，出爲武定軍節度使，移鎮大同。六年，入爲南院樞密使。帝方眷倚，參知政事吴叔達與儉不相能，帝怒，出達爲康州刺史，拜儉左丞相，封韓王。帝不豫，受遺詔，輔立太子，是爲興宗。遼史列傳。賜號貞亮宏靖保義守節耆德功臣，進太師、中書令，加尚父，徙王陳。宏簡録。重熙五年，帝幸禮部貢院，及親試進士，進見不名，賜詩褒美。遼史列傳。儉爲人質素，衣唯紬帛，食不重味，月俸有餘，賙給親舊。方冬，奏事便殿，帝見衣袍敝，密令近侍記之，屢見不易。宏簡録。帝問其故，儉對曰：臣服此袍已三十年。時尚奢靡，故以此微諷喻之。上憐其清貧，令恣取内府物。儉奉詔，持三端而出，益獎重。儉弟五人，帝欲俱賜進士，固辭。有司獲八盜，已戮，乃獲正賊。家人訴寃，儉三乞申理。上怒曰：欲朕償命耶？儉謂：八家老稚無告，少加存恤，使得收葬，足慰存殁矣。乃從之。凡在相位二十餘年，裨益爲多。致政歸第，會宋書辭不如禮，上將親征，幸其第，尚食先往具饌，卻之；進葵羹乾飯，帝食之美。徐問以策，儉極陳利害，且曰：第遣一使問之，何必遠勞車駕？上悦而止，復即其第賜宴，器玩悉與之。十二年薨，年九十一，勑葬宛平縣。遼史列傳。

牛温舒，涿州范陽人。爲人剛正，尚節義，有遠器。宏簡録二百十。咸雍中，擢進士第，滯小官。大安初，累遷户部使，轉給事中，知三司使事。國、民兼足，遼史列傳。聖宗以爲能，加户部侍郎，改三司使。壽隆中，拜參知政事，兼同知樞密院事，攝中京留守。部民詣闕請真拜，從之。召爲三司使。宏簡録。乾統初，復參知政事，知南院樞密使事。五年，夏爲宋所攻，來請和解。遼史列傳。六年，遣知北院樞密使蕭塔喇台原作得里底。與温舒使宋，遼天祚紀。請元符以後所侵西界地。契丹國志十。方大燕，優人爲道士裝，索土泥藥爐，遼史列傳。一優應曰：土少不能和。温舒遽起，以手藉土懷之。宏簡録。宋主問其故。温舒對曰：臣奉天子威命來和，若不從，則當卷土收去。遼史列傳。徽宗曰：先帝已畫封疆，今不復議；若自崇甯以來侵地，可與之。契丹國志。按：此事列傳以爲五年，本紀載於六年，契丹志同。蓋夏請和解在五年，遣使則六年也。今從紀。遂許夏和。還，加中書令，卒。遼史列傳。

楊佶，字正叔，析津人。宛平王志。幼穎悟異常，讀書自能成句讀，識者奇之。弱冠，聲名籍甚。統和二十四年，舉進士第一，歷校書郎、大理正。開泰六年，轉儀曹郎，典掌書命，加諫議大夫。出知易州，治尚清簡，徵發期會必信。入爲大理少卿，累遷翰林學士，文章號得體。遼史列傳。七年，爲刑部侍郎。八年，燕地饑疫，民多流殍，擢爲南京留守同知，發倉廩，賑乏絶，貧民鬻子者，計傭出之。宏簡録二百十。宋遣梅詢賀千齡節，詔佶迎送唱酬，詢每見稱賞。復爲翰林學士。重熙元年，升翰林學士承旨。遼史列傳。母憂，起復拜工部尚書。宏簡録。歷忠順軍節度使，朔、武等州觀察、處置使，天德軍節度使，加特進檢校太師、同中書門下平章事，復拜參知政事，兼知南院樞密使。十五年，出爲武定軍節度使，境內亢旱，苗稼將槁，視事之夕，雨澤霑足。百姓歌曰：何以蘇我？上天降雨。誰其撫我？楊公爲主。遼史列傳。灤陽水失故道，歲爲民害，以己俸創長橋，人不病涉。被召之日，郡民攀轅泣送。上御清涼殿宴勞，卽日拜吏部尚書，兼門下侍郎、同中書門下平章事。宏簡録。上曰：卿今日何減呂望之遇文王！佶對曰：呂望比臣遭際，有十年之晚。

上悦。其居相位，〔遼史列傳。〕以進賢爲己任，事總大綱，人人樂用。〔宛平王志。〕三請致政。除判順度軍，月給錢粟僕隷，四時遣使存問。佶卒，有登瀛集行於世。〔宏簡録。〕

楊績，良鄉人。太平十一年進士及第，累遷南院樞密副使。與杜防、韓知白等擅給進士堂帖，降長甯軍節度使，徙知涿州。清甯初，拜參知政事，兼同知樞密院事，爲南府宰相。九年，聞重元亂，與姚景行勤王，上嘉之。十年，知興中府。咸雍中，入知樞密院事。二年，乞致仕，不許，拜南院樞密使。〔遼史列傳。〕興宗以舊臣特召燕見，論古今治亂、人臣邪正。方今契丹，忠直無如耶律玦，漢人則劉伸而已；然熟察之，伸又不如玦之剛介。績拜賀曰：〔宏簡録二百十。〕何代無賢？遇亂世則獨善其身，遇明主則兼濟天下。陛下銖分邪正，升黜分明，天下幸甚！〔畿輔唐志七十一。〕八年六月甲戌，封績爲趙王。〔宏簡録。〕太康中，以例改王遼西。致仕，加守太保，薨。〔遼史列傳。〕

楊晳，字昌時，安次人。幼通五經大義。聖宗聞其潁悟，試詩，授校書郎。太平十一年，擢進士乙科，改著作佐郎。重熙十二年，累遷樞密都承旨，權度支使。登對稱旨，進樞密副使。歷長甯軍節度使、山西路轉運使，知興中府。〔宏簡録二百十。〕清甯初，入知南院樞密使，與姚景行同總朝政。請行柴册禮。封趙國公。以足疾，復知興中府。咸雍初，徙封齊，召賜同德功臣，尚書左僕射，兼中書令，拜樞密使，改封晉，給宰相、樞密使兩廳傔從，封趙王。屢請歸政，益賜保節功臣，致仕。大康五年，例改遼西郡王。遼史列傳。

劉伸，字濟時，宛平人。少穎悟，長以辭翰聞。重熙五年，登進士第，歷彰武軍節度使掌書記、大理正。因奏獄，上適與近臣語，不顧，遼史列傳。伸進曰：自古帝王重民命，願陛下省臣奏。上驚異，宛平王志。擢樞密都承旨，權中京副留守。詔徙富民以實春、泰二州，伸奏罷，以爲不可。遷大理寺少卿、正卿，人以不冤稱。轉西京副留守。父憂，終制，爲三司副使，加諫議大夫，提點大理寺。明法律，多寬恕，屢案冤獄，全活者衆。徙南京副留守，俄改崇義軍節度使。宏簡録二百十。政務簡静，民用不擾，致烏鵲同巢之異。優詔褒之，改户部使。歲入羨餘錢三十萬緡。拜南院樞密副使。道宗嘗謂大臣曰：遼史列傳。方今羣臣忠直，耶律玦、劉伸而已。遼史楊績傳。宰相楊績賀其得人。拜參知政事，上諭之曰：卿勿憚宰相。時北院樞密使伊遜，原作乙辛。勢焰方熾，伸奏曰：臣於伊遜尚不畏，何宰相之畏？伊遜銜之，相與誹訕，出爲保静軍節度使。上終欲大用，加守太子太保，遷上京留守。伊遜以事徙鎮雄武，復以崇義軍節度使致仕。遼史列傳。適燕、薊民饑，伸與致仕趙徽、韓造日濟以糜粥，所活不勝算。大安二年，伸卒。上震悼，賻贈加等。宏簡録。

王鼎，字虛中，涿州人。一統志。幼好學，居太甯山數年，博通經史，遼史列傳。長於詩賦。遇上已，閒出水濱祓禊，時馬唐俊有名燕薊間，見其樸野，置下座，欲以詩困之。先出所作索賦，鼎援筆立成。唐俊驚其敏妙，因與定交。清甯五年，擢進士第，調易州觀察判官，改淶水縣令，累遷翰林學士。當代典章，多出其手。上書言治道十事，帝以爲達政體，事多咨訪。壽隆初，遷觀書殿學士。坐誹語奪官，流鎮州。居數歲，有赦，鼎獨不免。會守臣召鼎爲賀表，因以詩貽使者，有誰知天雨露，獨不到孤寒之句。上聞而憐之，卽召還，復其職。鼎正直不阿，人有過，必面詆之，以是多見疏忌。乾統六年卒。鼎宰縣時，憩於庭，俄有暴風，舉卧榻空中。鼎無懼色，但覺枕榻俱高，乃曰：吾中朝端士，邪不干正，可徐置之。須臾，榻復故處，風遂止。

張衍，香河人。祖守均，父壽，皆晦跡不仕。衍，遼壽昌元年登進士第，授校書郎，管內都商稅處。脂膏之所，廉潔不染。課績畢，遷祕書郎，知龍門縣事。秩滿，士民請留，不許，補中京留守推官，决疑獄，釋重囚五人。時服其明允。遷都員外郎，授比部侍中。子經，監察御史，儒州商麯鐵院使，檢校國子監祭酒，雲騎左班祗候。

金

韓昉，字公美，燕京人。仕遼，累世通顯。昉五歲喪父，哭泣能盡哀。金史列傳。天慶二年，進士第一，累遷右拾遺、史館修撰、少府少監、乾文閣待制，加衛尉卿，知制誥。宏簡録二百四十九。契丹爲金人攻擊，窮蹙無計，蕭后遣昉來童貫、蔡攸于軍中，願除歲幣，復結和親，且言：女真本遠小部落，貪婪無厭，蠶食種類五六十國，今若大遼不存，則必爲南朝憂，脣亡齒寒，不可不慮。貫與攸叱出之。昉大言于庭曰：遼、宋結好，百年誓書具存，汝能欺國，獨能欺天耶？昉去，貫亦不以聞於朝。遼亡，昉降於金。熙宗自爲童時聰悟，令昉教之，後能賦詩染翰。大金國志二。天會四年，充高麗國信使。高麗雖舊通好，奉表稱藩，而不肯進誓表，累使要約，皆不得要領。金史列傳。昉至，移督再三，其國徵讀書知古今者商榷辭旨，凡涉旬，乃始置對曰：小國事遼、宋二十年無誓表，未嘗失藩臣禮。今事上國，當與同禮，必不敢用誓表。昉曰：事各隨時，古今異宜。如必欲用古禮，堯舜三代，天子巡狩，羣后四朝，今上方狩，貴國當從朝會。宏簡録。高麗人無以對，乃曰：徐議之。昉曰：誓表、朝會，一言決耳。於是高麗乃進誓表如約，昉乃還。宗幹大説曰：非卿誰能辨此！明年，加昭文館直學士，兼堂後官，再加諫議大夫，遷翰林侍講學士。金史列傳。十二年，拜禮部尚書。天眷初，遷翰林學士，兼太常卿，修國史。在職凡七年，議禮制度因革，咸出其手。拜濟南尹。皇統元年，召爲參知政事。屢乞致仕，除汴京留守，封鄆國公。俄以儀同三司致仕。天德初，加開府。卒，年六十八。宏簡録。昉性仁厚，待物甚寬。有家奴誣告昉以馬資送叛人出境，考之無狀，有司以奴還昉，昉待之如初，曰：奴誣主人以罪，求爲良耳，何足怪哉！人稱其長者。金史列傳。胡礪少嗜學，爲軍士所掠，行至燕，昉見而異之，使賦詩以見志，礪操筆立成。昉喜甚，因館置門下，使與其子處，同教育之。金史胡礪傳。昉雖貴，讀書未嘗去手。善屬文，最長於詔册，金史列傳。嘗作武元聖德神功碑，爲作者所稱。子汝嘉，字公度，皇統二年進士，累遷真定路轉運使，坐公事遷清州防禦使，召爲翰林侍讀學士。中州集八。

程寀，字公弼，析津人。一統志。祖冀，仕遼廣德軍節度使。冀凡六男，父子皆擢科第，士族號其家爲程一舉。金史列傳。父四穆，遼崇義軍節度使。寀自幼如成人，及冠，篤學，登進士甲科，累遷殿中丞。宏簡録二百三十七。天輔七年，太祖入燕，授尚書都官員外郎、錦州安昌令。金史列傳。入爲起居郎，史館修撰。以從軍有勞，加少府少監。熙宗時，歷翰林待制，兼右諫議大夫，屢上疏言事。宏簡録。其略曰：殿前點檢司，古殿巖環衛之任，所以肅禁籞、尊天子、備不虞也。臣幸得近清光，從天子觀時畋之政。比見陛下校獵，凡羽衛從臣，無貴賤皆得執弓矢馳逐，而聖駕崎嶇沙漠之地，加之林木叢鬱，易以迷失。是日自卯及申，百官始出沙漠，獨不知車駕何在；瞻望久之，始有騎來報，皇帝從數騎已至行在。竊謂古天子出入警蹕，清道而行，至於楚畋雲夢，漢獵長楊，皆盛陳兵衛，以備非常。陛下膺祖宗付託之重，奈何獨與數騎出入林麓沙漠之地？前無斥候，後無羽衛，甚非肅禁籞之意也。臣願陛下熟計之：後若復獵，當預戒有司，圖上獵地，具其可否，然後下令，清道而行。擇衝要稍平之地，爲駐驛之所；簡忠義爪牙之士，統以親信腹心之臣，警衛左右。俟其麋鹿既來，然後馳射，仍先遣搜閱林藪，明立標幟，爲出入之馳道。不然，後恐貽宗廟社稷之憂。金史列傳。又曰：鑾輅省方，憲古行事，誠恐郡國新民，奢侈詐僞，習染舊汙，多有不明之獄，僭濫之刑，名役無時，四民失業。臣願天心洞照，委之長貳，釐正風俗，或置軌匭，以伸寃枉，或遣使郡國，問民疾苦，皆古巡狩之事。如此，則和氣流通，天下丕平可坐而待也。又曰：臣聞善醫者不視在人之肥瘠，察其脈之病否；善治者不視天下之安危，察其紀綱之理否。天下者，人也；安危者，肥瘠也；紀綱者，脈也。脈不病，雖瘠不害；脈病而肥者，危矣。是故四肢雖無故，不足恃也，脈而已矣；天下雖無事，不足矜也，綱紀而已矣。尚書省，天下喉舌之官，綱紀在焉。誠使升黜有科，任得其人，百官各揚其職，以立綱紀，未有或致危亡者也。又曰：

臣伏見本朝富有四海，禮樂制度，莫不一新，獨宮禁之制，尚未嚴密。胥吏健卒之輩，皆得出入，莫有呵止。所立闌入之法，久尚未行，甚非嚴禁衛、明法令之意。上咸嘉納。宏簡録。皇統八年十二月，由翰林侍講學士爲横海軍節度使，移彰德軍節度使。卒官，年六十二。宊剛正耿介，不諂奉權貴以希苟進，有古君子之風云。金史列傳。

任熊祥，字子仁。八代祖圜，爲後唐宰相。圜孫睿，隨石晉北遷，遂爲燕人。熊祥登遼天慶八年進士第，爲樞密院令史。金史列傳。隨燕地歸宋，授武當丞。宋法，新附官，不釐務。宏簡録。熊祥言於郡守楊晳曰：既不與事，請止給半俸以養親。晳雖不許，而喜其廉。金史列傳。會復取均、房州仍歸朝，依舊任令史，攝院事。西京留守高慶裔嚴厲，無敢忤其意者，獨未嘗阿意事之。宏簡録。其後杜充、劉筈同知燕京行省，法制未一，日有異論，熊祥爲折衷之。歷深、磁二州刺史，開府少尹，行臺工部郎中，汴京留守同知。天德初，爲山東東路轉運使，改鎮西節度使。是時，詔徐文、張宏信討東海縣，宏信逗遛，稱疾不進，决杖二百。熊祥被詔爲會試主文，以事不避難臣之職爲賦題；及御試，熊祥復以賞罰之令信如四時爲賦題，海陵大喜，以爲翰林侍學士。未幾致仕。大定初，起爲太子少師。時斡罕竊號，用兵不息，宏簡録。上以爲憂，詔公卿百官議所以招伐之宜，衆皆議異，熊祥徐進曰：陛下以勞民爲憂，用兵爲重，莫若以恩信招懷之。上問：孰可使者？對曰：臣雖老，憑國威靈，尚堪一行。上曰：卿老矣，無煩爲此。金史列傳。宏簡録。七年復致仕，遂卒於家。

熊祥事母以孝聞，母歿時年已七十，不食三日，人皆稱之。

劉彦宗，字魯開，宛平人。唐藩鎮怦裔孫，由石晉時歸遼，六世相繼爲遼相。父霄，至中京留守。彦宗登進士乙科。宏簡録二百二十八。天祚走天德，秦晉國王耶律聶呼自立於燕，擢彦宗留守判官。蕭妃攝政，遷簽書樞密院事。金史列傳。太祖入燕，彦宗與左企弓等奉表降。金史列傳。太祖一見器遇，俾復舊職，遷左僕射，佩以金牌，使宣慰平州張覺。太祖既以燕京與宋人，乃遷軍至鴛鴦濼，不豫，將歸京師，以宗翰爲都統，金史宗翰傳。留彦宗佐之。金史列傳。又佐宗望軍，宏簡録。建樞密院於燕山，以彦宗主院事。大金國志三。宗望奏，方圖攻取，凡州縣之事，委彦宗裁決之。金史列傳。天會二年，上以中京等兩路，先多拒命，特遣往諭，撫慰百姓，務勤稼穡，官民罪犯在降附前者勿論。宏簡録。未幾，大舉伐宋。彦宗畫十策，詔彦宗兼領漢軍都統。蔡靖以燕山降。詔彦宗，凡燕京一品以下官，皆承制注授。金史列傳。伐宋師還。宗望分將士屯安肅、雄、霸、廣信之境，宏簡録。留彦宗於燕京，節制諸軍。金史列傳。乃治官政，庀民務，勸農積穀，内供京師，外給轉餉。宏簡録。明年再伐宋，已圍汴京，謂宗翰、宗望曰：蕭何入關，秋毫無犯，惟收圖籍。遼太宗入汴，載路車、法服、石經以歸，皆令則也。二帥嘉納之。天會二年薨，年五十三，追封鄆王。正隆二年，例降封開府儀同三司。大定十五年，追封兖國公，謚英敏。子萼、筈，自有傳。孫仲誨。金史列傳。

仲誨，字子忠，筈子。皇統初，仲誨以宰相子授忠勇校尉。九年，賜進士第，除應奉翰林文字。海陵嚴暴，臣下應對多失次。嘗以時政訪問在朝官，仲誨從容敷奏，無懼色，海陵稱賞之。金史列傳。貞元初，丁父憂，起復翰林修撰。大定二年，遷待制，尋兼修起居注，左補闕。三年，詔與左司員外郎富察富色克，廉問所過州縣，還奏，進玉田縣令李方一階；順州知法、權密雲縣事王宗永，擢密雲縣尉；免順州司候張璘、密雲縣舒穆嚕烏哲。原作石抹烏者。宏簡録二百八十八。丁母憂，起復太子右諭德，遷翰林直學士，改棣州防禦使。宋史列傳。境内多盜，厭次縣送所獲强盜數十，疑其有寃，乃擇老稺者先釋之。未幾果獲真盜。入爲禮部侍郎，兼左諭德，遷太子詹事。宏簡録。上曰：東宫官屬，猶當選用正人，如行檢不修及不稱位者，具以名聞。又曰：東宫講書或論議間，當以孝儉德行正身之事告之。頃之，東宫請增牧人及張設什用，上謂仲誨曰：太子生於富貴，每教之恭儉。朕服御未嘗妄有增益，卿以此意諭之。改御史中丞。十四年，爲賀宋國歲元使。宋主欲變親起接書之儀，遣館伴王抃來議，曲辨强説，要以必從。仲誨曰：使臣奉命，遠來修好，固欲成禮，而信約所載，非使臣輒敢變更。公等宋國腹心，毋僥倖一時，失大國歡。往復再三，竟用舊儀，親起接書成禮而還。復爲太子詹事，遷吏部尚書，轉太子少師。坐失糾舉大長公主事，與侍御史李瑜各削一階。大定十九年卒。金史列傳。生平立朝峻整，容色莊重，前後爲東宮官十五年，多進規戒。宏簡録。世宗嘗曰：朕見劉仲誨，嘗若將切諫者。其以剛嚴見知如此。一統志。

左泌，字長源，企弓長子也。仕遼，官至棣州刺史。太祖平燕，泌從企弓歸朝。既而東遷至平州，企弓爲張覺所害，泌復還燕。是時以燕與宋，宣撫司遣至汴。泌以平州仇人在是，乃間道奔還。朝廷嘉之，擢西上閤門使。金史列傳。從宗望南伐，破真定有功，擢知祁、澤、隰三州。貞元初，遷濬州防禦，陝西路轉運使，封戴國公。泌性夷澹，好讀莊、老。宏簡録二百二十八。年六十一，卽請致仕。親友或以爲早，泌歎曰：予年三十秉旄鉞，侵尋仕路又三十年，名遂身退，可矣。時人高之。卒，年七十四。金史列傳。弟淵，自有傳。淵子光慶。

光慶字君錫，幼穎悟，沈厚少言。淵嘗謂所親曰：世吾家者，此子也。以蔭補閤門祗候，遷西上閤門副使。丁父憂，起復東上閤門副使，再轉西上、東上閤門使，兼太廟署令。光慶好古，讀書識大義，喜爲詩，善篆隸，尤工大字。世宗行郊禮，受尊號，及受命寶，皆光慶篆。凡宗廟牓署經光慶書者，人稱其有法。典領原廟、坤厚陵、壽安宮工役，不爲苛峻，使勞逸相均。身兼數職，勤慎周密，未嘗自伐，世宗獨察之。初，御史大夫璋請製大金受命寶，有司以秦璽文進，上命以大金受命萬世之寶爲文。徑四寸八分，厚一寸四分，蟠龍紐，高厚各四寸六分有半。禮部尚書張景仁、少府監張謹言典領工事，詔光慶篆之。遷同知宣徽院事，改少府監。丁母憂，起復右宣徽使。世宗幸上京，光慶往治儀仗制度，時人以爲得宜。二十五年卒，年五十一。上遣使致祭，賻銀三百兩、重綵十端、絹百疋。平時喜爲善言，蓄善藥，號善善道人。晚信浮屠法，自作真贊，語皆任達云。金史列傳。

趙元，字善長，涿州范陽人。遼天慶八年進士第，仕至尚書金部員外郎。遼亡，郭藥師爲宋守燕，以元掌機宜文字。王師取燕，藥師降，樞密使劉彦宗辟元爲本院令史。天會間，同知薊州事。有賊殺人横道，官吏圜視，莫知所爲，路人耕夫聚觀甚衆。元指田中釋耒而來者曰：此賊也。叱左右縛之，遂伏。僚吏問其故，元曰：偶得眉睫間耳。金史列傳。會立磨勘格，以元嘗仕於宋宣和，除名。宏簡録二百三十九。齊國廢，置行臺省於汴，選名士備官屬，元在選中，授行兵部郎中。及宗弼再取河南，金史列傳。以元攝户部事，賦調、兵食，悉皆倚辦。天眷三年，轉行臺右司員外郎。囚有殺人當死者，行臺欲宥之，元不從，反覆數四，宏簡録。乃仰天歎曰：如殺人者可宥，死者復何辜？何欲徼己福而亂天下法乎？行臺竟不能奪。改左司員外郎，攝吏部事。在行臺凡十年，吏事明敏，行臺或有事上相府，宗弼必問：曾經趙元未也？其見重如此。久之，同簽汴京留守事，改同知大名尹。用廉遷河北西路轉運使，歷彰德、武勝等軍節度使，以老致仕，卒於家。金史列傳。

韓企先，燕京人。九世祖知古，仕遼爲中書令，徙柳城，歷世貴顯。至企先，博通古今經史。乾統間，登進士，回翔不振。都統宗杲定中京，擢樞密副都承旨，遷轉運使。宏簡録二百二十八。宗翰經略山西，表署西京留守。天會六年，劉彦宗薨，以企先代之，同中書門下平章事，知樞密院事。七年，遷尚書左僕射兼侍中，封楚國公。金史列傳。初，太祖定燕，始用漢官宰相，置中書省、樞密院於廣甯府，本朝自用女真官號。太宗初年，無所更改。及張敦固伏誅，移置中書、樞密院於平州，又移置燕京。凡漢制選授、調發、租税，皆承制行之。宏簡録。舍音、宗幹當國，勸太宗改女真舊制，用漢官制度，金史列傳。立尚書省以下諸司、府、寺，始以企先爲右丞相。宏簡録。召至上京入見，太宗甚驚異，曰：朕疇昔嘗夢此人，今果見之。於是，方議禮制度，損益舊章。企先知前代故事，因革咸取折衷。一統志。企先爲相，拔擢一時賢能，皆置機要。金史孟浩傳。宗翰、宗幹雅敬重之。金史列傳。皇統元年，封濮王。六年二月丙寅，薨，案：通鑑作夏五月。年六十五。宏簡録。正隆二年，例降封齊國公。大定八年，配享太宗廟庭。十年，司空李德固孫引慶，求襲其祖明安，世宗曰：德固無功，其明安且闕之。漢人宰相，惟韓企先最賢，他不及也。金史列傳。企先入相兩朝，幾二十年，成功著業，故世宗稱其賢焉。金史傳贊。十一年，將圖功臣像於衍慶宮，上曰：丞相企先，本朝典章制度多出斯人之手。至於關決大政，與大臣謀議，不使外人知之，由是無人能知其功。前後漢人宰相無能及者，置功臣畫像中，亦足以示勸後人。金史列傳。乃命圖其形。十五年，謚簡懿。宏簡録。子鐸。

鐸字振安，企先次子也。皇統末，以大臣子授武義將軍。熙宗聞其有儒學，賜進士第，除宣徽判官，再遷刑部員外郎。海陵遣中使諭之曰：郎官，高選也，以汝勳賢之子，行己蒞官，能世其家，故以命汝。苟能夙夜在公，當不次擢用，雖公相可到。金史列傳。鐸感激思奮，獄或有疑，據經議讞，咸得其當。宏簡録二百二十八。海陵伐宋，改兵部員外郎。金史列傳。大定初，遷本部郎中，累官河州防禦使。求養親，解去。召爲諫議大夫，遷中都路都轉運使。頃之，上謂宰臣曰：韓鐸年高，不任繁劇，且其母老矣，可與之便郡。於是改順天軍節度使。卒。金史列傳。案：崔立傳，立遣其黨韓鐸以太后命召從恪。通鑑輯覽注，韓鐸，燕人。考金史，鐸於世宗時已卒，崔立所遣之韓鐸，在哀宗天興時。當別是一人。

翟永固，字仲堅，中都良鄉人。太祖與宋約攻遼，以燕歸宋。宋人以經義兼策取士，永固中第一，授開德府儀曹參軍。金破宋，永固北歸。金史列傳。又中天會六年詞賦科，授懷安丞，遷望雲令，補樞密院令史。宗翰愛其能，辟爲府掾。宏簡録二百三十五。永固家貧，求外補。宗翰不許，以錢三千貫周之，薦於朝，攝左司郎中，除武定軍節度副使，歷同知清州防禦使，入爲工部員外郎。以母憂去官。起復禮部郎中，遷翰林直學士。金史列傳。海陵簒立，命副完顏思恭爲宋報諭使，就令伺察動靜。使還，改禮部侍郎。宏簡録。久之，分護燕京宫室役事，永固請寫無逸圖於殿壁，不納。俄遷太常卿，考試貞元元年進士，出尊祖配天賦題，海陵以爲猜度己意，召永固問曰：賦題不稱朕意，我祖在位時，祭天拜乎？對曰：拜。海陵曰：豈有生則致拜，死而同體配食者乎？對曰：古有之，載在典禮。海陵曰：若桀、紂曾行，亦欲我行之乎？金史列傳。遂與張景仁皆杖二十。俄遷永固禮部尚書，賜笏頭毬文金帶，改永定軍節度使。宏簡録。正隆二年，例降二品以上官爵，永固階光禄大夫，不降以寵異之。遷翰林學士承旨，與直學士韓汝嘉俱召至内殿，問以將親伐宋事，永固對曰：宋人本朝無釁隙，伐之無名；縱使可伐，亦無煩親征，遣將帥可也。金史列傳。由是大忤旨。永固卽請致仕，歸卧於家。大定二年，起尚書左丞，請依舊制廉察官吏，革正隆守令之汙。從之。宏簡録。明年，表乞致仕，不許，罷爲真定尹，賜通犀帶。尚書省奏，永固自執政爲真定尹，其繖蓋當用何制度？上曰：用執政制度。遂著爲令。五年，懇乞致仕，許之。六年，薨。金史列傳。

高昌福，中都宛平人。父履，遼御史中丞致仕；太宗聞其名召之，未及入見而卒，特詔昌福釋服應舉，中天會十年進士第，補樞密院令使。明年，辟元帥府令使。皇統初，宗弼復河南，金史列傳。詔諸州郡，軍旅之事，決於帥府。金史宗弼傳。人有疑似被獲，皆指爲宋諜，殺之。昌福讞得實，釋者甚衆。畿輔唐志七十一。州都統韓常嚴酷好殺，遣吏送囚於汴，因道亡，自度不免，欲盡殺以滅口。亦爲窮竟其狀，免死者十七八。宏簡録二百三十九。而諸吏遂怨昌福，欲搆害之。是時方用兵梁、楚間，夜多陰雨，元帥府選人偵宋兵動静，諸吏進昌福。昌福不辭卽行，盡得敵軍虛實，報元帥府。師還，除振武軍節度使，轉行臺禮部員外郎。天德間，行臺罷，改絳陽軍節度副使，入爲兵部員外郎，金史列傳。轉河間少尹。世宗卽位，上書陳便宜事，上披閲再三，因謂侍臣曰：自此可以識内外官之優劣，不然，朕何由知之？三除東京留守同知，治稱最。遷山東西路轉運使、工部尚書、彰德軍節度使。宏簡録二百三十九。上書言賦税太重，上問翰林學士張景仁曰：税法比近代爲輕，而以爲重，何也？景仁曰：今之税殊輕，若復輕之，國用且不足。事遂寢。累遷河中尹，致仕，卒。金史列傳。

韓錫，字難老。其先自析津徙薊之漁陽。祖貽愿，遼宣徽北院使。父秉休，歸朝，領忠正軍節度使。錫以廕補閤門祇候。天會中，南伐，錫從軍，掌禮儀。俄以母老，迺就監差。久之，授神鋭軍都指揮使，入爲宮苑使。天德元年，擢尚書工部員外郎，領燕都營繕，特賜胡礪榜進士及第，四遷尚書户部侍郎。金史列傳。二年，命錫以工部侍郎同知宣徽院事，錫不謝，杖二百，奪所授官。金史海陵紀。案：錫傳不載此事，亦不言爲工部侍郎，疑户字卽工字之誤也。俄因母喪，起復舊職，付金牌一、銀牌十，籍山東水手部船三百。會蘇保衡於廣陵率舟師泛海，徑趨臨安，宋兵來襲，敗於海中，（金史蘇保衡傳。）喪船過半。令錫補足之。時水淺，船不得進，海陵遣使急責之，衆稍亡，錫召諸豪諭之曰：今連保法嚴，逃將安往？縱一身偶脱，其如妻子何？衆悟，亡者稍止。大定改元於遼東，錫奔赴行在，詔復前職。明年，授同知河間府事。（金史列傳。）時皇族居彼者縱甚，上引見香閣，令悉繩之以法。錫下車宣布詔言後，無敢有撓政害民者。（宏簡録二百三十九。）遷孟州防禦使，累拜絳陽軍節度使，改知濟南府事。告老，許之。明昌五年，卒，年八十三。（金史列傳。）曾孫玉。

玉字温甫，明昌五年，經義、詞賦兩科進士。入翰林，爲應奉，應制一日百篇，文不加點，又作元勳傳稱旨。章宗歎曰：勳臣何幸得此家作傳耶！泰和中建言，開通州潞水漕渠，船運至都。陞兩階，授同知陝西東路轉運使事。（金史列傳。）大安三年，都城受圍，夏人連陷邠、涇，陝西帥司檄玉爲都統府募軍，旬日得萬人，藉秦州場買馬，官香及鳳翔冒買馬七百，實雞埋没官鐵、他州郡弓弩數千以給軍。出屯華亭。與夏人戰，敗之，獲牛馬千餘。時夏五萬兵圍平涼，又戰于北原。夏人疑大軍至，是夜解去。（大金國志二十八。）當路者忌其功，駁奏玉與寇有謀。朝廷疑之，使使者授玉河平節度使，且覘其軍。先是，華州李公直以都城隔絶，亦謀舉兵入援，以書約玉。（宏簡録二百四十五。）玉恃其軍可用，（大金國志。）毅然有勤王之志，因移檄關中，言詞忠壯，聞者感動。其檄有云：人誰無死？有臣子之當然；事至于今，忍君親而弗顧！勿謂百年身後虚名，一聽史臣；只如今日目前，何顔再居人世？王侯將相，甯有種乎！富貴功名，當自致耳。歸潛志五。公直一軍，行且有日，有不從者，輒以軍法從事。京兆統軍使見其言峻厲，謂公直據埜州反。遣都統楊珪襲取之，遂寘極刑。玉初不知有所約書，安撫使得之，轉語使者，誣玉亦預謀。宏簡録。玉道出華州，被囚，死于郡學。臨終書二詩壁間，士論寃之。金史列傳。子不疑。

不疑字居之，以父死非罪，誓不禄仕。藏其父臨終時手書云：此去冥路，吾心浩然剛直之氣必不下沈，兒可無慮。世亂時艱，努力自護；幽明雖異，甯不見爾！讀者惻然。金史列傳。

劉中，字正夫，漁陽人。爲人短小精悍，滑稽玩世。中明昌五年詞賦經義第，詩清便可喜，賦甚得楚辭句法，尤長于古文，典雅雄放，有韓、柳氣象。教授弟子王若虚、高法颸、張履、張雲卿，皆擢高第。學古文者翕然宗之曰劉先生。以省掾從軍南下，改授應奉翰林。文字爲主帥所重，常預密謀，書檄露布，皆出其手。軍還，授左司都事。將大用矣，會卒。有文集藏於家。中州集四。

賈少沖，字若虚，通州人。勤學，日誦數百千言。家貧甚，嘗在道中獲遺金，訪其主歸之。金史列傳。天會中，調民兵伐宋，代其叔行。雖行伍間，未嘗釋卷。劉筈欲妻以妹，辭不就，曰：富貴當自致之。登天眷二年進士，調營州軍事判官。守正不阿。遷定安令，屬吏咸畏。察廉，進官一階，再遷吏部主事，定武軍節度使副使，河中府判官。宏簡録三百三十七。海陵寢以失道，少冲謂所親曰：天下且亂，不可仕也。金史列傳。秩滿，不復出。大定初年，累遷刑部郎中。一統志。往北京決獄，奏誅首惡，詿誤牽連者皆釋不問，全活凡千人。以本職攝右司員外郎。嘗執奏刑名甚堅。既退，上謂侍臣曰：少冲居下位，有守如此。除同知河間尹。數月，入爲秘書少監，兼起居注、左補闕。少冲外柔内剛，每從容進諫，世宗稱美之。十四年，爲宋主生日副使。宋國方有祈請，上以意諭少冲，少冲對曰：臣有死無辱。宋人别致珍異，少冲笑曰：行人受賜，自有常數，甯敢以賂辱君命乎？卻不受。遷右諫議大夫。十七年，請老，除衛州防禦使，遷河東南路轉運使，召爲太常卿，兼秘書少監。復請致仕，不許，改順天軍節度使，卒。少冲性夷簡而不喜言利，嘗教諸子曰：廕所以庇身，筦庫不可爲也。聞者尚之。子益。金史列傳。

益字損之，少穎悟如成人。大定十四年，父少冲充宋主生日副使，益侍行。是時，宋人常争起立接受國書之禮，少冲問益曰：卽宋人欲變禮，持議不決，奈何？益曰：守死無辱，可謂使矣。少冲大奇之。大定十九年進士，調河津主簿。丁父憂，去官。察廉，起復礬山令，補尚書省令使。金史列傳。丁母憂，服闋，除定海軍節度副使，歷監察御史，知登聞鼓院，兼少府少監，禮部左司郎中，拜吏部侍郎，兼蔡王傅。以病免。宏簡録。除鄭州防禦使，陝西東路轉運使，順天軍節度使。大安初，召爲吏部尚書。有疾，改安國軍節度使。益調民夫修完城郭，爲戰守備。按察司止之，不聽，曰：治城，守臣事也，按察何預？既而兵至，以有備解去。改横海、定國軍節度使，道阻不赴。金史列傳。會宣宗爲吏部尚書，益爲侍郎，相得歡甚。貞祐二年，至汴京，訪益所在，召爲太常卿。上防秋十三事，論遷河北軍民非便。不報。宏簡録。貞祐三年致仕。元光九年，卒。金史列傳。

劉徽柔，字君美，安次人。一統志。天眷三年，擢進士第。初爲真定欒城主簿，轉開遠軍節度掌書記，遷洪洞令。性明敏，善聽斷。縣人楊遠者，投牒於縣，以爲夜雨屋壞，壓其姪死，號訴哀切。徽柔熟視而笑曰：汝利姪財而殺之，乃誣雨耶？叱付獄。其人立伏，曰：公神明也，不敢延死。遂寘於法。金史列傳。秩滿，縣人遮留不得，爲立祠刻石，以頌功德。東安李志。正隆二年，入爲大理評事，遷司直。大定二年，同知河東南路轉運使事，以廉第一，改知平定軍，入爲大理少卿。七年，知磁州，改同知南京留守事。十年，遷中都路轉運使，卒官。金史列傳。

王中安，其先自臨潢移貫宛平。金史王賁傳。家世好義。宏簡録二百三十五。祖士方，正直敢言。遼道宗信樞密使耶律伊遜之讒，殺其太子，世無敢白其冤者，士方擊義鐘以訴。遼主感悟，卒殺伊遜，厚賞士方，授承奉官。中安擢進士第，坐田穀黨事廢。金史王賁傳。世宗在熙宗時，知田穀黨事皆蔡松年等搆成之，而浩等案：浩即孟浩。三十二人遇天德赦令，還鄉里，多物故，惟浩與中安在。大定二年召見，復官爵，中安知火山軍事，金史孟浩傳。後終沂州防禦使。中安及二子賁、質，俱登進士。宏簡錄。

賁字文儒，性孝友，勤敏學，由復州軍事判官補尚書省令史，擢右三部檢法司正。侍御史賈鉉舉賁安静有守，不尚奔競，政府亦言其廉，素善議論。擢河北東西、大名府路提刑判官，選授尚書省都事，用薦者多。起復刑部員外郎，爲侍御史，累遷南京按察使，卒。賁敦厚尚義，篤於親朋，不營產業，比殁，家甚窶。贈朝列大夫，仍厚卹其家。金史列傳。

質字敬叔，累官吏部主事，以才幹舉遷昭義軍節度副使，至禮部尚書，致仕，卒。宏簡錄二百三十五。章宗問質臨事若何，張公萬對曰：勝其兄賁。章宗曰：及其兄亦可矣。金史列傳。

王翛，字翛然，涿州人。登皇統二年進士。由尚書省令史除同知霸州事。金史列傳。甫入仕，即以才幹稱。大定中，皇子曹王尹大興，翛爲少尹。王移鎮北門，復以同尹從之。前後多所規益，朝廷稱焉。中州集八。嘗同知咸平府，攝府事。歸潛志八。吏民憚其威，雖豪右不敢畏犯。（金史列傳。）遷遼東路轉運使。時遼東路多世襲猛安、謀克居焉，其人皆女真功臣，驁亢奢縱不法，脩思有以治之。會郡民負一世襲猛安者錢，貧不能償，猛安者大怒，率家僮輩强入其室，牽其牛以去，民因訟于官。脩得其情，令一吏呼猛安者。其猛安者盛陳騎從以來，脩朝服召至廳事前，詰其事，趣左右械繫之，乃以强盗論，杖殺于市。一路悚然。（歸潛志八。）歲餘，改顯德軍節度使。復坐拽辱倉使王祺致死，追兩階，降授鄭州防禦使。（宏簡録二百三十六。案：中州集云，爲怨家所誣，奪官，宰相有爲辨理者，得鄭州防禦使。與此頗異。）章宗卽位，擢同知大興府事。審録官奏，脩前任顯德，廉潔剛直，軍吏歛迹，訟獄無滯。遷禮部尚書，大理卿。（金史列傳。）明昌元年，充賀宋生日使。（金史章宗紀。）使宋還，會改葬章宗母孝懿后父圖克坦貞，（原作徒單貞。）欲用唐葬李靖故事，班劍、鼓吹、羽葆等儀衞。宰臣以貞與弑熙宗，意頗難之，有詔下禮官議。脩言：晉葬丞相王導，給前後羽葆、鼓吹、武賁、班劍百人；唐以來，大駕鹵簿有班劍，其王公以下鹵簿並無班劍並羽葆，非臣下所宜用，國朝葬大臣亦無之。上怒曰：典故所無，固可從宜用之。（宏簡録。）二年，改知大興府事。（金史列傳。）素察僧多游貴戚家作過，乃下令，午後僧不得出寺，街中不得見一僧。有一長老犯禁，脩械之。長老者素爲貴戚所重，皇姑長公主使人請焉，脩曰：奉主命，卽令出之。立召僧，杖一百，死。自是京輦肅清。（歸潛志八。）爲尹兩月，發姦擊强，剖繁理劇，百年以來無有出其右者。尋爲護前者所排，繫獄累月。

上知其非罪，出之。中州集八。明年，起授定海軍節度使。諭旨曰：卿賦性太剛，率意行事，自蹈刑辟。朕念入仕久，頗有執持；復遇歲歉，民饑爲盜，須舊人鎮撫；庶得安治，勉盡乃心，以圖後效。未幾，表乞致仕。泰和七年卒，年七十五。宏簡録二百三十六。其爲吏之名，人云過宋包拯遠甚。歸潛志八。至今言名臣者必及焉。中州集八。其子漸，爲吏亦有能稱，爲中都警巡使。歸潛志八。

張亨，字彦通，大興漷陰人。登皇統六年進士第，調樊山丞，以廉幹聞。授弘州軍事判官，歷鉅鹿、宜川令。金史列傳。大定二年，補尚書省令史，除大理司直，累遷左司郎中，户、吏二部侍郎，擢中都路都轉運使。坐失舉草場使鄧汝霖盗草事，解職。起授户部尚書。宏簡録二百三十九。世宗謂宰臣曰：御史中丞馬惠迪與張亨，人才孰優？平章政事張汝霖曰：惠迪爲人雖正，於事不敏；亨吏才極高。金史列傳。時車駕東巡，費用百出，自遼以東，距都四千里，泉貨甚少，計司患其不給，欲輦運以支調度，率三而致一。亨奏：不獨枉費國用，兼且重勞民力。乃創會便法，使行旅便於囊橐，國家省於轉輸。詔從之。俄因奏事脱略，出爲絳陽軍節度使。世宗復語宰臣曰：漢人三品以上官，常少得人，如張亨，頗爲衆議所歸，近令補外，可惜也。宏簡録。章宗卽位，初置九路提刑司，時方重其選，上以亨爲河東南北路提刑使，兼勸農採訪事，訪利病，條爲十三事以聞，上嘉納之。亨在職每事存大體，略苛細。御史以寬緩不事事劾之，降授蔡州防禦使。明年，遷南京路轉運使，轉知歸德府事，致仕。泰和二年卒，年七十八。金史列傳。亨才識强敏，明達吏事，終始有可稱云。一統志。

丁暐仁，字藏用，宛平人。曾祖奭；祖惟壽。父筠，以吏補州縣，所至有聲，後致仕，杜門不出，鄉里有鬬訟者，不之官，就筠質焉。暐仁沖澹寡欲，讀書外無一他好。遼季避難，間關道途，未嘗釋卷。宏簡録二百三十九。皇統中，舉進士。畿輔唐志七十一。調武清縣丞。縣經兵革後，無學校，暐仁召邑中俊秀子弟教之學，百姓欣然從之。調磁州軍事判官，以廉攝守事，遷和川令。前令罷耎不事事，羣小越法干禁無所憚，暐仁申明法禁，皆屏息，或走入他縣以避之。有董祐者，最稱强悍，畏服暐仁，以刀斷指，誓終身不復犯法。凡租賦皆與百姓前爲期率，比他邑先辦。歷北京推官，再遷大理司直。以憂去官，尋起復。大定三年，除武定軍節度副使，金史列傳。闕官攝政，獄無留訟。改大理丞、吏部員外郎。宏簡録。於是，賈少冲爲刑部郎中，上謂左丞相赫舍哩良弼曰：少冲爲人柔緩，不稱刑部之職，其議易之。乃以暐仁爲刑部郎中，金史列傳。復轉户部。坐尚廐局官私用官芻，違格解職。左授祁州刺史。祁本定武支郡，宏簡録。士民聞暐仁之官，金史列傳。相率歡迎於道。改同知西京留守，畿輔唐志。首興學校，以明養士法。遷陜西西路轉運使。大定二十一年，卒官。金史列傳。

馬惠迪，字吉甫，漷陰人。天德三年擢第，再調昌邑令，察廉第一，補尚書省令史。大定中，出爲西京留守判官，以治最，擢同知崇義軍節度使，累遷左司郎中。先是，鄧儼居是職，世宗愛其明敏，惠迪一日奏事退，上謂宰臣曰：人之聰明多失於浮衒，惠迪聰明而樸實，五品以下朝官鮮有如者。未幾，起授御史中丞。不久，拜參知政事。時烏達葛葛（原作烏底改。）叛亡，世宗已遣人討之，又欲益以甲士，毀其船栰。惠迪奏曰：得其人不可用，有其地不可居，恐不足勞聖慮。上曰：朕固知之，所以毀其船栰，正欲不使再窺邊境耳。無何，討者不克敵而還，各杖罷之。惠迪尋以憂去，起爲昭義軍節度使。明昌元年，爲南京留守，致仕，卒。（宏簡録二百三十六。）

王啟，字希畢，大興人。正隆二年進士，累遷户部員外郎，通州刺史。用宰相萬公薦，權右司郎中。章宗卽位，不一歲，遷工部侍郎，卽以河南北路提刑使拜吏部尚書，使宋，使還，出爲絳陽軍節度使。致仕還鄉里，與左丞董、參政馬、宣徽盧、尚書郭爲九老會。年七十九，卒。子師揚。（中州集八。）

師揚字仲雄，南渡後隱居崧山，時年已六十餘。經傳子史，皆手自鈔之，如健舉子結夏課然。雷希、顏説、師揚在太學同舍，號爲閉户王先生，其謹厚蓋家法云。（中州集八。）

馬琪，字德玉，寶坻人。（一統志。）正隆五年擢進士第，調清源主簿，三遷永清令。永清畿縣煩劇，號爲難治，前令要介有能聲。琪繼任，不減譽問。（宏簡録二百三十六。）補尚書省令史，以永清治最，授同知武定軍節度使事，興中府治中，召爲户部員外郎。（金史列傳。）世宗悦其正直兼明法律，改爲侍御史。因奏高德温獄，於富户寄錢事皆略不奏，上以爲寬縱，語宰相曰：稱職之才，何其難也！（宏簡録。）尋轉左司員外郎。扈從東巡，遷右司郎中，移左司。時擇使宋國者，世宗欲命琪，宰相言其資淺，詔特遣之，還，授吏部侍郎。（金史列傳。）嘗薦楊伯通廉幹，尚書復察，如其所舉。尋改户部。章宗卽位，除中都路都轉運使。（宏簡録。）時户部闕官，上命宰臣選可任者。或舉同知大興府事烏克遜仲和，上曰：仲和雖有智力，恐不能主錢穀理財，安得如劉晏者，官用足而民不困！唐代以來，一人而已。或舉琪，上然之曰：琪不肯欺官，亦不肯害民，是可用也。遂擢爲户部尚書。（金史列傳。）久之，疾病在告。上遣近侍傳旨，不具服而出，有司當以違慢，追官解任；大理少卿閻公貞謂荒遽失措，出於無心，復令任職。（宏簡録。）明昌四年，拜參知政事，詔諭之曰：户部遽難得人，顧無以代卿者，用卿晚耳。（金史列傳。）既在省，上問：比來凡事何故少於往時也？對曰：昔宰職多有異同，今情見不同甚少，故覺稀耳。上曰：往多情見爲是耶？今無者爲是耶？琪曰：事狀明者，不假情見，便用情見，亦要歸之是而已。五年，河決武陽，灌封邱而東。（宏簡録。）九月甲子，都水監官王汝嘉等，坐河決，各削官兩階。戊辰，命琪往視河決，仍許便宜從事。閏月庚辰，自行省回，具奏河決利害。承安三年，三月不雨，夏四月，命琪祈雨於太廟。金史章宗紀。連歲旱暵，表祈致仕，不許。明年，出鎮安武軍，致仕，卒。子師周，閤門祗候，當給假，以聞。上悼之，以不奏聞責諭有司，二品官卒皆具以聞，自琪始。琪性明敏，習吏事，其治錢穀尤長，金史列傳。然性吝好利，雖位參政，私鬻省醞，頗爲當時所少。宏簡録二百三十六。

宋扆，宛平人。正隆五年進士，歷辰州、甯化州軍事判官，曹王府記室參軍，陝西西路轉運都勾判官，補尚書省令史，除武定軍節度副使、中都右警巡使。時固安縣丞劉昭與部民裴原爭買鄰田，扆用昭屬，抑原使毋爭。御史臺劾奏，奪一官，解職，降廣甯府推官，改遼東路鹽使。丁父憂，起復吏部員外郎，歷薊、曹、景州刺史，同知中都路轉運使事，金史列傳。官至沁南軍節度使。畿輔唐志。貞祐二年正月乙未，大元兵徇懷州，金史宣宗紀。城破，死焉。金史列傳。

劉仲洙，字師魯，宛平人。大定三年登進士第，歷龍門主簿、香河酒稅使，再調深澤令。金史列傳。縣近滹沱河，秋成時，水忽暴溢，極力護塞，竟以無害。有盜夜發，居民震驚，率縣卒生執其一，餘衆遂潰，旦日掩捕皆獲。宏簡録二百三十九。尋以廉能進官一階，陞河北西路轉運司度支判官，入爲刑部主事，六遷右司員外郎，俄轉吏部。世宗謂宰臣曰：人有言敏辯而庸常不正者，有言拙訥而才智通達、存心向正者，如劉仲洙，頗以才行見稱，而口語甚訥。右丞張汝霖曰：人之若是者多矣，願陛下深察之。二十九年，出爲祁州刺史。以六善爲教，民化之。章宗卽位，除中都、西京等路提刑副使。先是，田穀等以黨罪廢錮者三十餘家，仲洙知其冤，上書力辯，帝從之，迺復穀官爵，而黨禁遂解。明昌二年，授并王傅，兼同知大同府事，尋改平陽，移德州防禦使。轉運郭邦傑、節度李晏皆舉仲洙以自代，陞爲定海軍節度使。金史列傳。歲饑，表請開倉，未報，先爲賑貸，劾論以贖。宏簡録。時仲洙兄仲淵，以罪責石州，仲洙上書，請以萊易石。朝廷義而不許。金史列傳。久之，以年老乞休，累表方聽。泰和八年卒，年七十五。宏簡録。仲洙性剛直，果於從政，尤長於治民，所在皆有功績，蓋一時之能吏云。金史列傳。

馬百禄，字天錫，通州三河人。父柔德，天會初第進士，累遷翰林修撰，坐田穀黨免官，迨黨禁解，復召用。百禄幼志學，事繼母以孝聞。登大定三年詞賦進士第，調武清主簿，由龍山令召補尚書省令史，不就，改榷貨副使、平陽府判官，入爲國子博士。朝廷以宰縣日清白多治績，特遷同知北京路轉運事，委録南北路刑獄，所至無冤。召爲同知户部員外郎，與同知河北東路轉運事季京爲中都等路推排使。明昌初，遷耀州刺史，吏民畏愛。提刑司以狀聞，授韓王傅，同知安武軍節度使。俄改兼同知興平軍，以提刑司復舉廉，升孟州防禦使，再遷南京路提刑使。御史臺言其剛直能幹，轉知河中府。承安四年致仕，卒。謚曰貞忠。金史列傳。

閻公貞，字正之，宛平人。登大定七年進士，調朝邑縣簿，由普潤令補尚書省令史，察廉，升同知亳州防禦，改中都左警巡使，以政績聞，遷同知武定軍節度。明昌初，召爲大理正，累進大理卿。金史列傳。户部尚書馬琪病告，近侍傳旨，不具服，曳履而出。有司議，當徒二年，減外猶追官解任。公貞以爲琪本荒遽失措，與非病告有違不同，宜減徒二年三等論之。上從公貞議。金史馬琪傳。公貞居法寺幾十年，詳慎周密，未嘗有過舉。被命校定律令，多所是正。金人以爲法家之祖云。金史列傳。承安元年，命與登聞檢院賈益同看陳言文字，遷翰林侍讀學士。未幾，卒。宏簡録二百三十六。

巨構，字子成，平谷人。幼篤學，金史列傳。大定時第進士，平谷朱志。由信都丞，察廉爲石城令，補尚書省令史，授振武軍節度副使，改同提舉解鹽司事，以課增，入爲少府監丞，再遷知登聞檢院，兼都水少監。金史列傳。大定二十三年六月壬子，有司奏，右司郎中段珪卒，上曰：是人甚明正，可用者也。如知登聞檢院巨構，每事委順而已。燕人自古忠直者鮮，遼人至則從遼，宋人至則從宋，本朝至則從本朝，其俗詭隨，有自來矣。金史世宗紀。二十五年，除構南京副留守。章宗爲皇太孫，上語之曰：佐貳之任，貴能與長官辨正，恐此人不能爾；若任以長官，必有可稱。章宗卽位，擢横海軍節度使，所治以鎮静稱。宏簡録二百三十九。構寬厚寡言，性尤謙退，故人既貴，不復往來，先遺以書，裁答寒温而已。大定中，詔與近臣同經營香山行宫及佛舍，其近臣私謂構曰：公今之德人，我欲舉奏，公行將大用矣。構辭之。以廉慎守法在考功籍，始終無過云。金史列傳。

梁瑲，字國寶，别字瑩中，范陽人。大定十六年進士，歷州、縣，稍遷警巡使。治尚嚴肅，權貴歛迹。朝廷知其才，累試繁劇，由中都路轉運使拜户部尚書，俄參知政事。天資方正，敢言大事。北兵動，立和議，人有笑其儒者，卒如其言。未幾薨於位。虎賊曰：梁瑲在，族矣。其爲人可知。中州集九。

崔遵，字懷祖，北燕人。父建昌，字曼卿，大定二十五年進士，仕至同知武安軍節度使事。遵事繼母孝，與人交有終始，遲重少語，未嘗及人短長。中州集七。少有詞賦聲，所交皆名士。累舉不第，南渡後，輟科舉不爲。歸潛志三。居崧山二十年，中州集。以讀書作詩爲事，歸潛志。課童僕治生，生理亦粗給。前輩如趙吏部子文，張左丞信甫，馮亳州叔獻，皆與之詩酒相往來。遵喜賓客，有醖藉，從容文雅，使人久與之處而不厭也。中州集。正大末，北兵入河南，爲兵所得，脅令往招洛陽，見殺。歸潛志。嘗有宿少林詩云：青山已有十年舊，小雪又爲三日留。其他往往稱是。中州集。元裕之稱之。歸潛志。

梁斗南，字拱宸，良鄉人。性穎悟，工詩，讀書閶山，與同舍生論及鬼神，斗南以爲不足畏，同舍生曰：閶山廣甯廟，汝能夜獨往乎？斗南曰：諾。當堊其壁爲驗。往則遥見殿上鐙燭照耀，聞曰：丞相來。鐙燭盡滅。斗南以筆堊殿壁間，由門至東北隅，暗中觸一物，捫之則人也。攜以歸，乃一女子，有殊色。問其故，曰：妾蘇州人，因清明觀擊毬，忽怪風晝晦，昏暗中不省至此，而爲公所救。人皆驚異，事聞，詔以女配斗南。生二子。人謂天賜夫人云。斗南登進士第一，累官至河南都運，有幹局，長於吏事，能剖繁治劇，時輩服其通敏。二子：敬，恭。敬左司郎，恭仕元世祖，官至金紫光禄大夫，中書平章事。（良鄉楊志。）（畿輔唐志七十九。）

麗鑄，字才卿，大興人，（中州集五。案：金史作遼東人。中州集爲元裕之所輯，係當時人，見聞較確。今從之。）自號默翁，家世貴顯。明昌五年進士，（中州集五。）博學，能文工詩，造語奇健不凡，世多傳之。（金史列傳。）風流文采，爲時輩所推，字畫亦有藴藉。（中州集五。）南渡後，爲翰林院待制，遷户部侍郎。（金史列傳。）仕有能名，坐游貴戚家，出倅東平，（歸潛志四。）改京兆路轉運使。卒。（宏簡録二百三十五。）

趙伯成，字子文，宛平人。明昌五年，經義、詞賦兩科進士，博通書傳，有真積之力。性沈厚，言必中理。在太學日，人以趙骨鯁目之。累遷侍御史，拜中丞，陝西西路轉運使，静難軍節度使。哀宗卽位，召爲吏部尚書，坐爲飛語所中，罷官。卒於崧山中。（中州集八。

范中，字極之，大興人。承安中進士，累官京西路司農少卿，滑州刺史。好賢樂善，有前輩風流。貞祐中，高琪當國，專以威刑肅物，士大夫被捃摭者，笞辱與徒隸等。醫家以酒下地龍散，投以蠟丸，則受杖者失痛覺，此方大行於時。中戲爲詩云：嚼蠟誰知味最長，一杯卯酒地龍香。年來紙價長安貴，不重新詩重藥方。時人傳以爲笑。中嗜讀書，一以資于詩，詩亦往往可傳。壬辰，卒于京師，年五十七。中州集八。

杜時昇，字進之，霸州信安人。博學，知天文。不肯仕進，承安、泰和間，宰相數薦時昇可大用。一統志。時昇謂所親曰：吾觀正北赤氣如血，東西亘天，天下當大亂，亂而南北當合爲一，消息盈虛，循環無端，察往考來，孰無違之。金史列傳。語多奇中。隱嵩、洛山間。萬曆沈志五。方金人重舉業時，昇首以伊洛之學教後進，金史辛愿傳。從學者甚衆。宏簡録二百四十六。正大間，元兵攻潼關，拒守甚堅，衆皆相賀。時昇曰：大兵皆在秦、鞏間，若假道於宋，出襄、漢，入宛、葉，鐵騎長驅，勢如風雨；中原四達，無高山大川爲之險阻，土崩之勢也。頃之，元衆自饒風關入襄陽，出南陽，金人敗績于三峯山，汴京不守，皆如時昇所料云。金史列傳。元初，屢聘不就，著述甚富，萬曆沈志。正大末卒。永清縣志。贈魏郡公，謚文獻。萬曆沈志。子瑛。永清周志。

趙質，字景道，遼相思温之裔。舉不第，隱居燕城南，教授爲業。明昌間，章宗游春水，過其地，聞絃誦聲，駕臨齋舍，見壁間題詩，諷詠久之，賞其志趣不凡，詔至行殿授官。宏簡録二百四十六。固辭曰：臣僻性野逸，志在長林豐草，金鑣玉絡非所願也。況聖明在上，可不容巢、由爲外臣乎？益奇之，賜田千畝，復之終身。泰和二年卒，年八十五。金史列傳。

吕貞幹，字周卿，大興人。吕氏自國朝以來，父子昆弟，凡中第者六人，以六桂名其堂。貞幹尤自刻苦，酷嗜文書，著碣石志數十萬言，皆近代以來事迹，幽隱譎怪，詼諧嘲評，無所不有。在史館，論正統獨異衆人，謂國家止當承遼，大忤章廟旨，謫西京運幕，量移北京。致仕，自號虎骨道人；晚感末疾，又號吕跛子。自作傳以見志。弟子安，字晉卿；子雲，字祥卿；子鑑，字德昭；皆名士。子羽，其從子云。中州集八。

子羽，字唐卿，大定末進士。中州集八。南渡爲左司郎中，坐事免官。後同知開封府，遷陳州防禦使。時軍旅數興，户口逃竄，子羽因以實聞于朝，而小人李涣以爲不憂國，失軍儲，下吏當死。子羽恥之，自縊于太康驛。歸潛志四。朝廷有辨其寃者，詔復官。雷希顔爲制辭云：毁譽之來，在仁賢而不免；是非之論，至久遠而乃公。人謂子羽於此語爲無愧云。中州集八。子羽入仕，以能稱，讀書爲文有士大夫風。致死非其罪，天下傷之。歸潛志。

高斯誠，字法颺，大興人。歸潛志四。劉中教授弟子。中州集四。至甯九年，經義魁也。讀書有學問，頗喜浮屠，自號唯菴。一作南菴。與王從之、李之純游。爲文詩，恬澹自得。初調鳳翔府録事，爲行部檄，監支納陳州倉，因忤郡魁，吏搆之，下獄，幾死，已而赦免，病終。歸潛志五。

高永，字信卿，漁陽人。歸潛志八。父元，字善長，教永作舉子業，略通，即棄之去。爲人不顧細謹，有幽并豪俠之風。賓客入門，則盡家所有者爲具，不爲明日計。人以此愛之。中州集八。讀書喜談兵，文辭豪放，長於論事。歸潛志八。自貞祐初避兵太原，與李長源汾居於廣平寺。有盜穴牆而入，汾性恇怯，聞騷窣聲，噤不敢語，盜盡挈永所有而去。汾徐曰：緑林之子至矣。於是永生理大狼狽。南渡，居嵩州，出入李純甫之門，其學遂進。初名夔，字舜卿，又名揆，純甫改焉。真定王之奇士衡攻雜學，純甫目爲怪魁。王從之若虚内翰爲賦善哭，詩奉聖馬餌升公，敢爲大言，著書十萬言，號北新子，大略以談兵爲主。且曰：古人兵法非不盡，但未有北新子五十里火雨耳。永皆與之游，故其詩豪宕譎怪，不爲法度所窘。中州集。在南京被圍，嘗上書言事，不報。病歿於京師，年四十六，自號應庵。歸潛志八。

完顏仲元，本姓郭氏，中都人。大安中，李雄募兵，仲元與完顏阿林俱應募。金史列傳。人呼仲元爲郭大相公，以别阿林。數戰有功。貞祐三年，賜姓完顔。宏簡録二百三十三。近制，賜本朝姓者，凡以千人敗敵三千者，賜及緦麻以上；敗二千人以上者，賜及大功以上；千人以上者，賜止其家。阿林既賜姓，以兄守楫及從父兄弟爲請。宣宗特詔許之。至是，仲元上奏曰：臣頃在軍旅，纔立微功，遽蒙天恩，賜之國姓，非臣殺身所能仰報。族兄徐州譏察副使僧喜、前汾州酒同監三喜、前解州監管勾天章、守興平縣監酒添福猶姓郭氏。念臣與僧喜等昔同一家，今爲兩族，完顔阿林與臣同功，皇恩所加併及本族，僧喜等四人，乞依此例。不許。金史完顔阿林傳。所將兵號花帽軍，最强勇。頃之，兼本路宣撫使，遥知河間府事。數月，改知濟南，權山東東路宣撫副使。宏簡録。貞祐四年，山東乏糧，仲元軍三萬欲於黄河之側或陝右分屯，上書乞補京官，且言恢復河朔之策。未幾，改河北宣撫副使。金史列傳。紅襖賊千餘人據漣水縣，遣提控羅索率兵擊破之，斬首數百，餘衆奔潰，遂復漣水縣。宏簡録。是歲十月，徙軍盧氏，改商州經略使，權元帥右都監。詔曰：商、虢、潼關，實相連屬，卿思爲萬全之計。未幾，潼關失守，仲元軍趨商、虢，復至嵩、汝，皆弗及。仲元上書曰：去年六月，臣嘗請於朝廷，乞選名將督諸軍，臣得摧鋒，身先士卒，糧儲不給，竟不果行。今將坐甲待敵，則師老財殫，日就困敝。其大概欲伐西夏以張兵勢。又曰：陝西一路最爲重地，潼關、禁坑及商州諸隘，俱當預備。向者，中都居庸最爲要害，乃由小嶺、紫荆逷出，我軍腹背受兵，卒不能守。近日由禁坑出，遂失潼關。可選精兵戍之。其後，乃置秦、藍守禦，及用兵西夏矣。（金史列傳。）興定元年，爲單州經畧使，敗宋人二千於龜山，復敗步騎千餘於盱眙，敗紅襖賊於白里港，獲老幼萬餘，皆縱遣之。宋人圍海州，仲元軍高橋，令阿林領騎逷出其後，夾擊之，宋兵解去。賜金帶，優詔奬諭。紅襖賊陷曹馬城，剽剠徐、單之間。提控高琬等分兵擊之，俘生口二千。三年，又奏，單城已固，積糧二十萬石，集鄉義軍萬餘，並閑訓練，足以守禦，乞以所部渡河。詔屯宿州，與赫舍哩德（原作紇石烈德。）同行帥府事。仲元有足疾，滿百日，詔曰：卿處置機務，撫存將士，可使李辛出兵。四年，遥領保静軍節度使，兼勸農使。五年，遷鎮南節度使。元光元年，改知鳳翔府，得士庶心。（宏簡録。）鳳翔被圍，左監軍實嘉喀齊喀來濟軍，仲元讓喀齊喀總兵事，喀齊喀曰：公素得衆心，不必見讓。仲元請身先士卒，諭諸將士曰：凡有奇功者，卽承制超擢，及危急，乃輒注四品以下。延札哈瑪爾力戰功最，輒授通遠軍節度使。（金史列傳。）北兵力攻數月不下，而退，卒保其城以聞。（歸潛志六。）圍解，奏請擅除拜之罪。宣宗嘉其功，皆許之。（金史列傳。）遷光禄大夫、元帥右監丞，授河北東路洮委必喇猛安，賜金幣並通犀帶。正大間，爲兵部尚書、皇太后衛尉，卒。仲元爲將，沈毅有謀，南渡後最稱名將云。（金史列傳。）

完顏阿林，原作阿隣。本姓郭氏，以功勞賜姓完顏。大安中，李雄募兵，阿林與完顏仲元等俱應募。金史列傳。南渡之初，將帥之中最著名者，曰郭仲元，俗號郭大相公，其軍號花帽子；原註：花帽子一作蒼鶻子。曰郭阿林，俗號郭三相公，其軍號黄鶴袖。二人本非親兄弟，以其壯勇，年齒先後爲配。阿林最驍勇，人莫能敵，屢與北兵戰，有功，爲士庶屬目。歸潛志六。宣宗即位初，除通州防禦使，遷河間府同知兼清州防禦使，將所部兵駐清、滄，控扼山東。轉横海軍節度使，與山東路宣撫副延札原作顏盞。天澤不相能，詔二臣當共濟國事，無執偏見，妄分彼此。尋改鎮泰定軍，山東西路宣撫使，與仲元俱加從宜招撫使。詔書獎諭，差第之，上等備征伐，中、下戍守，懦弱者罷去，量給地以贍其家。金史列傳。阿林所部黄鶴袖軍駐魚臺者，桀驁不法，掠平民，刼商旅，道路不通。有司乞徙於勝州。詔阿林就處置。頃之，破紅襖賊於泗水縣柘溝村，生擒郝定，送京斬之。金史列傳。尋改輝州經略使。宏簡録二百三十二。且令計約涿州刺史蘇爾坦等軍，恢復中都。於是仲元、阿林兵猥多，詔以三等阿林有衆萬五千，詔分五千隸東平行省，其衆訴泣云：我曹以國家多難，奮義相從，捐田宅，離親戚，轉戰至此，誓同立功，皆還鄉里，今將分配他軍，心實艱苦。乞以全軍分駐懷、衛、輝州之間，捍蔽大河。宏簡録二百三十二。阿林因以爲請。宰臣奏：若遂聽之，非唯東平失備，他將倣效，皆不可使矣。宣宗以爲然。加遥授知河南府事，應援陝西。金史列傳。阿林將兵八千，西至潼關，聞京兆已被圍，遊騎至華州，陝西行院欲令駐軍商、虢，拒東向之路。阿林奏：臣本援陝西，遇難而止，豈人臣之節！竊惟古用兵，步騎相參，方可得志；今乃各有所屬，臨難不救，互分彼此。今臣所統皆步卒，願賜馬軍千人，則京兆之圍不足解矣。宣宗善之，令皇太子諭，意阿林赴難不回，而軍勢單弱，併付以虢州五千，使乘隙而進。宏簡録二百三十三。興定元年，遷元帥右都監，出秦州伐宋。宋統制吴筠守皂角角又作郊。堡，城三重，據山之巔。阿林分兵絶其汲路，克其外城，再克其次城。宋兵縱火而出，阿林以騎兵邀之，遣步卒襲其後，宋兵敗，生獲吴筠及將校二百人，馬數百匹，糧萬石及兵甲衣襖。復敗宋兵於裴家莊六谷中，斬五百級，墜澗死者甚衆。又敗之於寒山嶺、龍門關、大石渡，得粟二千餘石。復敗之於稍子嶺，斬首二千餘級，生擒百人。是時三月，宿麥方溢，阿林留兵守之。已而宋兵大至，金兵敗，阿林戰殁。案歸潛志云，馬倒被擒。贈金紫光禄大夫、西京留守。金史列傳。

劉德基，大興人。貞祐元年，特賜同進士出身，守官邊邑。金史列傳。夏兵攻城，積薪廳事之傍，語家人曰：城破卽焚我。未幾果破，家人不肯縱火，遂被執。脅使跪降，德基不屈，同僚紿曰：此人素有狂疾，故敢如此。德基曰：爲臣死忠，理當如此爾，吾豈病狂者耶！宏簡録二百四十二。夏人壯其義，乃繫諸獄，冀其改圖。已而召問，德基大罵，終不能從，曰：吾豈苟生者哉！遂害之。贈朝列大夫、同知通遠軍節度使事。金史列傳。

王毅，大興人。經義進士，累官東明令。貞祐二年，東明圍急，毅領民兵數百人拒守。城破，毅猶拒戰，力窮被執，與縣人願戰者王八等四人同驅郊外。先殺二人，王八即前跪將降，毅以足蹈之，厲聲曰：忠臣不佐二主，汝乃降乎！驅毅者以刃斫其脛，毅不屈而死。贈曹州刺史。金史列傳。

馬肩龍，字舜卿，宛平人。一統志。先世遼大族，有知興中府者，時人號興中馬氏。祖大中，金初登科，節度全、錦兩州。金史列傳。父成誼，明昌五年進士，爲京兆府路統軍司判官。肩龍幼入太學，善詞賦，有聲。宏簡録二百四十二。過襄垣題詩酒家壁，辭氣縱横，時輩少有及者。中州集八。宣宗初，有誣宗室蘇爾坦殺人，將置之死，人不敢言其冤。肩龍獨上書，言其有將材，人罕過之。臣一介書生，無用於世，願代其死，留爲天子將兵。宏簡録。書奏，勅問：汝與蘇爾坦交分厚歟？肩龍對曰：臣知有蘇爾坦，蘇爾坦未嘗識臣。蘇爾坦冤，人不敢言，臣以死保之。宣宗感悟，赦蘇爾坦，授肩龍東平録事，委行省試驗。辛臣侯摯與語不契，留數日罷歸。金史列傳。將渡河，與排岸官紛競，搜篋中，得馬軍糧料名數及利害數事，疑爲姦細，繫歸德獄根勘。宏簡録。適蘇爾坦至，立救出之。正大三年，客鳳翔，元帥愛新深器重之。正大四年春，元軍西來，擬以德順爲坐夏之所，德順無軍，人甚危之。愛新識肩龍可與謀事，乃遺書招之。肩龍得書欲行，鳳翔總管哈薩喇國鑑以大兵方進，吾城可恃，德順決不可守，勸勿往。肩龍曰：愛新生平未嘗識我，一見許爲知己，我知德順不可守，往則必死，然以知己故，不得不爲之死耳。乃舉行橐付族父明之爲死別，冒險而去。既至，不數日受圍，愛新假肩龍鳳翔總管府判官，（金史列傳。）委以守禦。凡受攻二十晝夜，力盡城陷。（畿輔唐志七十六。）肩龍以劍自剄。時年五十三。軍中募生致肩龍，而不知其終。臺諫有言：當贈德順死事者官，以勵中外。（愛新列傳。）詔配食褒忠廟。（畿輔唐志。）

蕭漢傑，大興人，金國嘗賜姓奧里氏，故時人又謂之奧里漢傑。父仲寬，飛龍榜登科，同知青州軍州事，致仕。有子六人，皆使宦學，獨漢傑不樂，遂作舉子。爲人慷慨，有志膽，好讀書，通古兵法，及陰陽孤虛禄命之術。從軍二十年，積官從三品，領虢州倅，關陝總帥府提控，佩金符。蓋自燕城圍解之後，間關南渡，出入行陣間，瀕於死者屢矣。鐵嶺之潰，復入陝州；陝州亂，羣不逞輩繫漢傑獄中。漢傑乘昏暮，械而出，懼爲追者及，駕浮壺，亂黄流，筋疲力涸，僅達北岸。爲失侯故將者又二十年，流離頓踣，人所不能堪，而意氣都不少衰。問其日事，則曰：止以唐生季主之業游時貴間耳。（元遺山集十。）

董文甫，字國華，潞人。（續夷堅志一。）第進士。南渡，嘗爲大理司直，後爲河南府治中。（中州集云，歷金昌府判官，禮部員外郎，昌武軍節度副使，與歸潛志不同。然歸潛志乃劉祁所著，並言：興定初，余先子居喪淮陽，公乘傳過焉，談道竟日，余時爲童子，竊聽窗下云云。其所述似較真，今從之。）自號無事老人。爲人醇謹篤實，其學參取佛老二家，不喜高遠奇異，循常道，其於六經、論、孟諸書，凡一章一句，皆深思而有得，必以力行爲實事，不徒誦説而已。歸潛志五。人知尊之，而不知其何所得也。續夷堅志一。子安仁，傳其學，亦謹厚。歸潛志五。父子嘗閒居實豐，閉户不出，以習静爲業，朝夕不給，晏如也。中州集九。正大中，以公事至杞縣，自知死期，作書與家人及同官；又與杞縣令佐詩多至三十餘首，書畢，續夷堅志一。擲筆於地，以扇障面而逝。中州集九。

王彪，字武叔，大興人，貞祐五年經義魁也。爲文頗馳騁波瀾，性疏放，嗜酒，不拘細事。初對廷策，宣宗喜其文，以爲似古人，特授太子副司經、國史院編修官，進司經。末帝在東宫，頗見知。後入翰林爲應奉，遷修撰，出爲平涼府治中，入爲待制，出刺州，未赴。南京被圍，執之，服絶粒藥，俄飲酒，被藥死。歸潛志。

王鬱，字飛伯，金史列傳。初名青雄，宋元學案一百。大興人。宏簡録二百四十五。曾祖衍，金紫光禄大夫、定海軍節度使。祖彦信，邠州宜禄尉。父欽，山東路轉運司鹽鐵判官。鬱始生之月，父夢神人自天而下，開所負紫絲囊，賜一大鵰，且云：吾後必來取。其鵰在地振羽一鳴，驚而寤。訪諸日者，繇曰：凛凛霜鵰，賜自上穹。既文於外，又剛於中。法生貴子，其應在公。他日必作青雲之雄。既生，因采其語爲名字。歸潛志三。狀貌魁奇，目光如鶻，步武翩然。相者云，病鶴狀貌也。年十八，父殁，家素富，貲累千金，遭亂蕩散無幾。鬱殊不以爲意。歸潛志。少居釣臺，閉門讀書，不接人事。爲文法柳宗元，閎肆奇古，動輒數千言。歌詩俊逸，效李白。宏簡録。作樂府，人多傳之。中州集。是時學者，惟事科舉時文。鬱爲文一掃積弊，專法古人。最早爲麻九疇所賞，其後潛心述作，未嘗輕求人知。李欽叔過釣臺，得其所著傷魯麟、導懷等賦，并楊孝童碑、王夢祥哀辭，大驚，徧薦於諸公。歸潛志。用是頗自貴重。嘗以布爲囊，采當世名卿詩投其中，中州集。作王子小傳以自叙。金史列傳。又移隱陘山，覃思古學。歸潛志。正大五年，游京師，以兩科舉進士，不中，西游洛陽，放懷詩酒，盡山水之歡。宋元學案。平日好議論，尚氣，自以爲儒中俠。其論學，孔氏能兼佛老，佛老爲世害，然有從事孔氏之心學者，徒能言而不能行，縱欲行之，又皆執于一隅，不能周徧。故嘗欲著書，推明孔子之心學，又別言之行之不同，以去學者之弊。其論經學，以爲宋儒見解最高，雖皆笑東漢之傳注，今人唯知蹈襲前人，不敢誰何，使天然之智識不具，而經世實用不宏，視東漢傳注尤爲甚。亦欲著書，專與宋儒商訂。其論爲文，以爲近代文章爲習俗所蠹，不能遽洗其陋，非有絶世之人，奮然以古作者自任，不能倡起斯文。故嘗欲爲文取韓、柳之辭，程、張之理，合而爲一，方盡天下之妙。其論詩，以爲世人皆知作詩，而未嘗有知學詩者，故其詩皆不足觀。詩學當自三百篇始，其次離騷，漢、魏、六朝、唐人，過此，皆置之不論。蓋以尖慢浮雜，無復古體。故其詩必求盡古人之所長，削去後人之所短。其論出處，以爲仕宦本求得志，行其所知以濟斯民，其或進而不能行，不若居高養蒙，行樂自適，不爲世網所羈。歸潛志。辛愿嘗謂鬱曰：王侯將相，世所共嗜者，聖人有以得之亦不避，得之不以道，與夫居之不能行己之志，是欲澡其身而伏於厠也。是難與他人道，子宜保之。金史辛愿傳。天興初，元兵圍汴京，上書言事，不報。宏簡録。四月，圍稍解，挺身突出，爲兵士所得。其將遇之甚厚。鬱徑行無機防，爲其下所忌，見殺。臨終懷中出書曰：是吾生平著述，可傳付中州士大夫曰，王鬱死矣。金史列傳。年甫三十。歸潛志。

張潛，字仲升，武清人。幼有志節，慕荆軻、聶政之爲人。年三十，始折節讀書。時人高其行誼，目爲張古人。後客嵩山，從仲振受易。年五十，始娶魯山孫氏，亦有賢行。夫婦相敬如賓，負薪拾穗，行歌自得，不知其貧也。金史列傳。鄰里有爲潛種瓜者，及熟，讓潛，潛弗取。嘗行道中拾一斧，訪其主還之。里有兄弟爭財者，其弟曰：我家如此，獨不畏張先生知耶！遂如初。金史列傳。其爲人敬服如此。宏簡録二百四十九。天興間，潛挈家避兵少室山，乃不食七日，死。孫氏亦投絶澗死焉。金史列傳。

李伯淵，寶坻人。畿輔唐志七十六。本安平都尉司千户。美姿容，深沈有謀。金史崔立傳。爲金都帥，與崔立守邊。畿輔唐志。天興二年，春正月，崔立作亂，以城降蒙古，通鑑輯覽九十一。又括在城金銀，搜索薫灌，訊掠慘酷，貴族富人不堪其毒。（宋史紀事本末九十。）伯淵結燕人李齊諾，（畿輔唐志。）每憤立不道，欲仗義殺之。（金史崔立傳。）三年六月甲午，傳近境有宋兵，（宏簡録二百四十八。）與立謀備禦之策。翼日晚，伯淵等燒外封邱門，以警動立。（金史崔立傳。）比明，設伏門外，約立視火。立從苑秀、折希顔數騎而往，傳諭京城民十五以上、七十以下男子，皆詣太廟街點集，還至中途，倉猝中，伯淵就馬上抱立，横刺之，因墜馬死。（宏簡録。）伏兵起，元帥洪果薩哈殺苑秀、折希顔後，立軍士追斬之。伯淵號於衆曰：立殺害劫奪，烝淫暴虐，大逆不道，古今無有，當殺之不？萬口齊應曰：寸斬之未稱也！乃梟立首，望承天門祭哀宗，遂籍其家。（金史崔立傳。）

張天綱，字正卿，霸州人。至甯元年詞賦進士。性寬厚端直，議論醇正，造次不少變。累官咸甯、臨潼令，入補尚書省令史，拜監察御史，以鯁直聞，陞户部郎中。（金史列傳。）哀宗東幸，改左右司郎中。扈從至歸德，擢吏部侍郎。屢言元帥官努有反狀，上初易之，後果反，擢權參知政事。（宏簡録二百四十四。）及從上還蔡，（金史列傳。）時久雨，朝士扈從者徒行泥水中，掇青棗爲糧，數日足脛盡腫，天綱亦然。（金史烏庫哩鎬傳。）轉御史中丞。扶溝縣招撫司知事劉昌祖上封事，請大舉伐宋，上命天綱面詰其蘊。召與語，無可取者，然重違上命，且恐塞言路，奏以爲尚書省委差官。護衛鈕祜禄温綽、近侍直長鈕祜禄色埒默、奉御陳謙、權近侍局直長内族泰和四人，以食不給，出怨言，乞往陳州就食。天綱奏令監之出門，任所往。才出及汝南岸，遇北兵，皆見殺。時人快之。金史列傳。烏庫哩先生者，本貴人家奴，爲全真師，佯爲狂態，裸顛露足，綴麻爲衣，人亦謂之麻跛先生。自言能使軍士服氣，不費糧石。右丞仲德知其妄，乃奏欲如田單假神師退敵之意，授一真人之號，北兵信巫，必駭異之，或可以成有功。金史烏庫哩鎬傳。天綱力辨以爲不可，遂止。軍吏舒穆嚕和爾原作石抹虎兒。求見仲德，自謂有奇計退敵，問之，北兵所恃者馬，今欲制其人，先制其馬。因出馬面具，貓惡如獅子狀，别制青麻布爲足、尾，仍繫大鈴于頸，壯士乘之，以突彼騎，騎必皆驚逸，我軍鼓譟繼其後，此田單所以破燕也。宏簡録。天綱曰：不可。彼衆我寡，不足恃，縱使驚去，安保其不復來乎？恐徒費工物，祇取敵人笑耳。乃罷。蔡城破，爲宋將孟珙得之。宏史列傳。珙問金主所在，天綱曰：城危時自經矣。通鑑輯覽九十二。械至臨安，俘見廟社。宏簡録。既而命臨安知府薛瓊問曰：有何面目到此？天綱曰：國之興亡，何代無之！我金之亡，比汝二帝何如？瓊叱之。明日奏其語，帝召天綱，問曰：汝真不畏死耶？天綱對曰：大丈夫患死之不中節爾，何畏之有！因祈死不已。帝不聽。初，有司令天綱供狀，必欲書主爲虜主，天綱曰：殺卽殺，焉用狀爲！有司不能屈，聽其所供。天綱但書故主而已。聞者憐之。後莫知其所終。金史列傳。

李天翼，字輔之，固安人。貞祐二年進士，歷滎陽、長社、開封三縣令，所在有治聲。

遷右警巡使。汴梁既下，僑寓聊城，落魄失次，無以爲資。辟濟南漕司從事，方鑿圓枘，不與世通。衆口媒蘖，竟罹非命。天翼材具甚美，且有志於學，與人交，欵曲周密，久而愈厚。死之日，天下識與不識皆爲流涕。中州集八。

崔禮，潡人。仕金爲四鄉教諭。金亡，隱居潡東南小安村，搆園，植花卉，閉户自娱。通州志。元丞相兀都台及帙古迭兒嘉其高節，數過訪，復以金鐘駟馬聘之。終不出。祀鄉賢。高志。

華陽吳祖椿校

人物志六

先賢六

黃岡洪良品纂　江陰繆荃孫覆輯

元

耶律楚材子鑄 孫希亮　史秉直子天倪 天安 天澤 天倪子楫 權 天安子樞 天澤子格 秉直弟進道 從弟天祥

薛塔喇海　楊格濟格　賈實喇子酬尼賚

郭汝梅　李秉彝　朱國寶

石天麟　張榮實子玉　杜瑛

張子良子懋　張巴圖　李德輝

張思忠子桯　梁曾　王利用

張九思　盧摯　尚文

郝元良　王伯勝　張伯用

王倚　郭貫　鮮于樞

梁德珪　郝　彬　曹　鑑
吴　鼎　劉德温　趙師魯
宋　本弟褧　賈　璧子用　李　廷
張　誠　劉器之　梁　有
宗　杞　阿都齊　曾　德
劉秉直　何　失

元

耶律楚材，字晉卿，遼東丹王托雲原作突欲。子婁國，爲燕京留守，遂居於燕，八傳生楚材。畿輔唐志七十一。案：耶律楚材爲遼宗室，畿輔唐志言其八世居燕，祖父皆委贄仕金，元太祖定燕京，求遼宗室卽得之，其爲遼時居燕，遼亡仍世居燕地可知。唐志入僑寓，今改入先賢。楚材以明昌元年六月二十日生。父履，通數學，私謂所親曰：吾年六十而得此子，他日必成偉器，且當爲異國用。因取左氏楚材晉用以名字。宋子真耶律文正公神道碑。生三歲而孤，母楊氏教之學。比長，博極羣書，旁通天文、地理、律曆、衍數之説，爲文若宿搆者。元史類編十一。金中都破，蒙古主嘗訪遼宗室，通鑑輯覽五十。聞其名，召見之。楚材身長八尺，美髯，宏聲。帝偉之，元史列傳。謂曰：遼金世讎，朕爲汝雪之。對曰：臣父、祖嘗委質事金，既爲臣子，敢讎君父耶！

元史類編十一。帝重其言，處之左右，以備諮訪。神道碑。己卯夏六月，帝西討回回國，禡旗之日，雨雪三尺，帝疑之，楚材曰：元冥之氣見於盛夏，克敵之徵也。庚辰冬，大雷，復問之，對曰：回回國主當死於野。後皆驗。元史列傳。夏人禪巴泌，原作常八斤。善造弓，每曰：國家方用武，耶律儒者，何用？楚材曰：治弓用弓匠，爲天下豈可不用治天下匠耶？太祖聞之喜，日見親用。古品節錄六。國初未有曆學，神道碑。西域曆人奏，五月望夜，月當蝕。楚材曰：否。卒不蝕。明年十月，楚材言：月當蝕。西域人曰：不蝕。至期，果蝕八分。元史列傳。上大異之，曰：汝於天上事無不知，況人間事乎！神道碑。壬午八月，長星見西方。楚材曰：女真將易主矣。未幾，金宣宗果殂。帝每征討，必命楚材卜，帝亦自灼羊胛以相符應，然後行。指楚材謂太宗曰：此人，天賜我也。後軍國庶政，當悉委之。甲申，帝至東印度，駐鐵門關，元史列傳。忽有大獸，輟耕錄。鹿形，馬尾，色緑而獨角神道碑。如犀牛，能作人語，云：此非帝世界，宜速還。左右皆震懾，獨楚材進曰：此名角端，乃旄星之精，聖人在上，則斯獸奉書而至，能日行一萬八千里，輟耕錄。解四夷語，是惡殺之象。今大軍西征已四年，蓋上天惡殺，遣之告陛下，願承天心，宥此數國人命。通鑑輯覽九十一。帝卽回馭。輟耕錄。丙戌冬，從下靈武，諸將爭取金帛，楚材獨收遺書及大黃藥材。既而軍中病疫，得大黃輒愈，全活者萬人。己丑秋，太宗將卽位，擇期八月二十二日。元史類編十一。楚材以遺詔召諸王畢至，時拖雷監國，諸王意猶未決，楚材言於監國曰：此社稷大計，若不早定，恐生他變。宋史紀事本末九十九。遂翼太宗登寶位。告親王察罕台曰：王雖兄，位則臣也，禮當拜，王拜，則莫敢不拜。王深然之，率皇族及臣僚拜帳下。國初，尊屬行拜禮，自此始。元史類編十一。中原新定，未有號令，長吏皆得自專生殺，稍有忤意，刀鋸隨之，至有全家被禍者。楚材以爲言，命禁絶之；宋史紀事本末九十九。且條便宜一十八事頒天下，帝悉從之。元史列傳。太祖初之征西域也，倉庫無尺帛斗粟之儲，元史類編十一。於是羣臣咸言，雖得漢人，亦無所用，不若盡殺之，使草木暢茂，以爲牧地。耶律楚材曰：夫以天下之廣，四海之富，何求而不得？弗爲耳。誠均定中原，地税、商税，酒、醋、鹽、鐵、山澤之利，周歲可得銀五十萬兩、帛八萬匹、粟四十餘萬石，何爲無用哉！帝曰：誠如卿言，則國用有餘矣，卿試爲之。至是，楚材奏立十路課税所，設使、副二員，悉用士人，如陳時可、趙昉、劉中等，皆在選中。楚材因間進説周孔之教，且謂天下雖得之馬上，不可以馬上治。宋史紀事本末一百。帝深然之，由是文臣漸進用。歷代名臣言行録二十二。辛卯秋，帝至雲中，元史列傳。諸路所貢課額銀幣及倉廩物料，文簿具陳於前，悉符楚材元奏之數。通鑑輯覽九十一。帝笑謂曰：卿在朕左右，而能使錢穀流入如此。即日拜中書令，事無大小，一以委之。歷代名臣言行録二十二。楚材奏：諸路州縣長史，專理民事；萬户府專總軍政；課税所專掌錢穀，不相統攝，著爲令。通鑑輯覽九十一。又舉札哈紐赫均（原作鎮海粘合。）與之同事，權貴不得志。（宋史紀事本末一百。）軒達布（原作咸得卜。）以舊怨嫉之，譖於宗王，（歷代名臣言行録二十二。）紐赫均等懼，讓楚材曰：立朝廷以來，每事皆我自爲，諸公何與焉！若果獲罪，我自當之。（宋史紀事本末一百。）帝察其誣，責使者，罷遣之。（元史列傳。）已而軒達布爲人所訴，（宋史紀事本末一百。）帝命楚材按治，奏曰：此人倨傲，故易招謗。方今有事南方，他日治之未晚。帝私謂侍臣曰：楚材不較私讎，真寬厚長者，汝曹當效之。（元史類編十一。）

蒙古之制，凡攻城不降，矢石一發卽屠之。汴京既陷，大將蘇特布（原作速不台。）請屠其城。楚材馳入，奏曰：將士暴露數十年，所欲者土地、人民耳。得地無民，將焉用之！帝猶豫未決，楚材曰：奇巧之工，厚藏之家，皆在於此，若盡殺之，將無所獲。乃詔除完顔氏一族外，餘皆原免。時避兵在汴者尚百四十萬户，皆保全，遂爲定制。（歷代名臣言行録二十二。）楚材又請求孔子後，收太常禮樂生，及聘召名儒。乃以孔子五十一代孫元措襲封衍聖公，付以林廟地。召名儒梁陟、王萬慶、趙著等，使釋九經，進講東宫。又率大臣子弟，執經解義，俾知聖人之道。置編修所於燕京，經籍所於平陽，由是文治興焉。甲午，議籍中原民，（元史列傳。）時羣臣共欲以丁爲户，耶律楚材以爲不可。衆皆曰：我朝及西域諸國，莫不以丁爲户，豈可捨大國之法，而從亡國之政耶？楚材曰：自古有中原者，未嘗以丁爲户，若果行之，可輸一年之賦，隨卽逃散矣。蒙古主從楚材之議。及呼圖克原作忽都虎。以所括民户一百四十萬上，帝議割裂諸州郡分賜諸王貴族，楚材奏曰：尾大不掉，易以生隙，不如多與金帛，足以爲恩。帝曰：業已許之矣。楚材曰：若置官吏，必自朝命，除恆賦外，不令擅自徵斂，差可久也。帝從之。楚材又定賦税，每二户出絲一斤，以供官用；五户出絲一斤，以與受賜貴戚功臣之家。地税，中田每畝二升又半，上田每畝三升半，中田三升，下田二升半，水田每畝五升；商税，三十分之一；鹽銀一兩四十觔，已上以爲永額。朝臣以爲大輕，楚材曰：將來有以利進者，則已爲重矣。宋史紀事本末一百。丁酉，楚材奏曰：制器者必用良工，守臣者必用儒臣。儒臣之事業，非積數十年殆未易成也。帝曰：果爾，可官其人。楚材請校試之。乃命課税使劉中、楊奐，隨郡考試，以經義、詞賦、論分爲三科，儒人被俘爲奴者，亦令就試；其主匿弗遣者，死。得士凡四千三十人，免爲奴者四之一。楚材又請一衡量，立鈔法，定均輸，庶政略備，民稍蘇息。續通鑑九十二。帝嗜酒，晚年尤甚，楚材屢諫不聽，乃持酒槽鐵口以獻，曰：此鐵爲酒所蝕，尚如此，况人五臟邪！帝乃少減。是歲二月疾篤，脈絶，六皇后不知所爲，召楚材問之，楚材對曰：今任使非人，賣官鬻獄，囚繫非辜者多，宜赦天下。后亟欲行之，楚材曰：非君命不可。頃之，帝少蘇，后以爲言，乃首肯之；赦發而脈復生，十一月疾愈。楚材推太乙數，謂不宜田獵，左右皆曰：不騎射何以爲樂？出田五日，還至烏特古呼蘭，謂多拉哈瑪爾（原作奥都剌合蠻。）進酒歡飲，極夜乃罷。翌日殂。初，蒙古主有旨，以孫錫哩瑪勒爲嗣，至是后召楚材問之，楚材曰：此非外姓臣所敢知，自布先帝遺詔幸遵之。后不從，遂稱制于和林。（通鑑卷九十二。）謂多拉哈瑪爾專政，權傾中外，后至以御寶空紙，使自書填。楚材曰：天下者，先帝之天下，朝廷自有憲章，今欲紊之，臣不敢奉詔。又有旨：凡謂多拉哈瑪爾所建白，令史不爲書者，斷其手。楚材曰：國之典故，先帝悉委老臣，令史何與焉！事若合理，自當奉行；如不可行，死且不避，況截手乎！后不悦。楚材憤悒成疾而卒。或譖之曰：楚材爲相二十年，天下貢賦，半入其家。后命近臣覆視之，惟琴、阮十餘，及古今書畫金石，遺文數千卷而已。（通鑑九十二。）楚材天資英邁，（歷代名臣言行録二十二。）才智淵深，尊經崇聖，隨事規箴，（古品節録六。）每陳國家利病、生民休戚，辭色懇切，太宗嘗曰：汝又欲爲百姓哭耶？楚材每言：興一利不若除一害，生一事不若減一事。人以爲名言。（宋史紀事本末九十九。）文宗至順元年，追封廣甯王，謚文正。子鉉、鑄。（元史列傳。）

鑄字成仲，幼聰敏，善屬文，尤工騎射。楚材薨，領中書省事，時年二十三。鑄上言，宜疎禁網，遂采歷代德政合於時宜者八十一章以進。從憲宗征蜀，領侍衛驍果軍，屢出奇計，攻下城邑。乙未，憲宗崩，額呼布格（原作阿里不阿。）叛，鑄棄妻子，挺身自朔方來歸，世祖嘉其忠，即日召見，賞賜優厚。中統二年，拜中書左丞相，（元史列傳。）監修遼、金史。尋將兵備禦北邊，引兵扈從，敗額呼布格（原作阿里不阿。）於上都。至元初，奏定法令三十七章，俄命行省山東遷調所部官屬。尋召還。（元史類編十一。）初，清廟雅樂，止有登歌，詔鑄製宮懸八佾之舞。四年春三月，樂舞成，表上之，仍請賜名大成，制曰可。十年，加平章軍國重事。朝廷有大事必諮訪焉。十四年冬，以雨雪愆期，帝使問便民事。鑄曰：足食之道，唯節浮費，靡穀之多，無踰麴蘖，況自周、漢以來，常有明禁。祈神賽社，費亦不貲，宜一切罷止。十九年，復拜左丞相。奏言：有司以采室女，乘機害民，請令大郡歲取三人，小郡二人，擇其可者，厚賜其父母；否則遣還，庶不致大擾。並從之。（元史類編十一。）二十年冬十月，坐不納職印、妄奏東平人聚謀爲逆、間諜幕僚及黨罪囚阿里沙，罷免，仍没其家貲之半，徙居山後。二十二年卒，年六十五。子十一人，希徵、希勃、希亮、希寬、希素、希固、希周、希光，希逸淮東宣德慰使，餘失其名。至順元年，追贈懿甯王，謚文忠。（元史列傳。）

希亮，字明甫。初，六皇后命以齊達濟氏歸鑄，生希亮於和林南之涼樓，曰托果斯。（原作秃忽斯。）六皇后遂以其地名之，故亦曰托果斯。憲宗嘗遣鑄覈錢糧于燕，鑄曰：臣先世皆讀儒書，儒生俱在中土，願携諸子往就學。許之。比至燕，令希亮師事北平趙衍。時方九歲，未浹旬，已能賦詩。憲宗征蜀，鑄扈從南伐，希亮亦在行。憲宗崩，希亮將輜重北歸。陝右琿塔噶叛，鑄孑身歸朝。琿塔噶怒，使人監視希亮母子，脅之行，至西涼甘州，會叛將阿勒達爾自和林至，見希亮，問：而父安在？對曰：不知。與吾父共事者宜知之。琿塔噶詬曰：我焉得知！而父今亡命東見皇帝矣。希亮曰：若然，則何謂不知？使吾知之，亦從而去，安能獨留！（元史類編十一。）阿勒達爾以爲實，免其監涖。既而阿勒達爾、琿塔噶爲大兵所殺，衆推哈喇布哈（原作哈不花。）爲帥。（元史列傳。）帥故與鑄有婚姻，鑄又嘗周恤其病，至是謂希亮曰：我受而父恩，今於汝報。遂釋希亮縛，北走。希亮兄弟相扶攜，徒步萬里，不火食者常累日，是歲中統元年也。三年，從定宗幼子大名王與宗王阿勒呼木師至布拉城，與哈喇布哈兵戰，（元史類編十一。）敗之，盡殲其衆。二王乃函其頭，遣使報捷。四年，至喀什噶爾（原作可失哈里。）城，世祖遣布哈綽克至二王所，因以璽書召希亮，馳驛赴闕。八月，入覲世祖於上都之大安閣，備陳邊事及羈旅困苦之狀。（元史列傳。）上憐之，賜鈔幣，授爲符寶郎。（元史類編十一。）世祖常命希亮問宋諸降將：日本可伐否？衆皆曰：可。希亮獨曰：宋與遼、金攻戰，且三百年，干戈甫定，人得息肩，俟數年後，興師未晚。世祖然其言。（元史類編十一。）太府監令盧贄言于監官，各路所貢布，長三丈，惟平陽加一丈，諸集賽台以故爭取平陽布。苟截其長者與他郡等，則無所爭；而以其所截者爲髹漆宮殿器皿之用甚便。

監官從之。適左右以其事聞，帝以詰監官。監官倉皇莫知所以對，歸罪于贇。帝命斬之。希亮遇諸塗，贇以冤告。希亮命少緩，具以實入奏。有旨，令董文忠讞之，竟釋贇；而召御史大夫塔齊爾，讓之曰：此事言官當言而不言，向微托果斯，不誤誅此人耶！元史列傳。累遷吏部尚書。帝駐蹕察納兒台之地。希亮至，奏對畢，文用問大都近事。希亮曰：囹圄多囚耳。世祖方欹枕卧，忽寤，問其故，奏曰：近有旨，漢人盜鈔六文者斬，以是日多。帝驚曰：孰傳此言？侍臣托爾齊曰：陛下在南坡，曾以語蒙古兒童。帝曰：前言戲耳，曷嘗著爲令！希亮曰：令既出矣，必明其誤，以安民心。帝卽令希亮至大都宣諭，并釋囚者。希亮以跋涉西土久，足疾痿攣，乃謝事，居濼陽二十餘年。武宗立，特除翰林學士承旨，兼修國史。希亮因類次世祖嘉言善行以進。英宗取其書置禁中。泰定四年，卒于京。年八十一。追封漆水郡公，謚忠嘉。元史類編十一。希亮性至孝，困厄遐方，家貲散亡已盡，僅藏祖考畫像，四時就穹廬陳列致奠，盡誠盡敬，朔漢之人，咸相聚來觀，歎曰：此中土之禮也。雖疾病不廢書史，或中夜起坐，取燭以書，所著詩文及從軍紀行録三十卷，目之曰懐軒集。元史列傳。

史秉直，大都路永清人。祖倫，少好俠，因築室發土得金，始饒於財。永清周志。金末，中原塗炭，元史列傳。歎曰：財者，人之命也，何可獨享！遂徧周貧乏，臣鑑録。建家塾，招徠學者，所藏活豪士甚衆。士族陷爲奴虜者，輒出金贖之。（元史列傳。）章宗泰和甲子歲大祲，（永清周志。）（按：元史於列傳不書金世朝代年號，混稱甲子，非是。今從永清志。）發粟八萬石賑饑者。父成珪，倜儻有父風。遭亂，盜賊四起，悉散家財，唯存廩粟備非常。秉直讀書，尚氣義。（元史列傳。）至元癸酉，太師、國王穆呼哩（原作木華黎。）統兵南伐，所向殘破。秉直聚族謀曰：方今國家喪亂，吾家百口，何以自保？既而知降者皆無恙，卽率鄉里數千人詣涿州軍門降。穆呼哩欲用秉直，秉直辭而薦其子，乃以天倪爲萬户，而命秉直領降人家屬，屯霸州。秉直拊循有方，遠近來附者十餘萬家。尋遷之漠北，降人道饑，秉直所得牛羊悉出以食，全活尤衆。（元史天倪傳。）太祖九年甲戌，（永清周志。）從下北京，詔以烏頁爾（原作吾也兒。）爲北京路都元帥，秉直行尚書六部事。（元史天倪傳。）烏頁爾雖爲大帥，其軍府事，一委秉直。（劉祁史公神道碑。）秉直主餽餉，軍中未嘗乏絕。（元史天倪傳。）庚寅，老疾，謝歸鄉里。（永清周志。）遣放用兵俘獲爲奴隷者二百餘，還爲齊民。時時幅巾羸馬，逍遥園亭，里巷間人不知其爲貴人。又種竹蒔花，以閑自適。（神道碑。）卒，年七十一。子天倪，次天安，次天澤。（元史天倪傳。）初，天倪之赴真定也，秉直戒之曰：觀武仙辭氣終不爲我用，宜早備之。天倪曰：我以赤心待人，人或相負，天必不容，願無慮。尋果及禍。（元史類編十七。）至是人服其先識。（元史天倪傳。）

天倪，字和甫。（一統志。）始生之夕，白氣貫庭。成童，姿貌魁傑，有道士見而異曰：封侯相也。及長，好學，日誦千言。大安末，舉進士不第，乃歎曰：大丈夫立身，獨以文乎哉！使吾遇荒雞夜鳴，擁百萬之衆，功名可唾手取也。穆呼哩見而奇之，元史列傳。奏爲萬户，元史穆呼哩傳。統諸降卒，從穆呼哩略地三關已南，至於東海，所過城邑皆下。因進言於穆呼哩曰：元史列傳。金棄幽燕，遷都於汴，已爲失策。遼水東西諸郡，金腹心也，若得大甯，以扼其喉襟，則金雖有遼陽，終不能保矣。穆呼哩善之。初，天倪曾祖卒時，河朔諸郡感其德，結清樂社四十餘，每社近千人，歲時像祀。至是，天倪選勇壯者萬人爲義兵，號清樂軍，以從兄天祥爲先鋒，所向無敵，分兵略三河、薊州，諸塞望風欵服。元史類編十七。甲戌，朝太祖於燕之幄殿，所陳皆奇謀至計，大稱旨，賜金符，授馬步軍都統，管領二十四萬户。從穆呼哩攻高州，又從攻北京，皆不戰而克。元史列傳。秋七月，授元帥，賜金虎符，命南征。八月，天倪取平州。金經略使奇珠原作乞住。降。元史類編一。進兵真定，所屬部邑無不欵附，而真定帥武仙固守不下。遂移軍圍大名，衆謂城堅不可擊，天倪循視良久，使兵攻西南隅，勁卒屢上屢卻。天倪一躍而登，守者辟易，遂破其城。永清周志。丙子，會穆呼哩兵於燕南。青州監軍王守約、平州推官哈達，俱以叛，連謀越海歸金。天倪追襲至樂安，哈達以益都行省孟古原作忙古。兵來拒，敗之，殺守約，擒孟古，斬首萬級。丁丑，徇山東諸郡。部卒有殺民豕者，立斬以徇。軍中肅然，遠近響應。元史列傳。中山、趙、邢、威、磁、洺諸州郡皆下。又從穆呼哩徇河東，至絳州，元史類編十七。絳人甃石爲團樓禦敵，居高臨下，牢不可破。天倪穴地爲塹，地虛樓傾，遂克絳。永清周志。穆呼哩喜，賞以繡衣、金鞍、名馬。庚辰，還軍真定，武仙降。穆呼哩承制以天倪爲金紫光禄大夫、河北西路兵馬都元帥，行府事；仙副之。元史列傳。天倪説穆呼哩曰：今中原已粗定，而大兵所過，猶縱鈔掠，非王者弔民伐罪之意。且王爲天下除暴，豈可效他軍所爲乎！穆呼哩善之，卽下令禁剽掠，遣所俘老幼。通鑑輯覽九十。辛巳，降懷、潞、澤三州。壬午，破濟南水砦。癸未，徇山西，遂克三關，不浹旬，兵至河衛，喜曰：河衛者，夷門之限也。河衛既破，夷門豈可守乎！時東平嚴實以兵來赴，請自攻河衛，天倪曰：金將哈達、布哈亦勁敵也。實曰：易與耳，保爲公破之。明日，實與布哈兵遇於南門，哈達兵自北奄至，實兵敗，竟爲所執。天倪曰：哈達以實歸汴，度必在今夕。選壯士伏延津柳渡，果夜縛實過，遇伏戰敗，實得脱歸。未幾，帝命天倪回軍真定。元史類編十七。甲申夏，大名總管彭義斌以宋兵犯河朔，天倪逆戰於恩州，義兵敗，入保大名。乙酉，師還，聞武仙之黨據西山腰水、鐵壁二砦以叛，天倪直擣其巢穴，盡掩殺之。仙怒，謀作亂，乃設宴邀天倪。有知其謀者，止天倪毋往，天倪不從，遂爲仙所殺，元史列傳。年僅三十九。死之前一日，擊鞠夜歸，有大星隕馬首，聲頗震，心惡之，尋果及禍。元史類編十七。妻程氏，聞亂，恐污於賊，乃自殺。子五人，其三人尚幼，俱死於難，惟楫、權在。元史列傳。

天安，字全甫，元太祖八年癸酉，從秉直降太師穆呼哩，以其兄天倪爲萬户，而質天安軍中。丁丑，與天祥從討錦州叛人張致，平之。己卯，從略地關右，生擒鄜州張資禄。資禄號鐵槍，驍將也。永清周志。乙酉，武仙殺天倪於真定。元史史樞傳。天澤進軍野頭，天安亦提兵來赴，元史史天澤傳。併力攻仙，敗走之。以功授行北京元帥府事，撫治真定。庚寅，宋聚兵邢之西山，聲言爲仙援，遣其徒趙和行間城中，誣倅副李甲、劉清嘗輸欵爲内應，守將械兩人送府，大帥趣命戮之。天安揣知其詐，請自鞫之，果得其情，遂斬和以徇。壬辰，從伐金，師還，討劇盜梁滿、蘇傑等，悉平之。甲午，宣權真定等路萬户，賜金符。元史史樞傳。丙午，入覲，賜黄金裘馬。乙卯卒，子樞。永清周志。

天澤，字潤甫，身長八尺，吐響如洪鐘，元史類編十一。善騎射，勇力絶人。黄道周廣名將傳十一。從其兄天倪帥真定。乙酉春，天倪遣天澤護母北歸。甫行，而天倪爲武仙所害。府僚王縉、王守道追天澤於燕，曰：變起倉猝，部曲散走，多在近郊，公能迴轡南行，不招自至矣。天澤毅然曰：兄弟之讐，不返兵，雖死何敢避，况未必死耶！卽傾貲裝，易甲仗，南還。行次滿城，得士馬甚衆，遣天澤攝行軍事，遣監軍李伯祐詣國王博囉原作孛魯。言狀，且乞濟師。天澤時爲帳前軍總領，博囉承制命紹兄職，命寔訥岱原作笑乃得。率蒙古軍三千人援之，合勢攻仙，生擒仙將葛鐵槍。仙奔雙門，遂復真定。宋大名總管彭義斌，陰與仙合，欲取真定，天澤同寔訥岱扼諸贊皇，仙不得進。義斌勢蹙，焚山自守，天澤遣鋭卒摧鋒而入，自以鐵騎繼其後，擒義斌斬之。黄道周廣名將傳。既而仙遣諜者潛結死士，匿城中爲内應，夜斬關入，據城。天澤踰城東出，至藁城求援萱俊。俊授以勁卒，夜赴真定，會寔訥岱兵亦至，捕叛者三百餘人，仙挾數騎退保西山抱犢砦。寔訥岱忿民之反覆，驅萬人至城下，將殺之，元史類編。天澤曰：彼皆吾民，我力不及，一旦委去，爲賊所脅，殺之何罪！力争得釋。乃繕城壁，立樓櫓，爲不可犯之計。招集流散，存恤困窮。以抱犢諸砦爲仙巢穴，不即剪覆，終遺後患，永清周志。急攻下之，仙乃遁去。繼又取蟻尖、馬武等砦，而相、衛亦降。元史列傳。己丑，太宗即位，議立三萬户，分統漢兵。天澤適入覲，命爲真定、河間、大名、東平、濟南五路萬户。庚寅，金封武仙爲恒山公，屯兵於衛，天澤合諸軍圍之。金將完顔哈達以衆十萬來援，戰不利，諸將皆北，天澤獨以千人繞出其後，敗一都尉軍，與大軍合攻之，仙又遁，遂復衛州。永清周志。壬辰春，太宗由白坡渡河，詔天澤以兵由孟津會河南。元史列傳。癸巳春，金主令完顔拜甡原作白撒。自黄陵岡來襲新衛，天澤率輕騎馳赴之，比至，圍已合，天澤奮戈突至城下，呼守者曰：汝等勉力，援兵且至。復躍出，其衆皆披靡，遂與大軍夾攻之，拜甡等敗走蒲城，天澤尾其後，拜甡等兵尚八萬，俘斬殆盡。金主以單舸東走歸德，天澤追至歸德。黄道周廣名將傳。達嚕噶齊薩奇森布哈欲薄城背水而營，天澤曰：此豈駐兵之地乎！彼若來犯，則進退失據矣。不聽，會天澤以事之汴，比還，薩奇森布哈全軍皆没。元史列傳。大軍圍蔡。天澤當其北面，結栰潛渡汝水，血戰累日，金亡，天澤始還真定。時政煩賦重，民貸羊羔利錢以輸官；繼以歲饑，積銀至一萬三千錠。天澤傾家資，率族屬官吏代償之。又請以中户爲軍，上下户爲民，著爲定籍。尋移軍伐宋。乙未，從皇子庫春原作曲出。攻棗陽、襄陽，又從宗王昆布哈圍光州，攻壽州，乘勝而南，所向輒克。元史類編。世祖時在藩邸，極知漢地不治，河南尤甚，請以天澤爲經略使。至則興利除害，政無不舉，誅郡邑長貳之尤貪横者二人，境内大治。元史列傳。戊午秋，憲宗取蜀，駐合州，軍中大疫，方議班師，元史類編。宋將吕文德以艨艟千餘泝嘉陵江而上，北軍迎戰不利。天澤分軍爲兩翼，跨江駐射，親率舟師順流縱擊，三戰三捷，奪戰艦百餘，追至重慶而還。永清周志。中統元年，世祖卽位，首召天澤，問以治國安民之道。元史列傳。天澤疏對，大略請立省部以正紀綱，設監司以督諸路，霈恩澤以安反側，除暴殘以任賢能，頒禄秩以養廉節，禁賄賂以防奸慝。帝皆嘉納。元史類編。六月，撤江上軍，以天澤爲江淮經略使。通鑑輯覽九十三。帝問竇默曰：永清周志。朕欲求如唐魏徵者，豈有其人乎？默曰：深謀遠慮有宰相才，則史天澤其人也。通鑑輯覽。帝以爲然。永清周志。二年夏五月，以天澤爲中書右丞相。通鑑輯覽。天澤既相，事皆讓同官，曰：天澤本武臣，何克負荷？但物移未安者，老夫通譯其間，爲諸君條達耳。中堂事紀。先定省規十條，以正庶務。李璮反，元史類編。命諸王哈必齊原作哈必赤。總諸道兵擊璮，復命天澤往。聞璮入濟南，笑曰：豕突入苙，無能爲也。至濟南，謂哈必齊曰：璮多譎而兵精，不宜力角，當以歲月斃之。乃深溝高壘，遏其侵軼。凡四月，城中食盡，軍潰出降，生擒璮，斬於軍門。元史列傳。初，天澤將行，帝臨軒授詔，俾諸將皆聽節度。天澤至軍中，未嘗以詔示人；及還，帝慰勞之，悉歸功諸將。當憲宗時，嘗奏言：臣始攝兄職，今臣兄有二子，分掌兵、民，臣復任經略使，一家處三要職，臣竊不安，乞賜罷。帝不許。至是，言者謂李璮之變，由外藩權太重。天澤復奏：兵、民之權不可盡專一門，乞罷子弟之在官者，行之請自臣家始。於是史氏子姪即日解兵符者十七人。元史類編。至元三年，以天澤爲樞密副使。四年，改中書左丞相。黃道周廣名將傳。六年，帝以宋未附，元史列傳。益兵圍襄陽，遣天澤與宗王大臣往經畫之。天澤至，築長圍，起萬山，包百丈山，令南北不相通。又築峴山、虎頭山爲一字城，連亘諸堡，以立久駐必取之基。通鑑輯覽。七年，以疾還燕。八年，進開府儀同三司、平章軍國重事，仍敕兩省、院、臺，惟與聞大政，不責常格。永清周志。十年春，襄陽降。元史列傳。阿爾哈雅言：荆襄自古用武之地，已爲我有，宋必可平，趣召天澤同議。天澤對曰：此國大事，可命重臣一人如安圖巴延，督都諸軍，則四海渾同，可計日而待。臣老，猶足爲副。續資治通鑑一百八十。通鑑輯覽。十八年，詔天澤與丞相巴延總大軍自襄陽水陸並進。元史列傳。天澤至郢病篤，詔還，遣侍臣賜以葡萄酒，且諭之曰：卿自朕祖宗以來，躬擐甲冑，跋履山川，宣力多矣。又卿首事南伐，異日功成，皆卿力也，勿以小疾阻行爲憂。可且北歸，善自調護。還至真定，帝又遣其子杠與尚醫馳視，賜以藥餌。天澤因附奏曰：元史列傳。臣死不足惜，但願天兵渡江，慎勿殺掠。語不及它，遂卒。續資治通鑑一百八十。帝震悼，元史列傳。謚忠武，追封鎮陽王。天澤平居，未嘗自矜其能，及臨大事，毅然以天下自任。年四十，始折節讀書，立論多出人意表。拜相之日，門庭悄然。或勸以權自張，天澤舉唐韋澳告周墀之語曰：願相公無權，爵禄刑賞，天子之柄，何以權爲？言者慙服。續資治通鑑一百八十。當金末，名士流寓失所，悉爲治其生理而賓禮之，後多顯達。破歸德，釋李大節不殺，而送至真定，署爲參謀。衛爲食邑，命王昌齡治之。舊人多不平，而莫能間。其知人之明、用人之專如此。是以出入將相五十年，上不疑而下無怨，人以比於郭子儀、曹彬云。子格。元史列傳。

楫字大濟。天倪死後十四年，永清周志。按：元史作己亥，今改從上文。知中山府事，尋遷征南行軍萬户翼經略，徇地蘄、黄，善撫士卒，所向有功。壬寅，天澤引楫入見太宗，元史列傳。按：元史作壬寅，天澤引楫入見太宗云云。按太宗在位十二年，無壬寅干支，今壬寅爲乃馬真太后稱制之年，時事全不合。按史天澤傳，讓職事在憲宗朝，而憲宗四年，歲在甲寅，或是甲悞爲壬耳。憲宗本紀，是歲擢史樞行征萬户，以真定相柔懷孟諸軍配之，又以史權屯鄧州，或用楫卽在其時，然姑存此説，亦不敢遂決爲是也。又王惲作家傳亦載此事於太宗朝，與權爲唐鄧萬户並載，而樞爲新軍萬户，則載於憲宗時，與當時情形亦不盡合，而王磐神道碑又云，讓位在世祖時，蓋元人之文已不一律矣。奏曰：臣兄天倪死事，二子尚幼，臣受詔攝兄職；今楫已漸長，乞解還職。元史類編十七。太宗歎曰：但聞争官者多，讓官者少，卿此舉殊可嘉尚。朕自有官畀之。卽詔楫爲真定路兵馬都總管。元名臣事略七。會朝廷始徵匄銀，楫請以銀與物折，仍減其元數。詔從之，著爲令。各道以楮幣相貿易，不得出境，二三歲輒一易鈔，其本日耗，商旅不通。楫請立銀鈔相權法，人以爲便。或請運鹽按籍計口，給民以食，楫争其不可，曰：鹽、鐵從民貿易，何可準差税利苦抑配之。議遂寢。永清周志。元氏民有愬府僚於上官者，質之無實，將抵死，楫力爲寬解，達官曰：是欲陷汝輩死地者，反救之，何耶？楫曰：誅之固足懲後，弗若宥之以愧其心。況人命至重，豈宜以妄言故加極刑？乃杖而遣之。中統元年，授真定路總管、同判本道宣撫司事。真定表山帶河，連屬三十餘城，生殺進退，咸倚專決。楫謹身率先，明政化，信賞罰，任賢良，汰貪墨，恤煢獨，民咸德之。所舉州縣佐史有文學者三十餘人，後皆知名。元史列傳。四年，以天倪前爲武仙所殺，以仙第賜楫居之。元世祖紀。會天澤言罷兵柄，楫卽日解綬歸，卒，年五十九。永清周志。

權字伯衡，勇而有謀。初以權萬户從天澤南征。歲壬子，天澤以萬户改河南經略使，乃以權代其任。甲寅，屯軍鄧州，敗宋將高達於樊城。元史列傳。世祖自將伐宋，次鄂州，聞憲宗崩，北還，乃命權總兵鎮江北岸之武磯山。元史類編十七。中統元年，降詔獎諭，賜金虎符，授真定、河間、濱棣、邢洺、衛輝等州路併摩哩紇軍兼屯田州城民户沿邊鎮守諸軍總管萬户；其所屬千户、萬户，悉聽號令。元史列傳。至元六年，召赴闕，問以征南之策。對曰：襄陽爲江陵之蕃蔽，樊城乃襄陽外郛，若先破樊城，則襄陽不攻自下，然後駐兵嘉定，耀武淮、泗，事必有濟。帝善其議。元史類編。七年，宋兵侵邊，權引兵趍荆子口，大破之。帝賜白金五百兩，權悉以分勞士卒。宋將夏貴以船萬艘載壯士，欲奪江面。權進攻，破之。帝賜以衣幣、弓矢、鞍勒。既而轉糧於隨，貴復引兵扼我前路，權戰破之。賜白金七百兩，制授河南等處宣撫使，未上，賜金虎符，充江漢大都督，總制軍馬，總管屯田萬户。元史列傳。亦因天澤請罷兵柄，授權鎮國上將軍、真定等路總管兼府尹。徙東平，又徙河間。卒。永清周志。

樞字子明。年二十餘，以勳臣子知中山府，有治績。初，籍新軍。天澤元史列傳。曰：吾兄弟三人，大兄之子俱顯，仲之子未也，幸先之。使者歎服，元名臣事略七。乃奏樞爲征行萬户，配以真定、彰德、衛州、懷孟新軍，戍唐、鄧。乙卯，敗宋舟師於漢水之鴛鴦灘，賜金虎符。元史列傳。戊午，憲宗伐宋，入自蜀，從天澤朝帝行在。帝勞之曰：卿久鎮東方，兹復遠來，勤亦至矣。樞對曰：臣之祖、父，受國厚恩，今陛下親御六師，暴露萬里之外，臣敢不竭死力！永清周志。帝壯其言，命爲前鋒。時宋劍州僑治苦竹崖，前阻絶澗，恃險而不備。帝使樞率健卒數百縋而下，宋兵降。翼日，大宴，帝顧皇后，命飲樞酒，且諭新附渠帥曰：國家自開創以來，未有皇后賜臣下酒者，特以樞父子世篤忠貞，故寵以殊禮。有能盡瘁事國者，禮亦如之。己未，從天澤擊敗宋將吕文德於嘉陵江，追至重慶而還。賜黄金、白金及錦。永清周志。世祖卽位，改賜金虎符。中統二年，從天澤扈駕北征。三年，李璮叛據濟南，復從天澤往討之。城西南有大澗，亘歷山，樞一軍獨當其險，夾澗而城，豎木柵於澗中。淫雨暴漲，木柵盡壞，樞曰：賊乘吾隙，俟夜必出。命作葦炬數百置城上，逮三鼓，賊果至，飛炬擲之，風怒火烈，弓弩齊發，賊衆大潰，自相蹂躪，死者不可勝計。未幾，璮就擒。至元四年，宋兵圍開、達諸州，以樞爲左壁總帥，佩虎符，凡河南、山東、懷孟、平陽、太原、京兆、延安等軍悉統之，宋兵聞之，解去。元史列傳。六年，高麗人金通精據珍島以叛，討之，歲餘不下。七年，以樞爲鳳州經略使。樞至，謂諸將曰：賊勢方張，未易力勝。况炎暑海氣蒸鬱，弓力弛，猝不可用。宜分軍爲三，多張旗幟以疑之，吾與諸軍潛師擣其巢穴，破之必矣。如其言，賊果大創，珍島悉平。十二年，復以萬户從丞相巴延伐宋，賜錦衣、寶鞍、弓矢、甲馬，仍給天澤帳下士十人以從。宋亡，署安吉州安撫使。時新附之初，民多依險阻自保，樞以威信招懷之，復業爲民者以千萬計。永清周志。十四年，移疾還。十九年，起爲東京路總管，辭不赴。二十三年，拜中奉大夫、山東東西道宣慰使，治濟南，後又治益都。二十四年卒。年六十七。元史列傳。

格字晉明，憲宗二年壬子，賜天澤衛城，授格節度使。憲宗崩，格北留謙州，五年而歸，爲鄧州舊軍萬户。又代張宏範爲亳州萬户。從攻襄陽，下之，賜白金、裘馬。永清周志。至元十一年，阿珠襲青山磯，遂渡江。格一軍先渡，爲宋將程鵬飛所敗。通鑑輯覽九十四。格被創，尋復大戰，中流矢；鵬飛身亦被創，敗走。樞密院奏格輕進，當議罪。帝念其功，永清周志。俾從平章阿爾哈雅原作阿里海牙。攻潭州。砲激柵木，傷肩，矢貫其手，裹創先登，拔之。遂以軍民安撫留戍。入覲，加定遠大將軍，賜以天澤所服玉帶。元史列傳。從攻静江，衆以轒轀自蔽鑿城。格所當砲礧雨下，車不得前，乃伺隙率衆攀堞而上，拔之。永清周志。徇廣西十三州、廣東三州，皆下。元史列傳。静江被兵久，溪洞諸蠻皆降雲南，格遣使招諭，來者五十州，雲南争之。事聞，詔聽格節度，元史類編十一。陸廣西宣撫使，改鎮國上將軍、廣南西道宣慰使。宋亡，陳宜中、張世傑奉益王昰、衛王昺按元史作廣王誤。據福州，立益王，即端宗也。傳檄嶺海，欲復其地，詐言夏貴已復瀕江州郡。諸戍將以江路既絶，不可北歸，皆託計事還静江。格曰：待貴踰嶺，審不可北歸，吾與諸君取塗雲南而歸，何可先懼虚聲，輒棄戍哉！永清周志。行省議棄廣東之肇慶、德慶、封州，併兵戍梧州。格曰：棄地撤備，示敵以怯，不可；宜增兵戍之。元史列傳。劇賊蘇仲集潰卒，據鎮龍山，耕植於內。官軍畏暑，莫敢入。橫、象、賓、貴四州皆被其害。格築堡於其界，守以土兵，令官軍火其廬柵，民踐其禾稼，仲窮蹙，遂降。元史類編。宋兵破尋州，斬李辰、李福。静江北抵泉、永，皆城守，羅飛圍永，凡七月不下。判官潘澤民間道告急，格分兵赴之，殄其衆。宋端宗崩，衛王立，卽後少帝也。少帝趣廣州，避海中崖山。格遣説降，不可；進兵攻之。世傑將兵數萬，欲復取雷州，戍將劉仲海擊走之。後悉衆來圍，城中絶糧，格漕欽、廉、高、化諸州粟給之，世傑解圍去。詔格戍雷州。宋亡。永清周志。張宏範請復將亳州軍，乃還格鄧州舊軍，拜參知政事、行廣南西道宣慰使。入覲，拜資德大夫、湖廣行中書右丞。移江西右丞，尋復爲湖廣右丞，進平章政事。元史列傳。聚書萬卷，鼎彝圖書一室，號曰裕齋。姚燧史公神道碑。卒，年五十八。元史列傳。

史進道，字道遠，秉直弟也。據史氏慶源碑。元太祖癸酉，元兵長驅燕趙，進道與兄計之。兄曰：此天威也，殆非人力所可當。遂共白於母。母曰：風聲如此其盛，吾亦決以天道，莫若順之，可得保全，汝曹宜識之。遂偕兄拜太師國王穆呼哩。穆呼哩見進道人品不凡，深加撫慰，令總兵事。進道行陣和睦，號令嚴明，攻取有略，進退有法，克獲甚衆。穆呼哩稱之。甲戌三月還師，圍守中都。八月復進兵圍守北京。乙亥三月城降，進兵攻興州，趙守玉望風送欵。以勳，尋進進道義州節度使，以興州舊隸北京，乃復屬之，命進道管領北京勾當，復命進道留守北京。進道治北京十有餘年，但推誠御衆，不爲鈎距鉗戾譎詐之事。其於治也，輕徭薄賦，憫弱抑强，以清嚴爲用，仁慈爲體，不要虚譽，務施實德。闔境之内，家給人足，咸樂其生。常謂人曰：人生處世，幼不能事父母，長不能事兄長，於義誠有闕矣。且吾有老兄，別居鎮陽，吾嘗思之，每馳神南邁，吾兄得毋引領北向乎？慨然爲之變色。其天資孝弟如此。卒，年六十有五。段紹先史公神道碑。

史天祥，父懷德，秉直從弟。永清周志。按：元史以懷德爲秉直之弟，今考史氏慶源碑，天祥爲尚書曾祖仲氏之孫，是從祖弟也。初隨秉直迎降於涿，穆呼哩命懷德就領其黑軍隸帳下，署天祥都鎮撫，選降卒二百人使領之。招徠丁壯，得衆萬餘，從取霸州、滄濱等城，東下淄、沂、密三州，所至皆先登。從略高州，拔金源等十五城，惟大甯固守不下。元史類編十七。天祥獲金將完顔呼遜，穆呼哩欲殺之，天祥曰：殺一人無損於敵，適驅天下之人爲吾敵也。且其降時，嘗許以不死，今殺之，無以取信於後，不若從而用之。乃以爲千户。復合衆攻其城，懷德先登，擒其二將，爲流矢所中，歿於軍。乃以所統黑軍命天祥領之。天祥憤痛其父之死，攻之愈急。乙亥，與大帥烏頁爾降其北京留守伊勒都呼、同知烏庫哩。進攻北京傍近諸寨。元史列傳。磨雲山王都統首詣軍門降，天祥命入列崖，擒都統保喇，原作不剌。釋其縛，説以利害。保喇感泣，願效死。永清周志。天祥察其誠，許與王都統往説降城子崖旺嘉努，原作崖王家奴。乃命三人各將舊卒，付空名告身，使諭樓子崖等二十餘寨悉降，得老幼數萬、勝兵八千。西乾河達原作答。魯、五指山楊昭努原作趙奴。獨固守不下，天祥擊之，大小百餘戰，昭努死，達魯敗走，得户二萬。授西山總帥兵〔馬〕。興州節度使趙守玉反，天祥與烏頁爾分道討平之。達魯復聚衆攻龍山，以槊刺烏頁爾，中胸，隨墮馬，天祥馳救得免。復整陣出戰，大敗之，斬首八千級，達魯戰死，進克中興府。元史列傳。張致盜據錦州，從穆呼哩討平之，得黑軍五百人。元史類編。丙子春，覲太祖於魚兒濼。賜金符，授提控元帥，拔蓋、金、蘇、復等州，獲金完顔努、耶律神都馬。遷鎮國上將軍、利州節度使、黎許部降民都總管、監軍兵馬元帥。丁丑夏，盜祁和尚據武平，討平之。縛金將巢元帥。又滅重兒盜衆萬人，城於興州之車河。己卯，權兵馬都元帥，蒙古、漢軍、黑軍並聽節制。下河東、平陽、河中、岢嵐、絳、石、隰、吉、鄜等八十餘城。還師真定。穆呼哩怒其久不下，欲攻城，天祥請曰：攻之恐戮及無辜，不如先往諭之，苟其不從，攻之未晚。遽往見武仙，諭以禍福，仙悟，出降。元史列傳。烏頁爾請留天祥守之，穆呼哩曰：天下未定，智勇士可離左右乎？乃以天倪鎮真定，而使天祥引兵南屯邢西遥水山下。元史類編。仙兄貴以萬人壁於山上，負固不下。天祥携完顏呼遜及黑軍百人由烏道拔援而上，盡掩捕之。仙驚曰：公若有羽翼者，不然，何其能也！遂下邢、磁、相三州。從戰黃龍岡，破單、滕、兖三州。穆呼哩圍東平，久不下，怒烏頁爾不盡力，將手斬之。天祥請代攻。穆呼哩喜，付皮甲一，又與已鐵鎧並被之，鏖戰不已。穆呼哩使人止之曰：爾力竭矣，宜少休。復以金鞍、名馬與之。辛巳，從取綏德、鄜、坊等五十餘城。壬午，穆呼哩攻青龍、金勝諸堡，花帽軍堅守不下。既破，欲屠之，天祥力諫而止，獲壯士五千人。癸未春，還軍河中。穆呼哩上其功，賜金虎符，授蒙古、漢軍兵馬都元帥，總十二萬户，鎮河中。元史列傳。按：此事在太祖癸未。攷太祖初置蒙古左右手及中軍萬户，以木華黎、博爾术、納牙爲之，漢軍則有劉伯林、粘合重山二萬户。此十二萬户未詳何時增置。冬，徇西夏，破賀蘭山還，遇賊射傷額，出血，目爲之昏。甲申，歸北京，授右副北京等七路兵馬都元帥。太宗元年庚寅，朝帝於盧朐河，乞致仕，不允。辛卯，太宗用兵河南，强之從行，轉漕河上，給餉諸軍。壬辰，命天祥領汴京百工數千屯霸州之益津，行元帥府事，賜錦衣一襲。初，天祥夜中流矢，鏃入頰骨不能出，至是金瘡再發，鏃自口出。睿宗時爲皇弟，聞而憫之，授海濱和衆、利州等處總管，兼領霸州御衣局人匠都達魯花赤，行北京七路兵馬都元帥府事。憲宗八年秋九月，以疾卒。年六十八。永清周志。天祥幼有大志，長身駢脅，力絶人，性不嗜酒，喜稼穡，好施予。乙未括户，縱其奴千餘口，俾爲民。晚雖喪明，憂國愛民之心未嘗忘也。（元史列傳。）

薛塔喇海（原作薛塔剌海。）燕人也，剛勇有志。歲甲戌，太祖引兵至北口，（元史列傳。）帥所部三百餘人歸之。（宛平王志。）帝命佩金符，爲礮水手元帥。屢有功，進金紫光禄大夫，佩虎符，爲礮水手軍民諸色人匠都元帥，便宜行事。從征回回、河西、欽察、輝和爾、喀喇、奈曼、阿勒呼木、呼察、都哩木、薩蘭諸國，俱以礮立功。太宗三年，睿宗引兵自洛陽渡河，塔喇海由隴右假道金、商，遂會師於鈞州三峯山，敗金師。四年，破南京及唐、鄧、鈞、許諸州，取鄢陵、扶溝。四月卒。子達實拉（原作奪失剌。）襲爲都元帥，南攻江淮有功。歲庚戌卒。弟結桑（原作軍勝。）襲，憲宗八年，從世祖攻釣魚山、苦竹崖、大林平、青居山，破重慶、馬湖、天水，賜以白金、鞍馬等物。中統三年，李璮叛濟南，又以礮破其城。至元五年，從圍襄陽，三月卒。丞相阿珠欲以千户劉添喜攝帥府事，子四嘉努，（原作四家奴。）年方十六，請從軍自効，帝壯而許之。（元史列傳。）八年，襲父爵。十年冬，襄、樊未下，四嘉努立礮攻之。明年，襄陽守吕文煥降。繼從丞相巴延南伐。十月至郢州，先登。（宛平王志。）師既渡江，四嘉努自鄭州下沿海諸城堡，至建康。十二年，授武節將軍。六月，與宋將夏貴戰於峪溪口，奪其船二百餘艘。十一月取常州，十二月取蘇州。十年攻鎮巢，七月圍揚州，守臣李庭芝棄城走，追獲之。九月，進階懷遠將軍，將兵平浙東諸郡。從征福建灤江，與宋兵力戰，破之，獲戰艦千餘艘。十六年，進階鎮國將軍，鎮揚州。二十三年，改爲萬户。元史列傳。

楊格濟格，原作傑只哥。燕京寶坻人。一統志。世業農，少有勇略。太祖略地燕、趙，率族屬來降。從攻遼左及定西夏諸路有功。元史類編三十七。己丑，睿宗賜以金幣，命從額斯倫攻信安。額斯倫知其材略出諸將右，命裁決軍務。信安城四面阻水，元史列傳。其帥張進久不降，格濟格曰：彼恃巨浸，我師進不得利，退不得歸，不若往説之。進見其來，怒曰：吾已斬二使，汝不懼死耶？格濟格從容言曰：今齊、魯、燕、趙地方，數千里郡邑，聞風納欵，獨君恃此一城，内無軍儲，外無兵援，亡可立待。爲君計者，不如請降，可以保富貴而免死亡。進默然曰：姑待之。凡三往，乃降。辛卯，大名守蘇椿叛，討獲之，衆議屠城，格濟格曰：怒一人而族萬家，非招徠之道也。乃止。由是滑、濬等州聞風納欵。壬辰，師次徐州，元史列傳。阻河不得濟。格濟格偵知有賊兵操舟伏草澤中，夜率勁卒，憑河擊之，奪其舟，衆畢渡，元史類編。獲河南諸郡降人三萬餘户，進攻徐州。金將國用安拒戰。格濟格率百餘騎突入陣中，迎擊於後，大敗之，擒一將而還。元史列傳。時皇太弟駐兵觀戰，喜曰：此真飛將軍！賜名拔都，寶坻洪志。授金符，命總管新附軍民。元史列傳。太宗聞之，慰勞甚至，寶坻洪志。特賜種田民户租賦。丁酉，從額斯倫攻歸德，格濟格麾諸將縛草作筏，渡濠抵城下，梯城先登，拔之。由是進攻，得五州十縣四堡二寨。元史列傳。宋兵至，已登歸德城，格濟格拒戰，敗走之，率舟師追擊，轉戰中流，溺死。元史類編。

賈實喇，原作昔剌。燕之大興人，本姓賈氏，其父仕金爲庖人。實喇體貌魁碩，有志於當世。歲甲申，因近臣入見莊聖太后，遂從睿宗於和林，典司御膳，以其鬚黃，賜名實喇，俾氏族與蒙古人同，甚見親幸；又慮其漢人，不習於風土，令徙居濂州。已復思之曰：實喇在，吾飲食殊甘。促召入供奉，諸庖人皆隸焉。世祖在潛邸，知其厚重，使從迎皇后於鴻吉哩之地。自是預謀帷幄，動中機會，內出銀三千兩，使買珍膳，乘傳上太官，恣其出入不問。又賜以牝馬及駒三十四，并牧户與之。是時兵餘，數以所賜分遺鄉里。世祖卽位，立尚食、尚藥二局，賜金符，提點局事。卒。追封聞喜郡侯，謚敬懿。元史列傳。英宗時追封絳國公。子酬尼貲。宛平王志。

酬尼貲，原作丑妮子。按：虞集宣徽使賈公碑，作丑鈕子。方幼時，世祖愛之，嘗坐之御席傍。從征雲南，躍馬入水，斫戰船，破其軍。帝奇其勇敢，而戒其輕鋭。己未，從伐宋，還自鄂州，卒。追封臨汾郡公，謚顯毅。元史列傳。後進封絳國公。宛平王志。子和爾齊，原作虎林赤。按：碑作忽林赤。智勇絶人。額呼布格之叛，出其家名馬以助官軍。從幸和林，中道值大風，晝晦，敵猝至，擊走之；還，佩其大父金符，提點尚食、尚藥二局，歷尚膳使，兼司農。嘗入侍，帝問：治天下，何爲本？曰：重農爲本。何爲先？曰：用賢爲先。用賢則天下治，重農則百姓足。帝深善之，超拜宣徽使，辭，改僉院事，仍領尚膳使。卒。子圖沁布哈原作秃堅不花。襲世職，爲尚藥、尚食局提點。世祖以故家子，獨奇之，謂他日可大用，使在左右。從征納延，軍次杭愛，敵猝至，帝令急擊之。諸近侍見其勢盛，多畏避。圖沁布哈卽馳入其陣疾戰，破走之，擒其首將以歸。移軍輝罕，元史列傳。大風，晝晦，敵兵鼓譟，圖沁布哈奮擊，身被十餘創，猶力戰。帝奇其勇。元史類編二十六。杭愛叛者請降，衆議以爲親犯王師，宜誅之。圖沁布哈獨曰：杭愛本吾人，或誘之以叛，豈其本心哉！且兵法殺降不祥，宜赦之。帝曰：圖沁布哈議是。遷同僉宣徽院事。每論政帝前，言直而氣不懾，帝亦知其直。令察宿衛之事，有才器者以名聞。所論薦數十人，用之皆稱職，時論歸之。元史列傳。成帝卽位，諸侯王會於上京，凡芻餼宴享之節、賜予多寡之分，曲當上意，帝喜曰：宣徽得此足矣。會帝弗豫，入侍疾，一食一飲，必親嘗乃進。元史類編二十六。帝悦，賜珠袍，超拜宣徽使。元史列傳。辭曰：先臣服勤於此三世矣，位不過僉佐，臣何敢有加於此！帝嘉其退讓，允其請。元史類編。九年，北方克嚕倫部大雪，元史列傳。奏往賑之，全活者數萬。宛平王志。武宗至大初，出金帛大賚北邊諸軍，以圖沁布哈諳習事宜，使卽軍中分給。元史類編。諸部大悦。拜宣徽使。元史列傳。爲同官賈廷瑞所嫉。廷瑞請以宣徽院爲門下省，尚書省奏廷瑞擅易官制，帝怒，欲殺之。圖沁布哈力諫不可，帝曰：賈廷瑞毀卿不直一錢，卿尚不知耶？對曰：廷瑞所坐不當死，不敢以臣私隙誤陛下失刑。遂得免。元史類編。帝訪羣臣以治道，圖沁布哈以爲治國安民之實在於生財節用。帝嘉納焉。轉光禄大夫。仁宗卽位，加金紫光禄大夫。元史列傳。延祐四年，北方又被風雪爲災，請賑之如大德時，且出其家私馬二百匹以爲助。宛平王志。時特克實、原作鐵失。王廷顯皆同官也，帝賜特克實海舶，圖沁布哈曰：此軍國之所資，上不宜賜，下不宜受。帝賜廷顯玉帶，廷顯欲取太官羊錢萬緡充其價，又執不可。於是嫉者甚衆。元史類編。七年，以疾去官。英宗卽位，特克實竟譖殺之。後特克實以大逆伏誅，事乃白。贈推忠宣力守諒功臣、太傅、開府儀同三司、上柱國，追封冀國公，謚〔忠〕隱。後封冀安王。元史列傳。

郭汝梅，字和卿，潡陰人。高祖世珍仕遼景宗，爲太尉司徒，數蒙寵賚，嘗於私第賜地八千畝，乃構大亭，榜曰獨秀，歲時拜掃，爲游息之所。聖宗統和六年，承天太后伐宋，王譓郭公新塋碑。俘獲甚衆。師次范陽，世珍上言：降卒皆有父母妻子，不無懷土之情，驅而之北，終不爲用，惟殿下至仁寬宥，放歸鄉國。畿輔唐志七十一。太后嘉納，縱活數萬。遼史拾遺二十。金貞祐初，汝梅年七歲，潡城陷，通州高志。老幼皆被屠戮，郭公新塋碑。父琪、母劉禱於火神廟，通州高志。願保護此兒，使郭嗣不絕。郭公新塋碑。及灤河，力不能負，欲棄之，遇赤犢乘渡，得免。汝梅既顯，繕祠以報。年十有八，縣民公舉攝行縣事。通州高志。歲庚寅，朝建立十路徵收課税所，郭公新塋碑。耶律丞相知其才，奏充燕京都税司，以幹濟稱。通州高志。中統初，汝梅以久貳徵收，殊非本志，俾其子翰承襲。三年，平章政事兼制國用使阿哈瑪奏：本路員多，不無侵擾，疏其廉幹得力者，任使如故。郭公新塋碑。起，再任税所官，通州高志。創建驛舍百餘楹，不令擾及民家。多起倉廒，每歲應給行宮所須，未嘗闕誤。大小差徭，先期告足。郭公新塋碑。懲兇暴，捕盗賊，禁倡優，與齊民雜處，歲不再易，風俗臻善。益户萬二千餘，進昭勇大將軍，總管中都路兼尹大興。數引見，奏對稱旨。中統五年，卒。通州高志。

李秉彝，字仲常，大都通州潞縣人。秉彝幼而沈毅，見人倨坐輒色變，由是衆異焉。穎悟好學，七歲讀書，日千言。十歲能習古篆隸。年二十餘，謁行省粘合公，卽爲椽曹。未幾，遷都事。説粘合曰：金亡，人材無所附麗，天下初定，宜拔其尤者爲朝廷用。粘合用其説，首聘王磐授子弟經，於是士大夫相繼登粘合之門，實自秉彝發之。參議王文統投書粘合，請立河南省，曰距河以持南北之勢，聚財以結上下之交，可以成事。秉彝明其邪説，願勿聽。既而文統果敗。遷員外郎。己未，世祖以潛藩伐宋，從渡江。將士入鄂州，爭取金帛。秉彝獨取書萬卷以還。中原兵火後，人家少藏書，至是遠近學者借讀無虚日，文風漸起。中統壬戌，遷中興等處行省郎中。時渾都罕甫平，民艱食，秉彝奉旨賑恤玉門以東，全活者無數。至元甲子，徙四川。陝中苦司竹之政，奏罷之。遷太中大夫，佩金符，爲彰德宣課運使。課最，擢尚書户部侍郎。庚午秋，中原蝗，銜命往捕，有不盡心，聽以軍法從事。秉彝訖事，未嘗有所操切。明年，京師饑，朝廷用秉彝言發廩。又明年，魚兒泊饑，亦被命濟其民。出爲都提舉漕運使，御河數千里，不半載，餉百萬石。中臺察廉能，奏授陝西按察副使。巡行灌州，故有李公堰，當三江口，遇水漂悍輒壞，歲調夫修完，民以爲病。秉彝以爲築之堅，可已患，父老以壅遏漲勢，則恐爲成都害。秉彝令投石水中，問曰：水從石上過耶？石下耶？皆曰：流石上耳。督有司，三月堰成，自是大水至，冒堰上行，無所壅，旱則瀦以溉田，爲至今利。丁丑，除江州路總管。屬邑有剽掠者，有司以叛告。官軍既動，被俘者衆。秉彝邀諸津，詰無辜千餘人悉縱遣之。黄州叛，九江戍卒僅五百，北來商旅亦授兵登陴，單弱甚。吕師龍新降爲招討使，擁精騎千百，檄使捍禦，不聽。秉彝夜登庾樓，遥望小舟順流下，邏獲七人，自黄來，持叛書，期師龍以五月十六日爲内應。秉彝卽訪其計議陳文彬，偕至師龍所，諭以利害，師龍與其麾下自誓不知情。秉彝曰：審爾，何不分兵守城？師龍如言。九江遂無警。其兄師夔自江西奉黄金二百兩、白金二千兩、奴婢十人爲謝。力卻不受。義門陳氏，苦縣吏貪酷，戕吏卒。秉彝曰：非叛也。密遣其婣黨夏德叟招撫之，闔族千餘口皆得免。遷湖州總管。踰年又徙常德。沚江泛濫，立隄匱以制湍浪，民免墊溺。官種柑橘五百株，以代民貢。歲歉黜，同僚議不俟命開倉救饑者。武陵之人立碑以頌遺愛。癸未，陞通議、兩浙轉運使。去民之不便者，而課自辦。轉正議，除工部尚書。居半載，復爲兩浙轉運使，兼杭州諸色課程及市舶。前同知納速剌丁倚權臣勢，奪秉彝職。有旨理算。欲因以誣秉彝，卒不得毫髮私。羣小讋服。歸道鎮江，寓鶴林坊，病卒。年六十五。秉彝嘗名齋室曰閑邪。或求爲吏，以東坡、潁濱二先生手書奏議三十册爲獻。秉彝曰：賂可受乎？平生不有玩好，戒子孫曰：凡物之罕得者，我獨有之，必有奇禍云。周馳閑邪公傳。

朱國寶，寶坻人，畿輔唐志七十一。修内使存器子也。寶坻洪志。存器嘗夜行盧溝橋，獲金一囊，坐待其主至，還之。元史類編十九。憲宗將攻宋，募兵習水戰，國寶以職官子從軍。元史列傳。世祖攻鄂州，國寶攝千户，率鋭卒，於中流遇宋師，凡十七戰，諸軍始畢濟。元史類編。中統二年，授千户，佩銀符。三年，圍李璮於濟南，佩金符，鎮戍海東。從征襄陽，攝四翼鎮撫，元史列傳。督造戰艦，築萬山堡。及拔沙洋，隳新城，皆有功。初，師次江上，國寶願當前鋒。元史類編。既而奪船二十艘以獻，巴延壯之。宋據上流，方舟數百，結爲堡柵。巴延指示曰：復能奪取是乎？國寶卽奮往破柵。元史列傳。既渡江，下鄂、漢。進兵岳州，與宋戰於桃花灘，獲其將高世傑，元史類編。進昭信校尉、管軍總管。既降湖右，加宣武將軍，統蒙古諸軍，鎮常德府，知安撫司事。時宋諸郡邑多堅守不下，國寶傳檄招諭，踰月悉平。惟辰、沅、靖、鎮遠未下。宋將李信、李發結武岡洞蠻，分據阨塞，國寶擊敗之。元史列傳。其衆退保飛山之新城，思、播蠻來援。國寶復戰破之，元史類編。擒張星、沈粤等三百餘人，進攻新城，獲信、發等，獻俘江陵。行省奏功，賜金虎符。至元十四年，會諸道兵，攻廣西靜江，拔之。元史列傳。授管軍萬户，鎮梧州。元史類編。十五年，加懷遠大將軍。初，宋臨安之破也，張世傑挾二王由閩蹈海，衆復滋蔓。時南恩、新州何華、張翼舉兵興復，軍勢甚盛。元史列傳。國寶擊殺之，降其民三萬餘户。遷北海南道宣慰使。元史類編。蜑賊連結鬱林、廉州諸洞，恣行摽掠，國寶悉平之。任龍光等率所部五千户降。移瓊州，元史列傳。立官程，更弊政，訓兵息民，俱有條制。民畏服之。畿輔唐志七十一。南甯謝有奎負固不服，國寶開示信義，有奎感悟，以其屬來歸，於是黎民降者三千户，苗軍降者三十所。破臨高蠻寇，招降居亥、番毫、銅鼓、博吐、桐油等十九洞，遣兵略大黎、密塘、橫山、焚其巢，生致大锺、小锺諸部長十有八人。元史類編。加鎮國上將軍、海北海南宣慰使、都元帥。供給占城軍餉，事集而民不擾。二十三年，遷廣南西道宣慰使。二十四年，入覲，帝慰勞之。二十五年，進輔國上將軍、都元帥、參知政事，行尚書省事。以軍事至贛州，得疾，卒。年五十九。元史列傳。

石天麟，字天瑞，順州人。年十四，入見太宗，因留宿衛。天麟好學不倦，於諸國書語無不習。賜名孟古岱。元史列傳。憲宗六年，以斷事官奉使北邊，海都拘留久之。世祖至元中，邊將刼王子北安王諾木罕以往，寓天麟所。天麟稍與其用事臣相親狎，因語以宗親恩義及臣子順逆之理，海都聞之悔，遂遣與王同歸。天麟拘二十八年始得還，世祖大悦，拜中書左丞。元史類編十二。天麟辭曰：臣奉使無狀，陛下幸赦弗誅，何可復叨榮寵？況臣才識淺薄，年力衰憊，豈能任政？恐徒貽廟堂羞，不敢奉詔。帝嘉其誠，褒慰良久。元史列傳。初，安圖與北安王爲海都所拘，十年始得還，有譖其嘗受海都官爵者，帝怒。通鑑輯覽九十五。天麟奏曰：海都實宗親，偶有違言，非仇敵比，安圖不拒絶之，所以釋其疑心，導其臣順也。帝怒方解。江南道觀偶藏宋主遺像，有僧與道士交惡，發其事，將置極刑，帝以問天麟，對曰：遼國主后銅像在西京者，今尚有之，未聞有禁令也。事遂寢。天麟年七十餘，帝以所御金龍頭杖賜之，曰：卿年老，出入宫掖，杖此可也。時權臣用事，凶焰薰炙，人莫敢言，天麟獨言其奸，無所顧忌，人服其忠直。成宗卽位，加榮禄大夫、司徒，大宴玉德殿，召天麟與宴，賜以御樂，命左右勸之酒，頗醉，命御輦送還家。武宗卽位，進平章政事。至大二年秋八月卒。年九十二。追封冀國公，謚忠宣。元史列傳。

張榮實，保定人。父進，守信安城有功，金封北平公。保定成志。壬辰歲，率所部屬民降，太宗命爲征行萬户。甲午，征河南，與金將國用安戰徐州，死焉。榮實始以質子入宿衛，繼授金符，充征行水軍千户。丁酉，改雄州保定新城長官。庚子，復命統領水軍。甲辰，從大將軍察罕軍至淮上，遇宋將吕文德，與戰，俘五十餘人，賞銀椀、戰馬。從攻江陵，略襄陽，宋以舟師横截漢水，兵不得渡，榮實戰却之，獲人百餘，戰船數十艘。察罕以聞，賜錦袍及銀十五斤。破宋軍於太湖，賞銀百兩。己未，從世祖南征，駐陽羅渡。宋軍横截江水，帝以榮實習於水，命居前列，遂取輕舟率麾下水校鏖戰北岸，獲宋大船二十，俘二百，溺死不可勝計，斬宋將吕文信。元史列傳。中統元年，以榮實從南征，多立功，命爲水軍萬户兼領霸州民户諸水軍將吏。元史兵志。三年，李壇叛，榮實從史天澤討平之，賞金盌及銀二百五十兩、馬一匹，命鎮膠西。至元五年，從丞相阿珠攻襄陽，敗夏貴，擒張順；又攻樊城，俘其二將。賞銀及弓矢、鞍勒。十一年，增領新軍，從丞相巴延南征。榮實以所部先進，鄂、漢皆降。論功授昭毅大將軍。從阿爾哈雅攻岳州，保定成志。降宋將高世傑，破沙洋、新市，降江陵，以功加昭武大將軍。偕元帥宋托合原作都台。征江西隆興，擒宋將密佑，撫州降。十三年，授同知江西道宣慰使司事，未旬日，升鎮國上將軍、福建道宣慰使。進兵廣東，破降韶州。十四年，改江東宣慰使、行省參知政事。帝以廣東餘黨未附，命與右丞達春撫定之。十五年，入覲，帝賜慰勞，授湖北道宣慰使、諸路水軍萬户。是年，以疾卒，年六十一。子顔、玉、珪。元史列傳。玉，保定人，襲父職爲懷遠大將軍、諸路水軍萬户。至元十六年，討吉安叛賊有功，入朝，賜金織文衣、弓矢、佩刀，加輔國上將軍、都元帥，兼水軍萬户，鎮黄州。繼奉旨與元帥唐古特改立蘄黄等路都元帥府，仍管領本道鎮守軍馬。二十年，廣東盜起，遏絶占城糧運。二十一年，玉率兵討平之。從參知政事頁特密實入朝，賜金織文衣、鞍勒、弓刀。會元帥罷，命玉充保定水軍上萬户。二十二年，鄱陽湖賊起，詔徙水軍萬户府於南康。元史列傳。會皇子鎮南王脱歡復征交趾，二十四年九月王至思明州，時玉與湖廣參政樊楫亦引兵同至萬刧江，交兵，險阻拒守，元史類編二十。累戰有功。二十五年元史列傳。三月，將士多被疫，不能進，續資治通鑑一百八十八。師還，安南以兵迎戰，元史列傳。且戰且行，日數十合。賊據險發毒矢，將士裹瘡以戰，續資治通鑑一百八十八。被傷過半，爲賊邀遮白藤江潮下。舟膠，賊大至，力戰被創，投水中，爲賊鈎執，毒殺之。元史類編。

杜瑛，字文玉，霸州信安人。時昇子。一統志。長七尺，美髭髯，氣宇端肅。元史類編三十三。金季，河朔擾亂，瑛避地河南，居緱氏山中，讀書講學，博覽，無所不窺。永清周志。金亡，間關轉徒，教授汾、晉間，（元詩百家小傳。）聲聞漸著，登門受業者恆以百數。相、衞俗尚文雅，由瑛始也。中書鈕祜祿珪（原作粘合珪。）開府於相，以書幣延瑛，待以賓師之禮。（永清周志。）瑛赴其聘，後遂家焉。（元史列傳。）是時，草昧之初，賦役、刑罰、除授官吏，州郡皆得專之。瑛言：兵荒之餘，生民窮困，宜緩刑薄賦，修學養士。鈕祜祿珪然之。憲宗九年，世祖奉命南伐，所至郡邑，訪求人材，（永清周志。）至相，召見問計，瑛從容對曰：（元史列傳。）王者不嗜殺人，然後能一天下。今宋闇弱，奸臣擅國，習俗驕靡，將卒恇怯，所恃長江險耳；誠選將任能，禁暴戢亂，據有上游，戈船東下，一舉可定也。（蘇天爵文獻杜氏行狀。）帝悦曰：儒者中乃有此人乎！欲留大用，命從行，以疾弗果。（元史列傳。）江南平，詔徵之。辭不就。左丞張文謙宣撫河北，奏爲懷孟、彰德、大名等路提舉學校官，又辭，（元詩百家小傳。）遺執政書，其略曰：先王之道不明，異端邪説害之也。横流奔放，天理不絶如線。今天子神聖，俊乂輻輳，言納計用，先王之禮樂教化，興明修復，維其時矣。若夫簿書期會，文法末節，漢、唐猶不屑也，執事者因陋就簡，此焉是務，良可惜哉。夫善始者未必善終，今不能溯流求源，明法正俗，育材興化，以拯數百千年之禍，僕恐後日之弊，將有不可勝言者矣。人或勉之仕，則曰：後世去古雖遠，而先王之所設施，本末先後，尤可考見，故爲政者莫先於復古。苟因習舊弊，以求合乎先王之意，不亦難乎！吾又不能隨時俯仰，以赴機會，將焉用仕！元史列傳。於是杜門謝客，以修學著書爲事。所著多明經術之意，有春秋地理源委十卷、語孟旁通八卷、皇極引用八卷、皇極疑事四卷、極學十卷、永清周志。律吕新曆、禮樂雜志三十卷、元史列傳。緱山集十卷。元詩百家小傳。其於律，則究其始，研其義，長短清濁，周徑積實，各以類分，取經史之説以實之，而折衷其是非。其於曆，則謂造曆者皆從十一月甲子朔夜半冬至爲曆元，獨邵子以爲天開於子，取日甲月子、星甲辰子，爲元會運世之數，無朔無閏餘，率以三百六十爲歲，而天地之盈虚，百物之消長，不能出乎其中矣。論閉物開物，則曰開於己，閉於戊；五，天之中也；六，地之中也；戊己，月之中星也。又分卦配之紀年，金之大定庚寅，交小過之初六；國朝之甲寅三月二十有三日寅時，交小過之九四。多先儒所未發。初，鈕祜禄珪憐其貧，與田千畝，辭不受。術者言其所居下有藏金，家人欲發視，輒止之。後來居者果得黄金百斤，其不苟取如此。元史列傳。至元十一年卒。遺命其子曰：我死，棺第置杜甫詩集一編，題其誌石云：處士杜緱山墓。元詩百家小傳。於是足矣。永清周志天曆間，贈資德大夫、翰林學士、上護軍，追封魏郡公，謚文獻。元詩百家小傳。

張子良，字漢臣，涿州范陽人。涿州吴志。金末，四方兵起，所在募兵自保。子良率千餘人入燕、薊間，耕稼已絶，元史列傳。遂聚州人，阻水，治舟筏，取蒲魚自給食，從者日衆。子良部勒之，就食東平、宿、壽間。涿州吴志。夏全刼其民出雞口，李敏據州，子良率麾下造敏，敏欲害之，走歸宿，因以宿帥之衆，奪全所刼老幼數萬以還。全怒，連徐、邳之軍來攻。子良與宿帥斫其營，全失其軍符，走死揚州。時金受重圍於汴，聲援盡絶。有國用安者，元史列傳。先名安用，紅襖賊楊安、李全餘黨也，金史國用安傳。圖以漣水之衆入援，道阻，游兵不能進。子良與一偏將晝伏夜行，得入汴，達用安意。金君臣以爲自天降也，曲賜勞來，凡所欲，皆如用安請，因以徐、宿授子良。明年，子良進米五百石於汴，授榮禄大夫，總管陝西東路兵馬，仍治宿州。當是時，令已不行於陝，而用安亦卒不得志。徐、宿之間民無食者，出城拾穭穟以食，子良嚴兵護之，以防鈔掠。猝遇敵，子良被重傷，乃率衆就食泗州。泗守閱兵，將圖之，子良與麾下十數人卽軍中生縛其守，民不欲北歸者，欲走傍郡，子良資以舟楫，無敢掠其財物。元史列傳。歲戊戌，以泗州西城二十五縣軍民十萬八千餘口來歸。太宗命爲東路都總帥，賜金符，累官大名路總管兼府尹。卒。涿州吴志。年七十八。贈昭勇大將軍、僉樞密院事、上輕車都尉，追封清河郡侯，謚翼敏。元史列傳。自兵興以來，子良轉徙南北，依之以全活者不可勝計。子亨、懋。涿州吴志。

懋字之美，未弱冠已有父風。侍子良官京東，故懋領其衆。中統元年，宣授泗州軍總把，佩金符。至元七年，擢濟南諸路新軍千户。九年，從破襄、樊有功。十一年，丞相巴延南征，以懋勇鷙，將弩前行。凡所遇山川道路險陿，通梁筏，平塹穽，安營設伏，出納奇計。巴延信用之，擢爲省都鎮撫，水陸並進，其任甚重。元史列傳。既滅宋，涿州吴志。北還，駐瓜洲。巴延命懋往諭淮西夏貴，副以兩介，將騎士直趨合肥。元史列傳。貴出迎，懋示以逆順禍福，辭旨雄厲，貴受命，涿州吴志。上地圖、降書。馳還報，巴延大喜，復令行徇鎮東、安豐、壽春、懷遠、淮安、濠等州郡，皆下，復使之徧諭列城軍民，使知德意。十三年，懋馳驛至上都，巴延上其功，宣授懋明威將軍、泗州安撫司達嚕噶齊。元史列傳。十四年，改安撫司爲總管府，置宣慰使以統之，拜同知淮西道宣慰司事。十六年，改授懷遠大將軍、吉州路總管。懋惡衣糲食，率之以儉；慎刑平政，處之以公；新府治，設義倉，雖能吏不過也。涿州吴志。凡有所懲治，朝至夕報，豪强竦然。郡萬户蘇良，恃勢爲暴，爲之翼者有十虎之目，懋盡誅之，奪良虎符而黜之，民大悦。羣盗有率衆將白晝刼城者，懋聞之，率從騎擣其穴，縛其酋長以歸。民之流亡與遠郡之來歸者數千家，相率爲生祠以祀之。十七年二月，卒。年六十三。贈昭勇大將軍、龍興路總管、上輕車都尉，追封清河郡侯，謚宣敏。子二人，文焕，以父蔭，任承務郎，江州路瑞昌縣尹；文炳，三汊河巡檢。文焕子珪，初爲高安縣尹，有異政，由是擢爲江西檢校，拜南臺御史，繼爲淮西、江西二道廉訪僉事，用能世其家云。元史列傳。

張巴圖，（原作拔都。）昌平人。至元辛未，太祖南征，巴圖率衆來附，願爲前驅，遂留備宿衛。從近臣呼圖克（原作漢都虎。）西征回紇、河西諸蕃，道隴、蜀入洛，屢戰，流矢中頰，不少卻。帝聞而壯之，賜名巴圖。自是呼圖克亦專任之。金亡，以呼圖克爲礮手諸色軍民人匠都元帥，守真定，呼圖克卒，無子，以巴圖代之。及呼圖克兄子沙克善（原作瞻闍。）少長，巴圖請於朝，歸政而終老焉。（一統志。）子孟古岱，（原作忙古台。）從憲宗攻蜀釣魚、苦竹山二壘，冒犯矢石，屢挫而不沮，遂以勇敢聞。中統元年，賜銀符，預議礮手軍府事，尋易金符，爲行軍千户。從征襄、樊有功，卒。子世澤襲。世澤從丞相巴延南征，大小十餘戰，皆有功，又從平廣西，明年收瓊、萬諸州，拜宣武將軍、行軍總管，未幾遷副萬户，加明威將軍。從鎮南王托歡伐交趾，既還，及再舉將校舊嘗往者，許留恤之。有托歡者，當行適病不能起，世澤曰：吾祖父以武勇稱，吾蒙其餘澤，荷國厚恩，當輸忠王室，增光前人，豈可苟爲自安計耶！力請代之。凱還，人服其義云。（元史列傳。）

李德輝，字仲實，通州潞縣人。（一統志。）方五歲，父且卒，指德輝謂宋夫人曰：吾爲吏，治獄不任悍鷙刻削，人蒙吾力，脱罟齒平民者衆，天或報施善人，是兒其大我門者（元名臣事略十三。）及卒，德輝號慟如成人。適歲凶，家儲粟纔五升，其母舂蓬稗、炊藜莧而食之。既就外傅，嗜讀書，束於貧，無以自資，乃輟業。年十六，監酒豐州，禄食充足甘旨，有餘則市筆札録書，夜誦不休。已乃厭糟麴，歎曰：志士顧安此耶！仕不足以匡君福民，隱不足以悦親善身，天地之間，人壽幾何，惡可無聞同腐草木也！元史列傳。乃謝絶所與遊少年，求先生長者講學，以卒其業。時世祖在潛藩，用劉秉忠薦，使侍裕宗讀。癸丑，憲宗封宗親，割京兆隸世祖潛藩，擇廷臣能理財賦者俾調軍食，立從宜府，以德輝爲使。時田哥宿兵利州，扼四川衿喉，以規進取，元史列傳。按：史作汪世顯。攷世顯以癸卯歲卒任，癸丑之前十年，姚燧撰李忠宣公行狀云，時汪忠烈公宿兵利州，忠烈乃田哥之謚，非世顯也。今據改。數萬之師仰哺。德輝乃募民入粟綿竹，散錢幣，給鹽券，使歸京兆受直，陸挽興元，水漕嘉陵，二年而錢粟充棟於軍中，蹙蜀之本，實張於斯。元名臣事略十一。中統元年，爲燕京宣撫使。燕多劇賊，造僞鈔，結死黨，殺人。元史列傳。悉捕誅之。雖中書開府在燕，令行禁止，多不上白，由是忤時相意，以誣去位。元名臣事略十一。三年，起爲山西宣慰使。權勢之家籍民爲奴者，咸按而免之，復業近千人。至元元年，罷宣慰司，授太原路總管。元史列傳。德輝愈益勤勵，崇學校，表孝節，逐姦賊，裁婚葬，敦耕桑，立社倉，一權度，嚴鼓柝，凡與民漸摩仁義者，無弛不張。嘉禾瑞麥，六出其境。五年，徵爲右三部尚書。人有訟財而失其兄子者，德輝曰：何疑焉，叔殺之也。深究其獄。所親信及權貴元名臣事略十一。爲請者甚衆，德輝不應，罪狀既明，請者乃慚服。七年，録囚山西河東，行至懷仁，民有魏氏，發得木偶，持告其妻挾左道爲厭勝，謀不利於己。移數獄，詞皆具。德輝察其冤，知有愛妾，疑妾所爲，將搆陷其妻也。召妾鞫之，不移時而服，遂杖其夫而論妾以死。元史列傳。觀者神之。皇子安西王鎮關中，元史類編。奏以德輝爲輔。元名臣事略十一。遂改安西王相。至則視瀕涇營牧故地，可得數千頃，起廬舍，疏溝澮，假牛、種、田具與貧民二千家，屯田其中，歲得粟麥芻藁萬計。十二年，詔以王相撫蜀，亶慶猶城守。朝廷各置行樞密院於東、西川，元史列傳。合兵萬人圍重慶，肆於摽掠，軍政不一。通鑑輯覽九十四。德輝至成都，兩府争遣使咨受兵食方略，德輝戒之曰：宋已亡矣，重慶以彈丸之地，不降何歸？正以公輩利其剽殺，民不得有子女，懼而不來耳。嚮日兵未嘗戰，中使奉璽書來赦，公輩既不能正言明告，使懼而叛去，非玩寇而何！況復相訾紛紛，朝夕敗矣，豈能成功哉！德輝爲書與合州張珏曰：君之爲臣，不親於宋之子孫，合州爲州，不大於宋之天下。珏不答。德輝還王邸，未至秦，元史列傳。按：元史載招張珏與招王立爲一時事，蓋全取行狀，誤以追叙爲十五年事耳。招珏在十三年，招立在十五年，珏已於重慶被擒矣。今改。通鑑輯覽。宋制置副使張珏復取瀘、涪州，及圍，兵以不和而潰。珏乃遣將四出，兵屢敗。十四年，以德輝領西川行樞密院副使。諸軍既發，仍令德輝留成都給軍食。是年復瀘州。十五年，再圍重慶，踰月拔之。元史列傳。既而合州遣李興、張郃十二人詷事成都，皆獲之，釋不殺，復爲書縱歸，使諭其將王立。立以夙與東川有深怨，懼誅，乃使使間行至成都，請降於德輝。德輝從兵纔數百人赴之，東府害其來，皆曰：公昔爲書招珏，誠亦極矣，竟無功而還；今立，珏牙校也，習狙詐不信，特以計致公來，使與吾爭垂成之功，延命晷刻耳，未必誠降。德輝曰：昔合以重慶存，故力可以同惡，今已孤絶，窮而來歸，亦其勢然。吾非攘人之功者，誠懼公等憤其後服，誣以嘗抗蹕先朝，利其剽奪而快心於屠城也。吾爲國活此民，豈計汝嫌怨爲哉！卽單舸濟江，薄城下，呼立出降，安集其民，而罷置其吏。合人自立而下，家繪事之。川蜀平，復以王相還邸。十七年，置行中書省，以德輝爲安西行省左丞。元史列傳。西南夷羅施鬼國既降復叛，詔雲南、湖廣、四川合兵三萬人討之。兵且壓境，德輝適被命在播，亟遣止使兵勿進，别遣人趨鬼國使降。酋長熟公名，曰：是活合州李公耶？其言明信可恃。卽身至播州，泣且告曰：我屬百萬人，微公來，死且不降。今得所歸，蔑有二矣。元名臣事略十一。德輝以其言上聞，乃改鬼國爲順元路，以其酋爲宣撫使。其後有以受鬼國馬千數譖德輝於朝者，上曰：是人朕所素知，雖一羊不妄受，甯有是事！及薨，蠻夷聞訃，哭之甚哀。元史列傳。其私親爲位而祭者，動輒千百人。合州安撫使王立，衰絰率吏民拜哭，聲震山谷，爲發百人護喪興元。播州安撫使何彥清，率其民立廟祀之。德輝天性孝悌，事母愉色婉容，自幼至貴，能養志順色，未嘗稍失。初，權臣阿哈瑪特與德輝偕侍潛邸，及當國用事，未始一至其門。彼常卑恭求好，拒之愈力。其所守類此。名臣事略十一。卒。年六十三。元史列傳。

張思忠，字正言，永清人也。先世業農，支屬蕃息，百年同居，人稱爲義門。元兵南下，思忠以良家子隸都元帥史天倪麾下，以武幹見稱。天倪鎮真定，以功監領左軍，充唐山令。及天澤襲兄職，授鎮撫千户，從天澤略地河南。歸德守禦，堅不可拔，思忠鼓勇先士卒登，戎鎧鮮異，大帥速不觧從衆中識之。及賞犒，以功讓所善。轉戰密之西山，諸民避兵匿洞窟中，元兵縱火燻逼，思忠爲言於主帥禁之。及移鎮入鄧，凡百草創，招流散，復田廬，治渠堰，整屯戍，咸措置有方。性仁慈，人稱謂佛張鎮撫。卒，年六十一。子桯。永清周志。

桯，幼岐嶷，嘗與羣兒嬉里門，神氣鎮定，指顧羣兒如大官府，見者奇之。及嗣父職，從天澤治軍江淮。軍府有疑獄，久不決，命桯鞫之，一訊而定，人多其明察。天澤奏，降銀符，授都督府鎮撫。至元五年，兵攻襄、樊，爲上流破竹之舉。桯首建白戍，議曰：淯、澮於漢，宜極據要害，築堡戍，使遏宋人，不得泝流，以據要害。永清周志。遂築圍城，以逼襄陽。通鑑輯覽九十三。桯分兵當衝，宋人爲之氣奪。時餉道不繼，以桯充提舉糧漕使。淯水行崗阜間，水淺石出，難於綱運，桯築堰，平水勢，造江軸車，兼用陸運，復設防戍，絶去涂梗，舟車通便，軍餉不乏。時議急取樊城。桯率先鋭進，既登中流，矢戰不輟。以勞授行都鎮撫。其職掌大概，上承大帥方略，指授諸將軍，有所關白，必因之上達，訓練、調遣、巡邏等事，皆所領治。當時諸軍大小四十餘壁，每翼鎮撫一員，號曰接手，日聽將令於都鎮撫，其重如此。十年春，襄州降。明年秋，詔丞相巴延等水陸並進鄂渚渡江，師次郢，永清周志。軍於城西。時張世傑將兵屯郢，在漢北以石爲城。新郢在漢南，横鐵絙鎖戰艦，密植椿木水中，夾以砲弩，其要津皆施杙，設攻具。元軍襲城，世傑力戰，通鑑輯覽九十四。軍不克前。桯按視，對江堡北，有枯河，可三里許，連接一湖，湖匯與漢通。因喜曰：吾事濟矣。遂拖舟由港中盡達於湖，順流而東，無復阻礙。巴延大悦。時大帥從偏裨百餘騎，行視郢險，會天大霧，誤抵壁下。宋兵潛出，圍之數匝，衆將相顧失色。桯奮槊突擊，殺數十人，遂得解去。因建策曰：郢據漢爲池，東南又有沙、陽等城，傍爲犄角，若乘鋭先破之，則郢孤矣。巴延用其議，卒得破夏貴兵於陽邏堡，遂清江道。元兵直下武昌，皆其謀也。尋以功授宣武將軍。宋相賈似道罄國力，永清周志。以精鋭七萬人盡屬孫虎臣，於池州下流之丁家洲，夏貴以戰艦二千五百艘横亘江中，通鑑輯覽九十四。欲與元兵鏖戰。巴延命桯督諸軍前陣，桯出入行間，指授方略，一再合，而宋兵敗績，遂入建康。丞相阿朮即分兵趨瓜步，回擣維揚，擇勇而有謀者偕往，以桯爲首選。巴延惜不遣，請權充萬户。命未下，俄以疾卒。年三十有九。永清周志。

梁曾，字貢父，燕人。少好學，日記書數千言。中統四年，薦辟中書左三都令史，三轉爲中書省掾。元史類編二十六。至元十年，用累考及格，授雲南諸路行省都事，佩銀符。久之，升員外郎，轉同知廣南西道左右兩江宣撫司事。明年，除知南陽府，唐、鄧二屬州爲襄陽府所奪，曾按圖經，稽國制以聞，得復舊屬。南陽在宋末爲邊鄙，桑柘未成，而歲賦絲，民甚苦之，曾請折輸布，民始稱便。十七年，朝廷以安南世子陳日烜不就徵，遣曾使其國。召見，賜二珠金虎符、貂裘一襲，進兵部尚書，與禮部尚書柴椿偕行。明年，日烜遣其叔遺愛，奉表從曾入。冬十月己亥，降詔封遺愛爲安南國王，賜幣帛，遣歸。二十一年，除曾湖南宣慰司副使。居三年，以疾去。二十九年，改淮西宣慰司副使，復以親老辭。召至京師，入見内殿。有旨令曾再使安南，授吏部尚書，賜三珠金虎符、襲衣、乘馬、弓矢、器幣，以禮部郎中陳孚爲副。元史列傳。瀕行，改官淮安路總管。三十年正月，至安南。其國有三門，元史類編。陳日燇欲迎詔自旁門，曾大怒曰：奉詔不由中門，是辱君命也。貽書責之，往復者三，卒從中行。續資治通鑑一百九十。又責日燇親出迎詔，且講新朝尚右禮，宣布天子威德，而諷其主入朝。日燇大感服，遣國相陶子奇等從曾詣闕請罪，元史類編。並上萬壽頌、金册表章、方物。八月，還京師，元史列傳。曾進所與日燇辨論書。帝大悦，解衣賜之，令坐地上，右丞阿里意不然，帝怒曰：梁曾兩使外國，以口舌息兵戈，爾何敢爾！時有親王至自和林，帝命酌酒，先賜曾，謂親王曰：汝所辨者汝事；梁曾所辨者，吾與汝之事，汝勿以爲後也。續資治通鑑二百九十一。復於便殿賜酒饌，留宿禁中，語安南事，至二鼓方出。明日，陶子奇等見詔。陳其方物，命曾引所獻象，曾以袖引之，象隨曾轉，如素馴者，復命引他象，亦然。帝以曾爲福人，問曰：汝亦懼否？對曰：雖懼，君命不敢違也。帝稱善。元史類編。或譏曾受安南賂遺，帝以問曾，曾曰：安南以黃金器幣奇物遺臣，臣不受，以屬陶子奇。帝曰：受之亦何不可！續資治通鑑一百九十一。尋賜白金一錠、金幣二，元史列傳。勑中書以所賜三珠金虎符與之。乘傳之淮安任。元史類偏。到官，興學校，勵風俗。河南行省事有疑者，皆委曾議之。元史列傳。成宗大德初，調杭州路，復流民五萬三千餘户，且禁暮夜鞫囚、游街、酷刑，著爲令。元史類編。四年，丁内艱。先是，丁憂之制未行，曾上言請如禮。七年，除潭州路總管，以未終制，不赴。明年，遷兩浙都轉運鹽使。又明年，拜雲南行省參知政事。尋還京，辭以母喪未葬，扶柩北歸，至長蘆，有旨賜鈔一百錠，使營葬。十年，詔爲中書參議。嘗預燕，賜濟遜一襲。十一年，轉正奉大夫，出爲河南行省參知政事，尋遷湖廣行省參知政事。四年，以疾辭歸。勑賜藥物，存問備至。皇慶元年，仁宗以曾前朝舊臣，復起爲集賢侍講學士，國有大政，必命曾與諸老議之。延祐元年，奉詔代祀中岳等神，還至汴梁，以疾不復職，寓居淮南，杜門不通賓客，惟日以書史自娛。至治二年卒，年八十一。卒之前十日，有大星隕於所居，流光燭地，人皆異之。元史列傳。

王利用，字國賓，通州潞縣人。幼穎悟，弱冠與魏初同學，遂齊名。諸名公交口稱譽之。初事世祖於潛邸，中書辟爲掾，辭不就。中統初，命監鑄百司印章，歷太府内藏官，出爲山東經略司詳議官，遷北京鄂囉同知，歷安肅、汝、蠡、趙四州知州，入拜監察御史。薊州有禁地，民不得射獵其中，邏者誣州民冒禁，籍其家，利用糾之；邏者訴於上，利用辯愈力，得以所没入悉歸之民。元史列傳。世祖卽位，擢翰林待制，兼興文署，奉旨程試上都、隆興等路儒士。與耶律鑄同修實録。元史類編二十二。出爲河東、陝西、燕南、四川提刑按察使。四川土豪有持官府長短者，問得其實，而當以罪，民賴以安。都元帥塔海抑巫山縣民數百口爲奴，民屢訴不決。利用承檄覈問，盡出爲民。大德二年，改安西、興元兩路總管。其在興元，減職田租額，站户之役於他郡者悉除之，民甚便焉。有婦毒殺其夫，問藥所從來，吏教婦指爲富商所貨。獄上，利用曰：家富而貨毒藥，豈人情哉？訊之，果寃。元史列傳。未幾，致仕，居漢中。成宗初，起爲太子賓客，疏上十七事，曰：謹畏天戒，取法祖宗，孝事母后，敬奉至尊，撫愛百姓，敦本抑末，清心聽政，寡欲養身，酒宜節飲，財宜節用，有功必賞，有罪必罰，杜絕讒言，求納直諫，官職量材而授，工役相時而動，俾近侍時赴經筵講讀經史。帝及太子皆嘉納。皇后聞之，命録别本以進。元史類編。利用以老病不能朝，帝遣醫診視之。利用謂弟利貞、利亨曰：吾受國厚恩，愧不能報，死生有命，藥不能爲也。遂卒。年七十七。利用每自言：平生讀書，於恕字有得。廉希憲當時名相，簡重，慎許可，嘗語人曰：方今文章政事兼備者，王國賓其人也。武宗卽位，以宫僚舊臣，制贈榮禄大夫、柱國、中書平章政事，封潞國公，謚文貞。元史列傳。

張九思，字子有，燕宛平人。父滋，薊州節度使。元史列傳。世祖至元二年，元史類編十三。九思入備宿衛。元史列傳。裕皇居東宫，一見奇之，以父蔭當補外，特留不遣。江南平，以宋庫藏金頒賜東宫，置都總管府以主之，元史類編。九思以工部尚書兼府事。十九年，世祖巡幸上都，皇太子從，丞相阿哈瑪特留守。妖僧高和尚、千户王著等謀殺之，夜聚數百人來儀衛，稱太子，入健德門，直趨東宫，元史列傳。徵張易兵，通鑑輯覽。傳令啟關，甚遽。九思適值宿宫中，命主者勿得擅啟關。賊知不可紿，循垣趨南門外，擊殺丞相阿哈瑪特、左丞郝禎。九思審其詐，大呼曰：此賊也！叱衛士急捕之。元史列傳。著就擒，易并坐。當易之見誅也，刑官論以從亂，當傳首四方。元史類編。九思曰：易應變不審則有之，坐以與謀，則過矣，乞免傳首。從之。通鑑輯覽。九思討賊時，右衛指揮使颜進在行，中流矢卒，怨家誤爲賊黨，將籍其孥，九思力辯之，得不坐。是年冬，立詹事院，以九思爲丞。元史列傳。行臺治書侍御史王惲進承華事略二十篇，太子覽之，至邢峙止齊太子食邪蒿，顧侍臣曰：一菜之名，遽能邪人耶？九思曰：正臣防微，理固當然。太子善其説，令諸子傳觀其書。續資治通鑑一百八十七。二十二年，皇太子薨，朝議欲罷詹事院，九思抗言曰：皇孫，宗社人心所屬；詹事，正所以輔成道德者也，何罷之？衆以爲允。元史列傳。三十一年春正月，世祖崩，御史中丞崔彧得傳國璽獻之，辨其文曰：受命於天，既壽永昌。此歷代傳國璽也。太妃出以徧示羣臣，丞相以下次第上壽，慶曰：此乃天意屬於皇太孫也。乃遣九思齎授之。續資治通鑑一百八十七。成宗嗣位，改詹事院爲徽政，以九思爲副使。十一月，進資德大夫、中書左丞，會修世祖、裕宗實録，命九思兼領史事。大德二年，拜榮禄大夫、中書平章政事。五年，加大司徒。六年，進階光禄大夫。薨，年六十一。元史列傳。

盧摯，字處道，一字莘老，號疏齋，涿人。涿州吴志。至元五年進士，博洽有文思，累遷少中大夫，河南路總管。真人吴全節代祀嶽瀆，過洛陽，嘉其治行，力薦之。大德初，授集賢學士、大中大夫，出持憲湖南，遷江東廉訪使，復入爲翰林學士，遷承旨。卒。元初中州文獻，元詩百家小傳。推能文辭有風致者，曰姚、盧，蓋謂姚燧及摯也。涿州吴志。稱能詩者，以摯爲首，有疎齋集。亦善書。元史類編三十五。錢唐張雨謂，疎齋集據官本讀之一過，生風凛然。趙郡蘇天爵曰：國家平定中原，士踵金、宋餘習，率皆粗豪衰苶，涿郡盧公，始以清新飄逸爲之倡。臨川吴澄曰：涿郡盧學士所作古詩，類晉人清言；古文出入盤誥中，字字土盆瓦缶，而脩有三代虎蜼瑚璉之器，見者莫不改視。元詩百家小傳。其文章宗旨一篇，人所傳誦。春明夢餘録。與臨川之論相合云。元詩百家小傳。

尚文，字周卿，世爲祁州深澤人，後徙保定，遂占籍焉。文幼穎悟。張文謙宣撫河東，參政王椅薦其才，遂辟掌書記。未幾，西夏行中書省復辟之。至元六年，始立朝儀，太保劉秉忠言於世祖，詔文與諸儒，採唐開元禮及近代禮儀之可行於今者，斟酌損益，凡文武儀仗，服色差等，皆文掌焉。七年春二月，朝儀成，百官肄習。帝臨觀之，大悦，遂爲定制。冬十一月，立侍儀司，擢右直侍儀使，轉司農都事。十七年，出守輝州。時河朔大旱，輝獨以禱得雨，境内大稔。懷孟民馬氏、宋氏，誣伏殺人，積歲獄不能決，提刑使者命文讞以論報。文推迹究情，得獄吏、獄卒羅織狀，兩獄皆釋。十九年，進户部郎中，奏罷懷、衛竹税提舉司，民便之。二十二年，除御史臺都事、行臺御史。上封事，言上春秋高，宜禪位皇太子。太子聞之懼，中臺祕其章不發。塔奇呼、阿薩爾等知之，請收内外百司吏案，大索天下埋没錢糧，而實欲發其事，乃拘封御史臺吏案。文拘留祕章不與，塔奇呼聞于帝，命宗正色徹肯取其章，文曰：事急矣！卽白御史大夫曰：是欲上危太子，下陷大臣，流毒天下之民，其謀至奸也。且塔奇呼乃阿哈瑪特餘黨，贓罪狼籍，宜先發以奪其謀。大夫遂與丞相議，即入言狀，帝怒曰：汝等無罪耶？丞相進曰：臣等無所逃罪，但此輩名載刑書，此舉動摇人心，宜選重臣爲之長，庶靖紛擾。帝怒稍解，可其奏。既而塔奇呼受人金，與其黨竟坐姦贓論死，其機實自文發之。升大司農丞，轉少卿，遷吏部侍郎，改江南湖北道肅政廉訪使。三十一年，召爲刑部尚書。元貞初，拜中臺侍御史。時行臺御史及浙西憲司劾江浙行省平章不法者十七事，制遣文往詰之。左驗明著，猶力争不服，文以上聞；平章乃言御史違制，取會防鎮軍數。成宗命省臺大臣雜議，咸曰：平章勳臣之後，所犯者輕，事宜宥；御史取會軍數，法當死。文抗言：平章罪狀明白，不受簿責，無人臣禮，其罪非輕。御史糾事之官，因兵卒争愬，責其帥如舊均役，情無害法，即有罪亦輕。廷辯數四，與省臺入奏，帝意始悟，平章、御史各杖遣之。其守正不阿類如此。元貞二年，建言：治平之世，不宜數赦；不急之役，宜且停罷。咸爲成宗所嘉納，授河北河南肅政廉訪使。大德元年，河決蒲口臺，檄令文按視防河之策，文建言：長河萬里西來，其勢湍猛，至孟津而下，地平土疏，移徙不常，失禹故道，爲中國患，不知幾千百年矣。自古治河，處得其當，則用力少而患遲；事失其宜，則用力多而患速，此不易之定論也。今陳留抵睢，東西百有餘里，南岸舊河口十一，已塞者二，自涸者六，通川者三，岸高於水計六七尺，或四五尺；北岸故堤，其水比田高三四尺，或高下等，大概南高於北約八九尺，堤安得不壞，水安得不北也！蒲口今決有千餘步，迅疾東行，得河舊瀆，行二百里至歸德橫堤之下，復合正流。或强湮遏，上決下潰，功不可成。揆今之計，河北郡縣順水之性，遠築長垣，以禦泛濫，歸德、徐、邳，民避衝潰，聽從安便，被患之家，宜於河南退灘地內，給付頃畝，以爲永業；異時河決他所者，亦如之。信能行此，亦一時救患之良策也。蒲口不塞，便。朝廷從之。會河朔郡縣及山東憲部争言：不塞，則河北桑田盡爲魚鱉之區，塞之，便。帝復從之。明年，蒲口復決，塞河之役，無歲無之。是後水北入復河故道，竟如文言。三年，調山東憲使，歷行省參知政事、行御史臺中丞。七年，召拜資善大夫、中書左丞。浙西饑，發廩不足，募民入粟補官以賑之。山東歲凶，盗賊竊發，出鈔八百五十餘萬貫以弭之。選十道使者，奏請巡行天下，問民疾苦。又奏斥罷南方白雲宗，與民均事賦役。西域賈人有奉珍寶進售者，價六十萬錠，省臣平章顧謂文曰：此所謂雅庫特原作押忽。大珠也，六十萬酬之，不爲過矣。一坐傳玩，文問：何所用之？平章曰：含之可不渴，熨面可使目有光。文曰：一人含之，千萬人不渴，則誠寶也；若一寶止濟一人，則用已微矣。吾之所謂寶者，米粟是也，一日不食則饑，三日不食則疾，七日則死；有則百姓安，無則天下亂。以功用較之，豈不愈於彼乎！平章固請觀之，文竟不爲動。年六十九，因疾告老而歸。十年，拜昭文館大學士、中書左丞、商議中書省事，召不起。武宗、仁宗之世，屢延致，訪以國事，賜燕及金帛有加，進階自光禄大夫，轉銀青榮禄大夫，仍中書左丞。丐還田里。延祐六年，拜太子詹事，使三往，乃起。仁宗命盡言以教太子，待以殊禮。泰定三年，以中書平章政事致仕。明年，卒于家。年九十二。元史列傳。

郝元良，字景文，霸州信安人也。少俊偉慷慨，能國語。給事裕皇邸，以才知名，博通古今經事之學，稽考先王宗廟朝廷疑識，旁及百家之書。至元二十年，擢揚州路治中。二十二年，遷同知淮南道宣慰司事，又遷江淮等處財賦總管。江淮吏牘有令，察司不按劾，元良受命陛辭，懇請許察司按劾財賦吏牘，然後臣敢行。詔獎諭而從之。未幾，丁母憂，扶柩歸葬，斬衰哭泣，居墓廬，毁過常制。近臣以聞，朝廷遣使賜食品憫勞焉。服除，會兩淮鹽法壞。馬祖常郝公墓誌銘。兩淮之鹽，自至元十四年創立，當時鹽課未有定額，但從實恢辦，自後累增至六十五萬七十五引，客人買引，自行赴場支鹽，場官逼勒，竈户加其斛面以通鹽商，壞亂鹽法，元史食貨志。吏因緣大賈爲奸，田畝單弱，操錢售不得，食鹽益翔貴，州縣上狀。詔元良行户部尚書，乘傳往治。既至，督淮南轉運司漕輓廩益之，在鹽官者輸倉，氏主之，閱其書之次，以爲先後，販者不得賄吏破其囊橐，均利於衆。大德八年，正授工部尚書。至大元年，拜中書參知政事，階榮光禄大夫。固辭，不允，乃就職。歲餘，以疾力辭，杜門家居。後尚書省臣果有罪伏辜，愈以能退自喜，獨葺容灌園種樹，無資則持器物鬻之屬。延祐初元，命中書即家起爲大司農卿，又以病免。上以侍醫視藥存問，元良雖病，猶以國事憂，而其言語未嘗及其私也。卒，年六十二。郝公墓誌銘。

王伯勝，霸州文安人。兄伯順，給事内廷，爲世祖所親幸，因以伯勝入見，命使宿衛。時伯勝年十一，廣顙巨鼻，狀貌屹然，帝顧謂伯順曰：此兒當勝卿，可名伯勝。元史列傳。帝嘗沃盥，水温冷適當，問誰進者，内侍以伯勝對，帝曰：此兒他日必知爲政，達人情矣。元史類編二十六。至元二十五年，從征納延，以功授朝列大夫、拱衛直都指揮使。元史列傳。初，拱衛直隸，教坊市井無賴，往往竄名衛卒，伯勝盡募良家子易之。元史類編。大德五年八月，上都天久雨，夜聞城西北有聲如戰鼓，伯勝率衛卒出視之，乃大水暴至，伯勝立具畚鍤，集土石、氊罽以塞門，分決壕隍，以殺其勢，至旦始定，而民弗知。丞相謨勒哲以聞，帝嘉之。續資治通鑑一百九十四。以侍成宗疾，忤安西王，出爲大甯路總管，伯順亦出爲梁王傅。武宗即位，召拜大都留守，兼少府監。先是，大都土城，歲必衣葦以禦雨，日久土益堅，勞費益甚，伯勝至，悉奏罷之。元史類編。仁宗立，正百官品秩，降授資德大夫，尋復升榮祿大夫，拜遼陽等處行中書省平章政事。元史列傳。省治懿州，州俗敝陋，民不知學。伯勝即增郡學弟子員，擇名師以教育之。元史類編。使客至，無所舍，皆館於民，民苦之。伯勝乃擇隙地爲館廨，元史列傳。度閒田百頃，募民耕種，以給廩餼。歲大旱，齋戒以禱，禱畢，既雨，人謂之平章雨。延祐二年，仍爲大都留守。遼陽民具狀，不得請，相與涕泣而去。元史類編。三年，特授銀青榮祿大夫。至治二年，賜金虎符，授武衛親軍都指揮使，兼大都屯田事，仍大都留守。奉詔監修文武樓，創咸甯殿，建太廟。泰定三年冬，元史列傳。以勞卒於位。元史類編。賜翊忠宣力保惠功臣、太保、金紫光祿大夫、上柱國，追封薊國公，謚忠敏。長子恪，初名安圖，累官至兵部尚書，南臺治書侍御史，僉宣徽院事；次瑪爾，以宣武將軍襲武衛親軍都指揮使。元史列傳。

張伯用，字春和，文安人。赴人之急，如恐不及。父病不差，乃默禱於天，誓代其死，夜夢神賜藥以痊。梁仲友等狀其事以聞，太醫院大卿王伯順入奏世祖，十一月乙亥，並次子召見。上問其齒，對六十有二，問：濟民今經幾載？對：祖考以來，幾百年矣。上以張氏以慈救苦，顧謂中書右丞相完澤曰：以好人目之，汝等皆若此，天下民無饑困矣。賜之錢若干。伯用以無功，竟不受；賜食殿中，仍賜御衣一領。乙卯冬，復賜坐於百僚之上，大陳樂隊使觀之。因問農桑事，歷對甚悉，上嘉其樸質，及出，自送之。三十年春，駕幸上都。六月，敕中書平章政事梁俺都剌就賜雲南所貢玉仙人於其家。十月後，賜錢二千五百緡。辭其半，受之。大德九年卒。先期自云：吾明日逝矣。因置酒徧嘗親舊爲訣。遺戒子孫曰：祖宗積德久矣，迨我蒙國寵，自慚過分，若等孜孜爲善，不墜前功，余瞑目地下。以遠近負欠文券五千餘緡，悉焚之。文安楊志。

王倚，字輔臣。父永福，金末避地徙燕，爲宛平著姓，富雄閭里。倚爲人孝友樂易，重然諾；與人交，不苟合；讀書務躬行，不專事章句。世祖選良家子入侍東宮，時倚年弱冠，在衆中儀觀獨偉，太保劉秉忠深器重之，卽以充選。倚服勤守恪，遂見信任。有詔皇太子裁決天下事，凡時政所急，民瘼所係，倚知無不言。是時官職未備，而湯沐分邑，地廣事繁，當有統屬，乃拜倚工部尚書，行本位下隨路民匠都總管。至元二十一年，詔立東宮官屬，以倚爲家丞。又置儲用司，掌貨幣出納，令倚兼之。後以疾辭職，仍給太子家丞祿，以優養之。倚上言：不事事而苟竊祿食，臣心誠所未安。不許，力辭再四，方許之。二十六年，皇孫出鎮懷孟，帝爲選老成練達舊臣護之，乃以屬倚。陛辭，帝目之良久，謂侍臣曰：倚，修潔人也，左右皇孫，得人矣。及行，營幕所在，軍政肅然。未幾，召還。二十八年，授禮部尚書，以疾辭。明年卒，年五十三。贈正議大夫、禮部尚書，追封太原郡侯，謚忠肅。元史列傳。

郭貫，字安道，保定人。以才行見推。由中書掾調濟南路經歷。世祖至元二十七年，拜監察御史，承詔分江北沿淮草地，劾淮西宣慰使昂吉爾原作兒。父子專權，久不遷調，蠹政害民狀。不報。又言：近見江淮無知諸人，多有發掘父祖墳墓，將地改售於人者，止圖利己，莫恤祖宗，往往聽信野師，妄以風水誑惑，曰某山强，則某支富，某水弱，則某支貧，或曰：兹山無鼎鼐之形，安得出一品之貴？兹山無倉庫之象，安得致千金之富？於是有一墓而屢遷不已者；有子孫不肖，不能固守，從而墮師巫之術，但知多取錢鈔忍於抛掘者；甚有豪富之家，貪信風水，不惜金錢誘之遷移轉買者；更有圖殉葬之金銀，破祖宗之棺槨，并投骸骨於水火者。當今世風澆薄，爲人後者不務勤儉，破浪財産，及至貧乏，不自咎責，反謂先塋風水不利所致，以致輕發祖先塋地，高價貨賣，不仁不孝，情罪非輕。若非明定嚴刑，竊恐愚民沿襲，視爲泛常。嗣後移棄屍骸不爲祭祀者，合同惡逆定罪；買地人知情者，減二等科斷，元價没官，野師並行責逐；庶令嚴而民不敢犯。刑曹是其言，著爲令。元史類編二十三。三十年，僉湖南肅政廉訪司事。大德初，遷湖北道，元史列傳。調雲南軍，征八百媳婦。貫言：今四省軍馬，以數萬計，征八百媳婦國，深入煙瘴萬里不毛之地，無益於國。不聽。續資治通鑑一百九十四。五年，遷江西道，賑恤饑民，有惠政。入爲御史臺都事。八年，遷集賢待制，進翰林直學士。奉詔與遼陽行省平章政事博斯呼、（原作別速合。）徹爾特穆爾往鎮高麗。十一年，召爲河東廉訪副使。至大二年，（元史列傳。）仁宗幸五臺山，貫進見，問：廉訪使穆爾濟達（原作滅里吉歹。）何以有善政？左右曰：皆副使郭貫之教也。（元史類編。）因賜貫瑪瑙數珠、金織文幣，召拜治書侍御史，帝親書其官階以授有司。皇慶元年，改侍御史。明年，出爲淮西廉訪使。建言：宜置常平倉，考校各路農事。延祐二年，召拜中書參知政事。明年，升右丞，加集賢大學士。五年，除太子詹事。貫言：皇太子受金寶已三年，宜行册禮；又，輔導之官早宜選置。從之。六年，加太子賓客，謁告還家。至治元年，復起爲集賢大學士，尋致仕。泰定元年，遷翰林學士承旨，不起。至順二年，以疾卒，年八十二。追封蔡國公，謚文憲。貫博學，精篆籀，當世册寶碑額，多出其手。（元史列傳。）

鮮于樞，字伯機，漁陽郡人。（四庫全書提要一百二十二。）能詩文，尤精書翰。（薊州沈志。）至元間，以材選爲浙東宣慰司經歷，改江浙行省郡事。每晨出，則載筆櫝。與其長廷争是非，一語不合，輒欲去。漁獵山澤間而後快，軒騎所過，父老環聚，指目曰：此我鮮于公也。及日晏歸，焚香弄翰，取數十百年古鼎彝器，陳諸堦除，搜抉斷文廢欵，若明日急有所須而爲之者。（元詩百家小傳。）面帶河朔偉氣，每酒酣驁放，吟詩作字，（元史類編三十六。）奇態横生。趙孟頫極推重之，（書史會要。）見者以爲世外奇崛不凡人也。公卿以詞翰屢薦入館閣，不果用。遷太常典簿。

晚年閉門謝客，營一室名曰困學之齋，自號困學民，又號直寄老人。元詩百家小傳。嘗於廢圃得怪松一株，移置屋前，呼爲支離叟，日夕與之相對。所著詩文，名困學齋集。元史類編。虞集嘗云：大德延祐間，翰墨在漁陽、巴西兩地。謂鮮于樞、趙孟頫、鄧文原也。畿輔唐志七十九。大德六年卒。子去矜，孫端，皆以能書名。元史類編。

梁德珪，字伯温，續資治通鑑云一名暗都剌。良鄉人。一統志。年十一，元史類編十四。給事昭睿順聖皇后宮，令習國語，通奏對。元史列傳。由中書左司郎中，六遷至參議尚書省事。執政入奏事，帝詢其本末，不能對，德珪從旁辯析曉暢，帝大悦，拜參知政事。是歲至元三十一年也。在省久，元史類編。凡錢穀出納，銓選進退，諸藩賜予，或上命驟至，不暇閱簡牘，同列莫知所對，德珪從容數語即定。元史類編。間遇疑事，則曰：某事當如某律，某年嘗有此旨。驗之，皆然。一統志。京師地震，世祖怪州郡報囚之數過多，德珪曰：當國者急於徵索，蔓收延繫，以致此爾。帝悟，爲赦中外逋負，民賴以蘇。元史列傳。大德元年，爲中書左丞。二年，爲中書平章政事。續資治通鑑二百九十三。務以安靜輔治，求進者不得逞。由是朋聚興怨，欲摭事中傷之。元史類編。初，朱清、張瑄以金帛賂貴近，事敗，御史杜肯構等言，旺札勒等與二人交通，宜罪之，通鑑輯覽六十六。與巴延、巴特瑪琳沁迭同罷。明年復位。元史類編。杜肯構言：巴延等樹黨受賂，謫戍遠方，道路相慶。方今數月，遽聞召復相位，又與原鞫者列坐朝堂，天下之人，目巴延、梁德珪、巴特瑪琳沁爲三凶，三凶不誅，無以謝天下，乞將羣凶或斥或誅，明正其罪。前後章數十上，皆不報。通鑑輯覽。德珪以位居執政，不受凌轢，慷慨引咎，遂安置湖廣。帝疾愈，問知之，召使復位。既至，帝問：卿安在？德珪涕泣不能語。賜酒饌，使往拜其母，因以氣疾，乞骸骨歸。大德八年九月，卒於家。年四十有六。元史列傳。

郝彬，字景文，霸州信安人。一統志。年十六，充太子宿衛，擢揚州路治中。宋末，鄞縣賊顧閏，聚衆海島，時出攻剽，宋羈縻以官，内附後益横，侵揚州境，彬討擒之。泰興人有被殺二年而盗不獲者，吏捕平人，獄已具。彬疑其誣，讞之，果得真盗。御史薦彬同知淮西宣慰司事，覈户版，理屯田，諸廢修舉。江淮財賦總管府掌東宫田賦，其官屬皆從詹事院奏授，不隸中書，往往爲姦利，誅求無厭。彬爲總管，入見，請受憲司糾察，以革私弊，並請罷所隸六提舉司，以蘇民累。帝從之，遂罷其四。元代經費，按：元史稱國家經費，此承用當時狀，志失改正也。鹽利居十之八，而兩淮鹽獨當天下之半。元史列傳。法久寖壞，以彬行户部尚書，赴淮經理。彬度舟楫所通、道里所均，建六倉，煑鹽於場，運積之倉；歲首，聽羣商於轉運司探倉籌定其所，乃買券。又定河商、江商市易之法，著爲令。入爲户部尚書，拜中書參知政事。元史類編二十六。同列務生事要功，殺無罪之人，彬積誠意開引，横不可制，遂稱疾堅卧一榻，至數月。尚書省臣皆得罪，彬不與焉。畿輔唐志七十一。俄免歸。元史類編。家居七年，足跡未嘗一出門外。仁宗思之，以爲大司農卿，未幾，謝病。延祐七年三月，卒。元史列傳。

曹鑑，字克明，宛平人。陶宗儀輟耕録七。穎悟過人。元史列傳。弱冠南遊，具通五經大義。大德中，用學士郝彬薦，爲淮海書院山長。南臺中丞廉恆辟爲掾史，除興文署，伴送安南使者歸國，途中問難倡和，應答如響，使者歎服，以爲中國有人。元史類編三十五。至治二年，授江浙行省左右司員外郎。明年，奉旨括釋氏白雲宗田，稽檢有方，不數月而事集，纖毫無擾。泰定□年，元史列傳。按：泰定無七年，七字誤。遷湖廣行省左右司員外郎。鑑遇事不避權貴。湖北廉訪司舉鑑宜居風紀，不報。宛平王志。天曆元年，調江浙財賦府副總管，屬淮、浙大水，民以菑告，鑑損其賦什六七，勢家因而詭免者，鑑覈實，諭令首輸。元統二年，升同僉太常禮儀院，鑑習典故，達今古，凡禮樂、度數、名物，罔不周知。因集議明宗皇后祔廟事，援禮據經，辯析詳明，君子多之。至元元年，升禮部尚書。卒，年六十五。追封譙郡侯，謚文穆。鑑天性純孝，親族貧乏者，周卹恐後。歷官二十餘年，僦屋以居。歿之日，家無餘貲，元史列傳。蓄書數千卷，皆手自校定。爲詩賦，尚騷、雅，作文法西京，每篇成，學者爭相傳誦。有文集若干卷。嘗自浙調湖廣員外，有故掾顧淵伯，元史類編。按：輟耕録作主簿顧淵白。致書問訊，且以辰砂一包見寄，未及啓封，漫爾置篋笥中。後有憲官過訪，因論製藥，爲苦無好辰砂，鑑曰：我一故人，嘗以此爲惠，當奉送。及取視，乃有砂金三兩雜其内，公驚歎曰：淵伯以我爲何如人也！時淵伯已歿，呼其子歸之。其廉慎如此。陶宗儀輟耕録七。

吴鼎，字鼎臣，燕人。初入東宫爲宿衛，尋授織染雜造局副總管，後積官至禮部尚書、宣徽副使。大德十一年，山東饑，命鼎往賑。朝議發米四萬石，不給則以鈔折之。鼎曰：民得鈔將何從易米？同使者曰：議已定，恐不可更。鼎曰：人命豈不重於米耶！言於朝，易米以行。元史類編二十六。至大元年，改正奉大夫、保定路總管。時皇太后欲幸五臺，言者請開保定西五迴嶺，以取捷徑。遣使卽鼎，使視地形，計工費，鼎言：荒山斗入，人跡久絶，非乘輿所宜往。還報，太后喜，爲寢其役。元史列傳。授同知中政院事。兩浙財賦隷中政者鉅萬計，前徽者率多取贏。鼎治之，一無私。海漕萬户朱清、張瑄，多貸與民錢，元史類編。後兩家誅沒，而券之已償者亦入於官。官唯驗券徵理，民不能堪。鼎力爲辯白，始獲免。四年，改京畿漕運使。皇慶二年，特旨復知宣徽院事。四月，進資政大夫、崇祥院使。延祐三年卒。年五十有五。贈榮禄大夫、平章政事、柱國，追封薊國公，謚孝敏。元史列傳。

劉德温，字純甫，大興人。起家中書省宣使。大德十一年，以年勞授内司照磨，監建興聖宫；調掌儀署令，改内宰司丞。奉中旨徵河南民逋糧，德温輒平其價，令輸鈔以償，民甚稱便。轉延福司丞，奉旨代祀嶽瀆。元史類編二十七。比還，遷同知大都路都總管府事。輦轂之下，供億浩繁，德温措置有法，民用不擾。元史列傳。累遷同知上都留守司事。宛平王志。省檄和糴，糧民以價不時得，遞相觀望，德温下令曰：糧入價出，吏有敢爲姦者，罪加等。於是糧不踰期而集。元史類編。轉大司農丞。耕耤之儀，取具一時，德温欲考訂典禮，集爲成書，未畢，元史列傳。俄授永平路總管。永平當天曆兵革之餘，野無居民，德温爲政一年，而户口增，倉廪實，遂興學校以育人材，庶事畢舉。歲大旱，禱而雨，歲以不歉。元史類編。灤、漆二水爲害，有司歲發民築堤。德温曰：流亡始集，而又役之，是重困民也。遂罷其役，而水亦不復至。元史列傳。有豪民武斷鄉里，前吏莫敢治。德温按得其罪，論如法，書其過於門。永平，古孤竹國也，元史類編。前立廟祀伯夷、叔齊，而祀禮未備。德温請命有司春秋具牢禮致祭，從之，遂著爲令。賜廟額曰聖清，士論韙之。宛平王志。至順間卒，年六十九。贈正議大夫、禮部尚書、上輕車都尉、彭城郡侯，謚清惠。元史列傳。

趙師魯，字希顔，霸州文安人。父趾，祕書少監。師魯爲人，風采端莊，在太學，力學如寒士。延祐初，爲興文署丞，遷將作院照磨，辟爲御史臺掾，後補中書省掾。於朝廷典章故實、律令文法，無不練習。臨事明敏果斷，執政奇之。元史列傳。及典銓選，人服其公。畿輔唐志七十一。工部主事遷中書省檢校官，咸著能名。泰定中，拜監察御史。元史列傳。以大禮未舉，言天子親祀郊廟，所以通精誠，迎福釐，生烝民，阜萬物，百王不易之禮也，宜講求故事，對越以格純嘏。帝曰：朕遵世祖舊制，其令大臣攝之。通鑑輯覽九十七。元夕，令出禁中，命有司張燈山爲樂，師魯上言：燕安怠惰，肇荒淫之基；奇巧珍玩，發奢侈之端。觀燈事雖微，而縱耳目之欲，則上累日月之明。疏聞，遽命罷之，賜酒一上尊，且命傳旨，以嘉忠直。元史列傳。是時，宰相倒刺沙密專命令，不使中外預知，師魯又言：古之人君將有言也，必先慮之於心，咨之於衆，決之於故老大臣，然後斷然行之，渙若汗不可反，未有獨出柄臣之意，不咨衆謀者也。不報。有朝士年未及致仕，其子請預廕其官，執政欲從之地，師魯駁其非是，遂止。元史類編。遷樞密院都事，改本院經歷。致和初，升奉政大夫、參議樞密院事。天曆中，遷樞密判官，改兵部侍郎。丁父憂，特旨起爲同僉樞密院事，固辭不就。服除，復爲樞密判官，元史列傳。持節治四川軍，宣上威德法，士卒懷其恩信。元史類編。未幾，遷刑部侍郎、樞密院判官。久之，出爲河間路轉運鹽使，除害興利，法度修飭，商人便之，歲課遂大增。元史列傳。暇日，率僚吏新孔子廟，命往江右製雅樂，聘工師，春秋釋奠，士論稱之。以疾篤棄官歸京師，元史類編。至元三年九月卒，年五十有三。贈嘉議大夫、禮部尚書、天水郡侯，謚文清。元史列傳。

宋本，字誠夫，大都人。自成童，好聚經史，日夜句探字索，必通貫乃已。嘗從父禎官江陵，父清慎自持，饘粥恆不給。（元史類編二十二。）本材氣强毅，不隨世俯仰，（元詩百家小傳。）就王奎文講明性命義理之學，造詣日深。（元史類編。）善爲古文，（元史列傳。）其文峻潔刻厲，多微辭，每歎近世文體骫骳爲不足尚，務爲高古以勝之。始以詩歌擅名，及聞貢舉詔下，復習經義策問。（元詩百家小傳。）年四十，始還燕。至治元年，廷策天下士，本居第一，授翰林修撰。泰定元年春，改監察御史，首言：南坡之變，逆首雖誅，其黨僅竄嶺南，乞正天罰。盜竊仁宗金主，本言：在法，民間失盜，捕違期不獲猶治罪，太常失典守，及在京應捕官，皆當罷。又言：中書宰輔，日趨禁中，固寵苟安，兼旬不至中堂，壅滯機務，乞戒飭臣僚，自非入宿衛日，必詣所署治事。又言：太尉、司空之職，濫假僧人及會福、殊祥二院，並辱名爵，請罷之。皆不報。（元史類編。）踰月，調國子監丞。夏，烈風地震，有旨集百官雜議弭災之道。時宿衛士自北方來者，羣相剽刼殺人桓州道中。既逮捕，舒瑪爾節奏釋之。蒙古千户使京師，宿邸中，適民朱甲妻女車過邸門，悦之，并從者奪以入，朱泣訴於中書，舒瑪爾節庇不問。本適與議，本復抗言：特克實餘黨未誅，仁廟神主盜未得，桓州盜未治，朱甲寃未伸，刑政失度，民憤天怨，災異之見，職此之由！辭氣激奮，衆皆聳聽。冬，移兵部員外郎。二年，轉中書左司都事。會議招撫溪洞民，故將李牢山之子，嘗從諸王帥兵征鬱林州猺民，道納妾，留不進，兵敗歸。樞密副使王布琳濟達言：李平猺有功，當遷官。本言：李棄軍娶妾，逗撓軍期，宜亟寘諸法，況可官邪！王色沮，乃不敢言。舒瑪爾節死，左相丞都爾蘇當國得君，（元史列傳。）以私意欲因赦而酬累朝賈胡獻寶之直，且復英廟至今奪官者。一日，自禁中來，僚佐出詔藁，以星孛地震赦天下。本讀竟，曰：今天警災異，而畏獻物未酬直者憤怨，此細故，形諸王言，必貽笑天下。司憲褫有罪者官，世祖成憲也，今擢用之，是廢成憲而反汗前詔也，後復有邪佞贓穢者，將治之邪？置不問邪？宣詔畢，遂稱疾不出。（元史類編。）四年，遷禮部郎中。天曆元年冬，陞吏部侍郎。二年，改禮部。至順元年，累進奎章閣學士院供奉學士。二年，擢禮部尚書。（元百家詩小傳。）三年冬，甯宗崩，順帝未至，皇太后在興聖宮，正旦議循故事，行朝賀禮。本言：宜上表興聖宮，廢大明殿朝賀。衆是而從之。元統元年，兼進奎章閣學士院承制學士。二年，轉集賢直學士，兼國子監祭酒、經筵官。卒，年五十四。（元史列傳。）本以扶植斯文自任，知貢舉，取進士滿百人；充讀卷官，增第一甲爲三人。（元史類編。）父官南中，賣宅以去。本未弱冠，即聚徒以養親，歷仕通顯，猶僦屋以居。及卒，非賻贈幾不能給棺殮。執紼者近二千人，皆縉紳大夫、門生故吏，及國子諸生，時人榮之。本所著有至治集四十卷行世。（元史列傳。）制贈翰林直學士、范陽郡侯，謚正獻。弟褧。（元詩百家小傳。）

褧字顯夫，登泰定元年進士第，（元史列傳。）除祕書監校書郎，安南使者朝貢歸，選充館伴使，改翰林國史院編修，遷翰林修撰。至元初，擢監察御史，出僉山南廉訪司事，改陝西行臺都事。月餘，召拜翰林待制，遷國子司業，與修宋、遼、金三史，拜翰林直學士，尋兼經筵講官。褧自少敏悟，出語驚人。延祐中，挾其所作詩歌從兄入京師，詣清河元明善，濟南張養浩，東平蔡文淵、王士熙，方以文章顯於朝，争慰薦之。至治辛酉，本登進士第一；後三年，而褧亦擢第，出於曹允用、虞集、孛术、魯翀之門，士論榮之。所著有燕石集若干卷。歐陽元謂其詩務去陳言，雖大隄之謡、出塞之曲，時或馳騁乎江文通、劉越石之間，而燕人凌雲不覊之氣，慷慨赴節之音，一轉而爲清新秀偉之作。蘇伯修亦謂其詩清新飄逸，間出奇古，若盧仝、李賀之流；益喜其詞，以模擬之。（元詩百家小傳。）褧爲監察御史時，於朝廷政事多所建明。其文學與本齊名，人稱之曰二宋云。（元史列傳。）卒，年五十三。贈國子監祭酒、范陽郡侯，謚文清。（元詩百家小傳。）

賈璧，字國器，號樂善，永清人。治家善封殖，力課耕作。至治時大疫，居民日有死亡；璧乃施藥救人，多全活者。已而兵警，剽掠郈間，人情洶洶，皆思匿避。璧以足疾不能動履，惟闔門待斃而已。未幾，一人下馬入門，謂璧曰：君長者，幸無恐，我與君雖無舊好，感君盛德，故來慰君。語畢，植箭於門遂去，終事無一犯者。蓋其人犯當重法，有讎家欲擠之死，其人逃去，後聚衆萬餘，藉報昔讎，連及無辜，皆受其毒。事敗，璧憐之，爲收卹其子女。璧與其人素無交，璧行素醇厚，故兇暴之徒聞風而企重之，以是免於亂世。璧於至正丁未卒，年七十八。子用。永清周志。

用，號秀實，幼瓌異，隨父業鹺鉅鹿，處置籌畫，俱有經緯。父卒，毁瘠逾禮，孝事老母。母卒，哀毁，感行路人，里中一時爲之罷社。方居母憂，忽夜夢神人語曰：臘月十有七日，難將作矣。驚覺，泣告家人，以爲將死。會元末，寇盜竊發，剽掠近邨，居人相率避匿，用以居廬不肯去。及期，寇至執用，詰曰：若何爲守此不去？用告以故，且言：願以身殉母喪，死不敢避。盜感其孝，相戒不得入室，事平竟無恙，人以爲純孝徵焉。用性醇謹，雖業估，待人以誠，人亦莫有欺者。巡鹽御史察其公正，多就商之。用所建白，往往見於施行，人以爲便。平居鮮疾言遽色，即臧獲有過，必善導之，以是人樂爲用，咸盡其力。卒之日，奴隸如哭私親，以謂是仁人也。用居家能儉約，好周施，建義塾，立義塚；創設義院，收恤貧無養者；又置義田，以備非常之需。鄉黨俱稱其惠。永清周志。

李廷，字瑞卿。其先粵人，移家京師。廷早孤，母績以教，子樵以養。柴好禮聞之，曰：母貞而子孝，不興何待！以其子妻之。年二十，起家京尹曹，歷左司吏部府正掾。太子詹事完澤數言之東宫，得召見，用爲南昌尹。復入掾詹事及中書，以勞調泉府司知事，進經歷，遂爲司丞，行泉府，罷。受詔覈江南賦，賦平，以能同知河南府事。諸王及使客不絶於道，修傳邸，備供饋，以紓民憂。祠二程、張、邵、司馬以教民學。遷陝西行省員外郎，出良民爲奴婢者三百餘人。朝廷以爲忠，進甘肅行省郎中，復召爲户部郎中。賦法均出，賦不氾濫，益以爲賢，賜三品秩，以爲江州總管。天久不雨，施德化，理冤滯，去士民所疾苦而便利之，乃雨。發廩勸分，活民於飢者三萬餘家。命醫載藥，起民於疾者三百五十餘人。乃修社稷，興學校，暇則率府屬詣校官，集耆德宿學之士，親執經講問，下邑皆化之。改兩淮屯鹽總管。田之没於民者，爲頃餘，二十户之入於他籍者，千二百五十有三，逃於他郡者，九十有六，皆復之；糧之重於民者，爲石六千四百有六十，皆除之；歲省公帑十七八，而上供無不備。上數遣使賜酒勞問，始給各官公田。政成，召爲兵部尚書，遷刑部尚書，拜淮東宣慰司。引年謝歸。越五年卒。揭傒斯李忠靖公墓誌銘。贈通奉大夫、江西等處行中書省參知政事、護軍，追封潞陽郡公，謚忠靖。通州高志。

張誠，字彦清，良鄉人。元大德間，嘗見遺篋於道，舉以待遺者。久之，有張琮者行哭而至，曰：兄瑾非罪，逮繫營瀆，亡此，將並命焉。誠以篋歸之。後誠以六十無嗣，後生一子，聰慧過人，年二十登第，官尚書侍御史、西臺中丞、翰林學士。良鄉楊志。

劉器之，良鄉人。畿輔唐志八十。五世同居，聚族百餘。復置義學，延名師以訓鄉里。英宗幸涿州，臨其家，詢以睦族之道，器之對曰：在義而已。苟資財有偏厚，衣食有所私匿，皆争端也；誠能以義處之，斗米尺布，公其出納，則宗族自睦。英宗善其對，賜金五十兩，旌其門，復其家。良鄉楊志。

梁有，字九思，平章梁文節公之孫，世居幽州之南城。不求聞達，教授生徒百餘人。奉母至孝。天曆間，奉勅河南北録金石刻於濟川，録漢刻九通於泗水之中，共録金石刻三萬餘通，上進其副，類爲二百卷，曰文海英瀾。又修續列仙傳二十卷。金臺集。

宗杞，大都人。年十九。父内宰卒，擗踊號泣，絶而復甦，水漿不入口者三日，哀氣傷心，遂成疾，伏卧牀榻，猶哭不止，淚盡繼之以血。既葬，疾轉甚。杞有繼母，無他兄弟，度不能自起，囑其妻楊氏曰：汝善守志，以事吾母。遂卒。楊氏遺腹生一男，人以爲孝感，天不絶其嗣云。一統志。劉居敬，亦大都人，年十歲，繼母郝氏病，居敬憂之，懇天以求代。狀聞，並褒表之。元史列傳。

阿都齊，大都固安州人。天性篤孝，元史列傳。幼孤養母。母嘗有疾，醫治不痊，乃礪其所佩小刀，拜天泣曰：慈母生我劬勞，今當捐身以報。遂割左脇，取肉一片，作羹進母。元史類編二十九。母曰：此何肉也，其甘如是？數日而病愈。元史列傳。

曾德，漁陽人。一統志。宗聖曾子裔也。元史類編。母早亡，父仲祥再娶左氏。仲祥遊襄陽，樂其俗土，因攜左氏元史列傳。同往居焉。亂兵陷襄陽，遂失左氏所在。元史類編。德遍求之，五年乃得於廣海間，（一統志。）奉迎以歸，孝養甚至。有司以聞，詔旌復其家。（三史列傳。）

劉秉直，字清臣，大都武清人。至正八年，爲衛輝路總管，多異政。賊劫汲縣民張聚鈔，并殺之，日久不獲。秉直具詞致禱城隍祠，而使人伺於死所。忽有邨民戰怖仆地，具言賊姓名及所在。命尉襲之，果得賊於汴，遂正其罪。（元史類編七十三。）秋七月，蟲螟生，民患之。秉直禱於八蜡祠，蟲皆自死。歲大饑，人相食，死者過半。秉直出俸米，倡富民分粟，餒者食之，病者與藥，死者與棺以葬。天不雨，禾且槁。秉直詣城北太行之蒼峪神祠，具詞祈祝，有青蛇蜿蜒而出，觀者異之。辭神而還，行及數里，雷雨大至。秩滿，以親老去官侍養。（元史列傳。）

何失，字得之，昌平人。（元詩百家小傳。）負才氣，能詩文，（畿輔唐志七十九。）與尚書高彦敬、太常鮮于樞同學。家善織紗縠，日出賣紗，騎驢歌吟道中，指意良遠。（元詩百家小傳。）至正間，名公交薦，以親老不就。（畿輔唐志。）揭奚斯雅重其人，贈以句云：心事巢、由上，文章陶、阮間。虞集見其所作，歎曰：當序而傳之，使後之作者亦知世有斯人。（元史類編三十六。）東平王繼學曰：余識京師耆老多矣，所敬者惟張子正及何得之，得之最能爲詩，充然有得，如宋陸務觀，可傳也。年八十而終。京兆杜伯原稍憶其所口授者，敍而傳之。虞伯生集爲記其後。（元詩百家小傳。）

華陽吴祖椿校

人物志七

先賢七

黄岡洪良品纂 江陰繆荃孫覆輯

明

駱貴
楊塤
燕忠
邢昭張翰蕭選
楊秦
王誥
王儀子緘
陳堯
劉體乾
高敏學毛綱
李松
王時舉
李亨廷
王大用

李東陽
田景賢
張禬
賈斌
頓鋭
張詩
徐珏
王佩喬伊朱乾亨
王遴
劉效祖
福時
崔鑑
姜璧孫銓

陳壯
歐信
王鏜周棨
張欽
安璽
楊行中子鎬鎬子世揚
楊淪
馬慎
王鈇
宗禮
王价
王原
楊惟清弟惟治

明

劉士原，昌平人。洪武中，以才能薦舉，擢潞州知州，有惠政，遷陝西參議，累官左布政使。朝覲入都，止跨一蹇驢。帝廉得其實，稱揚不已，命馳驛赴任。時有天下清官劉士原之譽。昌平宋志。王二共，武清人，洪武時由人才授長安令。民謡曰：村落安堵，賴有王明府。畿輔唐志七十四。尋擢東平州知州，歷官鳳翔府知府。武清吳志。

劉英，寶坻人。洪武中，由辟舉知繁峙縣。廉能守法，深得民心。畿輔唐志七十四。以抗疏言事，解官去，山西通志。邑人争詣闕留之。上顧左右曰：安有得民如此，而肯爲紕政者哉！命還其職，以愜人望。後考滿，改雲陽縣。繁峙人至今祀之。寶坻洪志。

甄庸，宛平人。洪武時，舉人才，授户部主事。永樂元年，陞松江知府，政平訟簡。二年，降右軍都督府經歷。三年，擢山西道監察御史，巡撫廣西，激揚有體。四年，陞工部侍郎，累官南京兵部尚書。庸性凝重，言若不出諸口。遇事處之，綽有餘裕。人稱篤厚君子。畿輔唐志七十四。

李慶，字德孚，順義人。幼有異相，長於兵。順義黄志。洪武中，以國子生署右僉都御史。明史列傳。剛直不畏强禦，遇事侃侃争論，人嚴憚之。萬曆沈志五。後授刑部員外郎，遷紹興知府。永樂元年，召爲刑部侍郎。有幹局，馭下甚嚴。帝以爲才，數命治他事，不得時至部；然屬吏與罪人交通，私饋餉，慶輒知之，繩以重法。五年，改左副都御史。兩遭親喪，並起復。時勳貴武臣，多令子弟家人行商中鹽，爲官民害。慶言：舊制，四品以上官員家，不得與民爭利，今都督蔡福等既行罰，公侯有犯，亦乞按問。帝命嚴禁如制。忻成伯趙彝擅殺運夫，盜賣軍餉；都督譚青、朱崇貪縱；慶劾之，皆下吏。已劾都督費瓛欺罔，梁銘貪暴，鎮守德州都督曹得黷貨，皆被責。中外懔其風采。十八年，進工部尚書，尋兼領兵部事。仁宗立，改兵部，加太子少保。明史列傳。大理寺少卿弋謙，言事過激，帝不懌。呂震、吳中及侍郎吳廷用等劾謙誣罔；劉觀令十四道御史合糾謙，明紀十一。惟慶與夏原吉無所言。帝尋悟，降敕自責，並責震等。震等甚愧此兩人。明史列傳。辦山陵事，中官有求，執不與，至相詆訐，不爲動，號爲生李。一統志。壬子，皇太子謁孝陵，居守南京，慶及左諭德周述等從。慶在途約束將士，秋毫無所擾。太子欲獵，慶諫止。明紀十一。及太子還北京，遂留慶南京兵部。明史列傳。宣德元年，柳升征黎利，命慶參贊軍務，綱目三編十八。許擇部曹賢能自隨。明史列傳。抵鎮夷關，升意殊輕賊。明紀十一。時慶病甚，郎中史安、主事陳鏞亟言於慶曰：柳將軍辭色皆驕，驕者兵家所忌，綱目三編。賊或示弱以誘我，未可知也。防賊設伏，璽書告誡甚切，公宜力言之。慶強起告升。明紀十一。升不爲意，伏發，升死。明日慶亦卒，軍盡没。明史列傳。

賈信，字中孚，永清人。用季子也。案：賈用，元時人，自有傳。元至正中，師事固安王騏，有志聖賢之學，凡禮樂、名數、星曆、兵刑、食貨、水利之類，皆熟究之。性孝友，父殁未葬，火焚其廬，信搏顙籲天，火至柩所忽滅。及營葬，親負土石，感疾，良久乃瘳。明初，盗掠縣城，信從子珍被執。信挺身告賊曰：此吾兄子，甯執我，勿苦彼也。賊數聞其名，欲降之，縛於柱，信不爲屈，至夜紿守者脱歸，集里民爲義兵，擊破賊。俄官兵至，悉平之。官欲盡誅罣誤者，信走説曰：貧民迫凍餒耳，誅之寃矣。官然其言，置不問。信喜談兵，膂力過人，善弓矢刀槊，馳馬若飛。又好書，每事他出，必以書册自隨，遇佳山水，輒徘徊終日。善詩，尤工書法。宣德五年卒，年七十歲。兄子琳。永清周志。

琳字崑玉，信長兄智之子也。少力學，工文辭。洪武中，以太學生授山東東昌府照磨。府號煩劇，而軍衛尤横，數鞭辱府中佐史，前官率不能堪。琳執法嚴，軍衛有非理事，皆抗弗從，民由是賴以少安。有繼母訴子不孝，琳呼至前，委曲開譬，母子泣謝去，卒以孝慈稱。嘗治廨後隙地，得白金二百兩，會部符徵錢，卽以金代民輸納。建文時，將軍盛庸師過東昌，卒入民家取酒，遂相毆擊，一市盡譁。琳笞卒遣之。卒訴琳罵將軍。

庸詰之，琳曰：卒，王師，民，亦王民也，民毆且死，卒不當笞耶？琳雖愚，何至罵將軍！將軍大賢，奈何私一卒，撓國法？庸意解，爲責軍士以謝。民有干富室金，不應，遂詣京，告大姓陳氏六十人謀亂。命錦衣衛千户劉住往捕之。琳廉得實，謂僚屬曰：朝廷命某佐是郡，忍坐覩善良者横被荼毒耶？卽力白上官，復令耆老四十人赴闕訴。下法司鞫實，論告訐者如律。爲治廉静平恕，不畏强悍，皆類此。正統十二年卒，年七十三。永清周志。

鉞字廷威，别號古燕，琳弟瑛仲子也。幼好學，年少補生員。比長，膂力過人，尤精武略。成化初，縣多盜賊，剽掠村落，人不聊生，官吏無如之何。鉞身先士卒，率其子六人，設法擒捕，獲其渠魁一十八人，又用間掩捕餘衆，賊黨悉平。事聞於朝，授本縣巡檢司巡檢。遇歲飢，流殍載道，捐俸易米，賑恤窮民。與知縣共白巡撫，乞疏請捐税，不可，因發官帑賑之。後勸富民出餘粟貸貧者，爲定仔息，秋稔取償，不給，則招糴繼之，民賴以全活者不可勝計。永清周志。

榛字奎亭，鉞曾孫。七歲就外傅，日記數百言。稍長，通六經，浸淫百家之説。年十八爲生員。尤精武略，投軍門效力，授霸州兵備道中軍守備。訓練之暇，投戈講藝，熟察霸州形勝，若防，若守，相視險易，俱有成畫，鄉練社長，守望相助，而形勢聯絡，軍容肅然。上官以是知其能。有大猾從數十人，如達官貴人狀，假東宫龍牌，自稱奉令勾檢山東公事，徑過府州縣衛，官吏皆不能辨，厚致供張，多餽儀物，舟車往來，少不如意，呵斥鞭笞，莫敢詰問。適過霸州，榛偵其狀，疑之，不爲供應。使人來譁于轅。榛曰：此僞耳。或曰：如真，奈何？榛曰：卽非僞，何得遂擾吾民！吾豈惜一官，任此輩横行無憚耶！遣使偵之，得一僧與其渠魁對奕於舟，乃邀僧至，訊鞫之，僧亦不知龍牌真僞，但言自半途誘之使來。榛以大舟誘其黨，使入舟中，卽率健卒數十人擒之。乃知巨猾張差，黨屬三十二人械繫至轅，立置於法。一時相傳以爲神明。擢錦衣衛指揮，進京師中營遊擊。時内官横行，傷殘善類。榛官京營，不避權貴，因民間訴寃抑事，勾捕楊榮家奴楊光先，遂誣榛與妖僧達觀通謀，又誣丁酉鄉試，巡視失察，械送法司，拷掠備至。獄成，交遊無敢爲顧恤者。謫戍廣東，死於戍所。永清周志。

柏字嵩年，榛再從弟也。柏幼穎悟，一覽輒能記憶。由增廣生員任浙江衢州府經歷。民有親在與弟訟産者，柏曰：訟弟不友，無親不孝。杖而逐之。又有負金不能償，至翁壻兄弟相訟者。柏曰：奈何以財故傷恩！卽出金代償，勸其敦睦。有二卒盗敗舟一板，前官以盗官物坐死。柏曰：兩卒之命，抵敗舟一板耶？竟得末減。歲凶，請上官發廩以賑。始至，召父老問逋税故，皆言：豪户不肯加耗，並徵之細民；民貧逃亡，而税額益闕。柏方創爲平米之法，令出耗必均。又請敕諸上官，頒鐵斛下諸縣爲準式，革糧長之大入小出爲奸利者。地僻，土豪得盤聚爲姦，令長至，輒餌以厚賂，賂入，因從而把持之。柏至，吏白應往視陳大户。陳大户者，鉅猾也。柏曰：此非王民耶？不來，且誅之！大户恐，入謁。柏廉其不法事，繫之獄。詰朝以兩瓜及安南石榴數枚爲饋，皆黄金美珠也。柏不視，械送府。府官受大户賄，縱之歸，復致前饋。柏怒，欲捕之，而府檄調柏他去，遂解任歸。絶意仕進，優遊三十餘年。崇禎二年卒，年七十五。永清周志。

張素，字文質，固安人。父士學，隱居樂善。嘗有鄉人入室竊物，既見及，反身藏避。少頃，呼其名，諭之曰：汝得非饑窘乎？其人羞赧，跪拜。復與之米麥而去。人稱長者。素天資秀穎，博學多聞。少孤，事母至孝。母歿，廬於墓側，哀毁骨立。時有瑞草、靈鵲之應。有司欲上其事，力辭而止。永樂己丑，登胄監。庚子，授河南涉縣知縣。洪熙初，調封邱縣，撫字賢勞，政績顯著。乞老還鄉，以四樂自號，士大夫咸題咏以贈。卒，年九十二。崇祀鄉賢。固安陳志。

李敷，字居學，涿州人。一統志。永樂中領鄉薦，入國子監。以言事切直，爲仁宗所知，授京衛經歷，尋除禮部主事，累官至四川布政使。涿州吴志。敷臨事剛決，號令必行，一統志。奸滑有犯者，繩之不少貸。人稱爲鐵面李。正統初，召拜吏部左侍郎，卒。涿州續志。

李秀鼎，大興人。永樂初，以國子生拜爲左春坊贊善，講經書，深見禮待。爲人博學强記，當時號爲書庫。及致仕，猶訪以時事。宣德初，以輔導録其子。畿輔唐志七十四。

董子和，字有節，漷縣人。曾大父顯，字繼先，隱德弗耀。大父成，由人材任麻城縣尹。父恭，湘潭縣令。薛瑄董公神道碑。子和幼嗜學，通經史大義。居家以孝友著。侍父疾，通州高志。晝夜在側，衣不解帶，復稽首北辰，求以身代。既而父殁，水漿不入口者三日，幾絶復蘇，葬祭如禮，而哀戚過之。平日樂善好施，人有死無葬具者，即助之棺槨；婚姻未就者，即助之財禮；有假貸不能償者，即焚券不復問；有鬬辯不能平者，待其一言而決。董公神道碑。里有牧官馬斃，法當償者，追呼無以應，將自盡。子和貸以償之，得不死。遇蝗旱，民不聊生，量拯以粟，全活甚衆。卒，年五十八。子昱，正統七年進士，歷官户部主事、員外郎、山東都轉鹽運使，有惠政。通州高志。

劉中敷，大興人，初名中孚。明史列傳。洪武三十二年，被選守安定門中心敵臺。當年入王府辦事。庚辰三月，差往保定，招撫人民，督運糧儲。辛巳，差同内官石童守通州。八月，東軍臨城，中敷與陳珪等出東門外截殺，全勝而還。功臣録一。授陳留丞，擢工部員外郎。仁宗監國，命署部事，賜今名，遷江西右參議。宣德三年，遷山右參政，進左布政。質直廉静，吏民懷畏。歲大祲，言於巡撫，減賦三之二。明史列傳。正統三年，官户部尚書。（綱目三編九。）王振初用事，欲令朝臣畏己，導帝用重典御下，防大臣欺蔽。自是言官承振風旨，屢摭大臣過失。以軍官俸糧改於京倉支給，（明紀十三。）諷給事御史劾中敷與左侍郎吳璽等，下獄。釋，還職。六年，中敷、璽及右侍郎陳瑺，請以供御牛馬分牧民間。言官劾其變亂成法，下獄論斬。詔荷校長安門外，凡十六日而釋。十一月，瓦剌入貢，詔問馬駝芻粟數，不能對，復下獄論斬。中敷以母病，特許歸省。明年冬，當決囚，法司以請，命璽、瑺戍邊，中敷俟母終具奏已，釋爲民。景帝立，起户部左侍郎兼太子賓客。時方用兵，論功行賞無虛日，中敷言：府庫財有限，宜撙節以備緩急。帝嘉納。景泰四年，卒。贈尚書。中敷性淡泊，食不重味，仕宦五十餘年，家無餘貲。子璉。（明史列傳。）

璉，正統十年進士，授刑科給事中。恥華靡，居官剛果。（明史坿中敷傳。）時北虜入寇，以才幹選喜峯口記功，有鞍馬文幣之賜。後陞光禄寺卿，改遼東苑馬卿，卒於官。子機。（萬曆沈志。）

機字世衡。（萬曆沈志四。）幼有孝行。（明史坿傳。）爲諸生時，畿郡有鷹神，乃一獵鷹也。一日，飛止公宅，奴以糍飼之，偶不潔，鷹攫其奴，若懲之者。居數日，呼公名語曰：劉機，大貴人，他日當坐八人轎至南京。語已，飛去。（涉異志。）機後舉進士，爲翰林修撰。武宗出閣，充講讀官。出入三朝，多所禆益。（萬曆沈志四。）正德中，代張綵爲吏部尚書，以人言乞歸。起南京兵部尚書，參贊機務。（明史坿傳。）劉六等走湖廣，劉七、齊彥名帥五百人舟行，自黄州順流抵鎮江。南京諸司議擇將，適都督李昂自貴州罷官至，機即召任之。昂以無朝命辭，機曰：機奉敕，有云敕所不載，聽便宜，此即朝命也。衆服其膽識。（明紀二十五。）致仕歸，卒。（明史坿傳。）工部治塋，禮部諭祭者四，鄉人榮之。機從姪焞，字彥光，以鄉薦入内閣秘書從事，歷儀部，侍經筵，恩眷甚厚，尋擢參議。卒。（萬曆沈志。）

秦亨，字子真，順天人。（畿輔唐志七十八。）究性理之學，通五經，尤長於易。（北學編五。）永樂初，以易學見知於文皇帝，召至京師，欲處以顯職，力辭就教，乃除茌平教諭，遷永甯府教授。（畿輔唐志。）所至訓迪有方，（北學編五。）弟子多有成就。已而，從尚書黄福征交阯，（畿輔唐志。）既郡縣其地，於是編氓籍，定賦税，興學校，置官師，數召父老，宣諭德意，一切鎮之以靜，上下帖然，（明史黄福傳。）多贊畫功。乞休歸，（北學編五。）學者猶質問經史。正統間疾，卒。（畿輔唐志。）郡守李瓚覩其遺文，知學有本原，舉以配祀劉忠定祠。（北學編五。案：畿輔唐志儒學門，以先生爲順天人，而北學編既載先生爲大名郡庠生，又注引唐志作順天人。今從唐志。）

武周文，大興人。洪武末，以明經入侍燕邸。永樂初，召爲侍講學士。上嘗謂胡廣曰：朕在藩邸，喜觀易，時官僚亦有通曉者，不如武周文言之切實。次日，周文入謝，遂以老乞休。（畿輔唐志七十八。）

王騏，字秉良，號存齋，固安人。少負奇畧遠謀，於經史子傳，博覽强記，尤專意詩禮。學爲文章，舂容平實，不尚藻飾，而氣概横出乎辭語間。補弟子員。適永樂初，以鄉縣生備城守，事定，授永清縣主簿，尋調山東蒲臺縣。丁憂，民吏感惠不忘，詣闕保留。會有詔求賢，騏膺薦，擢北京行部工曹主事。居官廉介不阿，爲權貴所嫉，左遷河南舞陽知縣。縣多盜，摽掠村落，民不聊生，官吏亦被戕害。騏設法捕禁，獲其渠魁誅之，餘悉喻以禍福縱去。歲饑，捐俸賑恤，全活甚衆。又以賦税遠輸爲患，請折布花之半以供，官民至今告便。考滿入京，仁宗監國，詔諮民隱，騏手疏條陳利害數事，獲賜馳驛還任。尤留意學校，考課諸生，日加月益。解任之日，行李蕭然。縣人懷其德，走白當道，乞留撫字。朝廷嘉其能，陞裕州同知，仍掌縣事。耄倪歡騰，如獲珍璧。年五十卒。子復。固安陳志。

復字初陽。一統志。天性寬厚，沈静寡言。三歲喪母，及長，事繼母以孝聞。爲文冲淡，善於講解，同列謂之王訓詁。固安陳志。正統七年進士，授刑科給事中，陞通政使司左參議。景泰初，也先擁英宗入關，邀大臣迎駕。衆憚行，復奮然請往。乃遷右通政，假禮部侍郎，與中書舍人趙榮，明史列傳。齎捧勑書以行。至德勝門外，得仰瞻御容，頓首拜泣，固安陳志。進羊酒諸物。明紀十四。也先怒，令左右持刃迫脅，固安陳志。復等不爲懾。還，仍涖通政事，再遷通政使。天順中，歷兵部右侍郎。成化元年，延綏總兵官房能奏追河套部衆，有旨獎勞。復以七百里趨戰非宜，且恐以僥倖啟釁，請敕戒諭。帝是之。進尚書。錦衣千户陳玨者，本畫工，及卒，從子錫請襲百户，復言：襲雖先帝命，非軍功，宜勿許。遂止。（明史列傳。）二年六月，毛里孩大入延綏。（明紀十八。）命復出視陝西邊備。自延綏抵甘肅，言：延綏東起黄河岸，西至定邊營，接甯夏花馬池，縈紆二千餘里，險隘俱在内地，而境外乃無屏障，止憑墩臺。以守軍反居内，民顧居外，敵一入境，官軍未行，民遭掠已盡矣。又西南抵慶陽，相去五百餘里，寇至，民猶不知。其迤北墩堠，率皆曠遠，非禦邊長策，請移府谷、響水等十九堡，置近邊要地，而自安邊營接慶陽，自定邊營接環州，每二十里築墩臺一，計凡三十有四。隨形勢爲溝牆，庶息響相聞，易於守禦。又言：甯夏中路，靈州以南，本無亭燧，東西二路，營堡遼絶，聲聞不屬，致敵每深入，亦請建置墩臺如延綏，計爲臺五十有八。又言：甘肅永昌、西甯、鎮番、莊浪俱有險可守，惟涼州四際平曠，敵最易入，又水草便利，輒經年宿留，遠調援軍，兵疲鋭挫，急何能濟？請於肅州五衛内，各分一千户所置涼州中衛，給之印信，其五所軍伍，則以五衛餘丁選補，且耕且練，斯戰守有資，兵威自振。又言：洪武間，建東勝衛，其西路直達甯夏，皆列烽堠。自永樂初，北寇遠遁，因移軍延綏，棄河不守；誠使兵强糧足，仍準祖制，據守黃河，萬全計也。今河套未靖，豈能遽復？然亦宜因時損益，延綏將校，視他鎮爲少，調遣不足，請增置參將二人，統軍九千，使駐要地，互相援接，實今日急務。奏上，皆從之。復在邊建置，多合機宜。及還朝，言者謂治兵非復所長，特命白圭代之，改復工部。謹守法度，聲名逾兵部。時中官請修皇城西北迴廊，復議緩其役。中官領騰驤四衛軍者，請給胖襖、鞋、袴，復執不可，曰：朝廷制此，本給征行之士，使得刻日戒途，無勞縫紉；京軍則歲給冬衣布棉。此成憲也，奈何渝之！十四年，加太子太保。復好古嗜學，守廉約，與人無城府，當官職識大體。居工部十二年，會災異，言官言其衰老。乞休，不許。居二月，汪直諷言官更劾復，乃傳旨並令致仕歸。久之，卒。贈太子太保，謚莊簡。明史列傳。

李儀，涿州人。一統志。永樂間，以薦舉授户部主事。宣宗既平高煦，儀請削趙王護衛。帝不聽。既而言者益衆，帝封其詞，遣使諭王如儀指，王即獻護衛，趙卒無事。儀尋出知九江府，有惠政。英宗即位之歲，始設諸邊巡撫。僉都御史丁璿方督大同、宣府軍儲，而儀以右僉都御史巡撫其地，盛有所建置，明史列傳。軍民相安，權貴皆爲斂避。涿州吴志。明年，請以大同東、西二路分責於總兵官羅文、方政。從之。明史列傳。阿台、朵兒只伯屢寇甘、涼，邊將告急。時朝議將出大兵擊阿台等，儀言：四裔爲患，自古有之，在備禦有方耳。和甯殘部，窮無所歸，乍臣乍叛，小爲邊寇，邊將謹待之，將自遁，何必窮兵！不納。大同督糧參政劉璉不職，儀劾之。璉乃誣儀淫亂事。會參將石亨欲奏鎮守中官郭敬罪，先咨儀，儀誤封緘咨牒於核餉主事文卷中，户部以聞。亨、敬遂互相奏訐。詔儀、璉自陳，而切責敬等。儀自負其直，詞頗激。二月，被劾下獄，瘐死。明紀十三。儀居官廉謹，邊人素德儀，建昭德祠以祀。明史列傳。

李侃，字希正，東安人。一統志。曾祖士瞻，元翰林學士承旨，嘗使閩，適海酋據城，王師攻之不下，士瞻喻以禍福，酋遂出降，閩人立祠祀之。祖繼本，登進士，持身端潔，樂育人才，河朔學者多師事之，著有一山集，時號一山先生。東安李志。侃正統七年進士，授户科給事中。景帝監國，陳：簡將才，募民壯，用戰車三事。明史列傳。也先逼紫荊關，京師戒嚴。明紀十四。議者欲焚城外馬草。侃言：敵輕剽無持久心，乞勿焚，免復斂爲民累。皆報許。時父母在容城，侃曉夜悲泣，乞假冒險迎之。景泰初，議録扈從死事諸臣後，侃因言：避難偷生者宜嚴譴，以勵臣節。上皇將還，明史列傳。禮部具迎奉儀。上傳旨，以一轎二馬迎於居庸。明紀十五。侃與同官劉福等明史列傳。言：奉迎禮太薄。帝報曰：朕尊大兄爲太上皇帝，尊禮無加矣，顧云太薄，其意何居？明紀十五。尚書胡濙爲解，乃已。再遷都給事中。軍興，減天下學校師儒俸廩，侃奏復之。户部尚書金濂違詔徵租，明史列傳。學士江淵以告。帝詰責户部，金濂内慚，抵言無有。侃等請詰天下有司違詔，故濂恐事敗，乃言銀布絲帛，詔書未載，若概減免，國用何資？帝欲宥之，侃與御史王允上殿力争，遂下都察院獄。明紀十五。石亨從子彪，侵民業，侃請置重典，并嚴禁勳戚、中官不得豪奪細民，有司隱者同罪。帝宥亨、彪，餘如其請。廷議易儲，明史列傳。會議者九十一人，明紀十五。衆相顧莫敢發言。通鑑輯覽一百四。侃泣言東宮無失德。時議壯之。擢詹事府丞。天順元年，改太常丞，進太僕卿。明史列傳。二年夏四月，復設巡撫官，遷侃撫山西。明紀十七。奏言：塞北之地，與窮荒無異，非生長其間者，未有能甯居而狎敵者也。今南人戍西北邊，怯風寒，聞寇股栗，而北人戍南，亦不耐暑，多潛逃。宜令南、北清勾之軍，各就本土補伍，人情交便，戎備得修。時不能用。奏發巡按李傑罪，傑亦訐侃。按傑事有驗，除名，侃無贓罪，獲宥。六年，考察屬吏，奏罷布政使王允、李正芳以下百六十人，因言：諸臣年與臣若，不堪任事者，臣悉退之，臣亦當罷。詔不許。侃性剛方，力振風紀，貪墨者屏跡。其年冬，以母喪歸，軍民擁泣，至不得行。服除，遂不出。家居十餘年，卒。侃事親孝，明史列傳。母晚年喪明，每退朝必論説史傳，以悦其心。墓誌。好學安貧，歿幾不能殮。二子德恢、德仁，皆進士。一統志。德恢嚴州知府，德仁河東鹽運使。明史列傳。

董方，字仲矩，通州漷縣人。畿輔唐志七十一。正統十年進士，試政兵部，旋以父憂歸。服闋，通州高志。授大理評事，以蕭維楨薦，遷寺正。畿輔唐志。用法平恕，克雪寃抑。有巨室被盜，東阿民蔣傑與盜遇，并報之，訥弗能辨，不勝拷掠，遂誣服。周洪謨刑部尚書董公墓誌銘。方訊實，釋之。通州高志。錦衣旗軍鐵堅，與百户薛海鬬，傷腦，奪銀簪。官擬白晝奪財傷人者死。方謂死起忿争，非造意攘奪，從輕典。金吾衛卒領大内官銅出，道中竊銅板尺餘，覘卒執之，有司擬以盜庫物律斬，方謂：物既領出，非潛入内庫盜者，宜論監臨自盜。墓誌銘。得減死。景泰間，奉命往山西録囚。太原民白政，讐殺王選，投尸汾河，事覺，政誣選妻與己私，同謀殺夫。獄成。方謂彼爲夫婦三十餘年，生子十數人，何至是？盡拘鄰里證驗。政具服，選妻得釋。羅禮妻被盜殺，有司誣劉達夫婦害之，俱應死，方白其寃，後知殺人者達壻也。其餘活死罪可矜疑者若干人。通州高志。事竣還朝，建言十事，皆允納。天順丁丑，陞右寺丞。墓誌銘。曹欽謀逆，趣軍士救護。賊平，擢本寺右少卿。畿輔唐志。成化乙酉，遷刑部右侍郎。丙戌，持節詣楚藩，行册封禮。癸巳秋，進秩都察院右都御史，巡撫大同。墓誌銘。大同久不雨，方至，祈雨輒應。河南軍戍大同者多，僦民居，方搆營房若干，衆論稱便。戰馬斃者以千數，爲區畫買補，逾月遂足。以老乞休，越六年卒，年六十八。贈太子少保，謚襄毅。方好學，通州高志。手不釋卷，有詩文集。寺丞劉翰爲編讞獄録，學士劉定之序之以行。墓誌銘。子甯，由進士官按察僉事。通州高志。

岳正，字季方，漷縣人，一統志。別號蒙泉，學者稱爲蒙泉先生。懷麓堂集十一。正統十一年，會試第一，賜進士及第，授編修，進左贊善。高自期許，氣屹屹不能下一人。明史列傳。嘗閉户夜草疏，請復恭讓后位號。其伯兄端俯樓隙窺之，驚曰：奈老母何！取其草裂之，乃止。懷麓堂集。天順初，改修撰。閣臣徐有貞、李賢下獄，帝既用吕原預政；頃之，薛瑄又致仕，帝謀代者，明史列傳。尚書王翺以正薦，帝亦素知正名，召對文華殿。正長身、美鬚髯，帝遥見色喜，既登陛，連稱善，問：年幾何？家安在？何年進士？正具以對。復大喜曰：爾年正强仕，吾北人，又朕所取士，今用爾内閣。通鑑輯覽一百五十。正頓首受命趨出。石亨、張軏遇之左順門，愕然曰：何自至此？比入，帝曰：朕今日自擇一閣臣。問：爲誰？帝曰：岳正。兩人陽賀。帝曰：但官小耳，當與吏部左侍郎兼學士。兩人曰：陛下既得人，俟稱職，加秩未晚。帝默然，遂命正以原官入閣。正素豪邁，負氣敢言，及爲帝所拔擢，益感激，思自效。便殿論奏，至唾濺帝衣。有規以信而後諫者，慨然曰：上顧我厚，懼無以報稱，子乃以諫官處我乎？明史列傳。湯序嘗奏災異，請盡去奸臣，帝問正，正言：奸臣無指名即求之，人人自危；且序術淺，何足信也！有僧爲妖言，錦衣校邏得之，坐以謀反。中官牛玉請官邏者，正言：事得實，不過坐妖言律，邏者給賞而已，不宜與官。僧黨數十人皆得免。明紀十七。或爲匿名書，列曹吉祥罪狀，吉祥怒，請出榜購之，帝令撰榜格。正與吕原入見，曰：爲政有體，盜賊責兵部，奸宄責法司，豈有天子自出榜購募者？且事緩之則自露，急之則愈匿。帝是其言，遂不究。石彪鎮大同，遣使獻捷。下内閣問狀，使者言捕斬無算，不能悉致，皆梟林木間。正按地圖詰之曰：此地皆沙漠，汝梟何所？其人語塞。時亨、吉祥恣甚，正言於帝，二人權太重，恐久不可制，請以計間之。帝曰：卽可以朕意告二人。通鑑輯覽一百五。正出，見吉祥曰：忠國公常令杜清來此，何爲者？吉祥曰：辱石公愛，致誠款耳。正曰：不然，彼使伺公所爲耳。因勸吉祥辭兵柄。復詣亨，諭令自戢，明史列傳。且云：上使我告公如此。二人揣知上意，因詣帝前，免冠請死。帝内愧，慰諭之，而責正漏言。正對曰：臣觀二家，必以謀叛滅，臣欲全上恩，故令早自爲計耳。二人聞，益怒。通鑑輯覽百五十。會承天門災，正極言亨將爲不軌，且言陳汝言、盧彬小人狀。時徐有貞再下獄，復云：用有貞則天變可弭。帝皆不納。命正草責躬詔。通州高志。正草敕曰：乃者，承天門災，朕心震驚，罔知所措。意敬天事神，有未盡歟？祖宗成憲，有不遵歟？善惡不分，用舍乖歟？曲直不辨，刑獄寃歟？征調多方，軍旅勞歟？賞賚無度，府庫虚歟？請謁不息，官爵濫歟？賄賂公行，政事廢歟？朋奸欺罔，附權勢歟？羣吏弄法，擅威福歟？征斂徭役太重，而閭閻靡甯歟？讒諂奔競之徒倖進，而忠言正士不用歟？抑有司闒茸酷暴，貪冒無厭，而致軍民不得其所歟？此皆傷和致災之由，而朕有所未明也。今朕省愆思咎，怵惕是存。爾羣臣休戚惟均，其洗心改過，無蹈前非，當行者，直言無隱。敕下，舉朝傳誦。明史列傳。曹、石相謂，言姦邪蒙蔽，不謂我曹，抑不謂徐有貞乎？譖於上，野記三。謂正賣直謗訕。帝怒，仍授內侍書。明日，謫欽州同知。明史列傳。既行，道滯，以母老留家月餘。復爲尚書陳汝言所劾，逮繫詔獄，通鑑輯覽一百五。杖百戍肅州。至涿州，夜宿傳舍，手梏急，氣奔且死。涿人楊四者，頗尚意氣，爲祈哀解人，其人怒不肯，楊醉以醇酒，伺其酣睡，謂正曰：梏有封印，奈何？正曰：可燒鏊令熱，以酒將紙就炙之，紙得酒皆昂起。因去釘脫梏，刳其中，復釘封之。其人覺有異，楊説之曰：業已然矣，今奉銀數十兩，不如納之。懷麓堂集。乃得至戍所。明史列傳。時太監猛虎石鎮甘肅，傳有密諭，須生不須死。鎮巡而下，亦雅重之，致客禮焉。懷麓堂集。英宗亦悉其忠，嘗念之曰：岳正倒好，只是大膽。正聞，自爲像贊，述帝前語，末言：臣嘗聞古人之言，蓋將之死而靡憾也。明史列傳。越四五年，曹、石俱以不軌敗。懷麓堂集。帝謂李賢曰：岳正固嘗言之。賢曰：正有老母，得放歸田里，幸甚。乃釋爲民。憲宗立，以原官直經筵，纂修英宗實録。初，正得罪，明史列傳。室廬財産，盡賜指揮季鐸。鐸得旨，自往據岳門，檢括浄盡，家人出門，一一搜驗，奇辱特甚。岳還，適鐸得罪。上曰：季鐸家産，盡是岳正物，可悉取還之。岳乃亦往據鐸門，搜括如鐸。岳爲儒臣，貲無幾何。鐸素積不貲，皆歸於岳。（野記三。）尋被譖，（畿輔唐志七十一。）又以忤大學士李賢，出爲興化府知府。至官，築隄溉田數千頃，節縮浮費，經理預備倉，欲有所興革，鄉士大夫不利其所爲，騰謗言。正亦厭吏職，五年入覲，遂致仕。又五年卒，年五十五。正博學，能文章，（明史列傳。）於書無所不讀。其爲文高簡峻拔，追古作者；詩亦雅健脱俗；字法精邃，大書尤偉；旁及雕繪鐫刻，悉臻其妙；晚好皇極書。（懷麓堂集。）所著有類博稿十卷。嘉靖中，追贈太常寺卿，謚文肅。（明史列傳。）建祠祀之。（通州高志。）

邢表，字居正，文安人。（畿輔唐志七十四。）博通經史，尤精理學。嘗曰：中庸一書，聖賢關鍵，唯我能尋著。景泰丁丑成進士，（彭韶邢拙庵傳。）授獲嘉縣知縣。治行最，擢彰德知府。（畿輔唐志。）適衡水民王澤爲校尉馬成誘至安陽，殺澤，竊其妻以逃。澤甦，赴愬於表，捕之不得，具疏城隍。數日，成携其竊婦出首。人咸以爲神。（彭傳。）因疏論趙藩驕横，調知衛輝，並有善政。（畿輔唐志。）時久旱，瘟疫大行，醮以禳之，俄頃，雨大如注。次年水災，奏免六郡税糧。陞山東左參政，轉右布政使，調四川左布政使。（彭傳。）歲災，大發廩賑貸，全活無算。茶課逋者三百餘萬斤，表請每斤徵銀一分充松潘餉，從之。（畿輔唐志。）晉都察院右副都御史，巡撫四川。上言：川事之壞，土司驕縱淫佚，苗情難束以漢法，而貪帥好激變以邀功名，以故竊發易創也，率縱之使横；即大創亦易舉也，率弛之使蔓。蓋不蔓無以糜大官之錢，不横無以爲封拜之地，此西南諸蠻所以易戢而難靖者，自昔皆然。表請簡壯勇，正首惡，安反側，置戍建堡，使蠶叢鳥道之鄉，悉遵道遵路，而不敢依林箐爲伏戎之莽，恃巉巖爲升高之陵。又思大荒之後，繼以大兵，民艱乃食，亂是用長，非屯田無以計久遠；但屯法之不行，皆緣歲有豐歉，租惟一制。請與軍民約，課耕不課税，俾沿邊閑地，聽其儘力開墾，粟既充，則價自賤，以銀易粟，邊儲庶不憂匱乏。奏，可。凡兩年，得羨糧數萬石。撫蜀四年，建昌之役，戎服臨陣者八越月，致疽發於背，卒。家無餘資，軍民號泣，爲之罷市。賜諭祭葬，祀四川名宦。彭傳。

李賓，字廷用，順義人。正統進士，授浙江道御史。己巳邊警，募兵萬餘，軍威遥震，虜遁去。陞副都御史，提督永平、山海諸軍。興屯田之利，兵民交賴。英廟復辟，召爲大理卿。時刑獄嚴刻，賓疏古失刑數事，直言不諱，朝論韙之。辛巳秋，曹欽謀不軌，攻東西長安門，縱火。明紀十七。賓率家人擊之，撲滅長安門火。畿輔唐志。天順八年，官左都御史，剛簡鎮默，以伉直著名。畿輔唐志七十一。指揮僉事門達，綱目三編十二。知東宫局丞王綸必柄用，預爲結納。無何，憲宗嗣位，綸敗，達坐調貴州都匀衛，帶俸差操，甫行，言官交章論其罪。明史門達傳。賓疏言：達恃恩藐法，玩弄威權，文網苛細，大獄屢興，假託上旨，恣逞貪殘，官校驛騷，子弟奸比，罪浮於謫譴，當正國法。於是逮繫坐斬，籍其家。達廷訊時，負固強辨。至賓前，曰：公宜訊我。遂引服。（綱目三編十二。）歷陞南京兵部尚書，令有司設常平倉，平江洋鹽盜。（畿輔唐志。）南畿仍歲大饑，賓請令南畿、浙江、江西、福建諸生及官員軍民子孫納粟送監。姚夔言：太學乃育才之地，近者，直省起送四十歲生員及納草納馬者，動以萬計，不勝其濫；且使天下以貨爲賢，士風日陋，請罷其議。報可。（明紀十八。）賓乞歸，不從，進太子少保。卒。（畿輔唐志。）謚襄敏。（萬曆沈志。）

芮釗，字宗遠，寶坻人。（畿輔唐志七十四。）正統進士，由御史歷江西副使，遷陝西布政使，所在皆有政聲。（寶坻洪志。）以右副都御史巡撫甘肅，訓練卒伍，謹斥堠，廣蓄積，鎮守三年，邊鎮宴然。（畿輔唐志。）會母喪，朝廷重邊計，特遣官營葬，詔還鎮。時寇入涼州、莊浪諸處，釗分兵進勦，所向克捷，寇出没幾一載，而城守無虞，居民不致流散者，釗之力也。既勞於王事，又痛不得終喪，竟卒于官。（寶坻洪志。）貧不能殮，人服其清操云。（畿輔唐志。）

劉聰，字守愚，蘇州衛人。（畿輔唐志七十四。）有友人毛欽病革，以後事託聰。聰爲之舉二喪，婚嫁其子女。凡故舊告急，無不周之。官兵科給事中，時稱兵科爲錢窖。聰獨持風力，請託不行。上章勸孝宗早視朝以勤政事，止傳奉以抑奔競。皆嘉納之。陞湖廣參政。承勘南渭王長子獄，論死者五人，聰廉其誣，悉釋之，竟抵王長子罪。遷山東布政使。（薊州沈志。）擢右副都御史，巡撫宣府。（畿輔唐志。）留心邊務，境内肅清。既而致政歸，歿於家。祀鄉賢祠。薊州沈志。

施聚，其先沙漠人，居順天通州。一統志。父忠，爲金吾衛指揮使，從成祖北征陣亡。聚嗣職，通州高志。以勇敢稱。明史巫凱傳。從北征，至得勝口，擒可可帖木兒，一統志。累擢都指揮同知。宣德中，備寇遼東，以曹義薦，進都指揮使。通州高志。義與兀良哈戰，聚皆從之。也先逼京師，景帝詔聚與焦禮俱入衛。聚慟哭，卽日引兵西。部下進牛酒，聚揮之曰：天子安在？吾屬何心饗此！明史巫凱傳。比至，寇已退，乃還。歷官至左都督，通州高志。充右副總兵。一統志。天順元年，封懷柔伯，食禄千一百石。明年，以守邊久，與世券。聚智勇樸直，與士卒同甘苦，在遼東訓練有法，增繕障塞，興修儒教，軍民悦服。卒，謚威靖。四傳至瑾，吏部言不當復襲。世宗特許之，通州高志。傳爵至明亡。明史巫凱傳。

金純，字文明，平谷人。景泰進士，畿輔唐志七十四。除南京刑部主事，陞郎中。純性方正，不濫交游，發伏摘奸，人皆服其明允。成化己丑，授四川順慶知府，未赴，丁父憂。服闋，補廣西桂林知府。平谷朱志。桂巖猺賊劫掠鄰境，御史檄純招之。純遣諜語賊曰：太守親來招撫，以蘇衆命。猺皆痛哭，引領聽撫。畿輔唐志。明日，具招牌，親詣巖口。猺賊皆魚貫而下，老幼約三千餘人，純悉遣散之。事平，御史欲奏其功，純以地方無虞，爲幸多矣，何敢邀功。御史卒以純招撫羣賊，平定地方及治郡十事以聞。上賜誥命一通，進階中憲大夫。未幾，丁内艱。服闋，再守江西廣信府。會永豐、銀坑賊起，隨令近鄉兵民及大姓有力者捕之，賊遂散避。陞山西參政。時河東旱荒，邊儲告乏，純設法搬運，足備軍用。轉本司布政使。致仕，卒，年八十八。平谷朱志。

朱驥，字尚德，大興人。初襲衛千户，淹蹇不爲人知。尚書于謙以女妻之，坐謫戍，還官。成化時，掌衛事二十餘年，委任獨至。驥爲人小心慎密，不浞糾緝，未嘗妄興一事，凡涉詿誤者，輙縱舍。有所論列，悉推諸官校，以故從之蒞事者多至顯官。時人莫不賢驥而歎于謙爲知人云。畿輔唐志七十四。

紀常，字元正，號西臯。其先山東人，徙居文安。常生五六歲未能言，八歲讀書，十三解行文，有驚人語。邑儒馬大章奇之，因締姻好。大章貧且卒，或譖令改盟。父試問之，則泣而不諾。父喜曰：黄童能知大義，他日必不在人下。成進士，授户部主事，晋刑部員外郎。習法明允，僚友稱爲老法司。凡大獄涉疑滯者，皆就質之。出補陝西僉事。陝西有三缺，人皆難隴右，常毅然不避。隴右近邊塞，山谷險峻，爲盗藪。常摘伏如神，指授方略，不三月盡擒之。改徙漢中。漢中守性驕褊，好庇其下。常至，守正執法，電矚風行，一如振落。課績第一，陞湖廣按察使臬司。滯牘淹囚最多，常勵精裁決，月餘而囹圄空。丁母艱。服闋，補官四川，囊槖如洗，僕賃皆貸之親友。陞河南右布政司，尋轉左，以疾引休歸。嘗自言：爲秀才未嘗言財貨，以至歷官，此心可質天地。又嘗手録長史家訓，告戒次子誠，曰：人家興替，不在富貴貧賤，使貴爲公卿，富比崇、愷，而不知禮義，不可謂興；若簞食瓢飲，肘見纓絶，而禮義相先，不可謂替。卒，年八十。子誠。嚴訥紀西皋傳。

誠字勉夫，生有異稟，常指之曰：是兒當亢吾宗者。戊午鄉試，常遘疾，誠侍，不欲往。常曰：我望汝爲忠爲孝，豈在區區奉湯藥乎！强之行，遂舉於鄉。明年，成進士，授南京行人司。初，以遠親爲念。常復遺之書曰：汝委贄爲臣，何分南北？我尚未老，勿貳爾心。尋遷工部虞衡司郎中，分署遵化督鐵冶，人多視爲閒局，率無所事事。誠熟察弊端，至則條議九事：廣召佃，清山場，定册籍，罷窑税，止發配，復本色，減工料，修廠城，革冗食；皆切時務，次第行之。及閱射於講武亭，見亭後有堂，可令諸生肄業，遂闢涌泉書院，扁其堂曰講易。諸生進而質曰：公以易語諸生，諸生又皆學易，名固宜爾；後進或有别業，其繼公而至者，亦未必皆治易也，奈何？誠曰：易，五經之原，而文字之祖也。書得易之情，禮得易之序，樂得易之和，春秋得易之斷，語易，而五經該之矣。孔子假年學易，可無大過，易之道其可遠哉！因書爲記。嗣陞懷慶府知府，擢井陘兵備副使。令民什伍相保，互相糾察，民無爲盜，卽盜至亦無所容，境内肅然。滹沱故道，自深州、饒陽達獻、青二縣入海，自饒陽既墊之後，每一水至，民多魚鼈。誠謂：必欲除永遠之害，莫如復故道；必欲舉疏瀹之利，莫如排羣疑。竟阻於衆咻，事未及行。病作，疏歸，三載卒。丁士美紀文泉傳。

劉志，字景仁，順天人。性謹樸，言若不能出口。每論禮，必以朱子家禮爲的。爲某國公府教書，訓導某欲遷其嫡母之墓，而以生母配葬，請具奏草。志禮折之，某强焉，志曰：以若所爲，非獨禮悖，且不免於法。某乃賂他訓導錢暄者，草疏以進。英廟震怒，究爲謀者，枷暄於市。人皆服志之有識。又嘗勸人毁銅佛以鑄器，不肯，强之乃從。後志年未五十，得奇瘍被面以死，人指以爲毁佛之報。嗟乎！今天下如志者，尚可得哉！李東陽都城故老傳。

趙某，順天人，本楊姓，鬻醬爲業，人呼爲醬楊。天順初，迎鑾之役，武官冑士乘勢納賂，以冒官賞，至累千數百人。或以語某，某摇手謝曰：我粗人，無食肉相，財帛非所惜，恐反蹈禍機耳。不越歲，冒官者事敗，盡革職，或遭貶竄。人始曰：趙某不若也。

某尤好意氣，其女夫刑部主事朱鐸，貧而有守，每遺錢穀，以助其廉。朱病卒，子又死，某育其女，俾不失節。李東陽都城故老傳。

駱貴，字秉彝，順天人。粗涉經籍，少爲童師，性伉直，不匿人過。母喪，引倣家禮，去旛幢鼓樂，用人爲方相。市兒争譁笑之。尤不喜神怪。嘗有降神者，人各獻香楮，貴脱所跋雙屐置案上，曰：吾無他，聊以供神。觀者縮頸，貴大笑而去。後以壽終。（李東陽都城故老傳。）

李東陽，字賓之，號西涯，（李文正公祠碑記。）茶陵州人，以戍籍居京師。（明史列傳。）父淳，爲武清渡子。有叟來言：汝有善念，當爲擇瘞親地。指一山曰：有白狐卧處是。李夕往，見卧白狐，因折樹枝有聲，狐驚，聳身三立，去，即其穴瘞。明日叟來曰：俟狐自起，爾今驚去，當中衰；然汝子三公矣。果生東陽。（祠碑記。）四歲能大書，（吾學編三十。）舉奇童。景帝召見，（名臣記三十。）雙履二寸許，絆繫之，一粗紵小衫，著以見帝。（祠碑記。）命書麟鳳龜龍十餘字，上大喜，（大興張志。）抱置膝上，賜果鈔。八歲，兩召講尚書大義，（帝京景物略四。）稱旨，命入京學。天順八年，年十八，成進士，選庶吉士，授編修，累遷侍講學士，充東宮講官。宏治五年，憲宗實録成，由左庶子兼侍講學士，進太常少卿，兼官如故。五年，旱災求言，東陽條摘孟子七篇大義，附以時政得失，累數千言上之。帝稱善，下所司議處。東陽甚負文名，大學士徐溥等以誥敕繁，請如先朝王直故事，設官專領，乃擢東陽爲禮部侍郎兼翰林學士，典誥敕。（通鑑輯覽一百六。）八年，以本官直文淵閣，參預機務。（明史本傳。）冬十月，占城奏安南侵撓。帝欲遣大臣往解。（明紀二十二。）東陽曰：春秋，王者不治夷狄，安南雖奉正朔，不詘侮，於東陽猶陽禮敬。凡瑾所爲亂政，東陽彌縫其間，亦多所補救。明史列傳。尚寶卿冬加少師、太子少師、吏部尚書、華蓋殿大學士。二年，逆瑾擅權，益恣暴，吾學編。無所兼太子太傅。明史本傳。正德元年，上不親政，屢與同官上疏，皆不報。又陳政令十失。是謀，劉公斷，謝公尤侃侃。明史謝遷傳。十八年，上不豫，召入受顧命。吾學編。武宗立，屢加少傅，政事。東陽與首輔劉健等，竭心獻納，時政闕失必盡言極諫。明史本傳。時人爲之語曰：李公東陽祭告，明紀二十三。還，上時政疏，吾學編。帝嘉歎，悉付所司。明紀二十三。是時，帝數召閣臣，面議東陽覆試。十六年，加太子太保、户部尚書、謹身殿大學士。吾學編。十七年，闕里先師廟成，遣寺僧入大内慶讚，又執不可。上皆從之。十二年，給事中華昶劾程敏政考會試通私，命災異之積，正此之由。明紀二十二。有爲李廣乞祠額者。東陽執言不可。祠碑記。清甯宫成，召能仁同官上疏曰：吾學編。古帝王未有不遇災而懼者，向來奸邪熒惑聖聽，賄賂公行，賞罰失當，部尚書，兼文淵閣大學士。明史本傳。召見，面議四營總兵官去留。是年，清甯宫災，東陽與疏申救，得釋，尋召至平臺奏事。吾學編。十一年，皇太子出閣就學，明紀二十二。進太子少保，禮寵。東陽疏引唐柳泌、宋郭京爲鑒。祠碑記。科道疏救武岡知州劉遜，上震怒，俱下獄；又同抗命；若置而不問，損威已多，即問罪興師，貽患尤大，宜勿聽。吾學編。中官李廣，煉藥被修職貢，然恃險負固，積歲已久。今遣官至其國，徒掉寸舌，小必掩過飾非，大或執迷崔璿、御史姚祥、主事張偉爲邏卒誣執，（吾學編。）給事中安奎、御史張彧，以覈邊餉失瑾意，皆荷重校，幾死。東陽力救，璿等謫戍，奎、彧釋爲民。（明史列傳。）四川鎮守太監羅籥，以既革巡撫請，得便宜行事。瑾主之力，東陽謂兵馬錢糧，祖制無歸一人者，執言不可。（祠碑記。）三年，有遺匿名書於御道數瑾罪者，詔百官悉跪奉天門外。頃之，執庶僚三百餘人下詔獄。次日，東陽等力救，會瑾亦廉知其同類所爲，衆獲宥。（明史列傳。）凡朝官忤瑾者，悉誣以舊事，罰米輸邊，（通鑑輯覽一百七。）多至千五百石。東陽委曲開導，瑾不從，乃移原籍倉中交納。（大興張志。）瑾患盜賊日滋，欲成其家屬及爲之囊橐者。（明史列傳。）或自陳獲盜七十人，所司以新例從事。東陽解之，乃免。（明紀二十四。）劉健、謝遷、劉大夏、楊一清及平江伯陳熊輩，幾得危禍，皆賴東陽而解。（明史列傳。）五年三月甲子，大風霾，天色晦冥者數日。辛未禱雨，釋囚，免正德三年逋賦。東陽等因上詔書所未及者數條，帝悉從之。（明紀二十四。）會張永發瑾奸，伏誅。上以東陽有反正功，加特進左柱國，廕其從子兆蕃爲尚寶丞。（吾學編。）東陽乞休，辭廕，不許。時，政事一新，而張永、魏彬、馬永成、谷大用猶用事，帝嬉遊如故。皇子未生，多居宿於外。又議大興豹房之役，建寺觀禁中。東陽前後上章切諫，不報。（明紀二十四。）七年，東陽等以京師及山西、陝西、雲南、福建相繼地震，而帝講筵不舉，視朝久曠，宗廟祭享不親，禁門出入無度，谷大用仍開西廠。屢上疏極諫，帝亦終不聽。九載秩滿，兼支大學士俸。河南賊平，廕子世錦衣千户。再疏力辭，改廕六品文官。明史列傳。一日朝退，沈思休致，袍帶未及解，有道士服紫玉環來見，指東陽所服帶，并自指曰：何如我環？其能棄却入山？東陽曰：久服無味，入山須之歲月耳。道士笑出庭中，微吟踏劍飛去。祠碑記。遂乞休，前後章數上，至是始許，賜敕給廩隸如故事。又四年，卒，年七十。贈太師，謚文正。東陽有孝行，初官翰林時，嘗飲酒至夜深，父不就寢，忍寒待其歸，自此終身不夜飲於外。工篆隸，書碑版篇翰，流播四裔。士大夫出其門者，悉粲然有所成就。初與劉健、謝遷請誅瑾，及健、遷去，而東陽獨留，氣節之士多非之。侍郎羅玘上書，勸其早退，至請削門生籍。然立朝五十年，清節不渝，既罷政家居，請詩文書篆者，填塞户限，頗資以給朝夕。一日，夫人方進紙墨，東陽有倦色。夫人笑曰：今日設客，可使案無魚菜耶？乃欣然命筆，移時而罷。其風操如此。明史列傳。子兆，先夭，世蔭皆姪。歿甫百年而中衰，如叟言。祠碑記。

陳壯，字直夫。畿輔唐志七十四。其先浙江山陰人。祖坐事謫戍交阯，後調京衛，遂家焉。舉天順八年進士，授南京御史。明史列傳。帝將以元夕張鐙，命詞臣撰詩進奉。明紀十八。編修章懋等建言得罪，壯抗疏救之。帝遣中官採花木，復疏諫。尚書陳翌請以馬豆代百官俸，壯言：飼馬之物，不可養士大夫。事乃寢。壯家素窶，常禄外，一無所取。明史列傳。讀書務實踐。

父歿，（畿輔唐志。）廬墓側居喪，一循古禮。（明史列傳。）母憂亦然。（畿輔唐志。）歷江西僉事。致仕，家居十餘年。宏治中，以尚書張悅薦，起官福建。居二年，又乞致仕。時倪岳爲吏部，素賢之，擢河南副使。歲荒賑饑，民懷其惠。僉都御史林俊謝病，舉以自代。未及遷，而壯又乞致仕，巡撫孫需奏留之。又二年，竟致仕去。（明史列傳。）

楊塤，字景和，京師人。（日下舊聞考引東海集。）天順間，錦衣衛都指揮門達，怙寵驕横，袁彬不爲達下，達深銜之，誣以罪。（明史門達傳。）塤素不識彬，而爲之上疏曰：正統十四年，車駕北狩，從臣奔散逃生，惟袁彬一人特校尉之役，乃能保護聖躬，備嘗艱苦。及駕還復辟，授職酬勞，公論稱當。今者無人奏劾，卒然付獄，拷掠備至，罪定而後付律，法司雖知其枉，不敢辨明。陷彬於死，雖止一夫，但傷公論，人不自安，乞以彬等御前審録，庶得明白。擊登聞鼓以進。（東海集。）詔并下達治。時大學士李賢方被寵任，數陳達罪，達恨次骨，欲并去之，（通鑑輯覽一百五。）遂拷掠塤，教以引賢。塤卽謬曰：此李學士導我也。達大喜，立奏聞，請法司會鞫塤午門外。帝遣中官裴當監視，達欲執賢并訊，當曰：大臣不可辱。乃止。乃訊，塤曰：吾小人，何由見李學士？此門錦衣教我。達色沮，不能言。（明紀十七。）彬亦歷數達納賄狀，法司畏達，不敢聞，坐彬絞輸贖，塤斬。帝命彬贖畢，調南京錦衣，而禁錮塤。（明史門達傳。）未幾，英宗升遐，言者劾達罪，舉塤事爲證，達遂得罪。塤父爲漆工，宣德間，嘗遣人至倭國，傳泥金畫漆之法以歸，塤遂習之，而自出己意，以五色金鈿並施，天真爛然，倭人見之，亦齚指稱歎，以爲不可及。成化初，修英宗實録，稱爲義士云。（東海集。）

田景賢，字宗儒，涿州人。（畿輔唐志七十一。）舉成化甲午鄉試，乙未進士，爲户科給事中。（羅洪先禮部尚書田公神道碑銘。）劾貴戚慶雲伯周壽，（畿輔唐志。）忤憲宗旨，廷杖瀕死，（神道碑銘。）猶極言不已。尋擢通政參議，（涿州續志。）覈實宣府諸邊儲積，立法畫一，以便出納。視居庸三關歸，備禦之策，以佐朝議。（神道碑銘。）建白咸切時宜。（畿輔唐志。）代祀東方，凡道途所經，耳目覩記可駭異者，具以上聞。蓋雖不在言路，無由盡論天下事，然猶隨事納忠，以冀一言之用。（神道碑銘。）歷官禮部尚書，掌太常事。劉瑾擅政，（畿輔唐志。）奴視諸大臣，俱入賄求免。然賄入，禍亦不免。太常典諸儀禮，郊祀、燕享、朝賀、樂舞，節目繁碎，最易得罪。（神道碑銘。）景賢長身玉立，簡靜自持，毫不爲屈。（涿州續志。）終瑾之身，竟不能有所螫毒。（神道碑銘。）後進太子太保，卒，贈太子太傅。（涿州續志。）孫汝麟，登嘉靖庚戌進士，官户部主事。（神道碑銘。）

歐信，字孚先，薊州人。（一統志。）成化進士，任户部主事，奉命賑陝，活飢民以萬計。（畿輔唐志七十四。）署郎中事時，權貴有請河東鹽十萬引，衆不敢出一語，信獨持不可。督餉大同，增置東大有倉，乘賤而糴，不數歲，贏五十餘萬石。劉大夏巡撫至，歎曰：典邊儲者，盡如歐郎中，吾無此行矣。中官樊德、趙宣上言：保定、河間有隙地，可作皇莊。信往看，力白其妄，乃止。陞浙江參政，歷河南、山東布政使，俱有賢聲。薊州沈志。正德初，累擢右副都御史，巡撫大同，訓兵練武，綜覈屯政，一統志。備舉廢墜，以才能稱。畿輔唐志。未踰年，以勞瘁卒。薊州沈志。

燕忠，字良臣，薊州衛人。成化進士，任甯國府推官。讞獄多所平反。畿輔唐志七十四。有民賈於江淮間，怨家嗾其僕殺之，因盜其貨，罪人久不得。忠廉得其情，誅之。薊州沈志。宏治中，歷御史，一統志。以災異上言：親賢納諫，重名器，節財費，嚴賞賚。薊州沈志。近冗官日衆，土木日興，莊田賜撥日廣，奔競無恥之徒充列庶位。一統志。言甚剴切。孝宗嘉納之。巡按陝西，發奸摘伏，風聲凜凜，贓吏望風解組。陞環慶兵備副使。薊州沈志。會都御史楊一清修舉馬政，以忠爲苑馬卿。正德初，就遷陝西按察使。一統志。禁和買，節妄費，民間有冰玉之謡。進布政使，以簡靜爲治。陝人逆瑾劉瑾方柄國，忠獨不拜其墓，且無所餽。瑾啣之，卒不能害。巡撫宣府，改大理寺卿，執法秉公，辨知州田崑之冤，正胡某殺父之獄，皆逆鱗忤權貴，人爲忠危，而竟從忠之議。江西藩臬交惡，獄久不決，蓋因宸濠主之也。忠奉命往按，獄成，人無異言。薊州沈志。性峭直，不輕交際，貴近請託，必正色拒之，畿輔唐志。有包孝肅、趙清獻之風。居官三十年，卒之日，囊無餘蓄。薊州沈志。所司奏忠剛正得大臣體，特贈刑部尚書。一統志。

張禬，字汝吉，別號東盤，平谷人。一統志。宏治壬戌進士，選翰林院庶吉士。正德初，授兵科給事中，轉左給事中。平谷朱志。劉瑾擅政，畿輔唐志。毒害正人。兵部尚書劉大夏，一時領袖，瑾尤嫉之。平谷朱志。先是，大夏言：鎮守中官如江西董讓、薊州劉瑯、陝西劉雲、山東朱雲，貪殘尤甚，乞按治。帝不悦。大夏以言不見用，數上章乞骸骨。詔加太子太保，賜敕馳驛歸。禬請留之，不報。明紀二十四。太監段聰，以侍東宮頗得寵倖，遂欲借逆瑾之力，夤緣乞官其姪。禬上疏力諍之。改監察御史。平谷朱志。查盤山東，墨吏望風解綬。一統志。陞大理寺卿，進左少卿。平谷朱志。知縣劉儒受贓，爲僉事呂和所按。儒賂中官，欲反罪和。禬執不可，竟正儒罪。後巡撫山西，鎮守太監吴經貪横虐民，禬置其黨於法，勢始戢。武宗西巡，禬極諫。上怒，執禬左右拷訊，竟無所得，乃止。一統志。嘉靖壬午，卒於官。軍民感禬之德，立祠以祀。其子扶櫬歸家，惟圖書數卷而已。弟禴，平谷朱志。自有傳。

王鏜，字彦升，平谷人。宏治進士，任山東德平知縣，政平訟理。畿輔唐志七十四。擢御史，剛毅不畏强豪。巡通倉，宿弊一清。又奏請添修通州新城，以保倉儲。按蜀，適廖麻子、喻老人倡亂，鏜與總制彭澤竭力勦除，其亂乃平。平谷朱志。武宗賜璽書褒之。累遷河南副使。以憂歸，遂不出。畿輔唐志。年七十八，終于家。平谷朱志。

周棨，字國信，通州人。宏治十四年

進士，知徐州蕭縣。有僧欲强姦民婦，婦不從，僧殺之，時其夫他往，婦家誣夫弟甚堅。桀疑爲寃獄，未定，夢婦白死狀甚悉，乃託齋諸寺僧，而殺人之僧亦至，禽治之，一訊卽服，遂釋其弟。邑人稱爲神明，祀鄉賢。通州高志。

邢昭，字仲明，三河人。一統志。謹之子，宏治丙辰進士，授洪洞縣尹，擢浙江道監察御史。三河陳志。按鹽浙江，守正不阿。因忤劉瑾，廷杖一百不死，人稱鐵鑄邢昭。畿輔唐志七十一。謫高平知縣。瑾誅，復山西道監察御史。終汝甯府知府。一統志。

張翰，號西野，宛平人。宏治中，由進士選御史，彈劾不避權貴。時劉瑾當國，内外重足而立，翰獨長揖不爲屈。瑾不能堪，拳擊翰，翰躍起擊瑾仆地，人或危之，翰曰：恨未殺此奴，爲國家除禍根耳！無何，瑾敗。歷官副都御史，巡撫四川。宛平王志。

蕭選，字廷舉，三河人。宏治己未進士，爲盩厔令。摘發幽伏，人以包孝肅目之，爲立生祠。三河陳志。亦因忤瑾，左遷揚州衛經歷，擢知獲嘉，拜山西道監察御史。巡鹽河東，國計充裕。累遷僉都御史。畿輔唐志。

賈斌，薊州貢生，爲鴻臚寺鳴贊。爲人小心勤慎，動無所苟。宏治年視朝，忽大雨，羣臣皆失次，斌肅容鵠立，孝宗器之，陞禮部左侍郎，進尚書。正德改元，致仕歸。處鄉黨如布衣時，有公事詣有司，惟乘馬側行。年八十有五，助之輿夫，終不受。薊州沈志。

張欽，字敬之，通州右衛人。世襲武清衛百户。通州高志。本姓李，張，其母姓也。舊聞考一百五十四。

案：通州志云，因祖贅張氏，從其姓，與此互異。又云，通顯後復姓，故志李欽。考史亦有復姓之文，而所書仍爲張欽，蓋當時張侍郎之名播傳遠近，史亦從世所稱者書之。事父母孝，有不悅，長跪請，至解乃已。正德六年進士，由行人授御史，巡視居庸關。十二年，帝聽江彬言，將出關幸宣府，欽上疏諫曰：臣聞明主不惡切直之言以納忠，烈士不憚死亡之誅以極諫。比者人言紛紛，謂車駕欲度居庸，遠遊邊塞。臣度陛下非漫遊，蓋欲親征北寇也；不知北寇猖獗，但可遣將徂征，豈宜輕勞萬乘？英宗不聽大臣言，六師遠駕，遂成己巳之變。且匹夫猶不自輕，陛下奈何以宗廟社稷之身蹈不測之險！今内無親王監國，又無太子臨朝；外之甘肅有土番之患，江右有華賊之擾，淮南有漕運之艱，巴蜀有採辦之困，京畿諸郡，夏麥少收，秋潦爲沴。而陛下不虞禍變，欲縱轡長驅，觀兵絶塞，臣竊危之。已聞朝臣切諫，皆不納。復疏言：明史列傳。上有卿輔之臣，下至耳目之官，皆不避誅死，苦諫陛下，未蒙俞旨。臣愚以爲不可出者有三：人心動摇，供億繁苦，一不可也；遠涉險阻，兩宮掛慮，二不可也；塞俗强梁，輕身挺出，往與之角，三不可也。臣奉職巡關，分當效死，卽加斧鉞之誅，亦不敢避。張侍御閉關三疏圖記。疏入，不報。明史列傳。至八月朔，忽報駕至昌平，卽欲過關。是日，欽令分守指揮孫璽閉關南門，太監李嵩欲赴昌平候駕，欽止之曰：今日之事，有死而已，可擅離職守乎！俄，千户閭岳至南門傳旨，欽捧璽書并監察御史印，至門固守，收其扃鑰，手自持之，誓曰：有奪關者，御史當手刃之。名臣應謚録。夜草疏曰：臣聞天子將有親征之事，必先期下詔，廷臣集議；其行也，六軍翼衛，百官扈從，而後有車馬之音，羽毛之美。今寂然一不聞，輒云車駕卽日過關，此必有假陛下名出邊勾賊者。臣請捕其人，明正典刑。若陛下果欲出關，必兩宫用寶，臣乃敢開；不然，萬死不奉詔！己酉，使者復來，欽拔劍叱之曰：此詐也！使者懼而返，爲帝言：張御史幾殺臣。帝大怒，顧左右：爲我趣捕殺御史！明紀二十六。會廷臣亦多諫者，帝不得已而還，京師盛傳張御史閉關三疏云。通鑑輯覽一百七。又二十餘日，欽巡白羊口，帝微服自德勝門出，夜宿羊房民舍，遂疾馳出關。數問：御史安在？欽聞，追之已不及，感憤西望慟哭。明年，帝還自宣府，還至關，笑曰：前御史阻我，我今已歸矣。世宗嗣位，出爲漢中知府，累官太僕卿。明史列傳。總制楊一清疏薦，擢延綏兵備副使。欽請給關防，置簿籍，釐剔衛所積弊。鳳翔有地曰胡店，山險，多巨盜，欽請於巡撫劉允，悉擒滅。固原迤北，地平衍，敵易闌入，欽受總制檄，東自環縣，西抵蘭州，幾千里內，多立塹壘，不三月告成，邊地賴之。嘉靖十七年，欽以右副都御史巡撫四川。每歲徵收糧額，一人多至千石，難辦易侵。欽令郡縣多簽收户，每户無過百石，數少易完，上下稱便。請城堡增戍於漳臘，以禦西北。築隄防以悍嘉定水患，嘉定人立石頌其德。通州高志。歷官工部侍郎。卒，年六十六。欽性剛正，不俯仰時俗。歷仕三十年，家無儲積。曲周王尚一鶚序三疏刊行，稱其無尺寸之業貽子孫，清德尤不易及也。舊聞考一百五十四。

楊秦，字濟之，良鄉楊志。良鄉人。一統志。生而英敏端慤，不妄笑語。爲兒時，父問之曰：汝志何如？曰：我欲爲御史。父奇之，遣就學，讀書卽曉大義。長爲弟子員，弟子員皆弗若也。正德庚午，領順天鄉薦。丁丑，登進士第。己卯，除行人司行人。王用賓楊公墓志銘。武宗南巡，良鄉楊志。秦率同列抗疏諫。墓志銘。廷杖，謫國子監學正。嘉靖元年，復任行人，授福建道監察御史。良鄉楊志。正色直言，彈劾弗少避。其奉勑陝西清戎也，墓志銘。查盤軍器，照刷文卷，清審刑獄，良鄉楊志。民用大悅。先是，抽丁補伍，輒復散亡，秦曰：是貧所致耳。迺察其殷富者，使厚遺之。貪吏冒逃卒以私餉者，歲逾數千石，秦稽諸邊，得其情，俾悉償焉。墓志銘。因奏建局除戎器。又疏請惜人才，以隆治化。良鄉楊志。時少師楊石琮總制邊務，一旦過陝講武，病其器敝，秦令悉易之。石琮嘉之曰：我軍固有恃哉。墓志銘。三年復命，良鄉楊志。攝四道事。有囚當死，託鄉人以千金賂之。秦叱之曰：我知其法耳，不知其賄！自是疏之。墓志銘。議廟制，劾禮官依違不決。出爲四川按察司僉事，平寇有功，賜金綺。畿輔唐志七十四。蜀大饑，廷議命藩、臬二人賑濟。皆曰：非楊僉事不可。乃周歷郡縣，區處咸宜，凡數月，力憊而疾殆，竟卒。年四十八。子守正、守公。墓志銘。守公性孝友，嘉靖三十一年應試薦時，兄守正爲副，守公白學院阮鶚，讓兄應薦。守正固辭，守公固讓，誠懇甚切，阮爲之動容。檄邑旌其閭曰：孝友之門。良鄉楊志。

頓鋭，字叔養，涿州人。畿輔唐志七十九。性閑静，嘗步縣城外，見西溪中羣鷗上下，飲啄自得，與己意合，因自號鷗汀。涿州吴志。幼聰慧，日誦數千言。正德六年進士，以詩名都下，畿輔唐志。當時稱涿郡有才一石，鋭得其八斗。四庫全書提要一百七十六。選高淳知縣，遷代王府長史。去官歸，築室於城之西懷玉山，自號懷玉山人。著書歌詩，畿輔唐志。其五言古詩，氣韻清拔，頗爲入格。七言古詩，跌蕩自喜。近體專尚音節。四庫全書提要。所著有鷗汀集、漁嘯集、涿鹿先賢傳。畿輔唐志。

安璽，宛平人。正德十六年進士，刑部主事。明史列傳。嘉靖三年，帝欲考獻帝，改孝宗爲伯考。明史張中羽傳。召見羣臣左順門，示以手敕，言：章聖皇太后命去本生字。羣臣駭愕。而張璁、桂萼復列上禮官欺罔十三事，且斥爲朋黨。於是九卿、詹事、翰林、給事、御史、六部、大理、行人諸司，各上章争之，皆留中不下。尚書金獻民、少卿徐文華倡言曰：諸疏留中，必改稱孝宗爲伯考矣。吏部右侍郎何孟春曰：憲宗朝議慈懿太后葬禮，姚夔率百官伏哭文華門，此我朝故事也。通鑑輯覽一百八。其年七月，偕廷臣伏左順門哭諫。帝大怒，繫之詔獄，杖三十。踰旬再杖之。璽與同官王思、王相，給事中張原、毛玉、裴紹宗，御史張曰韜、胡瓊，郎中楊淮、胡璉，員外郎申良、張燦，主事仵瑜、臧應奎、余禎、殷承敍，司務李可登，凡十有七人，皆病創，先後卒。明史王思傳。穆宗嗣位，贈璽光禄少卿。明史列傳。

王諧，字承恩，保定人。官安慶懷甯知縣，居官廉介。值宸濠不軌，誓以死守，捍禦二十餘日，賊潰城完。上錫敕書，旌其忠義。懷甯人爲立去思碑。轉應天治中。值江南北大祲病疫，粥藥賑活數萬人。子顯忠，年十九，成進士，官户科給事中。首疏訓儲貳，恤邊士。咸蒙嘉納。又彈本兵與總督大臣，凛凛巡視，光禄凡供御，率立法定價。諸璫憚之，竟忤權相，謫杞縣丞。至則建公塾，萃諸生之資穎者督訓焉，由是人文彬起。尋陞臨晉去。士子思之，祀名宦。涖臨晉，平傜清賦，民建祠刻石頌德。遷湖州同知，董織造，却羨餘萬金，民立却金亭。累官山西參政。陽城、介休間有盗數千，據險爲患，屢歲莫制。顯忠冒矢石，定其巢穴。後告歸居家，以孝友稱，里人化之。保定成志。

張詩，宛平人，自號崑崙山人。初學舉子業於吕柟，繼學詩文於何景明，聲名籍甚。會順天府試，少尹令士人自負几入場，詩遂拂衣出，絶意不應舉。作汗漫遊，畿輔唐志七十九。一意爲詩，宛平王志。所至留題。畿輔通志。與翰林江暉、馬西元、林楙易、廖洞野、吕柟諸公相唱和，一時稱盛。入汴，謁李夢陽，夢陽與之夜宴，瓶芝忽墮，取以爲柈，各賦芝柈行。至汝南，視何景明疾，相守七月，景明卒，乃還。宛平王志。歸居一畝之宅，隙地種竹，每遇風雨，畿輔唐志。則披襟相對，欣然命酌。興至輒跨一蹇，任所之，中途雖迫於風雨饑寒，不顧也。杭守李士行、，稱爲春風不足融其情，醇醪不足況其味，真足以知詩也。所著闖思、結髮、笑琳、七子等文，雄奇怪變，見者不敢以今人目之。書法放勁，得顛旭、素師遺意，人謂懸之可以驅鬼。宛平王志。

楊行中，字維慎，通州人。一統志。父㝵，敦孝友，撫弟遺孤成立。嘗拾遺金歸其主。通州高志。行中嘉靖初進士，一統志。授浙江山陰知縣。厚重廉平，善理繁劇。凡興學、勸農、築隄、捍海諸惠政，次第畢舉。報最，擢監察御史，通州高志。巡察遼東。畿輔唐志七十四。時巡撫呂經激兵變，部議勦。行中請榜示諸城，令亂者自相擒捕以贖罪。從之，兵遂寢。通州高志。世宗將幸奉天，行中力諫，上震怒，畿輔唐志。命廷杖，會風變得免。歷南京右僉都御史。揚子江巨盜黄勤等，聚黨結鹽徒肆擾，行中密授弁兵方略，捕獲之，餘黨盡散。人呼爲江神。累遷刑部侍郎，奉命案鄭王，但列王驕僻狀，而洗不軌冤，釋株連數百人。遷南京工部尚書。疏請博咨才略，以備安攘。因舉侍郎鮑象賢、總兵俞大猷等。從之。時倭寇猖獗，南京城久圮，請繕完以便防守。遷南京吏部尚書。行中素遠嚴嵩，通州高志。嵩惡其不附己，以考察罷歸。一統志。隆慶六年卒。年八十四。其始爲御史也，章凡十餘上，皆允行。左都御史王廷相稱其剛直明練，爲御史十年不調。吏部尚書許讚將薦擢，語同列云：吾今薦一不識面御史，何如？初，救陶仲文於戍所，仲文貴幸，欲有以報，行中拒之曰：彼非吾徒，吾亦非彼德也。行中年六十餘，父卒，猶孺子泣。所受禄悉贍族無吝，家居恂恂如寒素，（通州高志。）敝廬蕭然。雖老猶不廢學，（一統志。）嘗纂輯通州志略。祀鄉賢。子鎬。（通州高志。）

鎬字景卿。萬曆三十七年舉人，授山東泗水知縣，揭天理二字於堂。政皆公允，恤郵傳，清賦役，興利除弊，悉裨於民。性耿介，尤不避權貴。自奉甚薄，或謂之曰：若此，何用服官爲？鎬正色答曰：予豈温飽者流！恐愧先人清白耳。嘗與户部尚書李三才講求慎獨誠意之旨，力行不懈。易簀時，謂諸子曰：此時心上一物不著，可以見先公不愧矣。亦祀鄉賢。子世揚。（通州高志。）

世揚字二遠。性穎敏，（通州高志。）善史學，多識古人姓氏、地里、物産及翰墨家瑣細事。（馬健順傳。）尤究心書學，注蘭亭、淳化諸帖，專論筆法，故生平作書，不求貌似古人。卒，年八十。所著有嫗解、潞水之什，東郊風雅、瓔瓢等集。（通州高志。）

王儀，字克敬，文安人。嘉靖二年進士，除靈璧知縣。（明史列傳。）歲大祲，道殣相望，民各鳥獸散。儀下車，不及解衣，即掊鎖棄倉實與民，設糜以飼疫者，所借以活全甚衆。奸民有寇盜者，至官府不敢問。儀廉得其素昵者，明貸其罪，籍以報諸寇出入，得信，乃督捕人卒至，火其家，盜來無所著，邑遂靖。中丞王肅菴傳。以能，調嘉定，擢御史，一統志。巡按陝西。秦府豪占民產，儀悉奪還民。延綏大饑，朝命陝西布政使胡忠爲巡撫，儀論罷之。已巡按河南，趙府輔國將軍祐椋，招亡命，殺人劫敓，積十餘年，莫敢發。儀偕巡撫吳山奏之。奪爵，禁錮。會儀出爲蘇州知府，甫三月，祐椋潛入都，奏儀挶摭，并訐都御史毛伯温以私憾入己罪，且言：臣嘗建醮祈皇嗣，爲知府王天民訕笑，請并按問。帝心知祐椋罪，而悅其建醮語，爲遣使覆按。解儀、伯温任，下天民獄，明紀三十二。除儀名。蘇州士民走闕下乞留，帝不許。明史列傳。會言官亦交章論救，復職，得江西撫州。文安楊志。蘇州士民復走闕下，乞還儀至再，不報；歸愬於巡撫侯位，位以聞，帝乃許之。至，則歎曰：明史列傳。郡賦當天下什二，而田額溷亡可考，何以定賦？賦不可以敉，吾誠不能一日安其上。遂日沉思擘畫，僚屬射循阡陌計丈，文安楊志。使各縣爲籍，明史列傳。民毫釐不敢有所隱，乃以八事定田賦而賦平，以十歲編徭役而役平，以三法考課鈔，而民之灌輸平。文安楊志。治爲知府第一。明史列傳。擢按察副使，兵備蘇松四郡。文安楊志。時巡撫歐陽鐸均田賦，明史列傳。令賦最重者減耗米，派輕齎，最輕者徵本色，增耗米。明史歐陽鐸傳。儀佐之，以治蘇者推行於旁郡。坐與操江王學夔討賊敗績，停俸戴罪；未幾，殪賊江中，進秩一等，遷山西右參政，分守冀甯。寇抵清源城，儀洞開城門，寇疑，引去。按行所部，築城郭，積糗糧，榆次、平定間遂皆有城。明史列傳。尋推僉都御史，巡撫宣鎮。鎮當彫敝之後，儀大集賓佐，講畫戰守利弊，上十餘疏，易將領之庸弱者，于是拔才能，問疾苦，飭廢墜，申號令，修器械，嚴警邏，節候望，邊政一新。文安楊志。俺答犯龍門所，總兵官郤永等郤之，斬五十級。明紀三十二。儀進右副都御史，明史列傳。巡撫如故。會以邊情奪職，廷臣交口推儀才幹，旋補陝西副使，兵備肅州。肅故有哈密遺種雜民間，歲久滋蔓爲害，計徙之境外，肅以甯。文安楊志。稍遷右參政，復拜右僉都御史，巡撫甘肅，未行。明史列傳。會俺答犯京師，詔儀馳鎮通州。仇鸞部卒掠民間，捕而笞之，枷市門外。鸞訴於帝，逮訊，斥爲民。一統志。生平清約自持，既貴，食不重肉，衣不裁綺，兢兢如少時。嘗曰：君子立身，必資于身者薄，係于物者輕，故能處紛華而不染。世以爲名言。退居九年，卒。年七十有八。文安楊志。著有陝西、河南奏議各若干卷，上谷奏議若干卷，吳中田賦録若干卷。文安楊志。隆慶初，子緘訟冤，復官，賜卹。明史列傳。緘字伯默，晚號愚谷。自著愚谷山人小傳以見志。隆慶進士，授中牟令，首與僚佐約：常禄之外，以一錢入者，有公評，胥吏以一錢入者，有公法。上下肅然。先是，黄河轉徙，田額浸失，其初，緘履畝均賦，清欺隱之田若干頃；修賈魯河長堤，田絶水患；毁淫祠以建橋梁，民不病涉。邑舊有魯恭祠，嘗以朔望躬詣，父老相謂曰：魯恭遠矣，吾不悉何狀。今里少吠厖，野多馴雉，公奚不若而慕之也？緘聞而笑曰：談何容易！余獨不愧此心耳。尋推吏部驗封司主事。去之日，士民攀留，車軹不得行，相率立生祠，肖像以祀焉。文安楊志。累官按察使，分巡遼陽，以知兵名。明史坿王儀傳。每憑軾出關，巡行邊塞，周覽要害，考求卒乘，教演戎車，聚則爲城，行則爲陣，一切雄邊威敵之具，無不畢陳。巡按御史陳登雲敍緘修守之功，薦其才堪大用。是年秋潦，道殣相望。緘奉命督賑，隆冬親歷亭障，手足皸瘃，全活者二萬餘人。尋與撫巡不合，復失内閣意指，詔致仕。沈涵大參王四槐傳。

徐珏，字汝和，涿州人。少有膽智，爲諸生，屢試不第，遂投筆學武。登嘉靖癸未武進士，授居庸把總。時大同軍亂，殺鎮巡官，據城不下。命廷臣往撫之，携珏行。珏至，單騎入城，曉以大義，衆咸感泣。事平，賜白金三百兩，遷大同都司，歷副總兵。庚戌，敵犯京師，奮勇鬭擊，捷聞，上撤御前饌賜之，授都督僉事。守大同，以忤嚴嵩，左遷保定鎮守。是時敵薄浮圖峪，珏拒戰八晝夜，敵敗去。後倭寇蹂躪閩浙，珏率子姪爲先鋒，夜抵倭巢，大捷者三，遷南京中府僉書。值南京兵亂，珏驅家衆戰於城中，擒數十人，梟其渠魁馬三，死衆遂散。轉北京後府僉書，以老乞歸。涿州續志。

楊淪，字南郛，涿州人。嘉靖壬辰進士，授户部主事，監石渠倉。凡監倉官，例多所取給，吏承風因緣爲奸。淪獨取所支俸金，悉碎鑿之，大如栗，日以一付謹愿吏，以易魚蔬；仍約市賈，非此金市物者，即白之，議吏罪。自瀹任監倉後，賄賂、請託，俱不得行。管河西務，裁革積弊，民咸以爲便。未幾，上以館局需人，敕内閣吏部舉充，以唐應德等十人奏上，選七人，瀹與焉。授翰林院編修。朝廷大制作，如九廟實録，屬瀹成藁爲多。充嘉靖乙未會試同考官，最稱得士。視學山東，校士湖南書院，得優等者六人，李攀龍爲首，許邦才次之。既謝病家居，教授生徒，所著有翰林集、南郛集。涿州吴志。

陳堯，字敬甫，通州人。嘉靖進士，爲工部郎，出守台州，治行爲東南第一。轉長蘆都轉鹽運使，遷貴州按察使。畿輔唐志七十四。多以文學飾吏治，所至輒聚生徒講學。南安人爲之築醒翁亭，咸稱其品詣可當廬陵。宛平王志。時，採皇木，取丹砂，使者相望。堯每事節省，曰：勿導荒服以奢靡。後巡撫四川，轉南京工部侍郎，總理河道。會河淤沛下，堯乘小舟訪古廟碑記，知刁陽可濟運，遂引漕由湖而北，決口以塞。以刑部左侍郎致仕，卒。通州高志。所著有醒翁集。宛平王志。

王佩，文安人。授工部主事，陞員外郎，分理清源。嘉靖十七年，值獻皇太后梓宫還，河深不盈尺，佩密借朝陽湖水，一夕而下，衆異爲神。方嚴閘以待，時分巡道于廷寅者，浙人也，以鄉里私舟至固，欲啟閘，佩執不可。于缚其吏卒，撻之。山東撫、按以聞。上怒，逮于，廷杖死。暨九廟成，録功受金綺之賜，陞郎中，出守慶陽府，政績卓著，撫、按交疏薦之。自于之死，浙人私以嫉佩，竟以劾歸。入慶陽名宦。文安楊志。喬伊，字良相，三河人。畿輔唐志七十四。嘉靖丙辰進士，任安慶府推官，明刑慎獄，一時呼喬青天。三河陳志。遷南京户部郎中，值兵變，殺侍郎黃某。伊馳赴軍中，諭以禍福，衆始帖然解散。畿輔唐志。後以同事排擠，罷職歸。三河陳志。朱乾亨，字子貞，大興人。性篤孝，嘗割股以愈母疾。嘉靖辛丑進士，授户部主事。有巨商以暮夜金相餉者，却弗受。陞懷慶知府，不賄上官，約下以法，爲貪墨者所擠，輒拂衣歸。懷民泣留，如失父母。祠名宦。大興張志。馬慎，字自修，大城人。父齡，正德丁卯舉人，任河南永甯令，廉而有爲。慎忠勇天植，居鄉多義讓。爲諸生時，歲貢己及，慎念次貢李淮年老，讓淮先貢。慎遂中嘉靖庚子舉人，辛丑進士。甫登第，聞父有疾，堅請歸省。父卒，服除，授户部主事，代州糧儲，節積羨金十萬兩，悉入内帑，誥褒美之，有白金綵幣之賚。再督理兵餉，恤士卒，慎出入，士馬騰飽。除大同知府，值庚戌之變，練兵固守，民賴以安。未幾，丁内艱，再除登州知府。兩府俱有宗藩，梗沮難治。慎清正不苟，無敢譁者。登州有海防，慎以武略著於時。陞湖廣按察司副使，整飭淮海道。倭寇犯境，慎統領親兵張祥等援勦，親冒矢石，經數戰，斬獲倭級百餘，奪獲盔甲、器械、巨艦有差。捷聞，敍功加一級。銓曹方擬柄用，值參將王介乃總督趙文華倖弁，仗勢奸猾，出征畏縮不前，慎實申兩院，介陰狡揑詞，賂謀當路，令愼回籍聽勘。後介恐事白受顯戮，服毒而死。愼得補山西潞安道副使，以疾卒於官。大城張志。

劉體乾，字子元，東安人。嘉靖二十三年進士，授行人，改兵科給事中。明史列傳。司禮太監鮑忠卒，其黨李慶爲其姪鮑恩等八人乞遷級，帝已許之，體乾抗疏力爭，乃止錄三人。時國用絀，廷議請追宿逋，增賦額。體乾獨言冗吏、冗費之弊，一統志。請革冗濫。語侵内監，時論韙之。畿輔唐志七十一。累官通政使，遷刑部右侍郎。改户部左侍郎，總督倉場。隆慶初，進南京户部尚書，南畿、湖廣、江西銀布絹米積逋二百六十餘萬，鳳陽園陵九衛官軍四萬，而倉粟無一月儲。體乾再疏請責成有司，又條上六事，皆報可。明史列傳。隆慶三年夏四月，詔取太倉銀三十萬兩。體乾言：太倉銀所存三百七十萬耳，而九邊年例二百七十六萬有奇，在京軍糧商價百有餘萬，薊州、大同諸鎭例外奏乞不與焉，若復取以上供，經費安辦？帝不聽。體乾又言：今國計絀乏，大小臣工所共知，即存庫之數，亦近遣御史所搜括，明歲則無策矣。今盡以供無益費，萬一變起倉卒，如國計何？乃命止進十萬兩。帝嘗問九邊軍餉、太倉歲發及四方解納之數。體乾言：祖宗朝止遼東、大同、宣府、延綏四鎭；繼以甯夏、甘肅、薊州，又繼以固原、山西，今密雲、昌平、易州，俱列戍矣。各鎭防守有主兵，其後增設召募，增客兵，而坐食愈衆。各鎭芻餉有屯田，其後加民糧，加鹽，加京運，而横費滋多。因列上隆慶以來歲發之數。明紀三十七。又奏：國家歲入不足供所出，而額外陳乞者多。請以內外一切經費應存革者，刊勒成書。報可。明史列傳。隆慶四年三月，詔市綿二萬五千斤。體乾請俟湖州貢，帝不從，趣之急。明紀三十八。給事中李已言：三月非綿時，不宜重擾商户，體乾亦復争，乃命止進萬斤。明史列傳。體乾清勁有執，議論務存大體，有古大臣風。時内供日多，數下部取太倉銀，又趣市珍珠，黄、緑諸物；體乾惜浮費，每疏争。一統志。李已輒助之。會帝從中官崔敏言，命市珍寶。體乾、已執奏，不從，復偕同官陳吾德上疏。帝震怒，杖已百，錮刑部獄，斥吾德爲民。明紀三十八。體乾積忤帝意，一統志。秋七月奪官閒住。明紀三十八。給事中御史光懋、御史淩琯等交章請留，不聽。神宗卽位，起南京兵部尚書。奏言：留都根本重地，故額軍九萬、馬五千餘匹。今軍止二萬二千，馬僅及半，單弱足慮。宜選諸衛餘丁，隨伍操練，發貯庫草場銀買馬。又條上防守四事，並從之。萬曆三年致仕，卒。贈太子少保。明史列傳。

王遴，字繼津，霸州人。嘉靖二十六年進士，除紹興推官，入爲兵部主事，歷員外郎。明史列傳。峭直矜節，概不與交，惟與同官楊繼盛善。一統志。繼盛劾嚴嵩及其孫效忠冒功事，下部覆，世蕃自爲藁，以屬武選郎中周冕。冕發之，反得罪。尚書聶豹懼，趣所司以世蕃藁上。明史列傳。遴力争不可。次日，另具一藁呈聶，聶擲於地曰：君爲君子，豹爲小人矣。

竟覆如世蕃橐。畿輔唐志七十一。繼盛論死，遴爲資粥饘，且以女字其子應箕。明史列傳。嵩父子銜遴次骨，乃摭他事下之詔獄。事白，復官。畿輔唐志。及繼盛死，收葬之。遷山東僉事，再遷岢嵐兵備副使，有威名，爲巡撫所忌，劾去。官民相率訟冤，詔許起用。四十五年，擢右僉都御史，巡撫延綏。明史列傳。冬十月丁卯，俺答犯定邊，固原總兵郭江敗死。明紀三十六。總督陳其學、陝西巡撫戴才坐免，遴貶俸一秩。隆慶改元，寇六入塞，皆失利去，而御史温如玉論遴不已，解官候勘。後楊鈐勘上其功，遂以故官巡撫宣府。遴乃大興屯田，邊儲賴之。秩滿，進右副都御史，尋拜兵部侍郎。明史列傳。神宗立，又與張居正不相能。一統志。會議閲邊，遴請行，事竣，遽移疾歸。明史列傳。居正殁，起南京兵部尚書。奏行計安留都十二事，軍政大肅，召拜户部尚書。一統志。先是，奉詔蠲除及織造議留供銀百七十六萬餘兩，命於太倉庫補進。遴言：陛下歷十餘年之積，不足償二年取補之資；矧金花額進，歲當百萬，自六年以後，增進二十萬，今合六年計之，不啻百萬矣。庫積非源泉，歲進不已，後將何繼？因言：京、通二倉糧積八百萬石，足供九年之需，請量改折百五十萬石，三年而止。詔許一年。明紀四十一。尚寶丞徐貞明明史列傳。嘗請興西北水利，時以財匱不能舉。及謫官，南行通鑑輯覽一百十一。至潞河，終以水田議爲可行。明紀四十一。又著潞水客談，論水利當興者十四事。既還朝，給事中王敬民通鑑輯覽一百十一。特疏論薦，遴亦力贊之。帝乃進貞明少卿，賜之敕，令往會撫、按諸臣勘議。明史神宗紀。故事，户部銀專供軍國，不給他用。帝大婚，暫取濟邊銀九萬兩爲織造費，至是，復欲行之。遴執事未幾，詔取銀四千兩，爲慈甯宮用。遴又力持，皆不納。明史列傳。遴陳理財七事，請崇節儉，重農務，督逋賦，懲貪墨，廣儲蓄，飭貢市。帝報曰：事關朕躬者已知之，餘飭所司議行。時釋教大盛，明紀四十一。又請僧道年四十以下及無度牒者，悉令歸農；一統志。聚衆修齋者，坐左道罪。禮部尚書沈鯉請如遴言，詔許之。后妃宦者多言不便，事中止。明紀四十一。改兵部，屏絶請託。一統志。遼東鎮總兵官李成梁，賂遺徧輦轂，明史列傳。獨不敢至遴門。遴之爲户部尚書也，頻執爭，爲中官所嫉。及改兵部，申時行以管事指揮羅秀，屬遴補錦衣僉書，遴格不許。會帝將重閲壽宮，中官持御批索馬。遴以爲題本當鈐印，司禮傳奉，由科發部，無徑下部者，援故事執奏。帝不悦。時行乃調旨責遴擅留御批，失敬上體。御史因交章劾遴，遴乞休去。明紀四十一。張佳允代之。給事中張養蒙言：羅秀本太監滕祥奴，賄入禁衛，往歲營僉書，尚書遴持正，爲所中傷去。未幾，秀卽躐用，物議沸騰。於是黜秀，佳允亦罷。遴雖退，聲望愈重，以高年，存問者再三。三十六年卒。贈太子太保。天啟中，追謚恭肅。明史列傳。

王鈇，字德威，順天人。一統志。嘉靖二十九年進士，授常熟知縣。明史列傳。邑多大猾，畿輔唐志七十六。

匿亡命作奸。鈇悉貰其罪。倭患起，鈇語諸猾曰：何以報我？明史列傳。諸猾咸請效死。畿輔唐志。於是立耆長，部署子弟，得數百人，明史列傳。分防訓練，繕築城垣。畿輔唐志。三十四年三月，倭自三丈鋪分掠常熟、江陰。甲寅，鈇與蘇松兵備副使任環、指揮孔肅，分統官兵民三千，破其巢於南沙，斬首百五十有奇，焚舟二十七，餘倭皆遁去。乙巳，賊分爲二，北掠滸墅，南掠橫塘，延蔓常熟、江陰、無錫之境，明紀三十四。將由尚湖還海。鈇憤曰：賊尚敢涉吾地邪！必擊殺之！會邑人錢泮字鳴聲者，以江西參政里居，忿倭爇其父柩，力從臾贊鈇。乃用小艇數十，明史列傳。追倭於上滄港，明紀三十四。倭夾擊之隘中，獨耆長數人從，皆力鬬死。鈇陷淖，瞋目大呼，腹中刃死。明史列傳。贈太僕少卿，一統志。並廕錦衣世百户，遣官諭祭，立祠死所，歲時奉祀。明史列傳。

高敏學，寶坻人。一統志。嘉靖庚戌進士，授行人司，以風節自勵，視權貴蔑如也。擢兵科給事中。時趙文華私人藉嵩勢，益無忌。敏學憤甚，具疏劾之。帝大怒，詰責敏學。敏學侃侃不撓，廷杖折脅，絕骼而卒。後嵩敗，文華死，寶坻洪志。追贈光禄寺少卿，仍恤其家。畿輔唐志七十六。

毛綱，字伯練，薊州人。嘉靖進士，授汝甯推官，寘藩校於法。畿輔唐志七十四。崇王怒，以刑威之，薊州沈志。綱不爲動，畿輔唐志。王加禮焉。薊州沈志。歷兵部郎，出守杭州，累遷户部尚書。致仕家居，置義田，賙内外貧族。畿輔唐志。

劉效祖，字仲修，京衛人。夙有孝行。大興張志。嘉靖庚戌進士，宛平王志。理衛輝，平反無算。遷户部主事。畿輔唐志七十四。備糧儲，督漕輓，聲望日隆。歷員外、郎中。嚴嵩欲羅致門下，婉謝之。陞陝西固原兵備副使。大興張志。平涼馬苑，恃奥援，縱卒擾民。效祖執之，寘於法。一日，敵入花馬池，效祖登城捍禦，敵知有備，引去。尋爲忌者所中，罷歸，五原人扶老攜幼，號泣車前，聲震四十里。畿輔唐志。歸，闢日涉園，宛平王志。寄情詞曲，小令可入元人之室。如沈醉東風云：東華路，塵沙滚滚，玉河橋，車馬紛紛。官高休羨榮，命蹇須安分。靠青山緊閉柴門，間把英雄細討論：能幾箇到頭安穩？又一闋云：門巷外，旋栽楊柳，池塘中，新浴沙鷗。半灣水繞村，幾朵雲生岫。愛村居景致風流，間啜盧仝茗一甌，醉翁意何須在酒！朝天子云：景陽宫曉鐘，鳴珂巷玉驄，總是南柯夢。生來無分紫泥封，機巧成何用！捉霧拏雲，攀龍附鳳，這心腸無半種。拄一條瘦筇，引一箇小僮，沿耕疃，瞧耕種。又一闋云：喜碧山日親，把銀魚早焚。銷繳了功名分。軺車、鳩杖、鹿皮巾，也不讓黄金印。晚景無多，前程休問。趁明時自在隱，尋幾故人，團坐在篳門，常則把陰晴論。入小山樂府中，不能辨也。昭陵嘗遣中使索其題册，呼曰：念庵。念庵，副使别字也。因賦詩云：更生雙鬢已蕭騷，敢謂文章擅彩毫。過誤偶承明主問，因緣不是鬱輪袍。蒓鮫詞話。所著有四鎮三關志十二卷，春秋稿二卷，宛平王志。古文詞襍著共七卷。大興張志。弟繼祖，號述菴。性孝友，博學多才，與兄名齊一時。由成均選松江府檢校，明習吏事，歷官有廉能聲。及擢昌黎丞，遂疾歸。語諸子曰：吾平生歷秩甚卑，惟恪盡無忝存心，不敢自欺耳。以次子餘祐貴，貤贈通議大夫、兵部右侍郎。宛平米志。

宗禮，字道周，京衛人。嘉靖中武舉，累官神機營遊擊將軍。奉命禦倭，畿輔唐志七十六。禮驍健敢戰，練士三千，明紀三十五。屢殲賊衆。畿輔唐志。嘉靖三十五年，徐海引大隅、薩摩二島倭，分掠瓜州、上海、慈谿，自引萬餘人攻乍浦。胡宗憲壁塘棲，與阮鶚相犄角。海趍皁林，鶚遣禮擊之崇德縣三里橋，三戰三捷。辛亥，明紀三十五。倭衆萬餘猝至，禮所統不過九百人，自寅至午，所殺傷過當，而禮亦身被重創，兼糧盡乏食，後軍無救者，遂力戰而歿。事聞，贈都督同知，廕一子指揮僉事，謚忠壯。畿輔唐志。

李松，大城人。畿輔唐志七十四。父淮，鄢陵主簿。松警悟不羣，弱冠小試不利，因下帷攻苦，嘉靖戊午舉人，壬戌進士。王秉乘少司馬李公傳。任歸安令。時巡方使者按浙，立清、廉、貪、酷四牌，諭各邑令，自審政績，立牌下。衆競趨清、廉。松獨立酷牌下。使者驚異，詰之，松曰：讀聖賢書，叨甲第，頗知自愛，貪則斷不敢出，清、廉亦自分未能，歸安豪右世族，非嚴勿治，酷或有之。使者動色稱奇，畿輔唐志。密屬以緝捕豪勢。因搆禍，幾不免，李公謫州判，正直之氣不以微官故少貶。李公傳。遷滕縣令，畿輔唐志。繼主工、兵曹政，皆有狀。

傳。

累遷遼東甯前道僉事。畿輔唐志。丰稜表著，威惠並施，李公傳。歷十二載，進副都御史，巡撫遼東三年，軍民悅戴。以艱歸。畿輔唐志。

福時，東安人，本姓張，福時其名也。諳韜鈐，善騎射。世宗朝，以世職歷官漕運參將。值河決，儹運八載，飛輓爲諸郡先。大學士徐階、兵部尚書楊博皆知之，晉掛印總兵官，鎮淮安，督漕如故。世宗常品論羣臣，有清不過福時，勇不過馬芳之語。及徐、楊去國，福亦罷歸，卒。世宗凡敕時，手書名而不氏，故以爲改福姓云。畿輔唐志七十四。

王价，大城人。少孤介，動必循禮，言笑不妄發。長而讀書邑中，每晨詣書舍，道經先師廟，必入揖，乃往坐齋中，雖盛暑未嘗去衣巾。明世廟時，以貢舉遊京師。銓部顧芳春，當代偉人也，聞价名，令二子受經焉。逾年，補江南無錫縣縣丞。顧聞之，駭然來謝曰：公才宜作推、知，盍早使我聞諸！价怡然曰：豈有受秩公朝，而拜恩私第者乎！故不敢。顧嘉歎再四而去。無錫者，卽顧里也。舊例，縣丞到任，糧長初見，白銀各五兩以爲贄禮。里攟三百六十，合之可得千八百金。价至，痛懲其弊，皆併去，一邑驚愕。縉紳苞苴不行。事不便民者，與縣主每力爭，堂官始怒甚，既而悔曰：王公，君子也。以故官微而多惠政。親友規以不近人情者，卽正色曰：如君之言，必盡取無義之財，始爲近人情乎？言者愧謝而去。卒於官，貧弗能殮。適顧解組回里，感价之高潔，同貲助之，始得扶柩歸。子應亨。王秉乘縣佐王公傳。

王時舉，順天通州人。明史楊思忠傳。案：通州志云，字晉卿，號養吾，其先江西人。洪武初，始祖英充錦衣衛，徙通州。嘉靖四十年進士，授河南府推官。偃師縣有田、黄二姓，指腹約婚。黄生女秋雲，田生男克普，婚遂定。後黄通顯，田貧不能聘，黄欲寒盟。女請於母，密遣鄰嫗約克普暮至某所，遺以金，使備禮娶歸。克普喜甚，露其實於友朱龍、沈橋。龍、橋思攘其貨，醉克普酒，暮造約所，果有金在地，持以行。時秋雲同鄰嫗睨於旁，嫗訝非田生，且熟二人面，呼其名叱之。二人懼事露，剚刃掠金去。克普醒往，見兩尸血淋漓，仆地，驚走，遺一履不及躡，血漬襟袖。事發不能辨，坐抵罪。時舉至，疑其寃，按之未決。夜夢女子訴曰：某某實殺妾者，逮田生，枉矣。覺而異之。審夢中狀，捕二人至，一訊卽服，發其金，猶在也，抵以法，田生得釋。擢監察御史。通州高志。四十五年十月，時舉劾刑部尚書黄光昇，言：内官季永以訴事犯乘輿，本無死比，乃擬真犯；奸人王相私閹良民者三，本無生法，乃擬矜疑。宜勒令致仕。帝怒，明史楊思忠傳。謫徙延慶衛。隆慶改元，復官，畿輔唐志七十四。召補山西道御史。巡按貴州。時戎備久弛，土獠肆掠，時舉檄各道督游校偵察之，懸賞厲戒，期撲亂首。分别土司地界，界内有亂，酋長連坐，羣盜盡息。時陳皇后無子，通州高志。帝頗躭聲色，陳皇后微諫，帝怒，出之别宫。外庭皆憂之。明紀三十七。時舉於萬里外，疏請正位中宫，以端治本，通州高志。語極切直。畿輔唐志。帝方廣市珠寶，疏陳奢靡之害。臺諫有被謫者，申救甚力。至議屯田，議鹽政，議貴陽更置城邑，無不切中時綮。萬曆初，掌河南道，疏請復建文年號，大義侃侃。通州高志。累遷大理少卿，卒，畿輔唐志。年四十六。逾月，妻董舉子實堅，妾王亦有遺娠，舉子實頴，人以爲天錫之嗣云。祀鄉賢。通州高志。

崔鑑，順天人。年十三，大興張志。父嗜酒狎娼，召與居。娼恃寵，時時陵鑑母。父又被酒，數侵辱之。一日娼惡言詈母，母復之，娼遂擊敗母面，母不勝憤，入室伏牀而泣，將自盡。鑑自學舍歸，問之，母告以故。鑑曰：母無死。卽走至學舍，挾刄還。娼適埽地，且埽且詈。鑑拔刄刺其左脇，立斃。乃匿刄牖下，亡走數里。忽自念曰：父不知我殺娼，必累我母，明史列傳。我安忍以爲母者累母耶？大興張志。急趨歸，父果訴於官，將縶其母矣。鑑至，告捕者曰：明史列傳。殺人者我，大興張志。非母也。衆見其幼，不信。鑑曰：汝等不信，請問凶器安在？自出刄示之，衆乃釋母，縶鑑寘獄。事聞，下刑部讞。尚書聞淵等議，鑑志在救母，且年少可矜，難拘常律。帝亦貸其罪。明史列傳。

王原，文安人。父珣，貧窶，苦里役，謀於妻張氏曰：吾單弱，不能支門户，今躬耕薄田數十畝，其直不能辦一歲差使，地去差存，吾與汝俱不免爲餓殍，吾將逃焉。汝母子守薄田，勤紡績，庶可存活。別後勿相念也。出而不告所往。張氏撫原，煢煢以居。原幼多病，及長，問父存亡，母曰：汝父累於貧，棄家避差，迄今已二十年矣。紀常王孝子傳。原大悲慟，乃設肆於邑治之衢，治酒食，舍諸行旅，遇遠方客至，則告以父姓名年貌，冀得父蹤跡。久之，無所得。明史列傳。一日，跪其母前曰：吾將去尋父以歸。母曰：汝父去家二十年，不通音耗，尋可得乎？原仰天而號曰：人而無父，何以爲人！泣與母別，王孝子傳。乃去之齊魯，數年至田横島，居易録。時日已西沉，颶風甚急，止宿於岔口口土神祠。王孝子傳。夜夢入古刹，日當午，見廊僧方炊，就乞食。僧與之一盂，曰：此莎米飯也，味苦，爲汝澆以羹。居易録。乃肉汁也。曰：甘乎？曰：甘。已復口誦偈授之曰：如來，如來，真箇來；好去，好去，還須去。忽聞剥啄聲而寤。大泌山房集。一丈人攜杖而入，問原奚自，原以實對。丈人曰：鶴鳴于天，其子隨其影以周旋，今形影不相屬，而卒以相合，不敢許爾。王孝子傳。原告之夢，丈人曰：日當午，南方也；莎草根，附子也；調以肉汁，附子膾也。急去，當於寺中求之。原謝而行。抵輝縣，入帶山夢覺寺，案：帶山有寺名曰夢覺，曰憨報。會大雪，宿山門下。居易録。一苾芻出見而駭之，曰：少年何處人？何以至此？原噤曰：文安人，尋父而來。曰：識其顔乎？曰：不識也。引至禪堂，住持哀而食之粥。王孝子傳。是時珣方在寺爲僧。居易録。住持素知珣文安人，因召而問曰：汝識此少年乎？曰：不識也。曰：同桑梓，曷叙寒温。珣曰：汝父爲誰？曰：某。珣呼原乳名，不覺欷歔。原曰：是也。相抱而哭。珣無歸家意，曰：拋棄妻子二十餘年，有何顔面見汝母？原以頭觸地，牽珣衣，望住持哀而大號。住持曰：天作之合，非人力也。强之行。住持號法林，詩僧也，口占七言以贈之曰：豐干豈是好饒舌，我佛如來非偶爾。昔日曾聞吕尚之，明時罕見王君子。借留衣鉢種前緣，但笑懶牛鞭不起。歸家日誦法華經，苦惱衆生今有此。（王孝子傳。）原遂奉珣以歸，年六十有四矣。又二十年始卒。（居易録。）有司上其事，聞於朝，詔旌其門。原年亦八十有四，有子六人，孫一十五人，曾孫二十有二人。應霖、應期舉進士。（大泌山房集、居易録。）

李亨廷，（名缺，以字行。）香河人。生而穎悟，偉軀美髯。喜結交，不論貴賤；施予不望報酬；好獎進善類，而能化惡。縣有周猴兒者，素無賴，偵亨廷出，知厚攜，伏百家橋，將發矢劫之。亨廷下馬前曰：若非周猴兒耶？何無賴若此！猴厲聲應曰：饑寒迫耳。亨廷曰：男兒墮地，何往不得衣食，乃假途緑林乎！吾居邑里不見敬，是吾德不修也。乃取橐中所有厚遺之，且諭曰：後勿復爲。若然，則棄東市者皆若曹也。猴兒感泣而去。後遂易行從善。通州役于四，爲亨廷中表姪，會臺使者以訪事屬刺史，而四與焉。寶坻人某，與張監生某，睚眦久矣，乃重賄四，欲置張於訪。亨廷知之，令四毁單以滅其跡，張得免禍，亨廷亦不令知也。先是，歲歉，饑民死者枕於道，廷亨捐橐，理朝陽菴，養里中殘疾無告者，全活甚衆。亨廷赴試河間府，距邑四百餘里，聞廷亨名，願識面者趾相錯也。嘉靖間擢貢，得館陶縣訓導，不出，惟務耕讀。家居聞邑長鳴金過門，必正冠鵠立，俟金聲絕乃止。其誠敬類此。崇祀鄉賢。香河劉志。

姜璧，字元卿，文安人。畿輔唐志七十四。生而馴謹篤學，領隆慶庚午舉人，辛未進士，文安楊志。授安樂令。邑有大俠王彥飛，橫行鄉里，睚眦殺人。兵備使者索之不得。璧至，召諸賊曹，畿輔唐志。語之曰：若輩受賕縱奸，罪當死，能縛王自贖，當貸若罪。衆恐，願自效。卽共爲具飯，王中酒，伏健兒急縛之。度已得王，又虞有道劫者，預飭尉率健卒逆之。劫者猝遇尉，悉駭走，遂逮彥飛至庭，文安楊志。立斃杖下，衆凜然。任五年，擢御史，按淮上。畿輔唐志。時淮揚飢，奸民以其間競爲私鑄，商販不通，百姓嗷嗷，幾釀大亂。璧檄所司，禁私鑄，而亟發金錢萬餘、倉粟數千賑之，始以事聞，全活甚衆。於時，黄水入淮，淮大溢，總河大臣與撫臣相掣肘，而有司行河者，率委之倅貳；又有議罷范公舊隄勿修，而别開支河者。璧言：佐貳權輕，不如專任守令；大臣事權不一，難責成功，宜罷總河，以其事歸撫臣便。又言：河口外高内下，文安楊志。開支河則引倒流之潮，恐開私販之路，不若修范公廢隄，使内水不出，外水不入，外不損鹽竈之地，内不傷耕植之田。疏凡數百言，皆鑿鑿可行。部覆如議。畿輔唐志。以外艱歸，服闋，出按中州。中州宗室最衆，而禄不給。文安楊志。巡撫御史褚鈇議稍減郡王以下歲禄，均給貧宗。帝遣給事中

萬象春就周王議，新會王睦樒號於衆曰：裁禄之謀，起於睦㮤。聚宗室千餘人擊之，裂
其衣冠，上書抗詔，（明史諸王傳。）人情洶洶。璧時方在道，聞之卽疾馳入大梁，捕其謀主袁東
魯數人，令武卒列伍，備非常，始疏陳其狀。有詔，罪首惡而釋其黨。中州晏然。璧常
言：治大猾宜緩，急則謀洩而易脱；平大衆宜急，緩則黨固而難安。真名言也。河南贖
鍰，歲額四千，後漸倍之。璧曰：此膏脂也，非刑罰嚴峻，何至是！疏如舊額。睢、陳
東達曹、徐，西接亳、潁，故設有兵巡道，彈壓盜賊，久而罷，至是有議復者。璧言：
增官則增費，若改清運道兼屯鹽，而以屯鹽道移駐睢陳，則事專而費省。議雖寢，識者
是之。（文安楊志。）擢撫鄖陽，罷歸。孫銓。（畿輔唐志。）
銓字總六，别號山啟。朗眉秀目，方脣豐頤。祖愛若握珠。總角從高陽孫承宗授句讀，
以國器目之。萬曆壬子舉人，仕肥城令。肥夙號難治，至則一意與民休息，立傳帖，革
坐簽，民鮮追呼之擾。有殺其妻而疑其鄰者。獄具，公驗其痕，皆寸許，疑斧形。夫輒
悟曰：數日前，其壻屠沽兒貸，弗應。蓋屠沽兒之解大軱也，恆操斧云。遂伏辜。陞光
州牧。時流氛孔棘，光有兩城，其北單弱，而倉庫寄焉，遂嚴修備，卽一株一鏹，不需
民間，而守禦備，光人藉以無恐。臺使者上其績，擢杭州同知。杭郡衝煩甲天下，盜竊
兔窟，往來苕、霅、蕭湖間，羣起摽聚，衆莫敢攖。銓廉得其狀，發奸擿伏，卽市偷巷

竊，訊無弗獲。擢漢中知府。當兵燹後，加意拊循，勞瘁成疾，罷歸。太守姜山啟傳。

楊惟清，字子廉。先世自淮安徙通。祖景芳業農，家頗贍。嘗遇一士人餒甚，詢之，乃避難無依者，款於家，留三載去。其人後登第來謝，及任府尹，數造門敦請，景芳終不詣其署，其高潔如此。通州高志。惟清少窮經史，學問淹博，萬曆元年舉人，授山西太谷知縣，潔己愛民，多善政。家居極謹厚，犯亦不校。里中有無辜罹法者，力雪其冤。嘗貸金於人，弗能償，焚其券。弟惟洪、惟治，相繼登甲、乙科。子八人，皆力學。次子若桐，號虞律，天啟元年恩貢生，授江南睢甯知縣，報最，將遷，尋乞歸。崇禎甲申城破，爲流賊所執，不屈，死。年八十餘。惟洪子若梓，字原育。生有至性，數歲父卒，事母張以孝著。登萬曆四十一年進士，授河南信陽知州。禁絶耗羨，判決如神，不以案牘假胥吏手。著有申陽末議，皆足爲吏治法。初，若梓甫莅政，監司洪某意輕之，易服瞯其聽訟。闇者密以告，訊讞自若。洪由是異其才，凡疑獄悉委鞫焉。歲旱，步禱，跪烈日中，雨立至。謂未霑足，跪如故，監司掖之起。人感其愛民之誠。居恆勸農桑，興學校，爲士子校文藝，多所造就。課最，擢禮部祠祭司員外郎，攝儀制司事。值神宗、光宗相繼崩，熹宗嗣位，大禮疊至，若梓敬慎將事，無纖悉闕略。廷議改元，謂光宗初立，詔以明年爲泰昌，今一月而崩，紀元焉屬？若梓建言曰：一年三君，前代所無，若仍以明年爲泰昌，則無以處今上；若遂以明年爲天啟，則無以存先帝；皆不可。請以今年八月後改爲泰昌元年，明年爲今上天啟元年，既存先帝之元，又尊今上之統，庶於情理爲愜。閣臣、九卿皆是其議，具奏，報可。弟惟治。通州高志。

惟治字子理，惟清弟。性篤孝，父母卒，哀毁幾殆，廬墓所，晨夕長號不已。登萬曆二十年進士，授河南南陽知縣。地當孔道，多供億，惟治經紀有緒，不困郵傳。值歲祲大疫，亟請發廩以賑，構藥選醫，多方濟之，活者幾萬人。盜賊竊發，設法掩捕，悉駭散。中使奉命開礦，惟治力争南陽無礦，甯歲輸二百金以安山谷及民間廬墓。大災後，賦莫辦，婉諭急公，不以追呼擾民。聽訟，矜宥小過，惟豪强故犯，務寘之法。三年邑大治，舉卓異第一，擢刑部主事，累遷郎中。嘗盛暑閲獄，見圜扉早閉，多蒸鬱厲氣，憐之，許每晨啟户納涼，著爲令。居刑曹九年，遷河南布政司參政。礦盜嘯聚，民倉皇出走，馳檄撫之，盜即散。擢陝西按察司。致仕歸，喜作樂府詞，千言立就。每歲按部使者造門請謁，謝弗見，見亦不及私。畿内有警，與州守登陴，畫地固守，捐貲修城，樓櫓屹然，以資保障。崇禎辛未，年七十四，卒。季子若橋，成進士，歷官至御史，著有香雪齋集、通署詠，行世。通州高志。

王大用，霸州人。逮事敬皇帝，爲奉御。侍慈壽皇太后於仁壽宫。毅皇帝時，陞御馬監太監，賜蟒衣，内苑乘馬。通顯矣，然性刻廉剛直，弗能下其儔輩，以是不得久内庭，出爲遼府承奉。是時遼莊王病，不能視事，委政國妃毛氏。國妃賢，通書史，沉毅有斷，而大用從内佐之，所釐正國家事，不可勝道。頃之，莊王與國妃相繼薨，嗣王立。王聰敏辯給，而嗜利刻害；及長，多不法，常出數百里外游戲，有司莫敢止，故無所憚，然心獨憚大用。大用好直諫，王積弗能忍，乃曰：承奉老矣，宜免朝請。於是大用希得見王。王少無子，所幸樂婦生子置外舍。久之，王有瘻病，度終無子，乃取外舍兒内宫中，時兒已八歲，詐曰宫人某氏子，欲以聞於朝。故事，王子生，承奉司郎具所生母姓名及產媼狀，關相長史，乃得奏附玉牒。王以其事下承奉，大用曰：王安得有子！承奉乃不識何宫人有娠及產子狀，不敢奉令。王大怒曰：老奴敢爾者，死邪！於是盡捕大用諸用事者，皆榜笞數百，被重罪，欲以迫脅大用。大用終不爲動。王乃召大用，謬爲好語曰：而不知予之爲病耶？事成而後，有主，而富貴可長保，獨奈何爲他人忠？大用伏地叩頭流涕曰：老奴受國厚恩，死無以報，顧此事涉欺罔，法例嚴甚，王子非真子，外悉知之，後有發者，禍且不測，老奴死不敢奉命。王謬謝曰：承奉言，是也。乃以計紿奪其印，而自署承奉名行之。大用既見欺，無可奈何，懟以首撞壁，大叫曰：生不幸爲刑餘，又棄外藩；今王所爲如是，吾弗能匡救，禍且及矣。誠不忍老見刑獄！即閉户自經。繩欲絶，會有救者得甦，日夜涕泣，竟至失明以死。國人悲焉。張居正王承奉傳。

華陽吴祖椿校

人物志八

光緒順天府志九十八

黄岡洪良品纂

先賢八

明

李三才　傅好禮　龔先進

侯拱辰　何選　岑應春

王嘉謨　邢孔陽　馬經綸 子健順

劉渠　米萬鍾　梁應澤

張邦紀　張奇勛 王溥　王好善

李天麟　鄧希皋　袁住

孫祖壽　楊春元 子光夔 光龍　劉廷諫

何呈瑞　于奕正　王愛

崔玉乾　紀汝清　王珍

賈應鶴　宋一鶴　王來聘
陳所聞　曹鳴鸝　任之華
王孕懋　張文烶子士壽　紀克揚
劉廷訓　周騰蛟　阮漢聞
朱之馮子永慶　劉文炳弟文耀文炤　鞏永固
成　德　金　鉉　王承恩
高時明　申湛然　劉德濆
史可法　閻應元　米壽圖
黄　鼒　崔子忠　王嘉猷
曹廣攄　顧仲禮楊小兒　杜輔　張法保　楊景　周尚文　張廣　祝綸　陳霖
李秀　張坤　袁璽　楊一訓　吳端卿　歐俊　裴成錦　芮圖南
劉緋　芮國大　王重　劉驢兒　王萬　僧奴　滑忠　成仁　趙昇　龔然勝　賈懋　方榮　萬盛　柳芳　錢福
夏琮　孟振　劉懷義　孫雄　侯顯　穆宏　吕棟　潘滋　李彪　苗必進　芮浩　張改　楊定午　溥敦復　苑景
瑞　崔光業　李致中　李致和　劉芳　李楝　劉逵　劉學光　紀于蕃　紀述　邢瀾　李邦彦　周嵩　庫天才
張鋭　龍蹈　馬昇　潘應科　魏寰　朱錦　宋琰　田迎　楊鸜　誼于芳　李瑄　魏邦才　張塤　齊綱　孔廷謨
郭釗　王潤　王夢麒　程惟遠趙允昌　武金　曹璡　張欽　趙伋　郝勳　劉萬里　郝永　余之
敦本　李誌　陳英　王鼎　祥　郗雙　包馬奇　褚時中　康永錫　韓惟城　朱光祚　王政行
秦貴　李琚　李機　李大任　韓鵬　楊誠　張增　宋五　鄭安　張景春　楊尚信　吳承錫　耿從　顧真　楊謙
楊惟孝　王倉　王度　劉啟元　劉士登　劉自仁　蔡士迎　鄭守卿　張元度　薛天培　王英　王可成　董中行
陳佐　李光代　李惟新　張應捷　姚鎮雄　賈鉞
劉淮淮　王時可　孫育豪　賈國賓　劉九功　張　銓子錫卿調鼐

樊夢斗　　　楊　潔　王漢汝　齊隆業　馮賢

明

李三才，字道甫，通州人。萬曆二年進士，授户部主事，歷郎中。與南樂魏允貞、長垣李化龍，以經濟相期許。及允貞言事忤執政，（明史列傳。）帝責允貞言過當，（明史魏允貞傳。）三才抗疏直之，坐謫東昌推官，再遷南京禮部郎中。會允貞、化龍及鄒元標並官南曹，益相與講求經世務，名藉甚。遷山東僉事。所部多大猾積盜，廣設方略，（明史列傳。）悉禽滅，（通州高志。）民歌思之。（明史紀事本末六十六。）尋以右僉都御史總督漕運，巡撫鳳陽。時礦税使四出，攘奪公行，税監陳增尤甚，（通州高志。）數窘辱長吏。獨三才以氣凌之，裁抑其爪牙肆惡者，嘗密令死囚引爲黨，輒捕殺之，增爲奪氣。（通鑑輯覽一百一十二。）姦民趙占元、李大榮等，以礦税故，起爲盜，三才捕斬之。（通州高志。）再疏陳礦税之害，（明史列傳。）略曰：自礦税繁興，萬民失業。陛下爲斯民主，不惟不衣之，且併其衣而奪之；不惟不食之，且併其食而奪之。征搉之使，急如星火，搜括之令，密如牛毛。今日某官拏問，明日某處怠玩税課罷職，上下相争，惟利是聞；加以無賴亡命，假旨取財，得銀方止。如此者，聖心安乎，否乎？且一人之心，千萬人之心也。皇上愛珠玉，人亦愛温飽；皇上愛子孫，人亦愛家室；皇上欲使黄金高如北斗，而不使百姓有糠秕；皇上欲子孫千萬年，而不使百姓有一朝夕。試觀往籍，幾有朝廷如此政令，天下如此景象，而不亂亡者哉！歷代名臣言行録二十四。踰月未報。三才又上言：臣爲民請命，月餘未得請。聞近日章奏，凡及礦税，悉置不省。此宗社存亡所關，一旦衆畔，小民皆爲敵國，風馳霧驚，亂衆麻起，陛下塊然獨處，即黄金盈箱，明珠填屋，誰爲守之？亦不報。三十年，帝有疾，詔罷礦税，俄止之。三才極陳國勢將危，請亟下前詔。不聽。清口水涸阻漕，三才議濬渠建閘，費二十萬，請留漕粟濟之。督儲侍郎趙世卿力爭，三才遂引疾求去。帝惡其委避，許之，明史列傳。南北臺省交章乞留。御史史學遷疏言：陛下以陳增故去三才，非所以抑姦邪扶正氣。不報。三才遂去淮，之徐州。連疏請代，未得命。會侍郎謝杰代世卿督儲，復請留。乃命三才供事，俟代者。帝亦竟不遣代也。明年，疏言：天變人離，睢州又有巨盜，請免徵求，以紓民困。亦不報。通州高志。既而睢盜就獲，三才因奏行數事，部内晏然。明史列傳。歙人程守訓，以貲官中書，爲增參隨，縱横自恣。三才劾治之，得贓數十萬。增懼爲己累，亦搜獲守訓違禁珍寶聞於朝，論死。遠近稱快。通鑑輯覽一百十二。顧憲成之講學東林也，好臧否人物。三才撫淮久，結交徧天下，與憲成相得尤深。三才揮霍有大略，以折税監得民心；淮、徐歲祲，又請振卹，蠲馬價，淮人愈德之。三才屢加至户部尚書。内閣缺人，建議者謂當參用外僚，意在三才。及都御史缺，需次内召。由是忌者日衆，謗議紛然。工部郎中邵輔忠首劾三才大奸似忠，大詐似直。明紀四十七。三才四疏力辨，且乞休。給事中馬從龍，御史董兆舒、彭端吾，南京給事中，相繼爲三才辨。大學士葉向高言：三才已杜門待罪，宜速定去留，爲漕政計。明史列傳。一時劾者、救者，朝端聚訟。通州高志。前吏部郎中顧憲成遺書葉向高，謂三才至廉至淡漠，勤學力行，爲古醇儒，當行勘以服諸臣心。明史紀事本末六十六。又貽書孫丕揚，力辨之。明紀四十七。御史吴亮刻之邸鈔中。攻三才者大譁。明史顧憲成傳。御史喬應甲劾三才十貪、五奸。帝皆不省。三才請罷，疏十五上，久不得命，遂自引去。帝亦不罪。三才既家居，忌者慮其復用，御史劉光復劾其盗皇木營建私第，侵奪官廠爲園囿。三才憤甚，自請籍其家，又請諸臣勘。帝命御史李儀徵，給事中吴亮嗣往勘。通州高志。其明年，光復坐事下獄，三才陽請釋之，而復力爲東林辨白，曰：今奸黨讐正之言，一曰東林，一曰淮撫。所謂東林者，顧憲成讀書講學之所也。從之游者，如高攀龍、姜士昌、錢一本、劉元珍、安希范、岳元聲、薛敷教，並束身厲名行，何負國家哉！偶曰東林，便成陷穽。如鄒元標、趙南星等，被以此名，即力阻其進。所朝上而夕下者，惟史繼偕諸人耳。人才邪正，實國祚攸關，惟陛下察焉。疏入，衆益恨之。亮嗣既往勘，久之無所得，第如光復言還報，遂落職爲民。明史列傳。

天啟二年，復起户部尚書，未上，卒。畿輔唐志七十一。後魏忠賢亂政，其黨御史石三畏追劾之，詔削籍，奪封誥。崇禎初，復官。通州高志。三才英邁豪雋，傾動士大夫，負重名當世，才大而好用機權，明史列傳。由是爲衆所忌毁。顧擊三才者若邵輔忠、徐兆魁輩，咸以附魏忠賢名麗逆案；而推轂三才若顧憲成、鄒元標、趙南星、劉宗周，皆爲時名臣，故世以三才爲賢。三才所著，有雙鶴軒詩集、灼艾集、無自欺堂稿、誠恥録行世。通州高志。

傅好禮，字伯恭，固安人。萬曆二年進士，知涇縣，擢御史。嘗陳時政，請節游宴，停内操，罷外戚世封，止山陵行幸。又上崇實、杜漸諸疏，語皆剴直。巡撫浙江，歲大祲，條上荒政，行部湖州，用便宜發漕折銀萬兩，易粟賑飢。明史列傳。自陳擅發罪。上特宥之，畿輔唐志七十一。改按山東。泰安州同知張壽明當貶秩，文選郎謝廷寀用爲永平推官，謂州同知六品，而推官七品也。好禮馳疏劾其非制。廷寀坐停俸，壽明改調。好禮尋謝病歸。召進光禄少卿，改太常。明史列傳。時稅使四出，奸民張禮等僞爲官吏，羣小百十人分據近京要地，稅民間雜物，弗予，捶至死。明紀四十四。好禮上疏，極論其害。一統志。因言：自朝鮮用兵，畿民富者貧，貧者死，思亂已久，奈何又虐征之！國家縱貧，亦不當頭會箕斂，括細民續命之脂膏。況奸徒所得十萬，輸朝廷者什一耳。陛下何利爲之！奏入，四日未報。明紀四十四。復具疏跪闕下三日。神宗震怒，降廣昌典史。既而上思好禮言，下其疏，誅奸民張禮等二十八人，害乃除。畿輔唐志。好禮之官，未幾，請急歸。家居十五年，卒。明史列傳。天啟中，贈太常卿，一統志。崇祀鄉賢祠。子商衡，字伯含。孝友稱於閭里，曾舉優行。同子生員國檻、國棵，儒士國楠，俱死節。固安陳志。

龔先進，字彬庵，密雲人。居鄉愿愨，以孝友稱。萬曆六年，授湖州府通判。時郡頻歲水災，漂没民舍，先進設法全之。既丁外艱，服闋，補大司府通判，署懷仁縣知縣。值荒旱民飢，肆市皆罷，乃爲發倉廩，停征徭，齋心步禱，甘霖沾足。俄以忤權貴，左遷陜西布政司知事。秩滿，補鳳陽府通判。爲政簡易，不事催科。歲當徵下縣漕米，頑猾多逋賦，上官將待其逾期劾之；民間微聞是言，爭先輸納，訖事反在諸邑先。上官喜，將列課最，先進已絶意進取，遂解組歸，杜門不出。地方有司重其人，每造廬存問之。卒，年八十三。子翼明，户部員外郎。孫蕃錫，興安府知府。密雲薛志。

侯拱辰，大興人。畿輔唐志七十一。尚壽陽公主。明史公主傳。拱辰夜歸府，遇一人偃蹇太甚，執而撻之。少頃，則有中使趙祚者，倚醉入府扭結拱辰，窘辱甚至，詢之，則被撻者其家奴，而祚則永甯公主所役也。拱辰憤甚，上疏，旨下，笞祚而已，仍戒拱辰毋生事。野獲編補遺一。拱辰掌宗人府明史公主傳。五十餘年，凡所建言，皆慷慨切直。萬曆中，青宫久虚，廷臣擬上疏，莫敢首署名者。拱辰曰：會典以宗人府爲文職第一，願首署名。至册封代王，與梃擊獄起，拱辰據經引義，無所顧忌，國事耆定。畿輔唐志。卒，贈太傅，謚榮康。明史公主傳。案：明史以壽陽公主下嫁侯拱辰，壽甯公主下嫁冉興讓。考劉若愚酌中志、沈景倩野獲編，均以嫁侯拱辰者爲壽甯公主，嫁冉興讓者爲壽陽公主。若愚親給事宮掖，景倩亦當時人，聞見較確。疑明史之誤，姑存以俟考。

何選，字靖卿，宛平人。萬曆十一年進士，除南昌知縣，徵授御史。明史列傳。十四年，給事中姜應麟首抗疏，請立元嗣爲東宮，貶廣昌典史。大學士申時行率同列再請建儲，不聽。通鑑輯覽二百三十三。選語鄭貴妃弟國泰以朝野公論、鄭氏禍福，懇言於妃，俾自請。國泰猶豫，畿輔唐志七十四。選厲色責之曰：若不及今爲身家計，吾儕羣擊之，悔無及矣！國泰懼，乃入告於妃，且疏請早定，以釋危疑。明史列傳。已，知出選意，銜之。畿輔唐志。未幾，吏部議調驗封員外郎鄒元標於文選，疏六日不下，選以爲言。帝憶前事，謫湖廣布政司照磨，稍遷南京通政司經歷。刑部缺員外郎，吏部擬用選，帝憾未釋，謂特降官不當推舉，切責尚書孫丕揚等，而斥選爲民。明史列傳。天啟中，贈光禄少卿。一統志。

岑應春，字繹仁，本徽州汪氏，父宗沆，挈家之京師，應春生三歲，父歿，母貧不能自存，改適州吏岑某，撫於岑，遂從岑姓，爲通州人。好學工文，聲譽早著，登萬曆十四年進士，授工部屯田司主事。營山陵，與中官相忤，出董清河陶務。清河人歲辦陶，千里輸納，所司核當否，乃返陶所受直，然曰辨，曰輸，曰核，無不爲陶人難者。清河人輒以陶死。比受直，又多侵蝕。應春憫之，爲立法：甫陶出，即予直，附糧艘赴納，囑所司曰：陶所已核，勿再擾也。疏請勒石，以紓陶人困。備兵東兖。兖荒多盜，人相食，悉心賑濟，盜賊旋息。遷岢嵐副使。爲設新障百八十里，邊人稱岑公堡焉。邵羡緡，絶供應，政績卓然。朝議有論清不如法者，詔鐫秩，向所忤中官中之也。年五十五，卒。葬州城南。後十餘年，清河人段世正過墓所，猶感治陶之德，痛哭拜奠而去。子廣序，歷官監司、苑馬寺卿。通州高志。

王嘉謨，字伯俞，順天人。父應祥，以武舉官至署都督僉事，有善行。同巷有張翁者，疾革，語其子曰：吾觀里中爲善最篤者，莫如王千兵，吾將受生其家矣。汝欲見，盍訪之。張翁逝，其子走叩都督家，嘉謨果生矣。生而穎慧異常，成萬曆丙戌進士，授行人。奉使列藩，餽遺無所受。以才望選禮科給事中。宛平王志。疏請建太子，因災變請上修省，糾參權璫田義八罪等奏，直聲震一時。陞授陝西參議，調四川參政。平播酋之變。以終養告歸，大興張志。卒於家。嘉謨生平好讀書，不妄交游，著有薊邱集四十卷。宛平王志。

邢孔陽，字公昭，文安人。萬曆進士，畿輔唐志七十四。授行人。奉使册封高麗，事竣，賜金幣，晉户部主事。鄒元標計部傳。邢孔陽督代州餉，羡金萬餘，司吏以獻，孔陽峻卻之。遷郎中，管通州漕儲河道事。時河決不時，畿輔唐志。疏論：治河者欲復故道，以殺河流；治漕者引河流以濟運艘；各言所便。今引流緩沁、衛，不可忘漕，宜修海運，不可棄，遣屬邑分瀹勿逼，而南由清入海，別引沁水從魏、博折而東之以資運。澇，俾南入海；旱，俾東入運；儀、瓜北，河流如帶，當宿重兵防扼吭焉。築堰疏流爲急，治洪建閘爲上，合二臣職掌而一之，有攸濟矣。總河中丞潘季馴，嘉孔陽議，可經久行之。通倉有三，咸處西鄙，陸運較水運倍。孔陽相地形疏渠，自南徂西，抵倉三里許，用力寡而見功多，通人甚賴之。押運官有返帆銀，入府染指者恆侵半。孔陽給時，封識如舊。會陝西告災，司農欲移京粟萬餘由漕運達河南，令南陽、汝甯陸運於潼關。孔陽聞之，馳書告司農曰：移粟之役，是以三十鍾致一石，將甏河南而緩陝西之救；何若馳一吏入羅關內，借支省藏，京粟航於中州，令富室糴之，入鏹關內，以補借支之數，且免陸運之役，是萬夫跋涉，一吏代之，千里餽糧，一旦甦息矣。卒從其議。民皆樂於輸助。閘口自大通橋至通州，共六啟閉，爲蓄水通運計。適豪商運皇木，由閘達京，以省陸運之費。孔陽梶之，謂閘設爲糧計，非爲木計，萬一木植衝閘，咎將誰歸？商借奧援，請益力；孔陽持益堅，抗疏上聞。以此當途皆銜之，遂拂袖歸。兩臺屢以人才疏薦，孔陽堅不起。年七十餘，卒。邢孔陽傳。

馬經綸，字主一，通州人。萬曆十七年進士，明史列傳。授山東肥城知縣。挾仁贈編以往。仁贈編者，皆集先達格言，以爲治具者也。至任，以召募代徭役，以浮羨充丁糧，闢至道書院以課士，易土城以石，繕修堅固，既竣，曰：民罷矣。引邱邑隔徵例，請寬歲額若干。考最，擢監察御史。時尚書孫丕揚奏丁此吕貪縱，戎政侍郎沈思孝疏救此吕。經綸以思孝爲首禍之臣，請斥罷，大意謂：息辨胎以息禍胎，息正人君子之禍，以息宗廟社稷之禍。語多切直，時論韙之。又因海防兵譟，疏陳五策，并條上邊薊五事。通州高志。帝素惡諸言官，欲因罪之。明紀四十三。時以兵部考察不當，上意以兩京科道不言，旬日中被斥三十有四人，中外震恐。通州高志。趙志皋等申救至再，孫丕揚在告，亦借九卿力諫，石星請罷職以寬諸臣。皆不納。陳于陛又特疏申救。帝怒，命謫降者悉調邊方雜職。丕揚等以詔旨轉嚴，再疏乞宥。帝益怒，盡斥爲民。明紀四十三。經綸憤甚，抗疏曰：頃奉嚴旨，斥逐南北言官，臣幸蒙恩罰俸供職。今日乃臣諫諍之日矣。陛下數年以來，深居靜攝，君臣道否，中外俱抱隱憂；所恃言路諸臣明目張膽，爲國家裁辨邪正，指斥奸雄，雖廟堂處分未必盡協輿論，而搢紳公議，頗足維持世風。此高廟神靈，實鑒佑之。所資臺省耳目之用大矣。陛下何爲一旦自塗其耳目耶？夫以兵部考察之故而罪兵科，是已。乃因而蔓及於他，給事又波連於諸御史，去者不明署其應得之罪，留者不明署其姑恕之由，雖聖意淵微，未易窺測，而道路傳説，嘖有煩言。陛下年來厭苦言官，動輒罪以瀆擾，今復變而以箝口罪之。夫以無言罪言官，言官何辭？臣竊觀陛下所爲罪言官者，猶淺之乎！罪言官也，乃言官今日之箝口不言者，有五大罪焉：陛下不郊天有年矣，曾不能援故典排闥以諍，是陷陛下之不敬天者，罪一；陛下不享祖有年矣，曾不能開至誠牽裾以争，是陷陛下之不敬祖者，罪二；陛下輟朝不御，停講不舉，言官言之而不能卒復之，是陷陛下不能如祖宗之勤政，罪三；陛下去邪不決，任賢不篤，言官言之而不能强得之，是陷陛下不能如祖宗之任人，罪四；陛下好貨成癖，御下少恩，肘腋之間，叢怨蓄變，言官俱慮之而卒不能批鱗諫止，是陷陛下甘棄初政而弗獲克終，罪五。言官負此大罪，陛下肯奮然勵精，而以五罪罪之，豈不當哉！奈何責之箝口不言者不於此而於彼也！日者，廷臣交章論救，不惟不肯還職，而且落職爲民。夫諸臣本出草莽，今還初服，亦復何憾。獨念朝廷之過舉不可遂，大臣之忠懇不可拂。陛下不聽閣疏之救，改降職爲雜職，則輔臣何顔？是自離其心腹也。不聽部疏之救，改雜職而編氓，則九卿何顔？是自戕其股肱也。夫君臣一體，元首雖明，亦賴股肱腹心耳目之用，今乃自塞其耳目，自離其腹心，自戕其股肱，陛下將誰與共理天下事乎？夫人君受命於天，與人臣受命於君一也。言官本無大罪，一旦震怒，罪以失職，無一敢抗命者。既大失人心，必上拂天意，萬一上天震怒，以陛下之不郊，不禘，不朝，不講，不惜才，不賤貨，咎失人君之職，而赫然降非常之災，不知陛下爾時能抗天命否乎？臣不能抗君，君不能抗天，此理明甚，陛下獨不思自爲社稷計乎？明史列傳。疏上，帝大怒，亦貶三秩，出之外。明紀四十二。經綸既獲譴，工部都給事中海陽林熙春等上疏曰：陛下怒言官緘默，斥逐三十餘人，臣等不勝悚懼。今御史馬經綸慷慨陳言，竊意必温旨褒嘉，顧亦從貶斥。是以建言罪耶？抑以不言罪耶？臣等不能解也。前所罪者，既以不言之故，今所罪者，又以敢言之故，令臣等安所適從哉！（明史列傳。）帝益怒，加貶經綸爲典史。後南京御史林培疏陳時政，帝遷怒經綸，竟斥爲民。既歸，杜門卻掃，凡十年。易簀時，友人張祥來視，曰：到此全要主持。答曰：學道有年，到此時纔是學道。正容端坐而卒，年四十四。州人巷哭，肥城人爭來視喪。（通州高志。）門人私謚聞道先生。（一統志。）天啟初，復經綸官，贈太僕少卿，祀鄉賢。子健順。（通州高志。）

健順字貞元，少孤，能讀書。崇禎初貢生。同學韓登瀛好内典及諸禪語録，健順獨究程朱宗旨，以經傳格言爲本，然亦時露超悟。或問：讀古書苦不解，又不能憶，奈何？健順曰：淵明不求甚解，東坡不求甚熟，得此二法，能解能憶矣。將卒，告諸子曰：君子不憂不懼，吾不能也，吾所謂知憂懼者也。卒，年四十九。（馬健順傳。）

劉渠，字玉川，保定人。修幹闊臂，鷙勇絶人。游京師，肄業武庠，遂精騎射。萬曆壬辰，倭寇朝鮮，國王李昖棄玉京奔平壤，倉皇求救。明以朝鮮屬國，爲遼左脣齒，以大將軍李如松往援之，募壯士與俱，渠仗劍往從之。凡兩載，克復平壤，前敵斬倭首有功，凱旋，授錦衣衛中所試百户世襲。復歷京營參將。時京城外海子等處，響馬數十，縱横劫掠，渠悉擒無遺，路不爲梗。邊卒數百人譟殺其帥，取路潞河而南，且行且掠。晚宿民家，污人婦女。渠偵得之，引兵夜趨，盡撲殺之。當事上其績，進正千户。丁巳，遷延綏東協副總兵。值套寇薄邊，渠伏兵以待，及至，發伏縱擊之，遂獲全勝，兼得馬駝牛羊無算。於是大刀劉將軍之號，時與劉綎齊名。朝廷數下璽書褒美。戊午，因撫順等城告急，又令鎮守薊永山海，兼備倭總兵，署都督僉事，移鎮山海，應援薊遼。辛酉，命提調出關援遼，遷都督同知，駐守盤山驛，賜蟒玉，加太子少保，掛援遼前將軍印。駐劄高平堡時，經畧熊廷弼與巡撫王化貞議論不合，渠歎曰：勢值盤錯，尤宜同心決策，以弭禍患，今齟齬若此，胡以濟乎！會警報星亟，渠擐甲秉堅，東至沙嶺，伏兵起，四面合圍，自辰至酉，奮臂疾呼，激勵將士，莫不爭盡死力，終無一旅相援。渠登高四望，知勢不可支，遂以將軍印付家人黄雄等，上還朝廷，望闕叩頭曰：臣荷重恩，夙夜思維以圖報効，今血力已竭，惟有粉身以謝耳。言訖，躍馬突圍，目眥盡裂，力戰既久，血鎧盡赤，身矢蝟集，遂歿於陣。歿之夕，有大星殞於東北，其聲如雷。子二，長應捷，次應宣，世襲錦衣衛。柴經國劉將軍傳。

米萬鍾，字仲詔，宛平人。畿輔唐志七十四。萬曆二十三年進士，明史文苑傳。令永甯、銅梁，調六合，入爲大理評事，由户部郎歷陞至江西按察使，山東右布政使。大興張志。工書，與董其昌齊名，時稱南董北米。一統志。逆閹魏忠賢方毒禍朝紳，萬鍾與之鄰。閹求其書翰，不應，又屬其私人，謂能少屈，即上卿、開府可得也。萬鍾笑曰：乃公即願富貴，少年時稍垂項沒肩，上卿、開府已久；今老矣，豈有三十年共、姜垂老獻笑者乎！拒之甚力。閹怒，無以中之。會從江右歸，道經南京，守備太監爲閹構生祠，聞其至，奉幣求爲文以頌上公。萬鍾斥其人去。閹聞益怒，大興張志。嗾倪文煥劾爲黨人，畿輔唐志。遂削籍。崇禎初，起太僕少卿，卒官。明史文苑傳。生平好石，人稱爲友石先生。大興張志。家藏一研山，有七十二峯，洞壑奇絶，每天欲雨，則水出，欲霽則先燥，萬鍾以五百金購之。又寶一風字硯，萬鍾知六合縣時，嘗入覲，往返兩月餘，硯墨猶未燥也。池北偶談十九。嘗構漫園、勺園，又構湛園，標園中佳勝爲十八題，因裒集一時賦詠，類爲湛園雜詠。四庫全書提要一百九十三。所著有澄澹堂文集十二卷、詩集十二卷、易義四卷、象緯兵鈐十二卷、石史十六卷、南北史宮詞二卷、琴史八卷、奕史四卷、篆隸考訛二卷。子壽都。大興張志。

梁應澤，字射侯，宛平人。萬曆二十三年進士，授户部主事。尚書重之，凡章奏皆屬焉。壬寅，簡徽州知府。緝猾胥投税閹害民者置諸法。郡例，十歲核富民之市産，税其價什一充邊餉。奸弁通礦閹，誣徽、甯匿契税十五萬，前撫、按不能執，以四萬二千五百有奇進充左藏，奄涎視未已，應澤申明續收、類收之別，絶閹覬覦。奸民有指仇家程氏山木爲己産獻闕下者，屬江西稅璫採辦，展轉無所得，因誣他販木商及程之同姓爲竊採，以肆其虐。應澤分別明確釋之，坐誣奏者罪。郡額，織造留四司班料、匠、甎之半當之，後以轉造增派，議加於田畝。應澤請全留四司，料免派。三年中，始終執法以與閹抗，率類此。宛平王志。擢河南副使，兼攝數道事。案牘山積，判決詳敏。大興張志。忤巡按，以計典罷去。辛亥，復以副使爲陝西鳳邠道。至卽均理韓藩宗田，以準宗禄，皆有制而無擾。巡行固原、涇州、平涼三州縣，見其崖峻谷深，獷玀出没，建墩堡，練義勇，以爲保障計。宛平王志。攝苑馬寺卿，陳馬政八議。大興張志。丁内艱，服闋，補山西參政，管河東道，陞雲南按察使。整肅紀綱。漢人之構釁於生熟夷者，特峻其法。以忤巡撫，左遷，仍授平涼參政，去前任已十四年矣。宗田之法久弛，侵漁陵虐，民不能堪。應澤爲按户履畝，問民田入宗、宗田入民之數，爲宗別立里甲，禁民之售田於宗者，於是宗、民不相擾害。明年，以按察使改江西九江道。時逆閹魏忠賢流毒搢紳，江西爲甚。浮梁黄中介，以甲子緩刑疏忤忠賢，拷掠汪文言，誣贓二千，中介罄産不敷其數，應澤資助之，乃獲免。宛平王志。陞河南右布政，轉山東左布政。時以白蓮賊添設東兖兵防，又以東事增置德州援兵，事出近例，無額餉，皆仰給藩司。應澤悉心調濟，沛然有餘，而民賦不增。丁卯，擢右僉都御史，撫治鄖陽，應詔陳天下大計，兵餉爲先，宜使户、兵、督、撫合爲一人，籌餉、練兵合爲一事。又言：毛文龍非有大志，當核其兵幾何，駐兵何地；度兵力未厚，不能大舉，宜休兵屯田，生聚教訓，無專倚辦於餉，以寬民力。鄖陽自成化初劉千斤、石和尚之亂，始設鎮。崇禎己巳，流賊出没川、陝，討殲之。會都城戒嚴，天下督撫赴援，鄖撫最先。三年考績，加右副都御史。四疏引疾歸里，卒。應澤内行純孝，爲治求實用，不爲文飾，著有守徽録、關西末議、涇原考、晉議東藩稿、撫鄖疏草、國朝文憲考、人物記、朝政記、宋韓忠獻李忠定經濟畧諸書。子以栢、以樟、以桂，並負才名，時有三梁之目。大興張志。

張邦紀，字完樸，大興人。少以文章知名，萬曆二十六年進士，授檢討。三校禮闈，一主楚試，得士甚多。充東宫講官，反覆披陳，太子爲之竦息以聽。天啟中，預料璫禍將興，堅卧不起。有談朔洛事，笑而不答，舉觴微屬之而已。黄道周每亟稱之。仕終禮部左侍郎兼翰林院學士，卒，贈禮部尚書，謚文懿。大興張志。

張奇勛，寶坻人。萬曆二十八年舉人。少穎悟，至性過人。天啟中，時事日非，奇勛每閲邸抄，愀然泣下。崇禎丙子，大兵攻寶坻城，垂拔，百姓紛紛逃竄，奇勛獨不去，介而馳，欲助知縣趙國鼎固守。聞師已入矣，還舍，驅妻子令投井死。出就國鼎所，遂見執，語多不遜，乃殺之。舉人王溥，任潞城縣知縣，秩滿，擢衡州通判，以疾歸。大兵猝至，溥助國鼎死守，城破，或勸溥去，溥曰：奈何負趙公！但揮其子鼎呂出，曰：先人一脈汝延之，吾畢命於此矣。闔門殉者二十餘人。寶坻洪志。

王好善，字元甫，寶坻人。萬曆二十九年進士，任開封府推官，聽斷若神。嘗一夕夢歐陽永叔詣階下求脱，心怪之，旦日治簿書，見有蘇繼歐者，曰：異哉兆矣！遂力雪其冤。蘇後卒成進士。他所出疑獄囚凡三十餘。會河決朱家口，衆議紛紜，好善請疏下流，以殺其勢，如言，果無恙。調青州，擒妖賊柳廷瓚等梟之，除十虎之爲民患者，境藉以安。内遷工部都水司員外郎，命督清江廠通運便商，計税額工料所羨，注籍上之。居淮三年，塞決河，築戍樓，江淮人肖像以祀。再轉虞衡司員外郎，出守鳳陽，甫赴任而卒。寶坻洪志。

李天麟，字仲仁，順天人。畿輔唐志七十八。萬曆三十年爲關南守，北學編七。發明理學，言簡而醇，嘗曰：孔門宗旨，只是求仁，惟顏、曾得其宗。舍求仁之外，別立宗旨，恐非授受之真。畿輔唐志。張子西銘一篇，形容仁者天地萬物一體，可謂曲盡。朱晦菴以仁爲學，以敬爲存之道，都是孔門家法。孫徵君鍾元曰：吾鄉理學一脈，寥寥其人，若仲仁，名雖不著，而北方之學者莫之或先，殆實勝而不求聞達者乎！北學編七。

鄧希皋，字襄雍，大城人。少而穎異，日誦萬餘言。萬曆三十一年舉人，授蒲臺令。蒲有鹺利甚巨，希皋至，悉屏去，士民懷之。遷鳳陽通判，分理正陽鎮。關利頗饒，希皋不爲染，一切常例痛除之，且勒石以垂永禁。內遷刑曹，值內豎擅權，獄多羅織，希臯獨秉正主持，所全活者甚衆。出知衛輝府，閱月，以艱歸。筮仕二十餘年，廉介自守，不營利，不廣田宅。迄今子孫繁盛，極一時君子之選，鄰郡以及長安，莫不知有平舒鄧氏也。太守鄧公傳。

袁住，通州人。日爲馬侍御家傭水。李贄寓於馬氏，多嫚罵搢紳輩，相接或終日不與語。一見住，輒曰：好男子！或一日不見，輒曰：目中何無袁住？然住形貌猥瑣，傭水外無他能，無以異衆人也。贄死詔獄，方暑，尸腐，馬氏諸僕無敢近者，獨住直前抱持，痛哭殮含，曲盡其事。居易録。

孫祖壽，字必之，昌平人。萬曆中武舉人，一統志。案：明史亦作舉武鄉試。畿輔唐志作舉萬曆武會試，非。授固關把總。天啟二年，歷官署都督僉事，爲薊鎮總兵官。孫承宗行邊，議於薊鎮三協十二路分設三大將：以祖壽領西協，轄石匣、古北、曹家、牆子四路，駐遵化；而江應詔領東協，駐關門，轄山海關、一片石、燕河、建昌四路；馬世龍領中協，駐三屯營，轄馬蘭、松棚、喜峰、太平四路。經略王在晉、總督王象乾僉謂永平設鎮，本以衛山海，今移之三屯，則去山海四百里，於應援爲疎；遵化去三屯止六十里，今並列兩鎮，於建牙爲贅。請令世龍仍鎮永平，以東協四路分隸世龍、應詔，而以中、西二協專隸之祖壽，仍鎮三屯。

章下兵部，署事侍郎張經世議如其言，承宗堅執如初。乃命祖壽移鎮遵化。明史列傳。七年五月，大兵圍錦州，分兵掠甯遠，明史滿桂傳。祖壽赴援，不敢戰，被劾罷歸。明史列傳。崇禎二年，大兵下遵化，因進軍薄京城，營於城北土城關之東。總兵官滿桂入援，通鑑輯覽一百十四。祖壽已罷官家居，乃散家財，招舊部曲數百人，畿輔唐志七十六。從滿桂赴鬭。明史列傳。帝趣桂出師，桂言衆寡勢殊，未可輕戰。中使趣之急，不得已，乃督祖壽等移營南城外三里許，列栅以待。明日昧爽，大清以精騎四面蹙之。桂及祖壽等戰不支，遂俱殁。通鑑輯覽一百十四。帝親爲文祭之。祖壽初爲把總時，畿輔唐志。遘危疾，妻張氏割臂以療，絶飲食者七日，祖壽生，而張氏旋死，遂終身不近婦人。及爲大帥，部將以五百金遺其子於家，卻不受。他日來省，祖壽賜之酒曰：卻金一事，善體吾心，否則將盡法於汝。其秉義執節類如此。一統志。

楊春元，字仁甫，固安人。尚榮昌大長公主，拜駙馬都尉，特進榮禄大夫。父卒，哀毁不勝，扶櫬歸葬，徒步百餘里，廬於墓側。居母喪，七日不食，衣不解帶者三月，蟣蝨滿體，不捫拾，竟至羸瘠而死。子光夔，字允諧，太子太師、左都督，特進榮禄大夫，爲楊、左諸君子屢忤逆璫，人高其節義，謂其有父風云。光龍字允納，中軍都督府都督僉事，崇禎甲申，流寇之變，奉命巡緝京城，城陷，投泡子河井中死，家人莫知。後數日，遇僧告知，始知死所。固安陳志。

劉廷諫，字咸仲，號良哉，通州人。萬曆四十七年進士，授刑部主事，甚有名譽。通州高志。若天下之平，廷諫曰：廷尉，三法悉議辟，有陝西民首韓宗功等數十人爲奸細，綱目三編二十三。但據首詞，遂律以叛，何平之有？御史楊漣然之，行令察覆，得釋者衆。調吏部郎中，忤魏璫，罷。畿輔唐志七十一。崇禎初，通州高志。選郎陳啟新上書，請廢制科，罷行取。疏下部議，廷諫力言其謬，得不行。兵部尚書楊嗣昌奪情莅事，廷諫上疏諫，不納。畿輔唐志。時僉派經紀運糧，通民苦累，廷諫力陳當事疏免。司漕中官誣倉役侵糧，廷諫亟請大司寇上聞，龔文等十五人得出獄。前後在吏二十年，以耿介見泥不調。甲申，徵拜僉都御史，卒。所著有雪菴初集次集、白雲牘、司銓奏草、都下草、退谷囈言、年譜，紀略。通州高志。

何呈瑞，字易洲，文安人。天啟四年舉人。崇禎八年，署冀州學正，擢儀封知縣。凡便民去蠹之政，如河口總稅、小車腳店、埠頭諸積弊，倚周藩爲城社，毅然革除。是時流寇猖獗，李自成爲最强，横行躪中州，其士卒善攻城，冒牛革，持鍬鋤，潛伏其下，矢刃不能及，故所攻無不克。自開封、歸德間，州縣以數十計，長吏多聞風棄城去。呈瑞獨誓衆堅守，以身殉城，士民感泣用命，親立矢石間，與賊格鬭。會夜，城忽圮數堞，呈瑞身操畚鍤，率士民築之，令壯士持短兵接戰，老弱助版築，未明而就。賊驚以爲神。又手製火爐、火箭，以新裁變古法，毒火烈燄，所投必燋灼，賊僵屍委積，獲渠魁數十人，於是夜引去。終呈瑞在邑，竟不敢薄城下。撫、按論城守功，報呈瑞最，遷信陽知州。時信陽已爲賊據，乃之汴梁。汴被困日久，呈瑞受事圍城中，監粥廠，贍貧民，所全活甚衆。不數月，黄河潰決，全汴爲魚，呈瑞僅以身免。至今儀封人追述其城守時事，尸祝猶不忘云。王崇簡儀封何易洲傳。

于奕正，初名繼魯，字司直，宛平人。性孝友，父殁，讓財於兄弟，自居荒園，終日讀書。工爲詩歌，好游名山。常言：秋山嚴浄澹峙，如有道高人。每於霜清木老時，策蹇而往，或攀枯藤，坐危石，慨然賦詩，有超世之概。其所交往，皆當世名人，尤與楚譚元春、劉侗友善。嘗與侗著帝京景物略。畿輔唐志七十四。奕正摭求事迹，而侗排纂成文，以京師東、西、南、北各分城内、城外，而西山及畿輔併載焉。生長京師，平生未出國門。四庫全書提要八十七。崇禎乙亥，偕侗取道金陵，徧歷名勝，歸而疾作，卒於旅舍。周亮工書影五。初，于生夢與故人郭聖樸同入於壑。聖樸，先客死秣陵者。既而夢歸見母，方滌鼎三，指鼎耳問其環，母答：兒無環矣。寤告人曰：三鼎，士之祭，母言得非兆耶？死願擇秣陵一邱地，與聖樸同葬焉。既卒，侗曰：達哉于生！雖然，死歸附隴，禮也。遂護其喪歸。楊日補、歸與治刻其遺詩數十章，所著有天下金石志。大興張志。

王愛，字仁甫，畿輔唐志七十四。號涇谷，大興張志。宛平人。畿輔唐志。授潞安府推官，讞獄平允，大興張志。剛直不阿，（畿輔唐志。）雖忤權貴弗卹。升户漕，以兑鹽往浙江，掃除積蠹。歸，給軍士布花，覈虚濫者將萬人，諸衛望而心悸，由是以度支材著稱。時邊事孔亟，遼餉多虚，（大興張志。）當是欲核其實，顧諸郎廉幹者莫如愛，卽以委之。所至澄清，查出浮寄至二十四五萬。當道擬以卿寺優愛，愛不受，乃出備兵陝西之鄜州，兼理靖邊。值火落赤犯安甯諸處，愛會杜松出方略，邀斬二百七十有奇，鹵獲無算。（宛平王志。）先是，狪賊聚於真甯，（大興張志。）爲内覘謀。愛親至其帳，馘渠首，散餘黨，衆無敢譁者。一日過花馬池，適敵踰牆而入，見愛麾蓋，下馬羅拜曰：不圖今日得見一大人。（宛平王志。）以是制勝之略聞於朝野。方晉右布政，遂以疾卒。愛德氣湛深，（大興張志。）學識淵博，著有史論、息機園集。（畿輔唐志。）

崔玉乾，固安人。有宛平武某，乘騾挾資南行，遺一囊，玉乾就拾之而不覺。揣知貨財也，大聲招呼，其人已前馳，不及聞矣。因取寘室中，祕不令家人知。次年，武回，復過村，已無意於復得矣。玉乾方路待之，逢人輒語，相與印證良是，卽以原囊還之。武且驚且拜，願與平分。玉乾笑曰：若待爾來平分，何如全得！仍留一飯而去。知縣訪知覈實，申詳本道旌之，仍給冠帶，優免終身差徭。（固安陳志。）

紀汝清，字廉卿，自濟南再徙文安。汝清天性篤孝，年十五，補諸生，（陳仁錫孝行傳。）父病革日，時值沍寒，淚血凝冰，水漿七日不入口，抱尸僵卧，願以身殉。家赤貧，典身鬻田，易木以葬。茹素廬墓三年。一日，後母復沾微疾，汝清日侍湯藥，衣不解帶，嘗糞辨證，刺指出血，跪書青詞，五夜露禱，祈減算以延母年。夢神授藥，母病得少間。歲餘不起，汝清一痛遂絶，良久方甦，柴毁骨立，如喪父時。及襄喪事，躬負灰石，親操畚鍤，手龜足繭，復廬墓所，朝夕悲號。歲值丁未，河水暴發，文安漂没，遽無舟楫，汝清乘葦桴奔父墓，築堰爲防。大堤潰決，羣墓盡壞，獨汝清父墓賴此無恙，人驚爲孝感。紀克家陳情疏。子克家，官泰安州知州，臚實泣奏。孝行傳。奉旨：紀汝清孝行可風，照例建坊旌表。紀克家陳情疏。

王珍，字元玉，保定人。崇禎二年貢生。孝友端慤，與人無疾言遽色。居父母喪，哀毁骨立。三年不飲酒食肉。丙子秋鄉試，回至固安界，遇大清兵如風雨驟至，伏匿禾中，兩晝夜不得食，有憐之者，取田中瓜啖珍，擲於地曰：君子不以冥冥墮行，地主不在，可攫而食之耶！庚辰，授禹州倅，時流寇猖獗，燎原之勢不可救。辛巳十月，賊衆五萬騎雲屯州城下，四圍夾攻，凡七晝夜。忽城樓火起，城中訛言賊已入城，守陴者皆潰，城遂陷。仗劍殺賊，衆蜂擁亂砍，珍被數十創，墮於城下，膏血塗地，弗自知也。闖賊既入城，知州、吏目被殺，賊盤踞三日始去。次日，皁隸李文光徧覓珍於積屍中得之，扶起視之，猶一息未絶，負至家，灌以漿水，漸甦，調養月餘，創口乃合。撫、按廉其狀，委署州篆。時城内如洗，所遺老羸無幾，晝夜數驚，農人廢業，米貴如珠。賊勢益熾，於殘破城池安置僞官，使人來城下招降。珍拒之厲。闖賊遂自率萬人，復來攻城。城内殘民不足二百，聞風股栗，逃去者過半。賊至不能防禦，城破，遂爲所執。闖賊令珍跪，珍怒目不屈，曰：爾逆天殘民，吾恨不磔汝萬段，豈屈膝於爾耶！闖賊自起，持刀斷其脛，珍大駡不絶口，遂被殺。家人劉天禄，先匿土穴中獲免，賊走始出，掩其屍而歸。初，賊將再至，劉天禄策之曰：賊復捲土而來，此間守禦無人，不如暫避河北，猶可圖存，不然，死無葬地矣。珍曰：吾職司守土，城亡與亡，如可遷避偷生，當如君命何！噫，烈矣！柴經國王先生傳。

賈應鶴，字鳴皋，永清人。崇禎九年副榜。性直諒，任山東甯海衛經歷，凡利弊當興革者，必請諸大吏，不從則侃侃争於前；始以爲强項，及次第舉行皆有效，乃益重之。先有民婦蕭氏者，夫婦饋食，夫暴卒。家人以置毒訟，獄成，決有日矣。應鶴至，恐有冤，復鞫之，婦曰：夫死，願就死。泣涕不能言。應鶴曰：汝畏刑威誣服耳。婦大哭，平反之。上憲皆大駭，應鶴據所讞，願棄官伸婦冤，卒得白。擢行人司行人。告終養歸。家居教授，以孝弟爲先，聞風者樂就之。越四載，親殁，值甲申之變，聞莊烈帝已殉社稷，即具衣冠北面拜，與家人訣曰：君亡國破，何以生爲！遺詩縣令，絶粒而死。

時崇禎十七年三月二十四也。永清周志。

宋一鶴，宛平人。爲諸生，卽究心兵事。崇禎三年舉人，授教諭，以薦遷邱縣知縣，加東昌同知。巡按御史禹好善，以一鶴知兵薦之，授兵部員外郎，尋擢天津兵備僉事，改飭汝南兵備，駐信陽。時熊文燦總理南畿、河南、山西、陝西、湖廣、四川軍務，主招撫。一鶴降其盜魁黄三耀，先後剿劇賊，斬首七百有奇。明史列傳。有劉喜才者，夜取順義王首以降於一鶴。明紀五十五。總兵左良玉破賊李萬慶於張家林七里河，萬慶降，綏寇紀畧七。一鶴撫而定之者數萬。文燦屢上其功，進副使，調鄖陽。文燦誅，楊嗣昌代。以一鶴能薦之，擢右僉都御史，明史列傳。代方孔炤爲湖廣巡撫。一統志。時湖廣賊爲諸將所逼，多竄入四川。一鶴以雲南軍移鎮當陽，中官劉元斌以京軍移鎮荆門，相犄角。左良玉等大破賊於瑪瑙山。一鶴敘功增俸，遣副將王允成、孫應元等大破賊汝才五大營於豐芭坪，斬首三千餘級。嗣昌署一鶴荆楚第一功，明史列傳。復移駐蘄州，焚舟遏賊渡。賊移而北，一鶴又斷横江，賊遂不敢渡。畿輔唐志七十六。十二年三月，楊嗣昌自殺，以丁啟睿代爲督師。通鑑輯覽一百五。啟睿破獻忠於麻城，會一鶴及鳳陽總督朱大典、安慶巡撫鄭二陽，蹙賊左金王、老回回等於潛山、懷甯山中。一鶴又督參將王嘉謨等追破左金王、争世王、治世王於燈草坪，斬首千一百級。明史列傳。一鶴起鄉，不十年驟秉節鉞，廷臣不能無忮，又因其爲楊嗣昌所薦，疏詆益衆。

會以襄陽陷，奪職戴罪。十五年，李自成陷德安、荆門，一鶴以獻陵爲重，趨赴承天，賊已驟至。明年正月，承天陷，一鶴自經死。（畿輔唐志。）先是，左良玉軍擾襄樊，一鶴疏糾之。既，良玉自襄樊走承天，軍饑而掠，乞餉於一鶴，不許，良玉銜之。至是，一鶴謀留良玉兵，良玉走武昌，故及於難。（明史列傳。）

王來聘，京師人。崇禎四年中武會試。時帝鋭意重武，舉子運百斤大刀者止來聘及徐彦琦二人，而彦琦不與選。帝下考官及監試御史獄，悉貶兵部郎二十二人，（明史列傳。）命中允方逢年、倪元璐再試。逢年、元璐以時方需才，請殿試傳臚，悉如文榜例。（明紀五十三。）分三甲，傳臚錫宴，以前三十卷進呈，欽定一甲三人，來聘居首，即授副總兵。武榜有狀元，自來聘始也。來聘既拜命，泫然流涕曰：上重武若此，欲吾儕效命疆埸耳，不捐軀殺賊，何以報上恩！明年，孔有德據登叛，官軍攻之，久不下。又明年二月，（明史列傳。）孔有德、耿仲明等屢爲官軍所敗，又糧絶，有德先遁，載子女財帛入海。仲明以水城委副將王忠，亦以單舸遁。官軍遂入大城。水城未下，游擊劉良佐獻轟城策，匿人永福寺中，穴城置火藥發之，城崩，將士踊入，輒爲賊擊退。來聘復先登，中傷而死。（明紀五十三。）天子惜之，贈廕有加。（明史列傳。）

陳所聞，文安縣舉人，任山西文水知縣，陞山東平度知州。（文安楊志。）崇禎四年，登州游擊孔有德反，帝命總兵楊御蕃盡將山東兵討之，不利，走入萊州。綱目三編十九。二月己巳，朔，孔有德圍之，分兵陷平度，明紀五十三。所聞自經死。贈太僕寺少卿，賜祭葬，建祠，廕子。本朝乾隆四十一年，贈節愍。綱目三編三十五。

曹鳴鶚，大興人。綱目三編三十五。倜儻英偉，大興張志。以勇敢稱。官河南道中軍守備。畿輔唐志七十六。崇禎六年，賊自邢臺摩天嶺西下，抵武安、林縣，綱目三編三十五。鶚率兵五百，勦流賊數千。賊糾黨數萬，困鶚於趙寨。鶚血戰數晝夜，矢盡馬踣，猶裹創步鬭，被執。賊誘降，不屈，噴血怒駡，乃支解之。畿輔唐志。事聞，贈游擊將軍。大興張志。本朝乾隆四十一年，追謚烈愍。綱目三編三十五。

任之華，字仲華，大興人。畿輔唐志七十六。豪放不羈，棄文力武，甲申傳信録三。登武科，除昌平守禦。畿輔唐志。未久，即告歸。甲申，寇入，喟然長歎，告諸同列曰：我世受國恩，誓不與賊共天日。遂投繯堂右，弟之封解之，復甦。家人守護之，垂淚無語。至暮，復踰牆自縊於鄰舍空室。甲申傳信録四。王胤懋，字有懷，霸州人。崇禎進士，一統志。授户部主事，以廉介稱。畿輔唐志七十六。由太原知府遷甯武兵備副使。李自成既陷太原，遣使説降。胤懋斬之，與總兵官周遇吉一統志。登陴固守，礮擊無算。畿輔唐志。城陷，自縊死。妻楊氏投井殉之。一統志。

張文炡，字彥彪，通州人。崇禎七年，與弟文煇同登進士，授山東益都知縣。俗桀黠難治，至則抑豪强，保良善，禁衡邸諸閹之以稱貸尅民利者。三年奏最，將遷，士民請留，復任。後擢吏部驗封司主事，歷文選司員外郎。弟文煇官徽甯兵備道。文烶工書法，晚益工詩，著有彦彪近藝、怡怡堂詩集。子士壽。通州高志。

士壽字平格，少爲名諸生，文行兼著。甲申之變，文烶奉父母將避難，先厝他所。士壽留京邸。都城陷，賊徧掠搢紳家。及士壽舍，士壽恐賊脅其家人，拽大父母及父匿他所，出謂賊曰：我張吏部子。笥篋我主之，任汝曹取，勿譁也。賊搜括，僅中人産，見士壽不爲屈，釋之。居數日，又一賊繫去，拷掠備至，令舉戚黨有貲者，以贖其死。士壽大呼曰：終不以孿喘息累他人！遂被殺。先一日，士壽知賊必不釋己，遺言致父母：勿爲兒傷，大父母春秋高，傷兒，恐爲大父母戚。文烶聞其言，慟甚。賊退，往殯之，瘞張灣祖塋，題墓石曰張孝子墓。通州高志。

紀克揚，字令聞，號六息，文安人。嗜讀書，善屬文，碁登逸品，諸陰陽象緯、卜筮占風、岐黄之術，無不諳究，以至釋典道家之言，多所訓詁。童年失恃，至孝性成，哀毀骨立；父敦諭，稍進饘粥。事庶母殷，慤誠唯謹。姊氏早孀，迎與同居，厚加卹養。家世貲財，悉以給庶弟。田宅奴婢等物，俱自取下分。唯攜圖書數十卷，昕夕諷吟，隱然有以自命，一時名流無不以偉器目之。總角補弟子員，才名甚盛，累試輒冠軍，食廩餼，大爲學使左光斗所賞識。六七試不售，怡然自處，益復肆力墳籍，與瓦橋馬東航、新城王申之詩文往來，摭藻摛詞，不作天寶以後語。時著迴文體，六十四字，縱横讀之，可得詩三百六十首，人咸服其綜密。又構别業三楹，陳列圖書，與三子坐卧其中，將以終老。無何，賊氛日逼，鐵騎連圍，克揚毅然弗顧，輒云：丈夫有命，幸能壁間乞活。讀書廬中，不異恒昔。城陷，不屈，遂遇害。克揚講學多年，著述甚富，兵燹散失。所存麗軒文集論稿、四書易經注解。秦松齡贈中憲紀六息傳。

劉廷訓，字式伯，通州人。性謹厚好學，畿輔唐志七十六。以歲貢生選吴橋訓導。明季北略十四。崇禎十一年，大清兵入畿内，知縣李綦隆約廷訓出走，廷訓止之，明史忠義傳。與堅守三月。初以偏師來，輒引去，既盡鋭力攻，綦隆縋城遁去。廷訓入學舍，麾其妾趨出，屬其稚孫名增者，於所善僧隆貴。介而趨南城，誓守者曰：守，死；逃，亦死；曷若守，死爲滿城忠義鬼乎！明季北略十四。廷訓腐儒，惟舍身報國！守者皆哭曰：公死，我等敢求活！守三日夜，炮盡，城陷。畿輔唐志。大清兵肉搏而登，如牆引射，矢注衣甲，血朱殷穴胸而出，濡縷屬於屨，猶束胸拒戰，連中六矢乃仆。踰月，其子發棺更殮，面如生，鬚髯奕奕奮舉。喪之歸也，諸生數百道哭，小民皆翦紙、買漿以奠。時年六十有五。明季北略十四。國朝乾隆四十一年，追謚烈愍。綱目三編三十七。

周騰蛟，香河人。崇禎十三年，以舉人除汜水縣知縣。時河南流寇方熾，（畿輔唐志七十六。）邑兵荒，（明史忠義傳。）或勸騰蛟毋往。騰蛟曰：君命也，可避乎！之任，（畿輔唐志。）撫字有術，以其間釐定徭役，民甚便之。城孤懸河畔，縣人吳邦清等於城南立七砦相犄角。摩天砦最險，土寇李際遇伺騰蛟往河北，急據之，遂攻縣城。騰蛟力請於上，救兵至，始解去。騰蛟念故城難守，遷縣治於摩天砦，以扼賊衝。未幾，賊大至，相持十餘日，勢且不支，砦臨河，可渡以免，騰蛟曰：吾何忍舍衆獨生！（明史忠義傳。）力竭，城陷，繫印於臂，投黃河死。賊去，百姓求得其屍，葬之。（畿輔唐志。）

阮漢聞，字太沖，順天人。讀書喜大節，尤習兵家言，著尉繚子解、詰戎踐墨諸篇。萬曆朝，出師援朝鮮，敗於碧蹄館。漢聞方弱冠，徒步走遼東，望黃龍、鴨緑，訪問形勢，慨然有澄清之志。（畿輔唐志七十六。）會解嚴，漢聞乃齎志而返。及妖書事起，上求其人甚急。漢聞避跡汴梁，遇西亭王孫，（宛平王志。）一見卽延致邸中，日飲以醇酒，而出所藏祕書，俾盡讀之，以此漢聞學益進。西亭故好客，四方知名士畢集門下，西亭等夷視之，獨於漢聞有加禮，呼爲先生，而諸名士亦俱心折漢聞，羣以阮先生稱之。於是阮先生之名重河南北。西亭死，漢聞鬱鬱不自得，乃徙居尉氏，聚徒教授。（畿輔唐志。）時有詔徵遺逸，（宛平王志。）巡按御史李日宣上其名，不報。（畿輔唐志。）崇禎末，流寇大起，漢聞於是料賊情形與山川阸塞，爲設伏防禦方畧圖上當事。又見諸帥驕蹇不用命，大興張志。憤恨曰：諸君，婦人也，婦人猶有自奮殺敵者。畿輔唐志。乃取古婦女以武勇著，編爲女雲臺書以羞之。大興張志。乃賊攻尉氏，漢聞已卧病，猶據牀畫地爲守禦方略。賊聞其名，下令必生致之。城陷，被擒。大駡不屈而死。時年七十。畿輔唐志。

朱之馮，字樂三，號勉齋，大興人。明季北略三十。案：北學編云，之馮名之翰，字德正。爲諸生時，即見知於楊漣、左光斗。東林列傳。天啟五年進士，授户部主事，北學編三。榷税河西務。課羸，貯公帑無所私。明史列傳。時逆閹魏忠賢用事，遣其爪牙督理漕事，勢張甚，之馮略不爲禮。其人見之馮年少，風骨棱棱，咋舌而去。丁父艱，歸里，襄事後，鍵户讀性理諸書，每言爲聖人之學，舍此無由。服闋，北學編三。起故官，進員外郎，坐罣誤，謫浙江布政使理問，稍遷行人司副，歷刑部郎中、浙江驛傳僉事、青州參議。明史列傳。時海右戒嚴，之馮率屬沿岸修治墩堠，造甲仗火器。北學編三。盜劫沂水民，株連甚衆，之馮捕得真盜，大獄盡解。禽治樂安土豪李中行，權貴爲請，不聽。進副使，明史列傳。齎表入京，頓家屬於濟南。俄城陷，東林列傳。妻馮匿姑及子於他所，而自沈於井。姑李聞之，爲絶粒而死。柩還，之馮廬墓側三年。明史列傳。母死以正月二日，自是每元旦守母位，啜粥飲水，過十五日，蓋痛母露骸半月方葬也。東林列傳。辛巳，起補山西副使。以馮宜人節烈，不復娶，北學編三。亦不置妾媵，一室蕭然，明史列傳。衣布茹素，如廬墓時。河東與秦、豫接壤，烽火無虛日，之馮飭備甚嚴。宗室朱全宇，招納亡命，焚掠村社，遥與秦中賊通。撫、按以其宗室，不敢問。之馮知廢弁謝鳴進與善，召之膝前，諭以大義，遂擒全宇殺之。之馮當戎馬倥偬，建河東書院，與諸生講經史，著在疚記。北學編三。十六年正月，擢右僉都御史，巡撫宣府。明史列傳。宣府去京師不四百里，而法令久弛，兵將皆不習戰。之馮至，則劾庸懦，補虛伍；史外十。時坐明倫堂，召諸生講學，激發忠義。東林列傳。司餉主事張碩抱以剋餉激變，羣縛碩抱。明史列傳。之馮出，即撫定，誅首惡七人，東林列傳。劾碩抱下吏，軍情帖然。明史列傳。甲申春，賊氛漸逼，兵部主事金鉉上疏，謂宣府京師屏藩，請亟撤内監掣肘，專任之馮。之馮忠勇，必足辦也。不報。東林列傳。二月八日，聞太原陷，蔡懋德死，之馮設位哭。二月二日，聞甯武陷，周總兵遇吉舉家巷戰死。之馮歎曰：此真男子也！北學編三。三月，大同陷，之馮集將吏於城樓，設高皇帝位，歃血誓死守，明史列傳。諭軍民毋聽賊誘。東林列傳。時宣鎮總兵王承允，已潛遣騎齎降表迎賊，而之馮尚勞苦登陴。中官杜勛見之馮，叩頭請以城下賊，之馮大駡，勛不答，笑而去。俄賊且至，勛蟒袍鳴騶、迎三十里之外。之馮登城太息，見大礮，語左右：爲我發之！默無應者。自起爇火，則礮孔釘塞，或從後掣其肘。之馮撫膺歎曰：不意人心至此！仰天大哭。賊從南門入，言賊不殺人，且免徭賦，則舉城譁然皆喜，結綵焚香以迎。左右欲擁之馮出，之馮叱之（明史列傳）曰：離此一步非死所！遂易公服，登北城樓，縊死。豫具遺疏，勸收人心，培節義。收人心在愛民力，愛民力在拔廉官。又作書與金鉉別，且戒子弟當讀經世書，呂新吾呻吟語不可不讀。疏上三日，而都城陷。之馮死時，甲申三月十一日也。（東林列傳。）賊棄屍濠中，犬日食人屍，獨之馮無損。（明史列傳。）十四日，始有好義者收殮之。（明季北略二十。）福王時，贈之馮兵部尚書，謚忠壯。（明史列傳。）子永慶。

永慶字長源，以字行，大興諸生。乙酉夏，豫王下江南，郡縣推長源起義，兵敗被執，隸正黄旗，儆宣府人姜納吾居。長源修幹美髯，倜儻負氣節，性佞佛，嘗搭七條戒衣，人目爲三教總持。王聞而賢之，賜以婦人，輒辭不受。掌科楊某死於難，夫人華墮德姬隊，王嘗以賜人。華薙髮以拒。或以告長源，頷之。王既賢長源，兹欲賜以婦，遣入德姬隊，恣所擇。長源既聞楊夫人墮是院也，遂弗辭。見裹佛巾者，大言曰：予大興故殉難巡撫朱之馮子也。熟視而自引其服曰：若道裝，予亦道裝，大興達毘陵，程易與耳。毘陵者，華故里也，以此言微動之。華知其非常人，欲資以上掌科墓也，亦弗辭。長源以歸納吾家，向夕，華叩長源曰：君脱難人于厄，哀難人否？長源曰：爲全夫人節，非特哀之而已。是時，納吾伏童奴數輩偵兩人，而長源據椅誦佛，燭且盡，聲益高，至曉聲不輟。童奴報，納吾異之，不言。抵夜，復令童奴再伺。長源誦如初。納吾又不言。三夕伺之，又復如初。則納吾晨興盥洗更衣，候門啟，抱長源足，叩頭呼活佛。徐曰：君既不近婦人，何贅疣此一受爲？長源曰：此搢紳婦，吾非欲妻之，欲完若璧以歸，恐機洩弗果吾願，故且司室；然非誦佛，無以明心，不意爲君偵得，幸爲我諱，毋敗機事也。納吾曰：君誼動鬼神，毋復夕夕苦君，爲治別室，遣老姬侍楊夫人。日奉兩人如佛矣。久之，聞於王，王愈益賢長源。召長源曰：公誠異人，吾爲公合浮屠尖。趣長源令華具書達毘陵，以其母與其弟來，王資送之還平江。踰年，長源示微疾，跏趺而化。史外二十八。

劉文炳，字淇筠，宛平人，孝純劉太后姪也。一統志。祖應元，娶徐氏 生孝純皇太后，爲烈皇帝生母，後封瀛國太夫人者也。子效祖、繼祖。效祖娶杜氏，生子三：文炳、文耀、文炤。史外十三。帝即位，封效祖爲新樂伯，歷代名臣言行錄二十四。崇禎八年卒。明史外戚傳。文炳嗣焉，晉新樂侯。母夫人杜氏賢，每謂文炳等曰：吾家無功德，直以太后故，受此大恩，當盡忠報天子。帝遣文炳視鳳陽祖陵，密諭有事上聞。及歸，奏史可法、强國維忠正有方略，宜久任，必能滅賊。後兩人俱殉國難。歷代名臣言行錄。文炳謹厚，不妄交，獨與宛平太學生申湛然、布衣黃尼麓及駙馬都尉鞏永固善。時天下多故，流賊勢益張。文炳與尼麓等講明忠義，爲守禦計。及李自成據三秦，破榆林，將犯京師。文炳知勢不支，慷慨泣下，謂永固曰：國事至此，我與公受國恩，當以死報。十七年正月，帝召文炳、永固等問國事，二人請早建藩封，遣永、定二王之國，明史外戚傳。一封山東，以屏翰神京；一封四川，地險而富，可以爲後圖。上是之。以内帑乏，遲其行。三月初八日，聞闖賊李自成將逼京師，京營兵未議城守，唯中府派分文武勳戚，坐守京城内外皇城諸門。繼祖守皇城東安門，文耀守外城永定門，魏叔子文集十七。文炳以繼祖、文耀皆守城，未有職事。十六日賊攻西直門，勢益急，尼麓踉蹌至，謂文炳曰：城將陷，君宜自爲計。明史外戚傳。家人環而泣。繼祖自東直門至，與妻訣，貯草薪所居樓下。魏叔子文集。又念瀛國太夫人年篤老，不可俱燼，因與文炳計匿之。明史外戚傳。以文炤付蒼頭。文炤不肯去。魏叔子文集十七。十八日，帝密召文炳及永固。文炳白母曰：有詔召兒，兒不能事母。母拊其背曰：太夫人既得所，我與若妻、妹死耳，復何憾！文炳偕永固謁帝，時外城已陷，歷代名臣言行錄。上曰：能爲朕一巷戰乎？兩臣對曰：今止臣等親隨數騎耳，其何以戰！上曰：至是耶？朕志決矣。於是君臣相向哭。綏寇紀略補遺中。上起，二人趨出。魏叔子文集。文炳歎曰：身爲戚臣，義不受辱，不可不與國同難。明史紀事本末八十。其女弟適李，年未三十而寡，文炳召之歸，與文耀擇一大井，，驅男女子孫及其妹十六人，盡投於内。閉門，令餘悉入樓，積薪縱火焚之。明季北略二十七。出，馳至崇文門，永固射賊，文炳助之。歷代名臣言行録。俄而賊大至，文炳顧永固曰：吾與君畢命此賊。時黄尼麓在側，曰：滿城皆賊，守此何益！當速歸焚府第也。二人遂各馳去。文炳至第，火烈不得入，魏叔子文集。走省瀛國太夫人於申湛然家。黄尼麓亦至，曰：鞏都尉焚府自刎矣。史外十三。文炳頓足曰：鴻圖先我耶？將投井，魏叔子文集。顧其影乃戎服，曰：此軍容，不可以見皇上地下。索冠服不得，得他冠而小，裂之乃得冠，遂投井死。綏寇紀畧中。繼祖歸，亦投井死。初，文耀見外城破，突出至渾河，聞内城破，復入，見第焚，大哭曰：文耀未死，以君與母在，今至此，何生爲！遂覓文炳死所，大書版井旁曰：左都督劉文耀同兄文炳畢命報國處。亦投井死。闔門死者四十二人。明史外戚傳。太夫人以匿湛然家得全。按：明季北略云，太夫人時年九十，亦投井死，與此互異。南都贈文炳太師、恒國公，謚忠壯；弟文耀贈太保，謚忠果。明季北略二十一。

鞏永固，字洪圖，順天大興人。明季北略二十一。尚樂安公主，一統志。爵駙馬都督。善騎射，好詩，工書。魏叔子文集十六。喜飲酒，而樂與賢人名士游，慷慨多大節。史外十四。性喜讀書，御史李清過書肆，見皇明泳化篇，命易歸。書客故高其價，李曰：緩之。及旋騎再訪，則曰：鞏駙馬易去矣。李心識之，曰：駙馬皆豪華自喜，渠所好乃爾耶？歷代名臣言行録二十四。崇禎末，上疏請肄業太學，帝褒答之。一統志。總督趙光抃以邊事繫獄，特疏申救。又請復建文皇帝廟謚，事雖未行，時論韙焉。明史公主傳。與新樂侯劉文炳爲刎頸交，都下稱戚畹之賢者，必曰劉、鞏。魏叔子文集。甲申春，賊破宣、大，李邦華請太子南遷，爲異議所格。明史公主傳。永固入朝，上問救時切務，永固說上南遷，請衛馭以從，力可召募義兵數萬，寇亂不難平也。上曰：義兵何易？永固曰：豈獨數萬，果如臣策，即數十萬，度可必致。若徒守京師，京師已玩弊久，祇坐困，無益也。上不聽。及寇逼外城，上密召永固曰：卿向說朕南行，能集兵數萬，今猶及乎？永固曰：今無及矣。上曰：卿尚言可致數十萬，何乃云無？永固曰：暇日人易集，今事急，人心盡亂，雖一卒亦難致也。時新樂侯劉文炳並在，上因言：兩卿各率家丁護從南行可乎？劉、鞏並曰：家丁何足以當賊鋒！況臣家素謹，不敢私蓄家丁。甲申傳信録三。帝愕然。永固曰：臣等已積薪第中，當闔門焚死，以報皇上。明紀五十七。乃出。日晡，太監啟彰義門，賊盡入，外城陷。永固射賊，文炳及楊光陛助之，殺賊數人。明紀五十七。文炳入告母。永固匹馬至庭前，著白戎服，束弓矢，見文炳，下馬哭拜於地曰：城内無守，外無援，吾輩世受國恩，當自殺爲厲鬼殺賊耳。特與兄訣，吾當死信地。即馳去，魏叔子文集十六。欲從帝突圍出，不得。歸家殺其愛馬，焚其弓刀鎧仗，大書八字於壁曰：世受國恩，身不可辱。明季北略二十一。見蒼頭在側，曰：汝留此何爲？對曰：侍主人死。手摘所服戎帽金頂與之，命取酒至，以一杯北向酹地拜皇上，一杯酹公主，自飲一杯，曰：此永固報陛下、殿下時也。史外十四。時公主已薨，永固以黃繩縛子女五人，繫柩旁，曰：此帝甥，不可污賊手。綱目三編三十九。盡取所賜古玩書畫，環繞殯宫，縱火焚死，然後自縊。一云自刎。明季北略二十一。南都贈少師，謚貞愍。歷代名臣言行録。國朝順治九年，追謚忠烈。綱目三編三十九。

成德，字元升，先世晉之霍州人，明成介愍公墓碑。依舅氏占籍懷柔。明史列傳。少倜儻，負大志，常以椒山自命。墓碑。爲諸生時，璫燄熾，嘗讀文文肅公擊奸疏，輒斫几狂叫，心儀而足躡之。明季北略二十二。崇禎四年進士，畿輔唐志七十六。原名張成德，奉旨復姓。明季北略二十二。除滋陽知縣。性剛介，清操絶俗，明史列傳。有廉能聲。明季北略二十二。文震孟入都，德郊迎，執弟子禮。語刺温體仁，體仁聞而恨之。兖州知府增餉額，德固争，又嘗捕治其爪牙吏，知府怒，讒於御史禹好善，好善，體仁客也，誣德貪虐，逮入京。滋陽民詣闕訟寃，震孟在閣，亦爲之稱枉。德道中具疏論體仁罪。明史列傳。好善再劾德，言其疏出震孟手，帝不之究。歷代名臣言行録二十四。德母張，伺體仁長安街，繞輿大駡，拾瓦礫擲之。體仁恚，疏聞於朝，詔五城御史驅逐，移德鎮撫司掠治，杖午門下，坐贓六千有奇，畿輔唐志。謫戍榆陽，而家寓居順義。時大兵破其城，家人皆避入地窨。父文桂曰：豈有男女並入一窟中乎？終不以顛沛違禮。兵至，遇害。妹及妾蕭氏、童氏皆縊死。後十日，德出獄至家，一慟甫畢，旋赴戍所。而妾劉氏及女終以追贓逼死於家。明季北略二十四。德居戍所七年，用御史詹兆恒薦，起知如皋，尋擢兵部主事。德以母老，三疏力辭，不允，畿輔唐志。乃就道。明史列傳。轉車駕司員外郎。痛心時事，以幼子夢來託同門友王重，誓以身殉。既受事，益究心戎略，爲國家桑土計。明季北略二十二。上言：年來中外多故，居官者爵禄迷心，廉恥道喪，陛下御極十七年，何仗節死義之寥寥也？宋臣張栻有言，仗節死義之臣，當於犯顔諫静中求之。夫犯顔諫静何難？在朝廷養之而已。表厥宅里，所以伸忠臣孝子於生前，殊厥井疆，所以誅亂臣賊子於未死。苟死敵者無功，則媚敵者且無罪，死敵者褒揚不亟，則從賊者恬而不知畏也。明史列傳。上爲之動容。明季北略二十二。甲申三月，寇圍京師，即致書同年馬世奇曰：主憂臣辱，我等不能匡救，貽禍至此，惟有一死以報國耳。明史紀事本末八十。質以慷慨、從容二義。明季北略五十七。未幾，城破，不知帝所在，旁皇廳事。已，趨至午門，見兵部尚書張縉彦自賊所出。德以頭觸縉彦，且詈之。俄聞帝崩，明史列傳。梓宮暴露東華門。德以雞酒哭奠梓宮前，明史紀事本末八十。觸地流血；賊露刃脅之，不爲動。明史列傳。歸寓，跪母張氏前慟哭。明史紀事本末八十。母曰：吾知汝意矣。綏寇紀略補遺中。兒爲忠臣，吾獨不能爲忠臣之母乎！入室自縊死。有妹年二十餘，未嫁，德顧之曰：我死，汝何依？妹曰：兄死，妹請前。德稱善，哭而視其縊，明史列傳。然後自殺。綏寇紀略補遺中。福王時贈光禄卿，諡忠毅，畿輔唐志。祀旌忠祠。明季北略二十二。本朝賜諡介愍。明史列傳。

金鉉，字伯玉，其先武進人，占籍順天之大興。東林列傳。祖汝升，南京户部郎中。父顯名，汀州知府。明史列傳。鉉少有慧質，讀書目數行下，北學編三。以聖賢自期許。年十八，舉鄉試第一。（歷代名臣言行録二十四。）明年戊辰，成進士。（北學編三。）自以爲不習吏事，（東林列傳。）改揚州府教授，（明史列傳。）曰集諸生講濂洛之學，燕居言行，俱有規格，被服造次，居然老成，人比之胡安定。（東林列傳。）轉國子監博士，陞工部主事。（北學編三。）帝方鋭意綜覈，疑廷臣朋黨營私，度支告匱，四方亟用，兵餉不敷，遣中官張彝憲總理户、工二部，建專署。（明史列傳。）鉉曰：此天下存亡之機也，奈何誅一忠賢，復任一忠賢！且我爲工曹，必將屬視我矣。乃抗疏言：彝憲既有獨踞之處，必强二部郎官匍匐進謁，挫士氣，辱朝廷，（史外十四。）廉恥不可不維，浮費不可不惜。不報。（北學編三。）而總理已建署，與其黨議接郎官禮。或曰，視尚書當稍倨。（東林列傳。）果檄郎官以謁尚書儀注見。鉉復上疏固争之，且集諸郎官倡議曰：職事可令掾吏移之，吾曹有一人登彝憲堂，即屬彝憲假子，毋許入孔子廟堂。提吾靴擲腫其面，辱之朝堂。於是諸郎官詣尚書，各以公事出。彝憲入新署，扇導呵殿如尚書，闢堂皇，南面據案，黄衫緹衣列侍階下，吏抱文書雁鶩行俟命者左右數十百人，而曹郎無一至者。（史外十四。）彝憲愠甚。鉉當榷税杭州，辭疾請假。彝憲摭火器不中程，劾鉉落職。（明史列傳。）歸，家居與弟錝（東林列傳。）閉户讀書，（北學編三。）躬爨以養父母。（明史列傳。）自題所居曰狷菴，專讀程朱書，（東林列傳。）學日益邃。或詢以宗旨，正色曰：日用躬行，未之有得，何宗旨爲？（畿輔唐志。）性至孝，父嘗病，衣不解帶者數月。父卒於丹陽，號泣奔喪，煢然骨立。服除，（北學編三。）壬午冬，上御文華殿，命科臣舉清官，以孫承澤薦，起鉉，補兵部主事，分守皇城。東林列傳。聞大同陷，疏曰：宣、大，京師北門，大同陷則宣府危，宣府危則大事去矣。請急撤回中官，專任巡撫。不報。明史列傳。已而宣之迎賊者，果中官杜勛也。明儒學案。京師陷，痛哭，急趨入朝，見宫人狂奔，知帝已崩，解牙牌，北向四拜，投金水河。從者力挽之，奮臂躍入，死。通鑑輯覽一百十六。賊踞大内，月餘始去。金水河冠袍泛泛見水上，内官羣指之曰：此金兵部也。弟鋐辨其屍，驗網巾環，得鉉首歸，合以木身，如禮而殮，事竣，自經。明史列傳。初，鉉巡視，每過御河，輒流連不能去。卒後，家人簡其書籍，壬午晦日讀邵子記，其後曰：甲申之春，定我進退，進雖遇時，外而弗内，退若苦衷，遠而弗滯，外止三時，遠不卒歲，優哉游哉，庶殁無世。至是而驗。鉉曾問學於蕺山，明儒學案。生平訥訥然如不出口，篤志力行，惟義所在，則千萬人不可奪，真所謂學道人歟！北學編三。著有語録傳於世。學者稱狷菴先生。東林列傳。福王時贈太僕少卿，謚忠節。畿輔唐志。本朝賜謚忠潔。明史列傳。

王承恩，字君弼，順天人。爲司禮監秉筆太監。畿輔唐志七十六。崇禎十五年十一月壬申，大清兵分道入塞，京師戒嚴。命勳臣分守九門。承恩督察城守。明史莊烈帝紀。上屢夢神人書一有字於其掌中，覺而異之，宣問朝臣，衆皆稱賀，謂賊平之兆。獨承恩大哭。羣臣愕然，上亦驚問。承恩曰：皇上赦奴婢不死，始敢言。上曰：汝無罪，直言無隱。承恩奏曰：以奴婢推之，神人顯告我皇，大明江山將失過半。上詰之。承恩叩首曰：蓋有字上半截是大字少一捺，下半截是明字少一日，合而觀之，大不成大，明不成明，殆大明缺陷之意。神人示以賊寇可虞之幾，願皇上熟思之。上不懌。明季北略十五。十七年三月，李自成犯關中，命承恩提督京營。是時事勢已去，城陴守卒寥寥，賊架飛梯攻西直、平則、德勝三門，承恩見賊坎牆，急發礮擊之，連斃數人，而諸璫泄泄自如。帝召承恩，令亟整內官，備親征。明史列傳。日晡，太監曹化淳啟彰義門，賊盡入，外城陷，羣閹皆降。明紀五十七。急詔承恩入與語，語密，外不得聞。頃之，命酒，同飲。承恩泣曰：受陛下深恩，惟一死以報萬一！帝微服持槍，命承恩從，畿輔唐志。奪門不得出。甲申傳信録三。是夕上不能寢。內城陷，一閹奔告，上曰：大營兵安在？答曰：大營兵散矣。上卽同承恩幸南宮，登萬歲山，望烽火燭天，徘徊踰時，回乾清宮。明史紀事本末七十九。天將曙，鳴鐘集百官，無至者。明紀五十七。遂仍回南宮，登萬歲山之壽皇亭自經。明史紀事本末七十九。承恩縊於側。明紀五十七。自成得其屍，殮之。甲申傳信録三。福王時謚忠愍。本朝賜地六十畝，建祠立碑，旌其忠，葬故主陵側。明史列傳。

高時明，永清人，初名日升，賜名時明。十五歲入內庭。熹宗朝，掌內官監印務。侍經筵講官孫承宗謂時明曰：民間家塾，朝夕考究，猶慮不熟，今上縱聖明，恭默無一問難，臣下踖踧而退，何由熟也！與若約，上問某句，講官通俗細解，啟發問難，是在若等。時明善之曰：公欲致君堯舜，請復午講，何如？格於東廠，不果行。時明亦求退，杜門不出。懷宗入繼大統，三召就命。一日御批令票擬章奏，時明曰：票擬之權，豈可假内官乎！旨從中出，萬世後有累聖德。上弗聽。時明竟日不食，上爲感悟，詔毁批。時明曰：皇上御批，臣安敢毁！上書純忠二字賜之。後因病乞休。甲申之變，逆闖薄都城，時明預令人厝棺於東廠。城陷之日，正衣冠，拜天辭闕，大書於堂壁曰：司禮監掌印太監高時明率門下李繼善等合門死節。三月十九日辰時書。書畢，卧棺中，令蓋棺。李繼善等十人環泣畢，縊死，舉火焚堂。又其徒方正化者，監保定軍，拒賊，衆寡不敵，死；李憲章守城死。前後守節十二人。逆遁後，時明徒魏國徵等拾骸骨於灰燼中，葬西直門外七十里九龍山。容城孫奇逢表其墓。永清吳志。

申湛然，大興諸生。與布衣黄尼麓、新樂侯劉文炳、駙馬鞏永固相友善。四人者，平居過從，見時事日非，相對輒潸然泣下。李自成圍京師，永固守皇城門。文炳方在第，坐梨花樹下，尼麓踉蹌入曰：賊攻西直門甚急，門且破，府中宜早爲計。文炳乃急命弟文耀往託瀛國太夫人於湛然家。及城破，文炳、永固同殉難。湛然匿太夫人甚祕，爲細人所發。賊執湛然，拷掠備至，堅不言。賊怒，乃置湛然於木机上，壓以礮石，七竅流血，死，終不言太夫人所在。尼麓亦坎壈以死。畿輔唐志七十六。

劉孝子德瀇，涿州人，鴻臚寺鳴贊劉源汴子，甲申傳信録七。以監生入國子監。涿州吴志。流賊破京師，按京朝官及選人諸籍，悉名索之，或走，或徙，指蹤株引，必獲而後已。連繫毒笞，以責貢獻，號曰追贓，又謂之淘物。或立斃，或賂而免，或受其賂而又殺之。方是時，源汴名亦在索中。德瀇匿源汴他所，而身自詣賊曰：劉鳴贊即我是也。賊拷責數百，德瀇默無言，久之，度父已遠去，乃奮起叱咤駡賊。賊怒，杖殺之。而源汴竟行遯，没齒不出。錢儀吉涿州劉孝子傳。

史可法，字憲之，號道鄰，大興籍，祥符人。東林列傳。世錦衣百户。祖應元，舉於鄉，官黄平州知州，有惠政。語其子從質曰：我家必昌。從質妻尹氏有身，夢文天祥入其舍，生可法。明史列傳。聰穎異常，數歲時，短衣無火，寒涕交頤，然好誦讀，受書輒求益，數倍常兒。左光斗視學京畿，一日風雪嚴寒，從數騎出微行，入古寺，廡下一生伏案卧，文方成草，光斗閲畢，即解貂覆生，爲掩户，叩之寺僧，則可法也。及試吏呼名至，光斗瞿然注視呈卷，即面署第一，召入使拜夫人，曰：吾諸兒碌碌，他日繼吾志事，惟此生耳。可法爲人軀小貌陋，不稱其衣冠，語不能出口，然有大志，好經世方畧。東林列傳。崇禎元年進士，明史列傳。初授陝西西安府推官。時洪承疇才畧過人，在陝大得民心，可法亦效之，治聲日起。召爲户部雲南司主事，歷員外，掌户科。尋陞安池兵備道，轉江西右參議兼僉事，協理勦寇軍務，才望益著。擢都察院右僉都御史，巡撫安徽。廉公勤果，信賞必罰，將士皆爲用命。提軍數與賊戰，賊輒奔潰。當是時，史都堂之兵號稱强。在軍中與士卒同甘苦，臨陣以身先之，矢必死。所衣布袍，偏書己姓名，曰：戰殁後，可易識也。丁父憂，讀書城外，素冠麻絰，遇者不知其爲貴人。或竊聽其誦書朗朗，多匡濟天下語，亦不知其何書也。東林列傳。服闋，起户部右侍郎兼右僉都御史，代朱大典總督漕運，巡撫鳳陽、淮安、揚州。劾罷督糧道三人，增設漕儲道一人。大濬南河，漕政大釐。拜南京兵部尚書，參贊機務。因武備久弛，奏請更行八事。十七年四月朔，聞賊犯闕，誓師勤王。渡江抵浦口，聞北都既陷，縞衣發喪。明史列傳。遂議立君。鳳督馬士英者，逆黨也，主福王。福王與東林有郤，欲資以傾正人，翻逆案。可法謂王有失德，持不可。而士英握重兵，與諸將深相結，連營江上，勢張甚。諸大臣懼爲亂，不敢違，如士英旨。史外十八。可法不得已，乃以福王名告廟。乙酉，逆王於江浦。丁亥，百官迎見於龍江關。王素服角帶，哭。五月戊子朔，王謁孝陵、奉先殿，出居内守備府。羣臣入朝，王色赧欲避。可法曰：王毋避，宜正受。朝議戰守，可法曰：王宜素服郊次，發師北征，示天下以必報讎之義。王唯唯。明日再朝，出議監國事。張慎言曰：國虚無人，可遂卽大位。可法曰：太子存亡未卜，儻南來，若何？劉孔昭曰：今日既定，誰敢復更！可法曰：徐之。又明日，王監國，以可法爲東閣大學士，入閣辦事。（通鑑輯覽一百十六。）可法定營制，如北都故事。侍衛及錦衣衛諸軍，悉入伍操練。錦衣東、西兩司房及南、北兩鎮撫司官，不備設，以杜告密，安人心。又議分江北爲四鎮。（明紀五十八。）復奏請設督師於揚州，節制諸將。舉朝方倚可法爲重，而士英挾擁立功，恣爲奸。忌可法位出其上，迫腋肘，欲不得逞，遂擠之。因言於朝曰：史公任巖疆，屢建奇勳，淮南士民仰史公盛德，不啻如神明、慈父，今日之任，舍史公其誰！可法曰：東西南北，惟君所使，吾豈惜頂踵，私尺寸，墮軍實而長仇敵！願受命去。（史外十八。）遂請出鎮。（明史列傳。）既啟行，即遣使訪大行帝后梓宮及太子、二王所在。（明紀五十九。）奉命祭告泗、鳳二陵，上疏曰：陛下踐祚初，祇謁孝陵，哭泣盡哀，道路感動。若躬謁二陵，親見鳳、泗蓬萊滿目，雞犬無聲，當益悲憤。願慎終如始，處深宮廣廈，則思東北諸陵魂魄之未安；玉食大庖，則思東北諸陵麥飯之無展；膺圖受籙，則思先帝之集木馭朽，何以忽遘危亡；早朝晏罷，則念先帝之克儉克勤，何以卒墮大業！戰兢惕厲，無時怠荒，二祖列宗，將默佑中興；若晏處東南，不思遠略，賢奸無辨，威斷不靈，老臣投簪，豪傑裹足，祖宗怨恫，天命僭移，東南一隅未可保也。王嘉答之。（名臣言行録二十四。）可法督師揚州也，本朝已定鼎燕京，中原震疊，諸將莫有固志。四鎮惟黄得功忠勇善戰，而高傑故降將，又爭據揚州，失人心，劉澤清、劉良佐輩，皆養寇自重，左良玉擁兵跋扈，不奉朝命。可法力支危疆，經營軍務。史外十八。比大清兵已下邳、宿，飛章告。士英謂人曰：渠欲敘防河將士功耳。慢弗省。是爲大清順治之二年正月。明史列傳。興平伯高傑進兵歸德，許定國方駐睢州。明紀五十八。傑至睢州，爲定國所殺，部下兵大亂，屠睢旁近二百里殆盡。變聞，可法流涕頓足歎曰：中原不可爲矣！明史列傳。於是大梁以南皆不守。衞允文承馬士英指，疏誚可法。士英即擢允文兵部侍郎，總督興平軍，以分其權。可法益不得展布。明紀五十八。四月二十三日甲戌，大清兵渡淮，如入無人之境。二十四日，大清兵猝至揚州。明季南略八。可法檄諸鎮來援，皆觀望不赴。攻圍甚急，可法屢疏告警，不應；血書請援，又不應。史外十八。知事不支，召副將史得威入，相持大哭。得威曰：相國爲國殺身，得威義當同死。可法曰：吾爲國亡，汝爲我家存。吾母老矣，而吾無子，汝爲吾嗣，以奉吾母，我不負國，汝無負我。得威泣拜受命。可法復囑之曰：吾死，汝當葬我於高皇帝之側，其或不能，梅花嶺可也。復操筆書曰：可法受先帝恩，不能雪仇恥；受今上恩，不能保疆土；受慈母恩，不能全孝養；遭時不造，有志未伸，一死以報國家，固其分也，獨恨不早從先帝於地下耳！書畢，付得威，乃登陴，指揮諸將。城西北崩，兵入，史外十八。可法拔劍自刎，不死。一參將擁可法出小東門，遂被執。可法大呼曰：我史督師也！遂殺之。可法爲督師，行不張蓋，食不重味，夏不箑，冬不裘，寢不解衣。明史列傳。督師所至，凡有技能獻書言事者，闢禮賢館廩餼之，冀拔真才，備緩急。史外十八。年四十餘無子，其妻欲置妾，太息曰：王事方殷，敢爲兒女計乎！歲除遣文牒，至夜半，倦索酒卮，人報殽肉已分給將士，無可佐者，乃取鹽豉下之。可法素善飲，數斗不亂，在軍中絕飲。是夕進數十觥，思先帝，泫然淚下，憑几臥，比明，將士集轅門外，門不啟，左右遥語其故。知府任民育曰：相公此夕臥，不易得也。命鼓人仍擊四鼓，戒左右毋驚相公。須臾，可法寤，聞鼓聲，大怒曰：誰犯吾令？將士述民育意，乃獲免。嘗子處鈴閣或舟中，有言宜警備者，曰：命在天。可法死，明史列傳。得威既被執，乃曰：我史可法子也。釋之。急收可法遺體，而天暑，衆屍皆蒸變，不能辨識，痛哭歸。明年三月，奉衣冠及笏，史外十八。招魂葬於揚州郭外之梅花嶺。其後四方弄兵者多假其名號以行，故時謂可法不死云。明史列傳。

閻應元，字麗亨，順天通州人。崇禎中，明史列傳。以吏員除江南江陰縣典史。畿輔唐志七十六。十七年，海賊顧三麻入黃田港，應元往禦，手射殺三人，賊退，以功遷英德主簿，道阻不赴，明史列傳。寓居縣之東鄉。應元爲人，畿輔唐志。偉軀幹，面蒼黑，微髭，性嚴毅，史外二十四。有智畧，好騎射。其居東鄉也，率鄉勇一千，以保一鎮。順治二年，本朝大兵破江甯，列城皆下。畿輔唐志。閏六月朔，諸生許用倡言守城，遠近應者數萬人。典史陳明遇主兵，用徽人邵康公爲將，而前都司周瑞龍泊江口，相犄角。戰失利，大清兵逼城下，明史列傳。勢危急，明遇謂衆曰：吾智勇不如閻君，此大事，須閻君來。則夜馳騎往迎應元。應元投袂起，率衆丁十四人，夜馳入城。史外二十四。請設高皇帝位，勵衆以大義，衆皆哭，願以死效。畿輔唐志。當是時，城中兵不滿千，户纔及萬，又餉無所出。應元至，則料尺籍，治樓櫓；令户出一男子乘城，餘丁傳餐。發前兵備道曾化龍所製火藥、箭，貯堞樓。勸諭巨室，令曰：輸不必金，出粟、菽、布、帛及他物者聽。於是圍城中有火藥三百罌，鉛丸、鐵子千石，他酒酤、鹽、鐵、芻藁稱足。史外二十四。將四門分堡而守。城門用大木塞斷。一人守一堞，如戰，則兩人守之，晝夜輪換。十人一面小旗，一銃；百人一面大旗，一紅衣砲。初間夜兩堞一燈，繼而五堞一燈，初用燭照，繼用油，又以飯和油，則風不動，油不潑。每上瓦四塊，磚石一堆。明季南略九。部署甫定，而外圍合。當是時，大兵薄城下者已十萬，列營百數，四面圍數十重，引弓仰射，頗傷城上人。而城上礧礮機弩乘高下，大兵殺傷頗衆，乃架大礮擊城，城垣裂，應元命用鐵葉裹門板，貫鐵絙護之，取空棺實以土，障潰處。又攻北城，北城穿，下令人運一大石塊於城內，更築堅壘，一夜成。會城中矢少，應元乘月黑，束藁爲人，竿一燈，立睥睨間，匝城兵士伏垣內擊鼓叫噪，若將縋城砍營者。大兵驚，矢發如雨。比曉，獲矢無算。又遣壯士，夜縋城入營，順風縱火，軍亂，自相蹂踐相殺，死者數千。大兵卻，離城三里止。營帥劉良佐擁騎至城下，呼曰：吾與閻君雅故，爲我語閻君，欲相見。應元立城上與語。劉良佐者，故宏光四鎮之一，封廣昌伯，降本朝爲總兵者也。遥語曰：宏光已走，江南無主，君早降可保富貴。應元曰：某明朝一典史耳，（史外二十四。）死何足惜！汝受朝廷封爵，今日反來侵逼，汝心何心！良佐慚而去。（明季南略九。）及松江破，大兵來益衆。（明史列傳。）八月望，應元給錢與民賞月，（明季南略九。）令善謳者曼聲謳之，歌聲與刁斗聲相應，竟三夜罷。大兵既覘城中無降意，攻愈急，梯衝死士鎧胄皆鑌鐵，刀鋒及之，聲鏗然，鋒口爲缺。礮聲徹晝夜，百里内地爲之震。城中死傷日積，巷哭相聞。應元慷慨登陴，意氣自若。（史外二十四。）夜巡城，見有睡者，以箭穿耳，軍令肅然。二十一日，（明季南略九。）大雨如注，至日中，有紅光一縷起土橋，直射城西。俄城陷，大兵從煙焰霖雨中蜂擁而上。應元率死士百人馳突巷戰者八，所當殺傷以千數，再奪門，門閉，不得入；度不免，（史外二十四。）至睢陽廟，奮聲大呼，自沈於溪，溪淺，（畿輔唐志。）水不没頂。而劉良佐令軍中必生致，遂拽出。良佐見應元至，躍起持之哭。應元笑曰：何哭！事至此，有一死耳。一卒持鎗刺之，貫脛，脛折，踣地大呼：速斫我！不絶口，遂死之。（史外二十四。）子晞，後以株連坐罪。晞妻王死最烈。乾隆間，賜應元謚忠烈。道光十七年，知州李宣範爲建專祠。（通州高志。）

米壽圖，字青坪，宛平人。畿輔唐志。崇禎舉人，授新鄉知縣。一統志。土寇來犯，督吏卒破走之，斬首千二百餘級。明史忠義傳。治甚有聲，以禦賊功，擢南京御史。畿輔唐志七十六。十五年四月，極論監軍張若騏罪，言：若騏本不諳軍旅，諂附楊嗣昌，遂由刑曹調職方。督臣洪承疇孤軍遠出，若騏任意指揮，視封疆如兒戲，虛報大捷，躐光禄卿，冒功罔上，恃鄉人謝陞爲内援。陞奸險小人，非與若騏駢斬，何以慰九廟之靈！會廷臣多糾若騏，遂論死，陞亦除名。明史忠義傳。先是，廷臣請練邊兵，楊嗣昌定議宣府、大同、山西、延綏、甯夏、甘肅、固原、臨洮、遼東、薊鎮、保定，凡練七十三萬有奇，明紀五十五。擾民特甚。壽圖疏陳利害，又言：往時督撫多用京卿，今封疆不靖，遇卿貳則爭先，推督撫則引避，宜嚴加甄别，内外兼補。明史忠義傳。劾偏沅巡撫陳睿謨、廣西巡撫林贄貪劣罪。帝皆納其言。一統志。十七年五月，明史忠義傳。馬士英擁立福王，薦用阮大鋮等，朝政日亂。壽圖抗疏論劾，出按四川。畿輔唐志。時川地已爲張獻忠所據，命吏部簡堪任監司守令者從壽圖西行，至則與督師王應熊、總督樊一蘅等聯絡諸將，號召遠近，漸復川南郡縣。唐王立，擢右僉都御史，巡撫貴州。大清順治四年，獻忠遺黨孫可望等陷貴陽，壽圖出奔沅州。十一年，沅州亦陷，壽圖死之。明史忠義傳。案：畿輔唐志云，爲定南王孔有德所執，令之降，不屈，死之。考米壽圖以順治十一年死於沅州。據東華録云，九年七月，偏沅巡撫報逆賊孫可望陷廣西省城，定南王孔有德自縊。則是時定南王已前死久矣，安有爲定南王所執不屈死之之事？今據明史，死於孫可望陷貴陽時，較確，唐志誤也。

黄鼐，字惟梅。父俞，由歙遷京師，遂爲大興人。鼐生數歲，不與羣兒嬉戲。長治六經子史，唐宋諸大家之言，無不博貫。世方尚速化，皆以通經學古爲迂，鼐所好顧若是。初爲順天學諸生，兄鼎中鄉試。嫉之者謗其非土著，遂業太學，受知於李騰芳、倪元璐，月合太學諸生數百人，課以古今文，鼐輒居前。效其文者，率取上第，而鼐終不售。時文震孟居政府，考核天下人才。元璐稱鼐，將薦之朝，以疾去，不果。劉宗周、金鉉、李日宣、蔡懋德雅重其人，與之談論文章經濟，以至性命之學，輒窮日夜。尤務細行，舉動必以禮。妻孥告不足，顧而笑曰：吾道固如是。客滄州時，潰兵薄城而軍。夜縋城，過嚴圍，犬吠聲如豹，從火光中匍匐，一夜走二百里，抵某帥壁，不爲動，以計劫之，圍乃得解。同行八九人，追歸，止一二人耳。甲申，客萊州，聞兵變，避之勞山，浮海幾没，平生著述盡没海水中。既而歸省，其兄弟或勸之科舉，笑而不答。將復往海上，忽疽發於項，三日死。年四十九。王崇簡都門三子傳。

崔子忠，字青蚓，一名丹，字道母。王崇簡都門三子傳。順天府諸生。畿輔唐志。甚貧，都門三子傳。好讀書，尤深戴禮，發爲古文詩歌，博奥奇崛，非近世所有。畿輔唐志。督學御史左光斗奇其才，置高等食餼。及累試而困，慨然棄去，不復應試。篳門圭竇，冬一褐，夏一葛，妻疏裳布衣，黽勉操作，三女讀書誦詩，雖無終日之計，晏如也。都門三子傳。先是，子忠受業於宋應登之門。大興張志。其弟應亨、弟玖爲同學。應亨官吏部，屬選人以千金爲子忠壽。子忠笑曰：若念我貧，不出橐中裝餉我，而使我受選人金！應亨愧謝。畿輔唐志。宋氏兄弟既貴爲大官，並不至其門，平生不修刺謁勢人。當時貴人多折位，願與之交，皆逃避不顧。都門三子傳。一二三故人，以文字過從，談竟日不能去。當天啟時，閹竪魏忠賢用事，有國子生建議立祠太學，約其同舍生，生不敢顯絶，子忠教生蓬垢病卧，以免。士自四方來，慕其人，多謝不見。人或尤之，笑曰：交游盛而朋黨立，東漢之季可鑑也。後果有以復社植黨言者。其智識過人如此。工圖繪，爲絶技。都門三子傳。所作許旌陽移居圖，横幅丈餘，人物怪偉，較宋龔高士開所狀鬼物略殊，然寄託之情一也。徵存録十。人有欲得其畫者，用金帛購之，雖窮餓，弗顧。大興張志。宋玖居諫垣，數求畫，不應。一日誘致邸舍，子忠不得已，與畫一幅。出坐鄰舍，使童往取，曰：樹石簡略，尚須增潤。玖與之，子忠即碎畫而去。史可法自皖撫家居，畿輔唐志。一日過崔，見其蕭然閉户，晨炊不給，大興張志。解所乘馬贈之，徒步而歸。子忠售馬得數十金，呼朋轟飲，一日而盡，曰：此酒自史道鄰來，非盗泉也。畿輔唐志。爲人短小端飭，雙目炯炯，高冠草履，蕭然若在世外。董其昌嘗謂其人文畫皆非世所常見。年五十，病幾廢。無何，遭寇難。都門三子傳。潛避窮巷，無以給朝夕。有憐之而不以禮者，去而不就，竟以餓死。大興張志。

王嘉猷，順義人。父孝先，早喪。母杜氏，居孀。嘉猷竭力耕耘，以養其母。母素懼雷聲，嘉猷夫婦每遇陰雨，閉户共侍於其側，而母心始甯。凡遇陰期，雖官差急務，亦未嘗不舍而歸家，以省其母也。迨其母殁，葬於本縣龍王山側，嘉猷因而言曰：母在懼雷，今母在野，其靈豈無懼乎？儻有陰雨，誰其事之？誰其衛之？遂爲廬墓計。鄉親屢阻之，竟莫奪其志。乃棄家築室於墓右獨居之，日擔土數擔，以固其墓，取薪於山，汲水於河。年餘，墓前涌一泉，其水甚甘，始免遠汲之勞。人僉傳爲孝之所感云。順義黄志。按：嘉猷未知何時人，因與晉孝子王裒廬母墓護雷事相類，又與蜀旌陽漢孝子姜詩孝感涌泉同瑞，故附録於此。

曹孝子廣攄，字藴菴，大興人。父國柄，兵部左侍郎。以廕補國子生。孝子生而穎異，稍長就塾師學，輒日記累千言，因旁通經史諸家之書。性簡遠，以盡倫爲己志。先是，從父觀察嶺南，舟過鄱陽，風濤掀涌，人爲色危，孝子則安坐，誦讀自若。年弱冠，則就楊商賢講求性命之學，制藝力宗先正，手録陳、羅、章、艾之文，以爲模楷。無何，母病，餌藥少効，馴至阽困。孝子旁皇失措，悲嘑慘號，心計所以救母，非臠母遺體以進，弗瘳也。父憫其狀，微言解慰之。泣曰：母儻不諱，兒何獨生！乃陰割股肉烹炙之，舉以進母。母食之，疾霍然頓愈。孝子大悦，作止如常，若無痛楚者，祕其事不令人知，家人亦無知之者。越二旬後，驟感風疾，獨隱而不言。醫者亂投藥劑，以致不起。其父母及妻妹弟輩推明厥故，環泣籲天，而終不可救，遂歿。年二十有五。然孝子雖至疾困，了弗爲意，易簀時，父問以意作何光景，但指天指心曰：胸中一團天理。又曰：死生之際，殆難言之。且自咎不孝，囑薄葬示罰。並念及骨肉師傅，諸語皆不亂，類有道人真能解脱者。顧如華曹孝子傳。

顧仲禮，保定人。幼孤，事母孝。洪武中，蝗起，仲禮行田間，泣曰：食吾苗，何以養母？俄疾風吹蝗去。母歿，仲禮年已六十，廬墓三載。一統志。楊小兒，永清人。性至孝。母病，小兒封肋下肉一片，妻周氏亦封臂肉，煎湯以進。母病痊。洪武中旌表。畿輔唐志八十。杜輔，薊州人。父老且瞽。永樂初，遼東兵攻陷薊州，輔即舍其妻，負父而逃。事平而回，其妻亦克保其身而歸。薊州沈志。張法保，大興人。永樂中爲金吾衛總旗。祖母病，封股煮汁以進，獲痊後，復病，封臂肉療之，亦愈，擢尚寶丞。畿輔唐志八十。楊景，薊州衛百户。其父以文，守禦崖口，失機論死。景陳情，請以身代，父得免。薊州沈志。周尚文，東安人。父目瞽，以舌舐之，復明。後爲樂昌訓導。母喪歸葬，廬於墓，盜不敢犯。一統志。時值淫潦，羣蛙填墓旁，甚厭苦之，曰：何爲驚擾吾母！明日，蛙皆徙去。東安李志。成化中旌表。畿輔唐志八十。張廣，薊州人。父病篤，醫者言，必得人肝和藥以進，乃可愈。廣遂引刀剖腹割肝，和藥與父服之，病即愈，廣亦復生。人皆以爲神異。薊州沈志。祝綸，大城人。父犯罪論死。綸堅請以身代，遂繫獄。妻張氏訴，願代夫死。當事義之，量減綸罪。又有大城廩生陳霖，父敬歿，哀毁骨立。時值土賊之變，人皆逃避，霖獨守墓不去，盗稱其孝，而遺之金帛。又值境内大水，霖守墓，水止墓旁，不没。人以爲至孝所感。大城張志。李秀，薊州人。父病秘結，秀吮腸得通。其兄無後，遺産毫不自私，以之盡周貧族。客有遺金，全緘還之。子二人，皆成進士。薊州沈志。張坤，永清人。嘉靖中，父麒被誣，死於戍。坤幼，甚痛父冤，與弟訥相對泣。及長，母歿，遂棄家觸冒煙瘴，卒尋父骸，肩負以歸，與母合葬焉。畿輔唐志八十。袁璽，寶坻人。少孤，事母孝。娶王氏，亦賢，曲如璽意。母患痿痺，夫婦朝夕侍側，宛轉牀榻者十八年。一日，夫婦往場穫麥，遺米籬内，雞豕踐食之，母連叱不動，忽下牀驅之，步履如故，迄百歲乃卒。又寶坻生員楊一訓，嘉靖二十四年值兵變，其母被執，一訓疾呼奔援，力與賊格鬭，賊殺之，其母遂得脱。按院以聞，詔旌之。寶坻沈志。吴端御，字宜僕，宛平人。畿輔唐志八十。文思秀壯，家貧，屢試見斥，遂絶意進取，買田於百花陀。事母至孝。母病，冬月思甘蔗。端御日夜涕泣求之，大興張志。忽於山谷中得蔗數本奉母，遂愈，人以爲孝感。所著有織絢堂集。畿輔唐志八十。歐俊，薊州人。父早歿。繼母邵氏性最嚴，俊得其懽心。母病，爲母嘗糞，改藥能痊。後母亡，遺子倫、信，俱幼，俊友愛甚篤，延名師教之。倫及信皆登仕。薊州沈志。裴成錦，永清人。幼孤，不識父，而聞母言，輒涕泣。歲時伏臘，必詣父墓哭奠。母歿，亦如之，終其身。畿輔唐志八十。芮圖南，寶坻廩生。明末兵燹時，不暇顧妻子，急負母王氏出走。遇一兵，被執，不屈，死之。妻王氏聞姑與夫俱死，遂挈一子一女投於水。寶坻洪志。劉緋，永清人。崇禎丙子，城陷，父被執。緋哀懇，求以身代。敵感其誠，俱捨之。畿輔唐志八十。芮國大，寶坻人。廩生昌齡子。明末時，闖賊入京師，國大隨其父避難。國大恐父被執，冒鋒願以身代，死之，父因得免。寶坻洪志。洪武時，則有北平東安王重，昌平劉驢兒；永樂間，則有大興王萬、僧奴，明史列傳。三河滑忠，三河陳志。密雲成仁，密雲薛志。永清趙昇；畿輔唐志八十。天順間，則有宛平龔然勝，永清賈懋；成化間，則有神機營指揮方榮，一統志作大興人。順天舉人萬盛，武清柳芳；宏治間，則有大興錢福，宛平序班夏琮，薊州孟振；明史列傳。正德間，則有大興劉懷義，通州左衛總旗孫雄，明史列傳。昌平侯顯，一統志。永清右衛穆宏；嘉靖間，則有通州歲貢生、河南桐柏縣知縣吕棟，通州高志。涿州舉人、邳州知州潘滋；涿州吴志。隆慶間，則有大興李彪；萬曆間，則有通州武生苗必進；通州高志。天啟間，則有寶坻芮浩，張改；寶坻洪志。崇禎間，則有通州庠生楊定午，通州高志。寶坻薄敦復，生員苑景瑞，寶坻洪志。香河崔光業；畿輔唐志八十。又有薊州李致中、李致和，薊州沈志。三河增廣生劉芳，廩生李棟，三河陳志。寶坻生員劉逵，寶坻洪志。東安劉學光，東安李志。文安紀于蕃、紀述、邢瀾，貢生李邦彦，庠生周嵩，文安楊志。固安庫天才，固安陳志。大興張鋭；大興張志。皆以孝行旌其門。又有通州龍蹈、馬昇、潘應科，通州高志。良鄉魏寰、朱錦，良鄉楊志。香河宋琰、田迎，庠生楊鶚，香河劉志。三河誼于芳，工部員外郎李瑄妻張氏，三河陳志。東安魏邦才，東安李志。固安張塤、齊綱，固安陳志。密雲舉人、安徽石埭知縣孔廷謨，密雲薛志。大城生員郭釗、王潤、王夢麒，大城張志。薊州敦本，貢生、山西平定知州李誌，薊州沈志。寶坻陳英，寶坻洪志。平谷歲貢生、山東齊河縣訓導王鼎，平谷米志。俱以孝行稱。

程惟遠，香河人。父璋，潞安廣文，以文學稱。惟遠樸茂，負直節，慷慨好施與，里中義舉，無巨細皆與焉；親故不贍者周之，雖更貸必應，無吝色。衆詫曰：人負我，緩不責償，幸矣；復爾爾，得無過乎！惟遠曰：彼急難，不復告我，我挾而難之，不忍也。疾革，諭後人曰：我生無他長，惟周急一節，爾輩毋違遺訓。盡焚所負券而歿。香河劉志。趙允昌，涿州人。家貧，以驢雇騎爲生計。有鬻妻妓家者，給以歸甯，雇昌驢，行數里，其妻覺有變，自顛下墜，窘甚。昌慰勸之。入京，投報國寺，遇千總洪宇，告之故，遂醵金如所鬻數贖之。又賣妻爲人妾者，其人妻極悍，昌邀諸生王宅中等醵金贖之，歸其夫。涿州吴志。武金、曹璡、張欽，皆漷縣庠生。正統十四年，英宗北狩，也先以之去。嗣遣使送還，京師震恐，召募勇敢士。三人素有義行，憤然曰：何至被敵侮若是！遂應募。也先使至都門，恣意悉索，三人勇拒之，使恐，乃馳去。贈三人國子生。後金官處州府知府；璉官撫州府知府；欽官前軍都督府都事。通州高志。案：明正德時，有御史張欽，則另一人。趙伋，字季賓，涿州人。性耿直。初游國學，祭酒徐階憫其貧，使參司崇文門稅務。伋曰：伋固貧，饔飧猶能自給；如某生者，貧甚，請讓若。階義之，聞於上。上命監中作樂三日，以宣其賢，仍勒石紀其事。後官絳縣主簿，以廉介著。涿州吴志。郝勳，字孟立，涿州人。舉嘉靖丁酉鄉試。以母老，躬耕奉養，不赴銓選。及母殁，廬墓三年，不至私室。修族譜，立譜訓，以教親遜。族人化之，共爨者不析，各爨者復合，同居至二百餘口，一時稱爲義門。畿輔唐志八十。劉萬里，密雲人。廩生。嘉靖二十九年兵變，友人聶鏞全家遇害，僅存幼子緒，萬里收養之，教之讀書，補弟子員，乃爲授室。萬曆六年祀鄉賢。密雲薛志。郝永，永清人。服田爲業。性誠樸，自奉儉約，好施與。歲饑，託爲貿易，以訪貧民，周以衣食。有被德而莫知其姓字者，問之，則飄然去。其厚德類如此。永清吴志。余之祥，字鳳梧，宛平人。畿輔唐志八十。賦性剛方，於書無所不讀。大興張志。父仕，彰德教授，雅慕山游。祥備肩輿，飭具，竭力以娱父心。兄殁，躬親殯殮。學使校士漁陽，已及期，親友促之去，不聽。畿輔唐志八十。竟因兄喪過勞，感暑疾而卒。大興張志。著有易統旨、詩經宗旨、四書宗旨要言。其妻陳氏，孀居四十五年，壽八十。宛平米志。郗雙保，涿州人。兄以旅店爲業。有解妖賊者宿其家，賊夜逸去，兄坐罪論死。雙保時年十三，請以身代，遂棄市。兄收葬之，其後裔爲立碑，云：義祖郗雙保墓。涿州吴志。馬奇，薊州生員，學問賅博。與兄章友愛甚篤。章有疾，奇親供藥餌，昏夜不寢，告天願損己壽益其兄。及章亡，奇哭之，喪明而終。薊州沈志。褚時中，通州庠生。性剛直，尚氣節。萬曆間，州試多冒籍，時中呈於當事，請查禁。知州銜之，以他事羅織，時中戍死。御史馬經綸曰：持中，義士也，以無辜戍，戍且死，故築虚墓，招魂以葬，並表其墓石。通州高志。康永錫，字荷九。父西泉，由廣甯衛移徙通州，世襲通州衛指揮。永錫誠謹醇厚，有善行，中年未舉子。崇禎五年，置妾孟氏，詢其有故夫，以貧而鬻，立遣還之。未幾，生子二：長，莊，順治十一年舉人，官兵部主事；次，政，康熙十一年拔貢生，官隆平教諭。通州高志。韓惟城，通州庠生。性耿介，無絲毫苟取。崇禎間，巡檢差役解官項入京，遺公卿及所賫銀，維城得於渡所，候其來覓。役果涕泣奔至，訊實，還之，役得免罪。通州高志。朱光祚，涿州人。闖賊破京師，賊衆入涿，括富室金，拷掠慘酷。光祚與兄延祚糾義勇士王樂善、張應斗等，畫灰密計，推諸生朱萬祺爲首，衷甲厲兵而出。遇賊黨李書吏者，拔刀直前斫之，急趨賊所，殲其類無遺。率衆登陴固守。會闖賊薄城下，張應斗發西洋礮，中賊黄蓋，闖賊驚墜馬，怒甚，誓破城必盡屠之，而大清兵追至，賊奔散，涿州得全。涿州吴志。王政行，字次泉，昌平州人。崇禎中，官守備。里居，甲申三月，莊烈帝、后既殉社稷，梓宫暴露。僞符下州令葬。時州皆僞官，庫藏如洗。政行與署吏目省祭官趙一桂及監生白紳，庠生孫繁祉，義士劉汝樸、王汝樸、徐魁、李某、鄧科、趙永健、劉應元、楊道等十人，各傾資，得錢三百五十千。啟田妃壙宮，奉安帝、后，以妃槨爲帝槨。出募西山口居民，擔筐舁土，築塚修垣，復率鄉耆奠祭悲號，聲震陵谷。畿輔唐志八十。其同居敦睦者，則成化間霸州秦貴，七世同居；弘治間，密雲李琚，明史孝義傳。舉人、光禄寺典簿李機，五世同居；密雲丁志。大城李大任，五世同居；大城張志。皆旌曰義門。定邊衛韓鵬，六世同居；明史孝義傳。涿州楊誠，八世同居；又有涿州張增，七世同居；宋五，六世同居；鄉人均稱爲義門云。涿州吳志。其同懷義讓者，則有涿州貢生鄭安。涿州吳志。其鞠養遺孤者，則有嘉靖間平谷張景春，平谷朱志。涿州楊尚信，涿州吳志。崇禎間通州諸生吳承錫，通州高志。皆以義稱。其輸財助官賑濟者，則有正統間通州耿從，通州高志。天順間涿州顧真，正德間涿州楊謙，涿州吳志。萬曆間順義楊惟孝，明史孝義傳。

密雲王倉、王度、劉啟元、劉士登、劉自仁、蔡士迎、鄭守卿、張元度，諸生薛天培。密雲薛志。其施德好義者，則有嘉靖間平谷王英，平谷朱志。天啟間通州工部文思院副使王可成，工部郎中董中行，通州高志。涿州陳佐、李光代，涿州吳志。香河庠生李維新、張應捷，香河劉志。薊州姚鎮雄、賈鉞、劉淮、王時可，貢生孫育豪，生員賈國賓，薊州沈志。固安劉九功。固安陳志。

張銓，別號衡宇，良鄉人。性孝友，蚤失怙恃，事諸兄嫂如父母。諸兄歿，撫姪猶子。及孫曾，同居如故。宗族鄉黨無間言。自奉至儉素，而於恤孤濟難，助婚殯死諸事，則罔不竭力厚施。甲子歲，里胥張姓者有負於官，至賣妾鬻子償之。銓代爲完納，使得復聚，而絶口不道，若惟恐人知者。丙子兵變，有甯得城、郭世松等，誤拾軍營遺牛，兵官視爲奇貨，所求不遂，將殺之，銓出資以贖其死。戊寅，兵馬雲集，食不克給，銓出穀五百石，草三萬束。有司列之奏章，得旨給敘。庚辰，歲凶，人相食，銓煮粥賑之，以存活者不可勝計。王無咎張公銓墓志銘。遣人收拾遺骸，作大壙數處埋之。後連歲被兵，得脱，皆有天幸。嘗遇亂兵夾道，弗之見；值盜勒馬向之，百方不前，乃免。又山行失足，臨萬仞溪，適一石横出，應手援挽而留。人以爲厚德所致。良鄉楊志。甲申，大清定鼎，有司重銓德望，數行徵聘。銓力辭不就，曰：堯舜在上，亟宜攀鱗附翼；奈暮年善病，得爲太平民足矣。墓志銘。子錫卿，字調鼎，恩貢生。甲申之變，適他出，聞寇掠人比餉，痛心曰：吾家有素封之名，吾父定罹其毒。急歸省視，果然。慨然曰：吾父七十老叟，何堪逮問！我願以身代之。及受刑夾，木折繩絶，終無怨言。久之乃釋。良鄉楊志。次調鼐，舉賢良，謁選山東陽信縣令。銓勉之曰：忠君愛民，此日將見之行事矣。壬午冬，陽信不守，殉之。訃至，銓曰：吾兒忠君報國，得死所矣。既奉旨褒卹，贈如其官。墓志銘。

樊夢斗，字北一，號文成，文安人。高祖瑀，成化甲辰進士，筮仕浙川令。爲刑部曹郎日，逆瑾用事，平反主事安奎獄，面折瑾，因忤旨，酷暑跪正陽門三日。會瑾敗，轉四川順慶府知府，稱名臣。夢斗少穎敏，年十二，補博士弟子員。於書無所不讀，著中庸講義，原性道，究天人，精義洞微。桐城左光斗見之曰：此洙泗真傳也。崇禎七年，鄉貢廷試第二人。時國家孔棘，自以累世受君恩，且才可濟時，上書闕廷，請爲國家效力封疆。奉旨報可。將授職矣，無何，以内艱歸，慟哭出都門，跣行三百里至家。舉人王膺其姪壻也，殉寇難，遺孤呱呱，夢斗收養之，使與子翰同寢食，學同師。姊貧無倚，生死周恤，不遺餘力。論者以爲内行純篤，仿佛陽亢宗云。邑中築城，濬河，復役，鹽鐵諸大議，人所畏葸不敢言者，輒言之鑿鑿，可見諸行事。其屯海八議，侍御吴某稱爲經國碩畫，將上之朝，會亂不果。甲申之變，俯仰唏嘘，遂絶意仕進，攜家入桐柏山中，偕二三老友，攀枯藤，捫蒼壁，翠屏、玉女、龍潭、石門，號淮源勝地，無不窮極幽絶，詩成，放歌呼白，慨然有超世之概。病中遺命子翰曰：死卽葬我山中，百歲後，樵採兹土者，指某山某水，爲隱君樊某游釣賦詩處足矣。所著有駐槎亭詩集。湯斌樊文成傳。

楊潔，號蓮修，先世固安人，流寓永清，遂家焉。父官閩中，潔爲閩産。父卒數歲，始自閩歸。途次遇湖山勝境，輒吟嘯流連，人擬之鐵崖子。歸後，廬舍田園，悉爲族黨侵蝕，潔介然不與争，寄食戚舊，日以詩晝自娱。晚歲構草草草堂，數椽僅蔽風雨，潔處之泊如也。永清進士劉詩橋爲草堂歌以紀之。永清周志。齊汝漢，字沖宇，涿州人。居家孝友，不願仕進。嘗築别墅於房山之東郭外，竹石花草，皆手自位置，性尤愛菊，以晚節自名其園。後以壽終。涿州吴志。王業隆，字居敬，永清人。庠生。當明末造，作忠烈攷二卷，上自帝后，下及甲申殉難諸臣，參考羣籍，各繫以詩，多掩抑悲涼之作。餘詩八卷，蟲魚剥蝕不可讀。進士劉伯壎得諸親舊家殘簏中云。永清周志。馮賢，涿州人。有學行，隱居不仕，棲於房山北之釣魚臺。著有釣魚集。壽百三十歲而終。涿州吴志。

華陽吴祖椿校

黃岡洪良品纂　江陰繆荃孫覆輯

人物志九

先賢九

國朝

杜立德子恭俊　劉漢儒　郝傑子惟訥
韓元盛　楊春茂子自牧　芮昌齡
駱養性　王昪　李可楨子煒
趙明徵　丁林聲　王世德子源
劉永嘉　袁懋功兄懋德　楊璜弟瓛
朱之弼弟之佐　劉楗　劉克家弟克讓
楊三知　王景祚　林起龍
王崇簡子熙　燕弟崇節　方國棟子永隆　張元樞
張士甄弟士堯　謝泰　雷一龍從子諶

高光夔　顏　敏　徐化成

陳　慎弟協　田種玉　紀克明

劉芳躅弟芳喆

國朝

杜立德，字純一，寶坻人。一統志。生有異兆。長而攻苦積學。王熙杜文端公墓誌銘。明崇禎十六年進士？順治二年，以順天巡撫宋權薦，授中書，考選户科給事中。漢名臣傳。疏言：治平之道有三：曰敬天，曰法古，曰愛人。上嘉納。六年，疏陳漕弊，言：漕臣庫禮搜獲運官使費用三十本送部，其中所費皆東南數百萬赤子脂膏，供貪墨者之魚肉，請按欵察究。從之。八年，疏請舉經筵，擇經明行修之士爲講官。又請定朝期，杜加派，肅禁地，均蒙嘉納。初，睿親王攝政，給事中許作梅，御史吴達、李森先等交章劾大學士馮銓姦貪狀，疏上，已旬日未下。先正事略。立德疏：銓所行弗類，諸臣具實以告，非私論也，將逾旬日，未蒙鑒裁，恐無以鼓直言之氣。又如逋逃之馬士英、阮大鋮、宋企郊等，或納賄招權，或煽惡流毒，急宜捕誅，以彰法紀。疏下刑部，以事在赦前，寢議。漢名臣傳。及聖祖親政，黜馮銓。先正事略。立德疏言：前此糾劾馮銓諸言官，如許作梅、吴達、李森先、桑芸等，並爲銓所切齒。漢名臣傳。又僉都御史趙開心，素爲銓所忌，相繼搆陷斥去之。茲逢聖政方新，乞矜察。開心等皆得旨起用。先正事略。九年，立德遷太常寺少卿。三月，擢工部右侍郎。六月，調兵部左侍郎。十一年二月，上以畿輔八府上年遇水，發帑賑濟，簡才能清正大臣十六員，督率府州縣衛官散給。立德同通政使喀愷分賑大名府所屬一州、十縣、一衛。還奏，稱旨。四月，調吏部右侍郎。漢名臣傳。累遷刑部尚書。每讞重辟，必周詳審慎，反覆爲求生路。得則退有喜色，不得則日中不出署，抵暮歸，或竟忘食。一日入奏既退，世祖顧左右曰：爾等識此人乎？此新授刑部尚書杜立德也，不要一錢，不妄殺一人。其爲上所褒獎若此。畿輔唐志十一。康熙元年，調户部尚書。二年，加太子太保。三年，典會試，轉吏部。八年，拜國史院大學士。其明年改内三院爲内閣，授保和殿大學士，兼禮部尚書，晉太子太傅。先正事略。時粤東初返正，所司具正賦雜税之數以聞。上以問諸閣臣，立德對曰：廣東雜税多，係尚之信所加，爲民間大累，非朝廷正額。皇上富有四海，何需此區區數萬金錢！今兩粤變亂甫定，正合與民休息，臣謂除之便。上從之。居易録二十八。聖祖嘗諭左右：閣臣如杜立德，真不愧古大臣。十二年，再典會試。先正事略。韓文懿菼會卷已遭本房勒帛，立德搜遺卷獲之，遂定首選。紅豆樹館詩話。居相位十餘年，恩禮優渥。嘗賜宴内庭，先正事略。特命列坐殿内。漢大學士入殿坐，自立德始也。甯河縣志。二十一年正月上元節，賜廷臣宴，立德有疾未預，上遣中使賚酒饌賜之，諭曰：卿弼亮老臣，久任機密，兹海宇蕩平，時當令序，賜宴羣臣，卿卧病，不克同此歡讌，特遣中使慰問，賜以醴饌，卿其加餐珍攝，以副朕惓惓至意。漢名臣傳。初，寶坻以隸通州，故分派剥船百有二十，甚爲民累，以立德力陳得減。寶坻洪志。五月，以疾乞休，允解任調理，命乘驛回籍，遣行人司員護送。漢名臣傳。御製五言律詩一章及怡情洛社圖章，以榮其歸。畿輔唐志七十一。既致仕家居，又以太宗實録告成，賜銀幣鞍馬，加太子太師。墓誌銘。三十年，卒于家，年八十有一。賜祭葬如典禮，漢名臣傳。謚文端。一統志。立德爲人慈和謙慎，恂恂寡言，及當大事，决大疑，則持正毅然不可奪。練習朝章，遇事有措置，援据掌故，參酌時宜，兼集衆長，期於允當。遇物坦平，不立畛域，雖布衣下位、無生平之雅者，果有一長，必爲稱引。墓誌銘。德器厚重，人不見其喜怒之色。京師有無賴子，偶與騶卒鬨，乘醉隨輿後辱詈，立德若不聞。無賴子隨至邸第，詈不止。久之，遣問之曰：可已乎？無賴子歸，酒既醒，或告以昨辱宰相，倉皇詣第謝罪。立德慰遣之，仍予二金，令改行生理，無賴子感泣而去。歲時必至門叩拜，卒爲善人云。池北偶談十。子恭俊。

恭俊，先正事略。以恩蔭補工、刑兩部司曹，綜核詳審，具有條理。以憂歸。甯河關志。康熙三十九年，迎駕三河，上詢知故相子，甚喜，并問立德葬處，御書永言惟舊四字賜之。補刑部督捕侍郎，勘逃緝諸案，多所保全。出知廣信府，未幾，卒。恭俊内行完備，推財讓産，尤能濟人緩急。縣有陳姓者，欠官糧三百金，將鬻其女，恭俊捐金代償，而嫁其女，邑人稱之。(畿輔唐志七十一。)父子並祀鄉賢。(先正事略。)

劉漢儒，大城人。(畿輔唐志七十四。)明天啓二年進士，崇禎時，累官至四川巡撫。流賊寇夔州，圍太平。石砫土司秦良玉率兵援之，漢儒運重慶米以濟其軍，太平圍解。中書涂原，練鄉勇守梁山，擊退賊。漢儒及巡按御史黨崇雅請以蜀人治蜀兵，仍用原。莊烈帝不許，並罷漢儒。本朝順治元年五月，起授都察院左副都御史。二年八月，御史王守履劾漢儒係大學士馮銓黨，爲僉都御史江禹緒營求，招撫鄖陽。漢儒具疏辨，並引病求罷。得旨：劉漢儒無端被誣，著益盡心職掌，以振風化。三年，復以病乞休。(貳臣傳。)漢儒天性孝友，事孀母承顔順志，事兄嫂以敬，撫孤姪以慈，處宗黨鄰里，恩情篤摯，周卹備至。立朝居官，忠藎廉直。校禮闈，掌計典，矢公矢慎，人沐薰陶，人稱藻鑑云。(畿輔唐志。)康熙四年卒，賜祭葬如例。(貳臣傳。)康熙六十年祀先賢。(畿輔唐志。)

郝傑，字君萬，霸州人。(畿輔唐志七十四。)始祖郝文忠公經，元初僑寓於燕，因家焉。(馮溥户部右侍郎郝公墓誌銘。)祖九思隱居，以求義聞。(龔鼎孳司農郝公傳。)父鴻猷，明萬曆己酉舉人，(王崇簡户部侍郎郝公傳。)知陝西延長縣。(龔傳。)傑幼嶷然自立，不習鄉井輕儇態，嗜學，嚅嚌羣言，文辭龐蔚。(王傳。)十餘歲，出就學使者試，學使者奇之，由是聲名藉甚。馮誌銘。天啓甲子舉人，王傳。從其父鴻猷之官延長，時左右皆賊壘，一統誌。傑帕首袴褶，負弓矢前驅，以鞭稍叩壘門，大呼曰：我霸州舉子郝傑也，從父之官，過而假道於若，若許我，幸甚；不則請先死於此，以頸血濺虎落矣。賊壯其言，許之。顧傍賊曰：趣爲我秣馬！又曰：饑矣，趣飯飯我！賊爲進酒食，飲啗如流，食已鼾睡，鼻息撼壁壘。賊魁騎而馳，傑躍馬從之，笑曰：能乘是乎？卽以騎予傑。由是馬首所嚮，羣賊辟易，竟事亡誰何者。及賊攻延長，諜知假守者假道舉子也，遂逡巡引去。龔傳。崇禎丁丑進士，畿輔唐志。授太常寺博士。甲申三月，考選給事中，未受命，而賊破都城。賊以僞官逼人，傑懼污僞命，乃削髮居行人司中，誓以死殉。賊多其義而釋之，乘間歸里。王傳。皇清定鼎，召收遺逸，傑既夙負重望，且近在畿輔地，因首膺召命。馮誌銘。順治元年，授行人，尋遷户科給事中。漢名臣傳。念國家初創，必先爲根本計；且民志不定，則僭踰日生，惟禮可以已之。因上言宜開經筵，祀闕里，以示天下所先。中云：有一國者，有一國之規模；有天下者，有天下之規模。皇上爲天下主，必紀綱定而朝廷尊。滿洲貴人宜辨服章，别儀從，使漢人望而知敬；漢官亦宜辨章服，别儀從，使滿人見而加禮。疏上，内外是之。傑雖居言路，未嘗掇拾人短長以沽直名，凡有所言，皆存忠厚開國之意。時庶務未定，廷臣有過，無大小輒下刑部。傑復上言曰：法者，天下之平也。

法，量過以爲受，則法行而人知恩；若罪無大小，悉歸司寇，則考功之法廢矣，使天下士朝囚首而對簿，暮冠帶而服官，非所以尊體統而養廉耻也。自是乃分別降罰，先議而後請旨，羣下始無輕詣西曹者。未幾，江南平，降臣蔡奕琛、阮大鋮等，咸冀録用。傑上疏，謂奕琛以賄得内閣，與大鋮等朋黨爲奸，以亡江南，易曰：開國承家，小人勿用。正謂此也。奕琛等宜黜退。馮誌銘。江南新定，宜急擇賢能，早爲除官。又朝賀大典，内監不得入班行禮。俱下部議行。八年，遷通政司參議。九年，遷光禄寺少卿，尋授大理寺正卿。漢名臣傳。時重囚不時報決。傑請復熱審、秋決舊例。允之。畿輔唐志。十二年，擢户部右侍郎。漢名臣傳。長子惟訥，拜通政司右參議。父子同朝，位躋九列，憂其過盛，不俟引年，遽乞休。蓬徑蕭然，日危坐課子讀書，每至夜分，風雨不少廢。或故人偶集，春黄粱，觴白酒，相顧微吟，胸中浩如也。惟訥歷官少宰，迎養京師，輒不至；偶一至，信宿而去，惟諄諄以廉慎報國勗之。久之，風疾微作，惟訥擬請假歸侍，傑止之曰：已瘳矣。既而，幼子方執經於前，端坐微笑而逝。傑軀幹厚聳，廣顙疏髯，人望之敬慕。撫世酬物，一以至誠，不喜以疾言厲色加人。與人言，稍及雌黄，卽亂以他語。其律己，端肅而儉樸，王傳。屋第不容旋馬，室無髹漆交牀坐器。王熙郝恭定公墓誌銘。惟訥在閩時，閩人有以計偕入謁者，傑被澣濯衣出見，曰：吾兒在閩，其無罪于百姓乎？人生親老家貧，多爲不廉吏，今吾藉先世資，瘠薄田足饘粥，吾勞於此，分禄以養其妻子，所以勸爲廉吏也。見者備言治行，則大喜。王誌銘。平生事繼母倍孝，内外無間言。繼祖母張氏，雙目失明；年九十，病危，傑扶持出入，侍湯藥不少懈。嫂李氏，少寡，馮誌銘。以次子惟謙爲之子。王傳。康熙四年，祀鄉賢。畿輔唐志。

惟訥字敏公。母李太夫人孕時，家有盜警，夫人倉卒墜樓傷股。忽有老嫗詣門，自言能療，且曰：腹中兒當大貴，吾并活之。一手摩股，久之，投藥少許，骨格格有聲，遂相屬，胎竟不墜。酬以金帛，辭弗受，竟去，不知所之。池北偶談二十二。遂生惟訥。爲兒童嬉戲，智出成人。王熙恭定郝公墓誌銘。順治四年進士，授刑部主事，歷遷員外郎，漢名臣傳。與父傑同朝，士大夫爭欣羡之。畿輔唐志七十一。七年，授福建督糧道。漢名臣傳。大兵下漳南，糧運多阻，惟訥督米萬石，率舟師浮海達泉州，一軍飽騰。海疆平。王誌銘。巨寇張自盛犯延、邵，惟訥設方略挫其鋒，復用間離其黨羽，自盛就擒，撫、按交薦。畿輔詩傳八。召爲通政司右參議，歷太僕少卿、左通政，陟大理寺卿、户部右侍郎。王誌銘。十五年，調吏部左侍郎。康熙三年，充會試副考官。四年正月，擢都御史。二月，疏言：自巡按奏裁，地方巡視，責歸督撫。督撫任重事繁，出巡動踰旬月，恐誤公事。況騎從重多，經過滋擾；至屬官貪廉，閭閻疾苦，勢不能逐人逐户咨訪，耳目仍寄司道，所託得人，則舉劾自真，民隱自達。請嗣後事關重大者，仍親身巡察，餘概停。下部議行。八月，疏言：貪官逢赦，止免應得之罪，仍革職追贓，此定例也。近有藐法肆貪，累審成招，罪至應死者，因赦免罪，並交吏部議處。竊思蠹役贓欵審實，雖經赦免，仍行革役。此輩身爲職官，饕餮狼籍，未可令其玷名器，貽害地方。雖新例赴部另補，而貪殘所至，播虐爲均，請飭部定議：凡贓欵審實者，雖事在赦前，止免應議之罪，仍行革職，庶官箴可肅，民害可除。上是其言。五年，遷工部尚書，調刑部、禮部。八年四月，調户部。十一年，調吏部尚書。漢名臣傳。杜絶請託，奸胥不敢有所上下，銓政以肅。畿輔唐志。兵興，開捐納事例，正途日壅，惟訥爲斟酌資格，按缺分選，銓法稱平焉。王誌銘。言官論事，實例不免，惟訥議免之，先後獲全者數人。既而疏請寬言路處分例，謂從來治亂，關於言路通塞，優容而嘉與，猶恐讜言不至，豈可因而加罪？扶持正類，皆此類也。王誌銘。案：名臣傳云，十八年，上以給事中姚締虞所奏風聞言事疏，召廷臣言議。惟訥奏稱，言官奏事，原不禁其風聞，但風聞奏參、審問全虚者，有處分例，若不加處分，恐有借風聞挾私報怨者，請仍照定例行。與墓誌銘、詩傳互異。竊以二説，一持大體，一防流弊，或一時因事納諫，有此二疏，兹并録其要略於此。惟訥精於吏事，笑談立辦，若無事者。其所區畫處置，人不能及。王誌銘。在朝廷，持紀綱，霸州朱志。遇大事非惟訥不能決。常以疾在告，大臣罷議以待。王誌銘。爲人外和内剛，性簡澹，霸州朱志。持清操，歷官三十餘年，家無餘資。一統志。卒，賜祭葬如例，謚恭定。漢名臣傳。從弟惟訓，順治壬辰進士，除徽州推官，擢御史，巡鹽河東，有惠政。子士鈺，以蔭官江南太平知府，並祀鄉賢。畿輔唐志。

韓元盛，字心一，通州人。順治二年，授山西甯武關陽方口守備，修城練兵報最，擢利民參將。時流寇餘孽，竄伏交城山中。元盛奉撫檄往勦，而大同總兵姜瓖忽據城叛，利民失守。元盛聞變還，遇賊被執，脅降不屈，扃之別室。賊中有元盛舊卒，因共謀誅賊。次日，元盛懷利刃與賊語，奮臂殲其魁，舊卒并力持刀殺賊，衆悉股栗，受約束，遂復利民。英親王統兵至，元盛詣軍門謝罪。左遷衡州府都司。致仕歸。孫瑛官貴州甕安知縣。通州高志。

楊春茂，字奎東，昌平人。崇禎十五年舉人。會丁世變，西北岌岌如纍卵，春茂常撫劍太息，或夜起旁皇四顧，輒泣數行下。甲申，賊延毒昌平，乃倡義與同志之士，賈勇迎戰，縛其巨魁，磔而祭諸陵，聞者快之。本朝定鼎初，謁選得山西猗氏令。猗當兵燹後，城盡空，春茂招集流亡，蠲其賦役，興其種藝，猗之民始獲蘇息。尤善折獄，擿姦燭弊，纖毫無遁情。有某掾不法，下牒拘之，紿云死矣。知其詐，拘益急，舁至堂下，命杖之，掾欻然起，稽顙乞命。一時吏民驚服，謂李洛陽、張真源無以過也。甫九月而報績，擢工部屯田司主事。去任日，百姓攀轅遮路。累遷郎中。監督兩窰，一錢不取。尋以艱歸。服闋，補庫部郎，上知其清介，深嘉之。丙申，以副使轄甘州。甘去京師數千里，宦斯土者皆苦之。春茂束書數卷，輕車就道。到官，接屬以和，屬吏多武人，咸樂爲用。有持金帛獻者，必峻卻之；或餽以苦菜一筐，則欣然受之，人疑嗜菜，餽者如織。笑曰：肉食者鄙，昔人恥之；范希文齏粥，固吾分也。得此以給盤飧，可勵清節。人由是益知其廉。以他故與某中丞齟齬，屢欲劾之。中丞母讓之曰：監司得人，民之福也，我數聞楊公冰蘗聲，汝身率僚屬，有一賢吏而不能容，獨不惜輿議耶！中丞悟而止。甘肅地貧瘠，例不輸丁銀，後有增之者，民以爲患。春茂力請得罷。遠邇士民，爭以羊酒爲壽，頌不置口；春茂無幾微德色，一以恩澤歸之朝廷。己亥正月七日，忽嬰痰疾，遂不起。屬纊之日，紳士哭於庭，商賈哭於途，農夫哭於野，下至販負小兒，各焚楮錢泣拜。其深得人心如此。昌平宋志。子自牧。

自牧字謙六，號預菴。畿輔詩傳二十三。沈酣風雅，詩觀。工吟詠，不事舉子業。昌平宋志。詩英剴不落凡近，得邊塞之氣居多，詩觀。與崑山顧亭林交最善。以蔭官江南婁縣丞，著有潛籟軒詩集。昌平宋志。

芮昌齡，字與三，寶坻人。由歲貢任京衞武學訓導。順治初，徵授曲周知縣。時李賊所授僞官猶在，聞昌齡名遁去。入城，密伺大猾之爲賊詗者，捕誅之。乃繕城列堡，修荒政，招流民。大兵方駐廣平，刻日輦芻糧輸之，兵藉以濟。擢知商州。州城七破於賊，衙舍俱廢，雞犬無聲。昌齡至，設法招徠入城者，方得五六十家，而賀珍之亂又作。乃能激厲其民，與之堅守。賊引去，因請於陝督孟公，假兵三千，俘一隻虎賊黨。兩院交薦。再轉廬州同知，駐無爲州。會有丈洲池之役，還至泥汊鎮，聞土賊伺間攻城，急遣水兵數道分擊，大破之，擒其渠蕭鳳鳴、邢老虎等。兼攝巢篆，綏撫殘黎，緩征、恤獄，諸務就理。己丑召見，遂請假不復出。搆小軒名曰静致，與子弟讀書其中。居久之，卒。寶坻洪志。

駱養性，字太和，大興人。明季北略二十二。故明錦衣衛指揮使。崇禎時，熊開元、姜埰以言事下錦衣獄。簷曝雜記六。一夕漏下二鼓，一小中官持懷宗御筆至，池北偶談二十二。諭養性取二犯絶命。養性附奏，繳御筆，謂言官有罪，當明正典刑，今以昏夜殺二諫臣，簷曝雜記六。則天下皆畏臣衙門之刑，不畏陛下之法，汪有典熊尚書傳。臣不敢奉詔。池北偶談二十二。帝意亦解，二臣遂免。本朝順治二年，授養性天津總督。奏請田賦悉照明代原額，其遼餉五百萬、新餉九百萬、練餉七百三十萬，一概删除。得旨允行。簷曝雜記六。

王勗，字次重，大興人。應童子試時，受知於督學左光斗。左遭璫禍，陰左右之；左死，號呼當路，請葬謚。嘗慕黄道周之爲人，性耿介不與時合。順治十六年進士，選庶吉士，授編修。文章高古，書法學顔魯公，上下古今，議論亹亹。卒之日，貧無以殮云。大興張志。

李可楨，字克生，别號坦齋，武清人。年十四，補諸生，屢應省試被黜，遂絶意進取，縱情詩古文詞，寢饋經史，探索本末源流，下筆自成體格，一時碑版之文咸倚重焉。所著有伐檀集、實德堂詩集，爲藝林所推許。平生慮事有先識。當明季時，闖寇起京畿，南北所在驛騷。可楨卜居城西偏，爲避亂計，毁家發粟，周給貧乏，每約誡邑里少年，各自守法，無習爲暴。時他郡邑多煽亂不逞，而武清獨帖然。本朝定鼎，遣將撲滅羣寇，有他盜扳誣武清人者，可楨毅然詣幕府，陳邑民無辜狀，且館弁帥於家，乘間周旋調護之，凡被繫者悉得釋。卒，年七十有四。子煒。坦齋李公墓誌。

煒字峻公，别號浣廬。康熙三年舉人，由中書出任饒州同知。甫三月，丁内艱歸。服闋，擢補户部山東司員外郎，轉兵部車駕司郎中。精勤涖事。丙寅秋，東兖道缺員，九卿會推其才，遂膺是命。及履任，激濁揚清，政教畢舉。己巳春，陞廣東按察使。時聖駕南巡閱河，煒司督縴，朝夕扈從。上親詢官職姓名，命賜果品。抵粤，痛洗從前錮習。有陵水令楊某者，素淫横，事發，輦數千金寘其門，冀求釋。煒卻不納，卒申以法。而性尤慈慎，遇命案，必再四閲實，如部民歐陽元開與黄姓争田訐告，因謀殺其族人歐陽世瞻，冀圖害黄。府縣叠審，反坐罪於世瞻之兄與姪。煒燭其寃，遂得平反，聞者悚服。庚午，陞湖北布政使。旋丁外艱。癸酉，補安徽布政使，將之任，詣暢春苑請聖訓，諭云：人臣之道，惟誠與廉，爾果能以治粵者治吴，則得之矣。煒念江左民力久困，因嚴飭有司，減火耗，禁私派，慎平編，裕積貯。不三年，令布風行，江南北多利賴之。丙子秋，擢山東巡撫，臨行，士民繪清畏堂圖以贈，路旁攀轅而留者數千百人。東省地曠民頑，素稱難治，煒以爲思安民莫若察吏，察吏莫若潔躬。適有陽穀令具千金請託，煒曰：此民間脂膏也，奈何欲污我！因斥譴之，由是大小僚屬罔敢干以私者。戊寅春，以詿誤罷歸。己卯冬，上念畿南水患，議修永定河隄，爲萬世利。煒倡先捐貲，復親督畚鍤，工既竣，上心甚悦，勅部從優議叙。卒，年六十。李中丞傳。

趙明徵，字哲公，其先吴人。祖光遠，以醫名，明神宗朝爲侍直，始遷大興。父士通，精於易，著易圖説，學者稱潛夫先生。明徵自束髮，出語卽驚其長者。士通慕沈青霞之爲人，學其畫梅，往往奪其真，然頗自秘惜。一日，畫一枝於縑素，自題絶句云：桃杏色相別，李柰性不同。一發寒香後，四子稱下風。以授明徵；明徵受而藏之，益自刻勵。甲申，李自成犯京師，明徵扶母胡、抱姪篁避臺溪廠。胡坐淺水中曰：急則就深死。一賊馳馬過之，明徵以身翼母，而蔽篁於右腋。賊射明徵中胸，忍痛拔矢，曰：兒無恙也。力持母起，匿他所以免。鼎革後，士通卜居濟南，顧謂明徵曰：吾東西南北之人也，顧西山坵墓在焉，子歸矣，其代我伏臘祭祀無缺。明徵於是獨歸京師，奉祀事，歲時集諸父昆弟祭，畢而觴曰：吾有親而離居，爲祀先也。後之子若孫日卽於疏祀，或不畢集，憂喜慶弔，或不相往來，合族之義，其謂之何！嗣是修祀事唯謹，族用敦睦。友人劉國亮，貧士也，病且死，泣謂明徵曰：吾母年七十，吾又無子，天乎奈何！誰養吾母者！明徵撫之曰：吾與君爲友，子母，吾母；吾在，子何戚！卽子不言，吾已心許之。古人不忘夙諾，尚掛劍墓樹，而況託予以母乎！劉死，葬之，養母於家，終其身。以是孝義之名聞都下。順治十一年，與兄吉徵同舉順天鄉試。明年不第，省父母濟南。丁酉遊江甯，病卒，年三十有七。王士正趙君墓誌銘。

丁林聲，通州人。性穎敏，髫年工文章。通州高志。順治初舉人，任慶符令。地經變亂，人民離散，林聲抵任後，招徠撫綏，畿輔唐志七十四。流民漸集；令民開墾，無力者給以牛、種。邑向苦楠木差役，力請豁免。慶符鮮科名，林聲爲新學校，勤考課，遂有獲儁者。士民爭感其德。雍正二年，祀鄉賢。通州高志。

王世德，字克承。始祖玉明，洪武中自無錫遷北平；從靖難之師，陣亡於白溝河，襲錦衣衛指揮僉事。世德少襲世職。崇禎末，天下大亂，人主孤立於上，朝臣方持門户，競爲朋黨，不復以國事爲意。世德慨然謂人曰：今天下有大弊四：戡亂保邦，須經紀才，制科以虛文取之，所取非所用，弊一；廷臣日以門户恩讐相傾軋，賢者不免，弊二；右文左武，刀筆吏得持將帥短長，弊三；三營官軍，詭寄糜餉者什八九，倉卒有變，不知何以待之，弊四。將上書極言，不果。平居鬱鬱不自得。甲申三月，李自成陷京師，世德方徼巡北城，拔刀將引決，僕楊坤抱持，奮力挽馬，趨金剛寺。是時妻魏已率諸婦女赴井死，寺中僧素善世德，相持而哭，以僧服進，遂祝髮。間道奔淮南，僑居安宜，以霸臯名其居，因以自號，與梁鶴、林以樟卜鄰偕隱，所與遊皆逸民高衲。嘗憤野史誣罔，不可傳信後世，欷歔扼腕，奮筆作崇禎遺録，凡野史之謬者正之，遺者補之，頗勝他説。遂卒於淮南。康熙十八年，詔修明史，徵遺書四方，有司録其副上史館。子源。王士正霸臯先生墓誌銘。

源字崑繩，方苞王崑繩傳。號或菴。北學編四。少從其父任俠，喜言兵，北學編四。慕漢諸葛孔明、王文成之爲人。善古文，徵存録一。於文章自謂左邱明、太史公、韓退之外，無肯北面者。王崑繩傳。徐尚書乾學開書局於洞庭山，招源往。獨與劉獻廷善，日討論天地陰陽之變、伯王大略、方域要害、近代人才邪正，意見皆相同云。顏氏學行記。蠡縣李塨見其文，盡棄少作而學焉。博野顏元講學於鄉里，其本在忍嗜欲，苦筋力，以勤家而養親，而以其餘習六藝，講世務，備天下國家之用，以是爲孔子之學，自別於程、朱。源一見大説，與塨同師事之，徵存錄。終日正衣冠，對僕隸必肅恭。然自負經世之略益堅，每曰：吾所學乃今始可見之行事，非虛語也。年四十餘，以家貧父老，始遊京師，傭筆墨。王崑繩傳。徐相國元文賓禮之。諸公排纂經史，必就質焉，先正事略。皆降爵齒而與之交。與四明萬斯同訂明史稿，兵志，源所作也。畿輔唐志七十九。或病其不習時文，笑曰：是尚需學而能乎！因就有司求試，舉京兆第四人。李剛主先生事略。然嘗自謂非其意，北學編四。曰：吾寄焉，以爲不知己者詬病也。源以貧無資，不能不託迹公卿間，而常以自鄙，未嘗降辭色。或極飲大醉，嘲謔罵譏，中其所忌諱。諸公用此陽禮貌之，而陰擯焉。源雖好氣，其於人果有善，未嘗不降心。王崑繩傳。與方苞交最篤，嘗與苞論顏元之學，爲言程、朱之所以失，顏之所以得，曰：子篤信程、朱，恨不能破子之迷也。苞曰：程、朱未嘗不有事於此也，但凡此乃道之法迹耳，使不由靜敬以探其源，則於性命之理知之不真，而發於身心施於天下國家者，不能曲得其次序。源色變，爲默然久之。自是終其身，口未嘗非程、朱。李剛主先生事略。生平內行篤修，其兄死，旬歲中，貌若非人。先正事略。五十後葬其親，王崑繩傳。遂漫遊，將求名山大川以隱身焉，雖妻子不知所之。李剛主先生事略。見人不自道其姓名。逾六十復歸。往來金陵、淮揚間，客死山陽。卒之夕，神色傲然，無一語及家事。著有易傳十卷、平書二卷、兵論二卷、居業堂文集。王崑繩傳。

劉永嘉，字天申，密雲人。監生。行誼爲時所重。提督某延之課讀，或有以重金求其關說者，驚曰：賂可受乎！卒不取。後某罷官，幕中多株連，獨永嘉名不在籍中。密雲丁志。

袁懋功，字九敘，香河人。父邦化，明山西沁水丞，畿輔唐志七十四。值流寇亂，兵火之後，代攝縣事，撫恤招徠，政績甚著。直指特疏薦舉，以親老辭歸。香河劉志。懋功順治二年進士，畿輔唐志。授禮科給事中。漢名臣傳。建白皆關大計。畿輔唐志。疏請慎簡學官，磨勘文體，釐定禮制。又以前明廢官，援恩詔踵至，雜流奔競，妄希進用，請命吏部會同都察院嚴核才品，並停各省撫、按舉送。皆得旨，如所請。四月七月，調刑科。先是，上允刑部侍郎黨崇雅請，定朝審、熱審之制，所司尚未奉行；懋功復言之，詔申飭所司。十二月調户科。五年，遷刑科給事中。八年，疏言：浙江織造局舊設機户，擇富民充之，吏胥誅求爲累，民間至破産求脱，請飭令禁止。疏下部議，革機户名，官買絲，募工匠織作。十年，集議總兵任珍罪，隨大學士陳名夏、胡世安等以兩議上。坐黨附，論流徙。奉旨：從寬鐫一級，罰歲俸。是年擢太常寺少卿，累遷至通政使。十二年，擢刑部侍郎，尋調吏部。十三年，以户部援恩詔議豁員外郎朱世德虧缺額税，吏部扶同議奏，部臣降革有差，懋功降光禄寺少卿。十六年二月，擢左副都御史。七月，請命禮臣詳議歲暮祫祭之禮。上是其言。舊直隸武鄉試，巡撫主之，惟隸京衞者試于兵部；至是，因懋功請，令彙送兵部試騎射技勇，用翰林官爲主考，試策論。十二月，擢户部右侍郎。十七年，上澄敘廷臣三品以上者，有旨：袁懋功才品敏練，以要地巡撫用。尋授雲南巡撫，特旨許以參將一員隨贊戎務，賜袍、馬，並帑金三千兩。皆異數也。懋功至滇，恩信周布。（畿輔唐志。）時雲南新闢，令降兵歸農，其久横鄉里者，懼仇人不敢歸。懋功慮其復爲賊盜，疏請令隨在入籍，無主之田任其開墾，編保甲以時稽察。復請令土官子弟赴學官訓課，其優者並許應試。滇省在明初駐軍屯田，計畝抵餉，其後兵不耕而鬻諸民，輸糧於衛所，每畝以四斗有奇爲額；至是改隸州縣，仍名屯田，按額征之，視民賦重。懋功奏請酌減糧額，並言：屯田近城邑者，可輸糧州縣；其山阻路遥，如楊林諸所，宜仍設衛征糧，增廣各州縣額，設夫役以供輸運。又言：滇地高下參差，丈量田畝，雖一州一邑，動經歲月，請停派京官履勘。諸疏均下部議行。康熙六年，以父憂歸。九年，起授山東巡撫。（漢名臣傳。）陛辭，復賜蟒服、鞍馬。在任仁慈廉静，正己率下，一如撫滇時。（香河劉志。）十年五月，以濟南諸府屬五十六州縣衛新墾地被水，請展限一年起科。部議不准，聖祖仁皇帝命如所請。七年，浙江巡撫范承謨病，調懋功代之。未行，仍命各留原任。十月，懋功卒，賜祭葬如例，謚清獻。（漢名臣傳。）山左士民公請崇祀名宦。十一年，本學諸生周溥、鄉民魏延年等，公呈督學，題請崇祀鄉賢。（香河劉志。）兄懋德，字六完，（畿輔唐志。）幼以孝友聞。事父情意肫篤。父偶少怒，即踧踖不甯，百方解喻，否則邀親友相與盤桓，必父愉懌乃安。父没，哀毁骨立，與懋功友愛甚摯。懋功卒，懋德方會客，聞訃慟哭蹐地，絶而復甦，座客俱揮淚而散。香河劉志。以歲貢生官至通政使。居鄉以德行稱，並祀鄉賢。畿輔唐志。

楊璜，字半玉，號澹若，宛平人。順治三年進士，與弟瓛馳名都下，稱二楊，比之二陸。登第，授刑科給事中。會日食，上言，辭多切直，罪幾不測，以新進言官，得寬假。先是，中外考試官皆由部院考取，璜疏言非體，宜改其制，由上定，從之。繼陞户科給事中。念國家取民之數不可不惜，籍不定則病民，其匪頒賚予，不可不嚴。籍不定則又以病國。於是籌多寡出入之數，按簿書立經制，革闗梁弊政，監於前明，以裕國恤民爲務。其條畫創建，至今見諸施行者不可枚舉。顧恒焚諫草故事載國史，家乘不傳，其意方欲澄清積弊，盡去官吏蠹食之奸，然不得竟行其志也。左遷，補金吾經歷，人皆惜之。璜曰：大小皆朝廷之官，唯盡職而已。拜命四日，隨丁外艱歸，遂不復出。家居五年，卒。宛平王志。

瓛字執玉，明崇禎癸未進士。生而聰穎，博極古今。初授禮部主政，陞任陝西學道僉事，力杜倖竇，有冰清玉潔之稱。及備兵雲中，值姜瓖變，大兵西征，委瓛攝巡撫事，籌畫調度；姜瓖授首，招集殘黎，士民得所。爲東萊道時，值防兵以重遷鼓譟，擁入道署，瞰慨然登堂，曉以大義，兵皆投戈感泣，反側以消。擢轉太常卿，歷左右通政，卒。宛平王志。

朱之弼，字右君，號幼菴，大興人。畿輔詩傳三。順治二年進士，選授禮科給事中，歷遷工科都給事中。己丑分校禮闈，得人最盛。踰一年，丁外艱。服闋，補户科都給事中。讜直端亮，著聲於朝廷，累月之間，章數十上，雖城社狐鼠之姦，苟利國家，不避也。所言重名器以尊朝廷，革久役以清弊蠹，嚴禁派糧積弊及糧船私載事，皆施行。其論破積習以圖實效，憺園朱公墓誌銘。言：國家章程大備，六部各有成書，儻部臣實心任事，利自知舉，弊自知革，言官不過拾遺補闕而已。六部任事之人，視國事如家事，猶恐廢弛；今則盡若事外，疑事畏事之念多，任勞任怨之意少。事稍重大，則請會議，遷延日月，行查而已；不然，聽督撫參奏，科道指糾而已；不然，苟且塞責，無容再議而已。臣愚謂今日之治惟在擇人而久任，責成效以定賞罰以行法，伏乞皇上面召諸大臣，親試才品，因能授任，復考其歷事後興利幾何，視成效多少，以定功罪，行賞罰，無少姑息，則人知法之必行，而事舉矣。漢名臣傳。未幾，除太常少卿，歷右通政、宗人府丞，擢户部右侍郎。其明年，以公事貶官。十五年，補光禄少卿，轉通政司右參議。明年，以左參議擢都察院左副都御史。朱公墓誌銘。疏言：巡按未得其人，其要惟責成都御史嚴加考核而已。

巡按之賢不肖，卽堂官之賢不肖，臣請與同堂諸官暨諸御史約：一曰操守潔清，毋貪污不法；一曰舉劾得宜，毋賢否混淆；一曰撫、按互糾，毋瞻徇督、撫。若臣等定差不公，考核不當，巡按尤異而不特薦，敗類而不特參，諸御史亦得糾，臣所以交相勸誡者如此。至於巡方應行事宜，御史親歷其事，見聞必確，應責掌河南道，會同十四道，各抒見聞，孰爲興利除弊之事，詳悉陳奏，敕部院諸臣定爲畫一。奏請睿裁，然後刊刻成書，永遠遵行。下部院議，從之。漢名臣傳。是時世祖方嚴懲貪之典，凡貪官得贓十兩以上，流徙塞北，著爲令。墓誌銘。之弼言：此令出，撫、按所糾，必無以大貪入告者。何則？一經提問，有司無不求減贓罪，圖免身命，雖累千萬，期不滿十金而止。然則有嚴令之名，無嚴令之實也。皇上但擇撫、按一大貪者懲之，撫、按一大廉者獎之，衆貪者懼，衆廉奮矣。夏，大旱，因奏前山東撫臣耿焞、河南撫臣賈漢復墾荒不實，歲增數十萬之賦，百姓重困，怨苦之氣積爲沴厲，宜加勘豁。河南報災，户部言：六月内旱，皇上步禱，甘霖大霈，處處有秋，何以彰德、衞輝獨請蠲恤？有旨覆勘。之弼固爭，以爲地有窳隆，澤有贏縮，雨露所滋，豈無枯槁？因極言覆勘無益。與户部尚書王宏祚力爭於朝，宏祚辭卒屈。畿輔詩傳三。尋遷户部右侍郎。康熙二年轉左。三年，充武會試副考官。四年，調吏部左侍郎。五年七月，擢左都御史。十月，轉工部尚書。六年五月，疏言：聞省官兵每年所需月米，除徵米十萬二千餘石外，買米四十餘萬石，每石價銀二兩四錢，朝廷買米養兵，絶不虧短損民價，恩至厚矣，臣聞延、建、汀、邵，苦於買米之攤賠，有願繳田入官者；漳、泉之間，逐日按地畝均派，方司餉未到，曰借派者，有借竟無還也；及司餉既到，曰均補，均補者，謂餉米不敷，按畝攤派也；又巧立名色，曰預徵，預徵，先事而派也。各縣派米於民，每石必加六斗，又不令納米，折價三、四兩不等，是數倍於正供也。請飭該督、撫查究夙弊，庶免朘削百姓之苦。漢名臣傳。天子下詔，切責督、撫大吏，大吏以下多得罪，閩中積弊遂革。墓誌銘。七年，調刑部尚書。漢名臣傳。既爲大司寇，則請旗下軫恤家人，更定私嫁之條，俾免離析。請免康熙七年酌省存留錢糧，以紓百姓。墓誌銘。又言：貪蠹法非不嚴，而貪污仍敢肆行者，恃與受同罪之例與者不敢質證耳。請嗣後因事賄賂者，照例同罪；如因逼抑出錢，儻非官役，仍照舊例，庶過證與錢者得吐實情，而國法伸矣。詔並如所請。九年，調兵部尚書。二十二年，會推按察使，之弼首舉道員王垓。上以所舉非材，交部察議，降三級調用。漢名臣傳。或勸之自明，之弼曰：吾昨一歲四遷，不以無功辭；今甫一謫，遂以無過自白乎！遂歸老于家。畿輔詩傳三。康熙丁卯十月，以疾卒，年六十有七。嘗買妾，詢其爲士人女也，弗御而嫁之。年十六，讀書塾中，聞鄰有哭聲，以貧甚，將鬻其子，爲之醵金代贖。家居課兒，講誦經史，暇或策杖逍遥郭外，寄興詩酒，人未見其有愠容。子三人：長儼，刑部陝西清吏司郎中；次侗，候補内閣中書舍人；次价，官監生，出爲弟之佐後。（墓誌。）

之佐字左人，幼孤，依伯兄之弼，兼師友教誨。（大興張志。）自延師、受室及居處、服御，皆爲辦治。自少至老，每食未嘗不共。順治十四年進士，改庶吉士，歷官至翰林院侍讀學士。居恒肆力古學，不妄交遊，好先儒語録，沈潛研討，粹然一出於正，與蘇少詹亮工爲性命交。丁未分校，會元黄仍緒、狀元繆彤，皆出其門。雖踐清華，自處若寒素。良辰令節，不事聲伎宴飲，寂處書齋，與二三名儒講道不輟。至嚴事伯兄，教姪如子，惠及宗黨，多仁人長者之行。（大興張志。）

劉楗，字玉壘，大城人。（一統志。）順治三年進士。試奏議於午門，授户科給事中。會大計，撫、按糾舉多不以實，楗輒拾遺論之。（畿輔唐志七十一。）疏言：頃見撫院參劾，嚴小吏而寬大員，非有司多不肖而道府多賢也，勢位漸崇，情面難破。即如青州道韓昭宣，受賄縱釋叛賊多至十四人，巡撫楊聲遠僅議令住俸勦賊；罰不蔽辜，請下部飭究。昭宣坐褫責。四年，轉兵科右給事中，以泰州遊擊潘延吉棄城遁，劾江南巡按宋調元濫舉失當。調元亦坐革職。是年，楗循大計拾遺例，揭山東聊城知縣張守廉贓欵，吏部奏令所司劾議，以守廉僅失察吏役，罰俸三月；楗誣贓，坐革職。十年正月，吏科給事中魏家樞疏奏行大計拾遺例，且言：順治四年，上未親政，科臣劉楗糾拾，坐誣褫革，于法未爲平允。得旨：糾拾，反坐言官，壞吏治，塞言路。以後科道糾拾官，卽準大計例議處；如科道挾私妄糾，許吏部都察院指實參奏。又諭曰：吏役詐贓，知縣全無覺察，僅議罰俸；言官反議革職，劉楗明有寃抑，其令吏部察奏。奏上，命以原官起用。六月，授兵科給事中。十年，充福建副考官。十一年五月，疏言：近畿水澇之後，地畝可耕，方春，農事尤急，請飭撫臣檄州縣，於存留銀内酌借災黎，以備耔種，俟秋成後，照數償官。仍飭親履鄉村察核，不使假手吏胥，使民得沾實惠。十二年五月，因復設巡按御史，條上四事：一、舉劾，無狥虛名，宜進悃愊吏而抑巧宦；一、禁交納，以清賄賂之原；一、提問，無致稽遲、貽累；一、慎關防，無使幕役叢弊。疏皆下部院行之。是月，疏言：海賊鄭成功蹂躪漳、泉，窺伺省會。臣前奉使入閩，詢悉地勢，福清之鎮東衛，明時曾駐兵防倭，儻復舊制，可以保障長樂，可以藩衛會城。又宋、元以來，設州治於海壇島，明初以倭患棄之；若設將鎮守，與鎮東互爲犄角。仙霞嶺乃入閩門户，與江西、浙江接壤，易于藏奸，宜設官控制，招民以實其地，使賊無隙可乘。又海賊易犯京口，皆泊平洋沙爲巢穴，若乘賊未至，移官兵駐鎮其地，賊既退無可據，必不敢深入内地。疏既下各督、撫，酌議，以海賊分道入寇，請敕鎮海將軍石廷柱等驅勦後，分别駐守。

十三年，授山西河東道。十五年，轉河南鹽驛道。明年，遷湖廣按察使，尋擢本省布政使。漢名臣傳。三省大帥會勦楚西山巨寇，日需芻糗數十萬，民苦輓餽，中途多逸。督、撫屬楗督運，攀藤緣谷，履穿衣裂，寢食荒榛宿莽中，民感其勤勞，爭負以赴運。寇平，畿輔唐志七十一。總督張長庚、巡撫楊茂勳交章薦其操守廉潔，才識精詳。協滇、黔兵餉至八百餘萬，并清逋賦墾地，及除鼓鑄積弊數事。疏下部，會楗丁母憂，回籍。康熙二年，服闋，補江西布政使。漢名臣傳。值吳、耿變作，賊犯吉安，南昌兵民譟巡撫門，勢且叵測，楗單騎諭解之。一統志。十四年，内陞太常寺卿。十六年，遷大理寺卿。明年三月，擢都御史。五月，疏言：自吳逆叛亂，軍需旁午，大計暫停，恐法紀久弛，人情易玩。今大兵所至，漸次蕩平，直省督、撫絶無舉劾，多以軍需未竣爲辭。伏思兵燹之後，殘壞已極，正賴賢有司招來安輯，潔己奉公；若使不肖者滋擾，何以澄吏治，奠民生，息盜賊！請令督、撫速行舉劾，凡經保舉各官，或改行易操，一體嚴察，不得偏狥干咎。上是其言，下部如所請行。明年四月，病劇，乞休，五月，卒于家。漢名臣傳。賜謚端敏，予祭葬。康熙二十二年，崇祀鄉賢。畿輔唐志。

劉克家，畿輔唐志八十。號振夫，順天保定人。户部北新榷關劉公德政碑。順治三年進士，授中書舍人，畿輔唐志。轉户部山東清吏司主事。兩奉欽差榷北新關、滸墅關，剔弊惠商，兩地稱爲慈父，並有德政去思碑記。保定成志。遷員外郎。累官廣東僉事，告歸。性孝友，事親愛敬兼至，喪葬盡誠。兄貧，爲之置産贍養。弟早亡，擇嗣令成立，時咸稱其義。畿輔唐志。友人程樂善死，代治殮具。閻國士久病，供藥餌不缺。王麟圖卒，缺葬地，乃擇己地以葬，且顧恤其後人。家僕劉安禄服毒斃，迹涉李喜所致，李喜舉家方驚惶無措，既而毫不波及，人咸服其德量。保定成志。邑以堤決被水，民人絶食，多方賑助，鄉里德之。畿輔唐志。凡邑中利害所繫，卽拮据自任。保定成志。戊戌秋，有以省費裁併小縣之文，克家方在告，乃有十不可裁之議，一、天下有州縣，各分邑而理，縣屬皆封疆，不宜輕損；一、邑東西兩淀，保定居中彈壓，大有關繫；一、邑治居十五河匯流，堤係三邑性命，無官則關會失宜，築防失時，必致疏虞；一、邑去文安四十餘里，歸之文，則百姓田、婚、糧、差，不勝跋涉之苦，且深隔膜之傷；一、保定臨大河，舟楫之地無官，則水路之私鹽任其往來，而陸路之操戈車載，地棍勾連，誰與稽察緝捕？一、保地從無緑林之警，裁縣成村，盜賊往來，借爲窩巢，文推之霸，則霸受累，霸推之文，則文受累，兩相推而各爲隱匿之術，勢必多事；一、立縣設官，爲地方，爲百姓，非爲官也，地方土瘠民貧，官何得有富？豈可以官窮，遂令百姓無主？一、保邑事簡民醇，易於見德，官此地者，從無錢糧、盜賊之累，朝廷愛惜人才，則此地爲人才培養之地，又何可少！一、縣明有執法之官，則幽有司土之神，如風雲、雷雨、山川、社稷、城隍，皆上帝分司以答陽治。一旦議併，不但使百姓失父母之邦，而令各神斬此血食，何爲也！一、官吏俸薪、工食、祭祀等銀，不過數百兩而已，朝廷賑民修築，動經數十萬，天下小縣亦多，豈得盡裁！卽裁，能省幾何？使百姓流離失所，當非聖主愛民之意。劉克家上傅道臺書。霸州道傅夢籲乃以所議出結撫院，復疏照舊云。保定成志。卒，祀鄉賢。畿輔唐志。弟克讓。

克讓性孝友，明季之亂，弟兄分散奔走，亂甫定，兄弟畢集，獨不見克家，克讓乃大哭曰：二兄不來，多陷入軍中，若有不虞，吾何用獨生爲！於是昏夜辭母曰：兒去尋兄，母當自重；兒不見兄，兒不還矣。遂去，不知所之。後克家歸，而克讓音息杳然矣。克家每一念及，輒流涕不止。久，乃爲之立嗣云。保定成志。

楊三知，字伯筠，良鄉人。一統志。順治三年進士，任榆次縣知縣，良鄉楊志。有惠政，擢兵部主事，畿輔唐志七十六。陞本部郎中，良鄉楊志。累遷神木道。會提督王輔臣反，邊將朱龍應之，三知方以代覲還抵保德，或止之曰：事亟矣，公無渡河！三知不聽，抵鎮，日夜爲守禦計。畿輔唐志。而守將孫崇雅開門納賊，執三知，命之降，不從；衆拔刃相擬，脅取敕印，又不與。一統志。賊擁之至署，三知紿賊出，急呼妻、妾、子、婦悉投井中，三知别赴一井。賊偵之，急負出之，右臂已折而不死，大駡賊不絕口。賊閉之一室，令卒環守，仍誘之降，一日夜不從。賊怒，闔扉，驅人出，其卒在户外聞掊擊聲，殷殷震牆屋，三知罵賊聲，乍高乍下，久之寂然，賊啟扉去，則三知已死。其室無完器，三知體亦無甚傷，不知三知若何死也。事平，贈光禄寺少卿，廕一子。畿輔唐志。

王景祚，字振公，號迂叟，文安人。畿輔詩傳三。其五世祖，所謂王孝子原者也。吴正治王大父守廷尉傳。明，以德行舉鄉飲大賓。畿輔唐志。景祚，順治二年進士，畿輔詩傳。授山西太原府推官。太原，省會地，事繁劇，前任以不職罷去，案牘充棟，景祚以旬日了之。撫軍祝世昌大喜，凡府省大案及文武薦覈，皆决於景祚。已而，姜瓖叛大同，人心恟懼，一日數驚。撫軍以景祚攝甯武道，以扼其吭。景祚疾驅赴之，未至，已爲賊據，卽馳歸，議城守，而賊騎數十萬，連營結寨，進偪太原，時人心益驚擾。景祚方從容畫計，神氣殊閒雅。會有蒙古兵防邊撤回，途經太原，須供頓以部牌至，景祚笑曰：破賊之策在是矣！例兵馬不入城，景祚與撫軍議，以計致之。已而徘徊欲去，撫軍及藩、臬固留之不可得。景祚奮袂進曰：賊騎臨城，人心危懼，公爲大將，見賊不討而欲倡逃乎？大軍一動，勢必奔潰，失地之罪，將有攸歸。將軍曰：烏合之衆，破之不難，但非我職，奈何？景祚曰：人臣無職，誅逆其職，誠撲逆賊，安全境土，下拯赤子之難，而上不貽君父之憂，此將軍之所以盡其職也。將軍曰：然。明日遂出師。景祚介胄以從，與賊戰於晉祠西，大破之，斬首數萬；追奔數十里，至其所據城下，拔其城，賊遁去。將軍以軍法屠城，景祚跪而請曰：變肇於逆，民脇從耳，活此數萬人，皆將軍賜。遂止。已而，王師西下，汾水暴漲，無船，議爲橋以濟，檄太原、榆次兩縣，兩縣辭以水勢洶湧，橋不可成。撫軍目之曰：以此累君。景祚設方略爲之，橋連成而師濟。賊平，治其黨所速引幾數百家，下景祚鞫之，所平反者甚衆。甯武饑，人相食，景祚賑之，而饑者蜂起，擁馬首，令不克濟。時甯武倉軍儲數千石，不暇請，卽日發之，曰：活此數萬之命，罷予一人之官，且甘心焉。既反命，撫軍大喜，疏奏之，報曰：可。當是時名震三晉，兩院薦劄皆第一。壬辰，内擢，授廣東道監察御史，巡視西城，所言皆國計民生諸大事。明年，奉命巡湖北，屬吏有不飭者，聞風改操。西山賊出掠，官軍追之，獲婦女數千口。景祚勒令放還，軍無一人。明年，補山東左參議，備兵東兖。榆園盜起，結謀窺城邑，山東、河南、直隸三省會勦，莫能除。標將孫維統沈勇有略，景祚專任之，授以機宜，踰旬而斬賊帥以獻，黨皆奔散。隨草弭盜急著一疏，請兵駐防，以善其後。乙未，歲大饑，直省流人入境丐食，會逃人之禁方嚴，各府懼不敢納。景祚慨然曰：流民，亦吾民也，避罣誤而輕人之死，何忍耶！嚴飭屬吏安集。高唐刺史佟年，首奉令招集數百家，卽首薦；餘屬争相倣效，流民乃安。丙申，父卒，以憂去官。己亥，起補杭嘉湖道。未逾月，上諭取直省監司，名、最在後，特奉内陞之詔。庚子，遷太常寺少卿，遣祀南嶽，轉通政使司右通政，尋轉左通政。司封駁，侃侃正言，無所避，在銀臺者七年。丁未，轉都察院協理院事左僉都御史，尋陞奉天府尹。景祚至奉天，輯和滿、漢軍民，各安其所，無間言。先是，遷徙人口，隸各牛录下，景祚特疏請歸州縣。遼左舊不榷鹽，有豪商叩閽請行，下景祚議。景祚卽日下疏，言遼左不榷鹽者實有遠慮，一旦創舉，恐滋後日之擾。奉旨罷之。辛亥，陞大理寺卿。素名法司，而權多在部院，景祚親閱爰書，大案多所駁正。一時權貴斂手，風節凜然。壬子，扈耕耤田，以病失儀，左遷。乙卯，補鴻臚卿；明年春，請告回籍。大王廷尉傳。景祚清慎廉介，歷官三十年，不異寒素。康熙七年，河決文安，濱河地多不可耕，疏請豁免，民賴以利。畿輔唐志。年七十，卒。著有用拙山房草若干卷。父子並祀鄉賢。畿輔詩傳。

林起龍，大興人。順治三年進士，授吏科給事中。疏請嚴禁白蓮、大成、混元、無爲等邪教，務絶根株，俾閭閻勿惑聽聞。又以守令得人，則教養行而下向化。請以招流亡、墾荒蕪、巡阡陌、勸樹藝、稽户口、均賦税、輕徭役、除盜賊、抑豪强、懲衙蠹、賑災患、濟孤寡、修濬溝池、平治橋梁、興舉學校十五事攷其殿最；而大吏以時訪察。俱如所奏行。四年正月，劾山東巡撫丁文盛庸劣無能，盜寇充斥，因薦大理寺卿王永吉可代文盛。下部議，以起龍狥情薦舉，降二級外用。尋坐誣劾登州道楊雲鶴贓欵，擬革職。

世祖章皇帝親政，覽前奏，以起龍因彈劾不實罷廢，尚非品行玷缺者比，詔來京候旨，復原官。時軍旅數出，需餉孔繁，未暇講求積貯，而八旗禁兵所得月餉，僅堪餬口。起龍請勅司計諸臣，悉心籌畫，先實京倉，以及近輔各省倉儲，務使水旱有備，調發裕如。又言：昔年兵在盛京，無餉而富，今在京師，有餉而貧。揆之時、地迥異，法制尚宜更定：凡駐守征行所需馬匹、草束、軍裝、戎器，悉動官帑，估值分給，俾籌備有資，無致拮据。疏入，上諭吏部曰：滿洲兵建功最多，資生無策，十年以來，章奏未有言及此者。林起龍所奏，思慮周詳，條畫有緒，實心爲國，忠誠可嘉。嗣後有關政治民生利害興革者，言官俱宜直陳無隱，如果有裨政事，朕不靳懋賞。諭部議敘，以五品京堂用。起龍懇留任，奉旨加銜，仍原職。十一年，轉刑科，加大理寺卿銜。疏陳州縣官媚事上司，耗費不貲狀，乞嚴飭禁革，並請遣廉能大吏，巡行各省，體察情形，延訪利弊。疏皆稱旨，飭部議行。復疏劾總河楊方興，用賄署官，侵剋工料，不塞決口，致河北盡遭淹没。工部尚書劉昌，不行糾劾，乃議令督、撫詳勘九河故道，稽延時日，冀爲方興掩罪。事下王大臣訊鞫。起龍與方興、昌面質無實，坐杖流，上特宥之，改降三級調用，補光禄寺署正。明年，諭吏部列科道因言降革者以奏，起龍得授大理寺寺丞。十三年，洊擢右通政、大理寺卿、工部侍郎。十五年，調户部左侍郎，總督倉場。明年三月，加太子太保。七月，考滿，廕子入監。八月，請更定緑旗兵制，使兵馬器械無虚額，訓練行伍非具文，留有用之兵，裁無實之費，取材技于武科，責愛養于總帥。章下所司，議行。十七年，加太子太保、兵部尚書銜，巡撫鳳陽。先是，立懲貪例，官吏犯贓，照輕重科罪，不許納贖。至是，起龍請仍舊章，收贖充餉。上命九卿、科道會議，從所請。諭曰：立法止貪，今因濟餉而貸法，如民生何！所奏俱不合，仍前例行。聖祖仁皇帝嗣統，授起龍漕運總督。康熙元年，疏請豁免東海遷居民所遺地糧，報可。又疏濬涇河閘，淮城迤南運河七十餘里，直達射陽湖，近海田廬免患。下部知之。五年，上言漕運倚於河防，濟甯、臨清一帶，勢雖建瓴，泉湖蓄洩，隄閘鱗次，請飭有司修築，俾無廢缺淺阻。又疏禁運兵毋得病民，運弁毋得病丁。條議以上，請旨頒行。時江南、浙江省、蘇、松、常、嘉、湖等府穀賤，白糧折征舊額，浮于市價，請改征本色。上並納其言。初，起龍奏禁運丁多攜貨物，遲滯漕運，令沿途監司節次稽察，儀徵、瓜州責之總漕及漕儲道，淮安責之淮安道，濟甯責之濟甯總河及濟甯道，天津責之倉場及催漕分司，以專責成。會裁漕儲道，糧艘至儀徵、瓜州，起龍不復委員稽察。至濟甯運丁有額外攜貨者，事覺，總河盧崇峻具疏舉報，部臣令起龍咨送盤驗不實諸職名。起龍以道員既裁申覆。六年四月，御史張志尹糾其不自引罪，巧言支飾。上命起龍回奏，起龍謝溺職，乞賜罷斥。下部議，坐失察，命降三級。休致，以疾卒於家。漢名臣傳。

王崇簡，字敬哉，宛平人。崇禎進士。一統志。父受明，陝西布政使司右布政。萬曆中進士，初仕潞安府推官，以清節著，一府人稱之曰：王青天，但飲潞安水耳。禮部尚書王公行狀。崇簡善屬文，旁及詩歌、古文辭，皆優爲之。相繼受知於國子監司業張鼐、提學御史左光斗。二公素名知人，每見崇簡文，輒歎曰：此公輔器也。值流賊破京師，遂挈其家播遷東南，久之始歸。堯峯文鈔。世祖順治二年，以順天學政曹溶薦，補選庶吉士，漢名臣傳。尋除秘書院檢討，畿輔唐志七十一。歷侍讀學士，遷詹事府少詹事兼侍讀學士，以疾請告。十二月，刑部右侍郎戴明説薦崇簡可大用。世祖素知之，遂起於家。其明年，以原官兼宏文院侍講學士，遷國史院學士。禮部尚書王公行狀。時子熙亦官宏文院學士。世祖章皇帝曰：父子同官，臣鄰希覯，然肩隨齒列，恐有未安，因擢崇簡爲禮部侍郎，陞尚書，加太子太保。畿輔唐志。崇簡自爲諸生，即肆力於學，日誦記數千言，自經、史、諸子百氏，無不貫穿。每考論古今治亂興廢之故，輒慨然有志當世，益務爲經濟有用之術。在宏文院，詔察明季殉難諸臣始末。崇簡疏言：在内，如東閣大學士范景文以下二十有三人，在外，如山西巡撫都御史蔡懋德等五人，或以其身仗節死，或父母、兄弟、婦子相隨死，或家人闔門，大小俱死，其忠烈相同，宜並賜褒揚，以廣作忠之典。流既上，時論悉以爲允。及在禮部，感上知遇，益盡心於職掌。會御史乞更定帝王廟祀典，崇簡疏言：廟創自前明，迄於本朝，曾經增定，皆祀從來開創帝王功業顯著者，至於守成令主，概不及與。中間如商之中宗、高宗，周之成王、康王，其行事俱見詩書；漢之文帝，史稱其節用愛民，方内安甯，家給人足；宋之仁宗，恭儉仁恕；明之孝宗，亦與仁宗相類，憂勤惕厲，終始不渝。此七君者，宜百世祀，不當以守成見格。又言：宋臣潘美，不當在從祀列。張浚三命爲將，凡三致敗，一敗於富平，則關陝遂陷；再敗於淮西，則酈瓊叛命；三敗於符離，則中原遂不可復。且劾李綱，殺曲端，與岳飛議不合，其積忿在於併兵；雖爲南渡名臣，而初無灼然可見之功，亦當罷其從祀。詔議祫祭禮。崇簡疏言：宜奉肇、興、景、顯四祖及太祖南向，太宗東向。又詔議大享殿合祀禮。疏言：本朝所封啟運山，宜附中岳壇；天柱、隆業二山，宜附北岳壇，如前明附祀例。有建議請祀周公於孔子廟者，崇簡以爲不然，疏言：周公制作，前代比諸帝王，今既配享武王於廟，禮數隆重；若復祀諸文廟之中，於體爲褻，非尊崇之德也。議者謂北岳恒山立廟曲陽，非是，崇簡以先儒言考之曰：按曲陽有三，地理志：上曲陽屬常山郡，在恆山北谷；下曲陽屬鉅鹿郡，鼓聚少陽亭，晉荀吴滅鼓，其處也；今之曲陽，既非鼓聚，又不在北谷，距恆山絶遠。遂疏言：宜從議者移祀渾源州爲便。是時天下大定，朝野乂安，天子鋭意創興禮樂，崇簡既鉅儒，學問淹洽，爲上所委任，而又身居禮官之長，一切制度沿革，必皆援古證今，侃侃建白，雖或廷議糾紛，亦皆俟一言而決，上亦必從其言，由是眷注日厚。（堯峯文鈔。）子熙，以禮部侍郎加尚書，遷左都御史，兵、工二部尚書，大拜。崇簡時年六十餘，尚無恙。（池北偶談一。）父子後先同列，海内榮之。（堯峯文鈔。）十八年，以疾解任。康熙十七年卒。（漢名臣傳。）賜謚文貞，祭葬如例。（畿輔唐志。）崇簡交遊滿天下，（堯峯文鈔。）善自謙下，崇厲名教，獎引後學，孜孜若弗及。（今世説三。）每到門投謁，必相與握手欵曲。凡被禮遇者，人人色喜，謂王先生親我，諸所獎借。其後率皆成名。性清慎，不苟於財，嘗貸前明中貴人何某金百兩，何死於盜，崇簡無所歸金，遂舍諸僧寺，且設位爲文以告曰：吾用資故人冥福。有同年生宋某者，寓赤金百兩、白金千兩於崇簡，其家不之知也。宋君歿，促其子至，如數與之金。其子大驚，願以其半爲壽。笑曰：如是則與乾没有異乎？悉與之。平居無聲色博奕之尚。晚歲益嗜澹泊，惟潛心先儒義理之説，以躬行心得爲主。與諸儒論難，不强爲異同，及其發之於文，原原本本，下筆輒千言，而悉根柢乎六經。其論詩風、雅正變，則謂論正變以體，不若論之以聲，蓋體由聲而定也。三代以上，詩與樂出於一。古人以聲詩奏之樂，是故詩之本在聲，孔子删詩，得其聲則存，不得其聲則不存。或謂時有正變，聲何以有正變？不知宫、商、角、徵、羽，正也；變宫、變徵，皆變也。後儒補六笙詩，又補肆夏詩，皆未達乎聲之義者也。論春王正月，則謂春秋之作，孔子尊王之作也，因魯史之文，遵周代之制，概乎無可疑者，使以夏時冠周月，是倍王，非尊王也。是故孔子所書春者，卽周之春，所書正月，卽周之正月也。其説悉有裨於學者。至其他碑銘之文，尤見重當世。子若孫欲榮其祖、父者，往往數千里來求，其辭皆典核有則。堯峯文鈔。爲禮部尚書，猶好學，寒宵擁鑪篝鐙，咿唔不輟。諸公子環坐，聽其緒論，退而筆之，爲冬夜語兒箋記。時人見其書，以爲其體製覈而賅，其用心仁以恕，其立言皆可爲天下後世法。今世説三。早遇國變，時懷幽憂之感。其詩流連沈鬱，具才學識之長。畿輔詩傳。閒召賓從、子姓與之觴詠，及嬉遨山水間，所賦清新整麗，見者争傳頌之。有青箱堂詩十卷，續詩十二卷，文集十卷，家譜、年譜各一卷，雜著述若干卷。堯峯文鈔。案四庫全書提要云，青箱堂文集三十三卷，與此微異。葉方靄序其集曰：色黝然而光，味冲然而長。蓋實録也。堯峯文鈔。子熙、燕；次檒，國子監典簿；次然，布政使；次照，王文靖公事略。行狀。金衢道。事略。

熙字子雍，案：四庫全書提要，作字子撰，一字胥廷。順治十四年進士，改庶吉士，授檢討。一統志。十年春，世祖親試習國書翰林，列優等。召見，以滿語奏對，大蒙褒賞。先正事略。尋遷司業、中允、洗馬、諭德。漢名臣傳。召入南苑，常譯大學衍義及勸善書，遂命長直南苑。常隨獵，賜乘御馬。先正事略。會初設日講官，以熙同學士麻勒吉、胡兆龍等充之。命每日進講，賜坐。國史賢良傳。十三年，轉庶子，遷侍講學士。十四年，擢宏文院學士。漢名臣傳。時父崇簡國史院學士，父子同官。尋充經筵講官，擢禮部右侍郎兼掌院學士。先正事略。十七年六月，上命造直房景運門內，熙與諸翰林分班直宿。十一月考滿，加禮部尚書銜。漢名臣傳。熙父崇簡方以尚書長禮部，父子皆大宗伯，朝士榮之。十八年，畿輔唐志。世祖大漸，一統志。召入養心殿，撰遺詔，熙泣伏，先草第一條上奏，畿輔唐志。恐聖躬過勞，奏移乾清門撰擬。凡三次進呈，皆報可。俄召入，與故舊大臣同受顧命。又爲輔政大臣索尼等撰誓文，至於面奉憑几之言，有事關國家大計，與諸大臣再三密議而後決者，熙終身不以語人，雖子弟莫得而傳也。先正事略。聖祖嗣位，仍改宏文院學士，兼官如故。賢良傳。康熙三年，以失察欠糧舉人入場，削尚書銜，降一級留任。漢名臣傳。五年，除左都御史。疏請嚴督、撫狥庇司、道處分。又言：近例，招民百家送至盛京，得授知縣，不肖奸人往往借資爲市，宜改給散秩。又言：江、楚、閩、粵諸路王公、將軍、督撫、提鎮多自置官商，奪民利；又奸商多指稱藩下，挾勢横行，宜嚴飭申禁。又言：官吏捐輸博議敘，名出私橐，實出自民間，宜一切報罷。均從之。當是時，平西王吴三桂駐雲南，平南王尚可喜駐廣東，靖南王耿靖忠駐福建，擁兵踰制；三桂尤驕縱。熙疏言：一歲賦入，大半耗於兵餉，就雲貴言，歲需餉銀三百餘萬兩，急宜減汰緑旗額兵，其藩下餘丁，亦宜遣散屯種，庶勢分而餉亦裕。詔下所司議，省額餉百餘萬。七年夏旱，金星晝見，詔求直言。熙疏陳：法祖所以敬天，請飭部院諸司，詳察見行事例，有因變法而滋弊者，悉遵舊例更正。詔下所司確議，於是鄉、會試仍用八股文。又前此各官儀衛踰制，河工不立限期，刑部獄囚霜降後不即朝審，至是皆改遵舊例。其繁例就删者復數十事，中外稱便。又疏言：逃人詭稱寄頓財物，不必遽行勾取，致累無辜；至窩藏之人物故，其妻子請免流徙。從之。遷工部尚書。先正事略。十二年，轉兵部。其冬，吴三桂反，賢良傳。其子以尚主，不即誅。一統志。明年三月，熙上書曰：

逆賊吴三桂負國深恩，肆虐滇、黔，流毒楚、蜀，散布僞劄，煽惑人心。今大兵已抵荆南，元惡旦夕授首，逆子應熊，雖被覊守，而流言繁興，訛傳不止，姦謀百出，未易周防，若不早斷，恐滋後患。請速正法，傳首湖南、四川，以激厲三軍之心，絶奸黨之窺伺。賢良傳。

疏入，應熊旋伏誅。方滇黔之初變也，都城内外，一夕火四起，尋有僞朱三太子之獄，捕繫數百人，掠治不得主名，皆應熊及其黨爲之。三桂自恃角距已成，又以其子方尚主，朝廷必不殺以爲之招。及應熊誅，三桂驚悸發病，竟以死。先正事略。熙稟聖天子方略，調遣羽書，和調將吏，卒以成功。先是，漢官不與聞兵機，至是，特命熙專管密本。中外咸知熙以敬慎受心膂之寄、廟堂之算，所以任之者專，而信之者至矣。朱錫鬯王文靖公傳。

會詔舉賢能官，熙疏薦原任御史郝浴，候補司道鄭端、周體觀。詔徵博學鴻儒，薦原任推官尤侗、中書汪懋麟，皆次第録用。十七年，丁父憂。二十一年，卽家授保和殿大學士兼禮部尚書。先正事略。當是時，三逆削平，海内康樂，熙入政府，務寬平，持大體，宣上德意。畿輔唐志。罷權宜之計，停加征之額，不沽名，不市恩，不植黨援，於四方利病及國家典制沿革，無不周知，遇事直陳無隱，而一不以己與也。二十五年，加太子太傅。二十七年，典會試。三十一年，以疾請告。温旨報曰：先帝舊臣，俱已凋謝，惟卿獨在班列，雖精力就衰，而老成常侍左右，殊有裨益，其勉自調攝，不必求罷。先正事略。明年上元節，賜宴於家。先正事略。四月，特遣侍衛五格賫賜耆老舊德匾額及對幅，傳諭曰：卿歷官最久，自去歲告病在家，無日不念老臣也。近日九卿皆求匾額字對，想卿身雖在告，心未嘗不在朝中，故特書以賜卿，卿其勉强餐食，輔以醫藥，慰朕不忘舊臣之至意。四十年八月允致仕，晉少傅，漢名臣傳。賜寶露、禁藥、帑幣、上珍。明年上元節，賜宴於家。先正事略。四十二年正月，卒於家。年七十有六。漢名臣傳。時聖駕南巡，聞訃震悼，命直郡王允禔、大學士馬齊率侍衛往奠，且傳諭直郡王曰：大學士王熙，係世祖章皇帝舊臣，宜行拜奠之禮，舉哀酹酒。於是王行三叩禮。大學士、九卿等合詞具劄謝恩。尋賜祭葬如例，謚文靖。先正事略。熙讀書一過，記憶不忘，每奏對御前，應答如流，熟於掌故，遇事立剖決。王文靖公傳。居相位二十餘年，恩眷始終如一。君臣際遇，尤爲漢、唐以來所僅見。畿輔唐志。性篤孝，十二歲，母梁夫人病革，禱於天，願減算益母壽。父崇簡晚歲好遊，常徧歷西南諸勝。熙恐其勞於登涉，乃搆怡園於宅西，蒔芍藥數百畦於豐臺別墅，父顧而樂之。比捐館舍，熙年踰五十矣，號泣如孺子，顏書房曰慕齋。待兄弟友愛，布政使然、巡撫燕、金衢道照，皆以推蔭起家者也。生平邃於經史，工詩文，先正事略。著有文靖公集二十四卷。畿輔詩傳八。尤好施與，京師義學、育嬰堂，月有資助。凡大典禮，如耕耤田、册立東宮、陪祀闕里；大制作，如總裁實録、玉牒典訓、方略、國史、明史、一統志，皆膺其任。前後賜宸翰十餘幅，堂額三：曰席寵堂，曰曲江風度，曰耆年碩德，他珍物不可勝紀。熙遇事持大體，在上前或危論，或微言，率能動聽。平定三逆後，撰方略，聖祖忽諭閣臣曰：當三桂反時，漢官有言不必發兵，七旬有苗格者；又其時漢官多移妻子回家，何也？顧學士韓菼曰：爾爲朕載之。菼退而皇恐。熙昌言閣中曰：有苗格，乃會議時魏蔚州語，告者截去首尾，遂失其本意；然如其言，豈非誤國！移家，偶然耳，日久何從分別！其移者，豈非背主？漢官負此兩大罪，何顏立朝！翼日熙執奏，懇懇如閣中語。上微笑曰：固知此二事不可載也。事遂寢。熙嘗語諸學士曰：吾昔從駕椒園，世祖問有子幾人，以二子對，蒙賜名克善、克勤。善實能文，吾不使與試；不然者，當丁酉時，不免作高郵公矣。時上痛懲漢人師生交通之弊，熙遇鄉、會試，輒辭免開列。戊辰典禮部試，蓋特命也。先正事略。雍正十一年，奉特旨入祀賢良祠。畿輔唐志。案：先正事略作雍正八年入祀。

燕以父任廕，累任户部、兵部員外郎、郎中。康熙三十四年，授鎮江府知府。三十一年，特授江蘇按察使。三十三年，晉湖北布政使。三十七年，擢貴州巡撫。疏請增請貴州附學之清浪衛教授一；附學之開州，廣順州，未設學之永甯、獨山、麻哈諸州，學正各一；附學之普安、餘慶、安化三縣，未設學之普定、平越、都匀、鎮遠、銅仁、龍泉、永從七縣，訓導各一。照小學例取文、武生員八名。下部議行。三十九年，疏言：黔省荒尚十分之四，徧勸開墾，舉報寥寥。查田畝俱在萬山中，土性瘠薄，秋成，籽粒難抵內地膏腴三分之一，開墾倍費工本，六年成熟，起科辦賦，餘僅敷播種，工本無償，是以懈於開墾。請除輕則田不議外，其重者分别核減，或減三分之一，或減半征收，嗣後開墾，俱准照減則例征賦，則民苗踴躍從事。下部議行。四十五年，疏稱：文、武官弁近因凶苗劫掠，俱照野賊苗蠻擾害地方例議處。黔地俱熟苗當差納糧，與生苗潛入劫掠者不同，若因其爲盜，將降革各員，即降革離任，接緝者以非任內事，不實力緝拿；不肖員弁慮干降革，互相隱諱，嗣後除野苗爲盜，照例議處外，其熟苗爲盜，地方官照漢民爲盜議處。下九卿、科道等議，從之。四十一年，疏言：驛站夫馬，例州縣兼理，獨安順驛馬在府，站夫在縣；鎮遠驛馬在縣，站夫在府；兩歧不便，且與兼管例不符。請將夫馬統歸普定、鎮遠二縣管理。得旨允行。四十二年，以原官致仕。四十七年卒。賜祭葬如例。漢名臣傳。

王崇節，字筠侶，崇簡弟。宛平王志。生五歲而孤，多病，習懶慢，不喜爲章句學，學擊劍走馬，今世說。爲武學生，辦事錦衣衛。衛員以善刺人陰事爲稱職，有藉以挾取人貨財者，崇節歎曰：此豈吾所能爲耶！遂棄去。與崔子忠友善。子忠工於繪事，得其筆法，繼崔之後，惟稱王焉。順治八年，宛平王志。舉試科，爲興州衛千總，今世說。賣屋之官。未幾缺裁，歸，翻然曰：與其奔走職業，何如放逸自適耶！偕兄崇簡徜徉西山峰壑間，宛平王志。益肆力爲畫。今世說。筆墨之妙，與年俱進。宛平王志。崇簡素友愛，而崇節未嘗倚門地請謁，足不至公卿門。或乏食，甘心貧約，以繪事自食其力。士大夫雅慕其人，求畫者滿户外，必先償直，然後欣然命筆。梁大司農清標見之，稱爲絶藝，厚酬以繪帛，辭不受，曰：崇節之貧，安用帛爲？更易金如其常值，强之乃受。其廉於取又如此。朝廷聞其名，一日召見中和殿。崇節偉丰儀，鬚長數尺。上命起立，視良久，令供奉畫苑。時年六十餘，以足疾引退。從子熙爲築室娱老，遂不出。未幾，病卒。今世說。

方國棟，順天宛平人，明大學士從哲從孫。國史循吏傳。案：汪琬方公墓誌銘云，先世居浙之德清，後徙順天，明太師文端公從子。祖希哲，縣學生，私謚恬節先生。考士淳，以文端蔭，歷官至饒州知府。國棟讀書，明敏過人，十歲善屬文。汪誌銘。順治三年舉人，除蠡縣教諭，遷國子監助教，進博士，循吏傳。遷刑部江西司主事，歷雲南司員外郎、福建司郎中。十六年，出爲廣東按察使僉事，分巡海北道。巨寇鄧耀，盤踞海島中，時時出没剽掠，爲雷、廉患。汪墓誌銘。國棟請於上官，集兵三千，循吏傳。分五路以行，而躬總其節制。繼又慮賊之他逃也，急檄鄰道及安南國王，各出兵分扼要害。耀遂受擒，招徠餘黨，所全活四千人。汪墓誌銘。雷、廉諸富人爲賊所誣，株繫者衆，國棟察其冤，悉爲昭雪。諸富人裒白金數千爲報，國棟駭然曰：吾憫若無辜耳，奈何污我！力卻不受。循吏傳。廉人争感公德，刻主於名宦祠，生尸祝焉。汪墓誌銘。遷山西甯武兵備參議，以法飭武弁，謝絶餽遺。康熙六年裁缺。十二年，改分守蘇松常道。地濱太湖，隄岸歲久傾圮，乃躬率吏民修築。又修沿海墩臺，及吴淞、劉河兩閘，區畫經費，不以擾民。伶人倚中朝貴人勢，恣爲奸利，有司爲折節下之，與行鈞禮。國棟不少屈。循吏傳。伶又以非法干請，亦不聽；或勸委曲爲一官計，國棟堅拒不可。伶大怒去，然亦不能毫毛有加也。由此聲望益大重。汪墓誌銘。大兵征閩粤，羽書旁午，國棟事事與民休息，每遇急徵，從容布算，鎮之以静，芻茭糗糧之需，日儲無乏，而民間晏然，若不知有兵事者。十六年，有採木之役，親詣宜興深山中，晝夜督視。以勞遘疾歸，遂卒。民謳思不置。二十二年，立祠於虎邱山麓祀之。循吏傳。國棟頎然長身，問學淹雅，工詩喜書，而於弈尤入能品。與人交不翕翕熱，亦不落落涼，雖接布衣下士，未嘗有疾言傲色。歷官三十餘年，補衣糲飯，無聲色蒱飲之好。約束胥吏，往往皆重足立；而撫視士民，則靄然俱有恩意。尤耿介自守，不爲福禍利害所摇，終其身如一也。汪墓誌銘。

田大禄，號龍泉，通州人。幼食貧，既長習賈，家業隆起。通州高志。性友愛，兄、弟亡，遺子、女，撫若己出，畿輔唐志八十。長爲婚嫁，以己所置産分授從子，無所私。居鄉樂善不倦，凡疾病、哀喪求助者，罔不贍卹。通州高志。順治六年饑，出米數千石以賑，復施棺以斂疫死者，遠近有田善人之稱。事聞，世祖章皇帝嘉其好義，命大学士巴某表其閭。畿輔唐志。卒，年七十一。子永隆。通州高志。

永隆字玉滋，五歲喪母，日夕侍父側。稍長，追思其母，輒飲泣累日。年十五，補諸生，以家政繁，不能務舉業，入國学，考授縣丞。性謹厚尚義，凡從母、從兄弟、姊妹及親黨之無依者，生養死葬，周卹備至。父好修舉廢墜，有所未竟，悉踵成之。與人交無城府，遇談人過者，必相勸戒。嘗路拾遺金，伺其人還之；越數日，復囊金至，蓋向負大禄者，券毁無驗，感還金之義來償。永隆不受，負者曰：公盛德若是，某敢爲負心人乎！乃量留之。平生善舉甚多，鄉里推爲長者。通州高志。

袁捷，字咸孚，大興人。畿輔唐志七十六。歷官湖廣掌印諸司。順治四年，鄖陽遊擊王昌反，劫勒文、武附從。宛平王志。要捷曰：若吾同官，吾何忍殺若！第從吾，異日富貴共之。捷大罵曰：吾頭可斷，志不可屈，恨不能磔賊以報國耳！昌怒，殺之。事平，畿輔唐志。賜祭葬，廕其子繼善爲知州。大興張志。

張元樞，良鄉人。畿輔唐志七十四。順治四年進士，任浙江處州府推官。良鄉楊志。嚴勾引營兵賭博之禁；按行屬邑，踏勘荒田，請蠲逋賦。時寇氛未靖，間有株連，輒眚宥之。其他修學、課士，尤多善政。處民至今稱之。畿輔唐志。

張士甄，字繡紫，通州人。順治五年進士，選庶吉士，授編修。累官刑部尚書，持法平允，務從寬大。改禮部，又轉吏部。掌銓三載，謝請託，疏壅滯，公慎自矢，朝論歸之。畿輔唐志七十四。奉使祭恒、霍諸山，途遇山西裁兵，憫其無依，令當事設地屯處。河東鹽課積逋，商人苦賠累，疏請豁免。凡爲會試同考文、武總裁各一，皆稱得人。性謹飭謙和，與人交藹然可親。至奬薦人才，必真知確見，不肯輕徇。引疾乞休，卒，年七十。通州高志。族弟士堯，順治初以貢生知高苑縣，適歲饑，賑恤有方，全活甚衆。士垍，康熙壬子舉人，由教諭陞永安令，亦著循聲；畿輔唐志。以母養乞歸，好行善事，里人德之。通州高志。雍正二年，並祀鄉賢。畿輔唐志。

謝泰，字彙征，號建侯，大興人。順治六年進士，官湖廣竹山縣知縣。畿輔詩傳八。竹山，古之上庸，層巖疊嶂，猿鳥蹟絶，下臨絶澗，幽篁蒙茸，人皆鑿罅中行。前明餘寇，猶據爲巢穴窟。崇禎初，賊鄭十七養甲千人，據邑先峯寨，後爲義兒楊明啟所殺，仍有其地，依張獻忠爲聲援。又賊老當當，五六萬衆盤踞邑中。叛兵王二亂襄、鄖，趨房縣，蹂躪無遺。川寇劉二虎、郝摇旗諸賊，從永曆營來犯，前令四人皆爲賊害。泰至，無城郭，棲於山頂鶯崖寨，居民止二十家。時川獠千餘人攻天城寨，次及鶯崖。泰率鄉勇却之。而楊明啟虎視日久，泰以守禦未備，設計羈縻，事急，乃發書請兵，遷民入寨，以三十餘人、銃二具爲死守計。鄖將蔣崇武來援，泰與合兵，深入賊巢，先破泥灣寨，擒賊婦馬氏，諸寨多降，遂攻明啟。泰往來督餉，值淫雨月餘，溪澗驟漲，兵不得前，泰禱於伏魔廟，而天霽。明啟方恃險自若，泰用降賊計，取山徑，乘夜入，破其寨。明啟遁，復鈎連劉二虎、郝摇旗等，帥師五千人，捲土而來。泰知鶯崖不可守，移鐵壁蔣家寨，與鄉民八十三人固守。時蔣崇武已遷去，新帥張士光不任事，賊遂破虎伏寨，渡河繞鐵壁，攻羊角寨。泰乘間爲書擲摇旗營，離間諸賊。諸賊果相疑。久之，知爲所紿，復進兵入竹山，破蛟龍、樂豐諸寨，遂攻鐵壁，時癸巳八月也。賊築城周山腹二十餘里爲長圍，泰令鄉勇禦其前，自堵其後。攻前者多中鉛子墜崖下，自平旦至日入，殺賊二百有奇；其攻後者，泰自擊之，殺賊六百有奇，賊乃退。後十日，賊運竹箭填後陘，取平直土。泰夜以火毬照之，發鳥銃，斃賊十餘人，賊不得填隍，乃以火礮來攻。時九月望，寨中無水，泰祈禱得雨，兵士益厲。二虎計窮，乃與摇旗更代圍守。泰潛使兩健卒穿木城，一赴興安總兵趙某，一赴鄖陽總兵張某求救。張援不至，唯趙某呼使者問狀，歎息良久，乃命參將德俊、副帥花守登率三千兵星夜赴援。時寨水復竭，泰入廟卜，得凶兆，欲自裁，忽有四歲啞兒語曰：援兵至矣。越一日果至，圍解。泰與二將追賊至太平寨，賊多投鶯崖河死，餘逆遠遁。泰前後守城，與賊相持數十日，追捕殺獲者無算，一邑卒以獲全。經畧洪承疇上其功，遷軍前督餉同知。卒，祀忠義祠。盧見曾山左詩詩鈔流寓傳。有蓼集編、客中吟。畿輔詩傳八。

雷一龍，字伯復，通州人。畿輔唐志七十四。少力學，事繼母至孝。順治六年進士，授山東汶上知縣。潔己愛民，修學宮，革贏羨，超雪寃獄，人稱神君。課最，内擢，歷工、刑、禮、吏四科給事中。唐州高志。彈劾不避嫌怨，畿輔唐志。凡所陳奏疏，悉以國計民生爲急。順治十五年，分校禮闈，名宿争出其房，是科殿試第一人孫承恩，其一也。通州高志。從子諶，畿輔唐志。順治二年進士，擢户部郎中，任大通橋河西務監督。慎出入，薄征收，德之者衆。通州高志。雍正二年，並祀鄉賢。畿輔唐志。

高光夔，字念侶，文安人。畿輔唐志七十四。父侶鶴，明江南建平、桐城令，廉能惠澤，卒於桐邑。人無少長貴賤，咸懷絮酒哭臨，如失怙恃。光夔方弱冠，扶櫬北還。讀禮之餘，復精研經、史，寒暑靡倦。順治六年進士，（胡士高念侶傳。）授翰林院庶吉士，歷陞宏文院，授職編修。（文安楊志。）世祖章皇帝時幸史館，賜詞臣品膳酒醴，顧問優容。凡所召對，皆洞達國體，深明經術之語。擢廣東督糧道、布政使司左參議。念積貯爲天下大命，漕務積困已極，興大利，除夙弊，一時漕政肅清。會奉詔咨詢兵民疾苦，光夔條陳四事，剴切詳明，皆蒙天子採納。再陞江南揚州海防兵備道副使。揚爲東南都會，民勞兵弛，夙稱難治。光夔至，撫綏、訓練，閭閻、行伍交慶再生。無何，海氛犯江上，光夔規畫方略，裹甲登陴，寇退，將興大獄，極力解免，全活十餘萬人。嗣以船工詿誤，解綬之日，襆被蕭然；揚民焚香遮道，攀轅灑泣，自江都以下二百餘里，奔呼者不絕；立去思碑，以志甘棠遺愛焉。尋復職，補授廣東雷州同知。精心吏事，凡奏讞不決者，督、撫悉以委之，多所平反，獄無冤滯。未幾，吴三桂反，粵地震摇，僞檄之來，飛馳如雨。光夔堅持大節，誓以死狥。遘生母郭喪，倉皇旋里。自此十年間，艱難家食，褐衣粗糲，宴如也。卒於家。（高念侶傳。）康熙三十年，祀鄉賢。（畿輔唐志。）

顔敏，字乃來，别字澹叟，曲阜復聖裔也。其先，明初有以軍功襲錦衣者，遂爲宛平人。敏少爲諸生，與其弟敩齊名。順治六年進士，授刑部主事，進郎中。海寇闌入内江，江介士大夫多爲所誤，興大獄。敏適典江南司，江南臺使奏報，下部屬定爰書。敏披牘每達曙不寐，必求得其可以生者入報，即忤堂上官，不顧。獄藉之成。出爲池州守。池，故宋包拯所守州也。敏至，拜拯曰：豈有繼公官是邦而敢負公者！三年考，第一，民思君，與拯並祀之。遂遷湖北按察司副使。上荆南道，會孫可望由西南來歸；我兵迎勦者，大將軍、貝子固山以下，皆牧馬荊南，厚責供億，敏爲廣儲峙，蒭茭糒糗，一切支放皆有法，軍無譁者。既而遷本省布政司參政，分守下荊南道。經略内院洪承疇知其能，題補貴州按察使，攝布政使事。時大軍進滇者必道黔，值黔饑，斗米十千。前此轉運，每至黔，以道險，手牽足挽，幾三十鍾致一石；因改黔秋糧，令折本色，至是民不堪，土司奔逃。敏請撫軍仍改如舊賦征銀，民便之。不數月，即遷廣西右布政司使，隨轉左，改陝西。康熙二年，王師征西南，大會各路兵，分隘進勦，而大將軍獨取道關隴，士馬之集興安者，日以萬至，多不給。敏立疏險易，别水、陸，措夫辦餉，按程應之。事平，上嘉悦。會八桂亂，大兵方南下，議非重臣轄其地不可。特詔敏開藩廣西。時定南王藩下官兵家口約數萬，盡遣還京；凡舳艫長年無正餉可辦，敏立出帑金僱募，逮起發而後捐輸以補之。乃以力瘁，並病瘴，遂卒。年六十八。毛奇齡顔君墓誌銘。

徐化成，字文侯，昌平州人。畿輔唐志七十四。父應禄，早卒；事母至孝。昌平宋志。順治八年，由拔貢生畿輔唐志。授光州知州。光接楚、豫，殘於闖寇，士民流亡，城壕堙圮。化成以法招徠，修築城垣，重建學宫，立社以課士，至是始聞弦誦之聲焉。時又飛蝗爲災，化成禱於天，有異鳥羣集，類鸛、鶴，啄蝗殆盡，田遂有秋。三載，遷台州知府。昌平宋志。值亢旱，虔誠步禱，甘霖立沛。鎮兵月糧偶缺，譁於途，檄催黄巖、太和二邑米舟暮夜至，兵利在舟卽給，化成慮有變，詣江滸，運貯天甯寺。倉猝夫不繼，化成徒步率衆役挽擕，百姓聞之，争先來助，頃刻而畢，升合無耗。畿輔唐志。郡有大猾，竄山海間，謀倡亂。以計生致之，諭之曰：若壯士，豈終爲盗耶？釋不罪。於是亡命者始各散。辛卯，遷岢嵐道副使，旋遷山東萊州道，皆有政聲。丙申，擢廣東右布政使。當嶺海用兵，軍需仰給，無或後期，藩、鎮制府皆嘉其才。乙亥，轉河南左布政使，政皆和平寬大，時奏銷獄起，負課者千餘人，將罹不測，因出金三千輸之庫，皆獲保全。辛丑夏，特旨召見，上改容嘉勞，擢都察院右都御史，巡撫湖廣。先是，漕運積弊，弁丁往往魚肉小民，稍不饜，卽噪而起。化成一裁以法，期年之間，弊絶風清。世祖章皇帝留心岳牧，書其名於御屏，每遇遷除，輒指之，其信於上如此。康熙甲寅，卒。昌平宋志。

陳慎，字懷蓋，陳崇明傳。文安人。順治十年，以明經爲崇明令。畿輔唐志七十一。崇明彈丸巖邑，孤懸海外，久爲島賊所窺。甫下車，卽撫瘠民，嚴保甲，遠偵探，備城守，陳崇明傳。捍禦有方。

畿輔唐志。崇人悦之，發於謡詠。四越月，張名振擁衆入境，鄰邑吴淞、劉河、福山，燒殘殆徧。崇境有山前、大安、排山等沙，盡爲所據。慎躬督將士，攖城兩戰，大創奔潰，崇得以不陷。慎長於心計，雅負遠略，常相形勢，創平安壩以遏兵衝。築施翹河、東阜沙、平洋沙土城三座，以屯難民，使兩邑聲勢聯絡，民賴以安。自高橋洪至四滧河，築隄長百二十里，以防乘潮攏岸。己亥，鄭成功入崇明界，總兵梁化鳳奉檄援剿江甯，兵去城空，民心滋駭。慎安撫衆志，鼓舞鄉勇，設伏擊其遁歸，俘獲無算。八月，舟師三千餘隻環攻城，以洩金陵之憤，城壞數十丈。慎督衆連夜修葺，守禦更厲。賊力竭，圍解，督、撫方露布上功，而主計者以兵餉未完，按例革職。崇明士民萬餘，匍匐兩院，闔詞籲留，有兵餉宜完而未完之故，陳令既去而願留之請。得旨，全城功大，革官准復，加一級，陳崇明傳。擢知州。旋卒。贈布政司參議，照殉難例，諭祭葬，廕一子入監。畿輔唐志。後敘江南平寇功，上諭：陳慎已贈參議，除前贈廕照舊仍留外，仍給拜他喇布勒哈番，再准襲替二次。誠異數也。病革日，無一語及家政，唯以崇明兵火倥偬，民力竭矣，所遺積逋，儻徼豁免，死亦瞑目。呻吟不絶。已而得旨：崇明孤懸海外，竭力守城，所欠錢糧，盡行豁免。雖曠恩出自朝廷，而慎終始爲崇之心，無遺憾矣。陳崇明傳。康熙四十五年，祀鄉賢。弟協。畿輔唐志。

協字念藎，順治三年進士。畿輔詩傳三。初授中書舍人，輒究心當代掌故，儲所學以需大用。已，擢户科給事中，轉右，遷禮科左，陞工科都。時世祖親政，開言路，倚注方切。慷慨忠耿之士，極言闕議，一無撓避。協尤質厚，非軍國大計不以上。初入禁垣，首言請定賦役，預以易知由單布海内，俾民不重科，官吏無容乾没。遂俞旨下司農，修直省賦役全書。開國之始，謚法未定，協請元年以來滿、漢文武病故者，應列事蹟議之太常，秩宗請於當寧而後覈定。本朝有易名鉅典，自協之議始。宣、大爲雄邊，號饒沃，自姜瓖之亂，城若甌脱，又裁宣撫與口北道，協乃力言修復之便。迄今漸得生聚，皆其力也。他如蠲文、大鹽課之攤派，談畿輔水利之蓄洩，有大利益，非止爲惠於百里者。其陳凶荒也，言鬻子、傭工二事，最爲悲痛，深切民隱。天子韙之。協疎顔頌頰，洪音吐，鬚戟張，每恨舊朝臺諫以門户咨其淫議，以空言僨其實事，故不肯倚傍，巋然獨立，而所立不抗不墜，務循職掌，其中則毅然不可奪。協既爲上所知，得内陞補太僕寺少卿，遷鴻臚寺正卿，遂轉通政使司左通政、宗人府府丞，旋擢都察院副都御史。既一歲累遷，會甄别京僚，得旨予稱職。協益感優異，欲大有發舒。嘗耑言：今日興屯之利，可以生財，不宜裁官俸，汰工食，效錐刀末術。無幾，陞兵部右侍郎，理督捕事。已，又改户部左侍郎、總督倉場。督捕者，主勾覆隱匿之政，專察八旗逃人，始任是者，多以縱舍不稱職。協至，則首在申明條例，刊行教約，下督撫，榜郵亭，卽窮徼老稚皆通曉，不敢犯。復依滿洲例，每僱買人口，官給符票，使真僞易辨，株蔓者得以不寃，所全活甚衆。倉場尤稱弊藪，始於奸弁侵盜，繼以主藏耗蠹，國儲空乏，莫之省憂。協立期會軍，斛量水脚，羨餘絲毫不染，以故公私悉賴。魏裔介大司農陳念蓋傳。及卒，恩賜祭葬如例。

康熙三年，祀鄉賢。畿輔唐志七十四。

田種玉，字公琢，宛平人。畿輔詩傳十三。爲諸生時，家貧甚，以香爇火照讀，指頰皴裂，弗輟。順治十一年，舉鄉試第一。十二年進士，選庶常，官至禮部侍郎。性剛介寡合，左遷奉天府丞，遂乞歸，卜居易水，蒔圃自給。易州志。五十二年，加工部尚書、太子少保。畿輔詩傳。

紀克明，字堯章，別號杞菴，文安人。少而敦樸，能自拔，讀書挺挺不肯出人下。補博士弟子員，受知於督學左光斗。事父母盡孝，而事繼母尤爲內外姻戚所稱。父歿，繼母所生三弟，撫以成立，均受之家，無私焉。其最幼弟甫四齡，晝親爲哺食，夜則同榻。兄克昭死，育教其遺孤三人，二食餼於庠，一登辛丑科進士，不知者不知其爲從子也。弟克時卒，以次子嗣之，俾弟妻有依，以終其節。其交友接物，皆煦煦有恩意。里閭之間不能自存者，必濟之。凶歲出粟，賑恤有方，皆賴以存活。人有急，黽勉挽救；有負之者，不校也。士大夫高其義，每樂與之遊。當明啟、禎之際，同里大璫多姻舊，趨赴之輩，欲籍爲介紹，克明絶不與通；而紳縉有遭奇禍者，雖不識其人，必從中爲之援。都城變後，邑曠無令者越月，克明固結人心，雖四野焚劫無虚日，而邑賴以安。尋以高才異等入太學，出爲吴堡令。竭心奉職，革羡餘，蠲贖鍰，恤行户，養孤獨，凡爲令者所常，然人行之以名，克明行之以實，至署中不能舉火，則賣田以接炊煙。履任二年，而家業益衰耗矣。覃恩贈父文林郎，母皆孺人。克明稽首曰：吾親得邀封錫之榮，吾願足矣。遂稱病求去再四未得，竟以積勞而逝。喪歸，堡人走哭踵相接，而鄉人哀悼欷歔，亦不能已也。吴堡令紀堯章傳。

劉芳躅，字增美，涿州人。餘祐子。畿輔詩傳十三。順治十二年進士，改庶吉士，散館授編修，充日講起居注官。十六年，遷侍講，尋進内宏文院侍讀學士。康熙五年，充明史纂修官，遷内秘書院學士。六年，充會試副考官，恭纂世祖章皇帝實録，充副總裁。七年，漢名臣傳。以都察院右副都御史巡撫山東。涿州續志。十一月，疏報康熙六年開墾荒地萬二千二百六十畝有奇，照例起科，下部知之。十二月，因地震，疏請格外蠲恤。部議，沂、莒、郯三州縣被傷最重，增免本年錢糧十分之四，其安邱等二十一州縣，及章邱等十六州縣，各照被災輕重，分別蠲免。芳躅以賑災議敘，加工部右侍郎銜。八年，疏言：山東衆山綿亘，瀕海臨河，易藏匪類，向賴守、巡各道彈壓，累經奉裁，請仍設一東兖道、登萊守道，增設濟東守道、青州巡道，以資控制，裁驛傳道，卽以馬夫諸務分隸各道轄。又言：地方緝盜，預勒名數，百弊叢生，蓋事主被盜，倉皇勢難得其的數，少報則漏網，多報必誣扳。嗣後凡報盜能確呈幾名，及獲犯卽實供夥盜數目者，仍照數捕緝，如盜數不的，止將失事情形題報，不得預勒其數，以致捏陷，如硬坐抵充至死者，以故殺論。又言：盜案初供，人犯未全，贓證未明，暫時招承，覆審不符，原審官畏顧瞻徇，保無波累濫及？請凡獲盜，初供不必先敘，俟全獲嚴訊真僞，列入奏疏方信讞。俱得旨允行。九年二月，疏言：東省素不產銅，惟收買舊錢供鑄。今舊錢已盡，銅缺如故，仍接卯鼓鑄，不惟銅價昂貴，且恐鑄多壅滯，請撤局停鑄。部議如所請。漢名臣傳。先是，山左多勝國藩產，正供外仍有租，民累甚，上疏免之。有黃培者，以謗誹繫獄數年，株連甚衆。芳躅讞實，坐培罪，餘悉奏釋之。易州志。時泰安州獄祠久不治，出廉俸爲僚屬倡，剋期增建。工畢，畿輔詩傳。朱彝尊客其幕，爲撰碑記。又登嶧山，他賓從皆懼險中輟，芳躅獨偕彝尊造其巔。撫署廳事有泉涌出，名之曰濼泉，蓋取爾雅水自濟出爲濼義也。紅豆樹館詩話。十二年，考察各省督、撫，部議以芳躅才力不及，降二級調用。遂卜居易水上，不再起。易州志。與弟芳喆偕往來大房諸山中。著有留雲山房集，涿州續志。尋卒。漢名臣傳。

芳喆，字宣人，畿輔唐志八十。按：學案小識載，劉芳喆爲宛平人，今考畿輔唐志、涿州志，皆以芳喆爲涿州人，蓋芳喆乃劉芳躅之弟，芳躅傳謂其先世爲京師人，學案小識乃據其先世書之，今不從。順治十八年進士，改庶吉士，歷國史院編修，遷國子監司業。學主於庸，所求皆子臣弟友之事，至纖至悉，人所不及檢察而忽之者，講求必極其當，學案小識。能以踐履倡率後學。時祭酒爲新城王士正，相與獎拔英儁，人望歸之。涿州吴志。生平所稱許者，成都費密、蔡廷治，黄岡曹本榮。學案小識。康熙乙丑歸里，築草亭於石橋村。涿州吴志。性慈惠，居鄉賑撫孤寒，畿輔唐志。獎進善類，鄉黨愛敬之。涿州吴志。康熙四十二年春，聖駕南巡，過涿州，芳喆班列跪迎。上問：何不作官？芳喆對曰：康熙二十四年考試翰林院、詹事府各官，緣祭酒李元振同芳喆未及到，部議降三級調用。有旨：芳喆作人好，著復原官。劉芳喆皇恩恭紀。尋卒。著有拙翁集、拙翁庸語諸書。康熙五十五年，祠鄉賢。畿輔唐志。

華陽吴祖椿校

人物志十

黃岡洪良品纂　江陰繆荃孫覆輯

先賢十

國朝

譚之林　米壽都子漢倬　李孔昭崔周田 劉繼甯

王鼎呂子熯　金鎮　許世昌

杜懋哲　崔應鳳　紀元

米漢雯　楊正中　趙之符兄之篆 子璘 珣 之符 瓚

方觀　楊之柄

查日乾子爲仁 爲禮 爲義 禮子淳　井在

尹肅京　王綱肅　紀愈子遴直 孫晉

井睦　張烈　高裔

范瀛珮　王采子枚士 枚士子詢　杜立本

紀　炅　　郝士錞　　楊　雍

李可翹　　芮　濟猶子復傳　　朱　綸

劉殿衡　　李長白　　韓　畕

程可式

國朝

譚之林，文安人。明天啟舉人。性純孝，六齡，母周寢疾，日夜涕泣，繞卧榻不去。稍長，讀書夜分不輟，母止之，方就寢。平居赴親友讌會，遇蔬果時鮮，母未食，不敢嘗；次日，徧市以進，雖遠必致也。母好施予，贍親族，之林竭力奉之，以適其意。官無極縣學博，冬月，母病革，思食蘋果，遣人兼程至京購之，比至，母已卒，遂終身不食蘋果。母喪，哀毁骨立，廬墓側，茹素寢苫，朝夕號泣者三年。服除，補青縣學博，陞襄垣令，歷浦江，俱有治聲。年八十有八卒。人咸稱爲譚孝子云。文安楊志。

米壽都，字吉士，宛平人。明貢生。畿輔詩傳十六。爲太僕仲詔先生子。紅豆樹館詩話。韶齡英穎，傳其家學，揮毫落紙，所謂高山槅具，蒼佩華纓，有廊廟之容焉。王崇簡吉士詩集序。與王宗伯崇簡、崔文學子忠交好，以詩文書畫相往還。紅豆樹館詩話。官江蘇沭陽縣知縣，有吉士詩集，畿輔詩傳。

未幾，卒。子漢倬。紅豆樹館詩話。

漢倬字星岸，諸生，七試不售。三應中書選，有扼之者，遂岸然不復應舉。父壽都卧病，漢倬號泣籲天，焚香借壽，而父立愈。人謂孝所感也。父母殁，遊寶坻，見有非其罪而桎梏者，爲見主者釋之。其人攜少女來謝，漢倬揮却之。避風江口，有舟覆，而溺者三人，漢倬急出資，呼人拯救，三人乃得生。移家交河，己未秋，交河饑，人食草木，他徙甚多，漢倬出粟濟之，而不責償，施藥設棺，始終不倦，雖值窘乏，弗易其志。癸亥入都，以疾卒。所著有尚書輯要，墨飲齋、寄亭草詩集，藏於家。宛平王志。

李孔昭，字光四，薊州人。畿輔詩傳九。按：甯河關志，作光泗。崇禎癸未進士。見時事日非，不赴廷對，以所給牌坊銀一百二十兩留助軍需。畿輔唐志八十二。遂去，奉母隱於盤山，躬自樵采，形蹟數易，人無識者。甲申，流賊陷都城，聞變將死之，以老母在，白衣冠哭田間者三載。甯河關志。事母至孝，嘗刲股愈母疾。妻王氏，薊州城陷時殉節，義不再娶。先正事略四十八。我朝定鼎求遺賢，撫、按交章薦，謝病不出。一日，當道遣吏持書幣往，遇負薪者，呼問：若識李進士耶？負薪者張目曰：問李進士奚若？吏具道意，乃以手遥指，負薪去。吏至其室，虚矣。鄰叟曰：若面失之，向所見負薪者是也。後屢物色之，卒不得見，當道太息而已。寶坻洪志。鄉里感其義，有某孝廉當上公車，輒止不行，曰：吾出郭門一步，何面見李光四乎？梁清標李孔昭傳。平居教授生徒，畿輔唐志。倡明理學，薊州沈志。多所成就。畿輔唐志。時黃冠，時儒服，衣著屢變，人亦不知爲李進士也。時邑中方興役，吏按户派夫，驅孔昭，孔昭曰：我力不任，願出資以代。吏持去數日，杜立德聞孔昭在邑，急往候。吏聞，趨謝罪，孔昭曰：此間豈有李進士耶！若勿誤。由是踪跡愈不可必矣。甯河關志。性孤峭，先正事略四十八。博洽羣籍，能詩善書，薊州沈志。愛陶詩，晚自號潛翁。跡其出處，亦與靖節同。與杜立德幼時同學，長同年，寄以詩曰：黃門青瑣君思我，流水高山我憶君。時當徵辟，立德方勸駕，而處士招隱，一時傳爲佳話。紅豆樹館詩話。庚子正月，孔昭爲弟子講盡心章畢，曰：此傳心法也。言訖而逝。門人私謚曰安節先生。甯河關志。康熙二十六年，祀鄉賢祠，旌曰燕山處士。薊州沈志。宋中丞犖弔以詩云：鹿裘邈何許，猿鶴尚思君。其風可想。紅豆樹館詩話。後其子稷能世其家學。薊州沈志。崔周田，字錫齡，順治中充歲貢，不復入場屋。性嗜書，嘗建一樓，聚古本及金石刻萬卷藏之，終日吟嘯其中。李孔昭隱於盤山，物色者輒不遇。周田過之，往往坐林石間相勞苦；孔昭亦時下榻其家，命諸子師焉。并迎孔昭母，事之維謹。以女妻其子，此孔昭賦謝詩所以有高堂代我供甘旨，花院呼兒説史書句也。孔昭歿，周田漠然無所向，久之，卒。劉繼甯，字兑菴，少負意氣，千金一諾，有古俠士風。當明季，嘗捐金贖難女二，爲之擇配。歲饑，煮粥以賑，全活甚衆。與周田善，有緩急，恆資之如己事，周田亦弗謝也。晚年爲子擇師，乃裹糧遊盤山，踪跡李孔昭，得之甚相樂也，已而相泣。宿經旬，具道意，曰：吾家僻處海濱，兩岸蘆花，倘不拂先生高隱趣乎？孔昭許諾。至，令諸子受業。暇則招周田聚談終日，視人世利達如浮雲然。子三：從雅，從心，從正，皆以文行顯。從心，作孔昭墓碑誌銘。從正子浚，字蘊哲，最知名。甯河縣志。

王鼎吕，字翼明，寶坻人。寶坻洪志。父溥，崇禎丙子城破殉難，獨鼎與其從姪烈跳身獨免。歸則號哭營葬事，及期、功諸暴骸，無不就窆者，時齒尚十七也。流寓京師數年，或侵其租入殆盡，悉隱忍，置不問。沈機内運，生理亦集。姜宸英王君墓表。并爲烈完其家室，撫從兄弟子女逾於所生，王氏復振。鼎吕曰：先祚不絶若髮，危而復安，天也。既屬有天幸，敢封殖以自私乎！乃倡修邑城及河隄之傾塌者。歲災，出粟以賑，寶坻洪志。收恤其鬻棄子女，及豐而還之，不責其直。見人有過，規切之必盡，已而待之如平常，不留於心。以是人人謂公愛我。年七十八卒。哭之有如所親者。墓表。子熯、烶。

熯字南區，號盤麓，康熙間貢生。畿輔詩傳二十六。喜博綜，負意氣自如，少卽慨然有尚友千古之志，不屑屑治帖括，曰：尋行數墨中，安有不朽業哉！乃大肆力於詩古文辭。授光禄寺丞，晉刑部郎。每退食，與朱彝尊、姜宸英、趙執信諸人，樽酒流連，揚扢風雅，一時有華省仙郎之目。及出守惠州，政簡刑清，攬風問俗。又與其鄉名宿屈大均、梁佩蘭、陳恭尹游，詩境益進，寶坻洪志。有憶雪樓詩二卷。畿輔詩傳。授永甯道，以憂歸。久之，再補温處副使。乃析先世産，讓諸昆弟，飄然南行。既之任，潔清自矢，一如守惠時。顧性耽風雅，不欲久羈仕籍，曰：吾將恣遠游以自快。乃渡澗、瀍，泝沅、湘，尋禹穴，僑居白下、陽羨、淮陰間，所至輒交其地之賢豪，花晨月夕，每載酒揚帆，命歌兒拍，雙鬟捧觴，唱所製新樂府，望者疑爲神仙中人也。晚年，或勸歸，曰：吾家故號南王，可南亦可北也。比還，卒。所著有田盤紀游、蜀裝、蘆中澗上、秋山、瀍衡游、并鄉前後、寫憂及還庚諸集，惟憶雪樓集獨存。寶坻洪志。

金鎮，字又鑣，號長真，宛平人。畿輔詩傳七。少有夙悟，與兄鉽、弟鋐，有三珠之目。崇禎十五年，舉京闈試解。毛奇齡按察使金君墓誌銘。順治元年，授山東兗州府曹縣知縣，旋以艱歸，補河南閿鄉縣知縣，改鑾儀衞經歷，隨陞刑部河南司員外郎。畿輔詩傳十。康熙十三年，進本部郎中。會上方慎獄，復矜恤之典，分部使循行郡縣，以鎮使河南恤刑，自本年十月至十四年四月，凡七閱月，計所全活約一百一十人，矜疑半之，援赦又半之。次年轉河南汝甯府知府。時淮、蔡多盜，兼無年，民田荆榛，道殣千餘里；前代真陽、西平諸遺孽，根株未清，往來萑苻間，而新蔡李樊與泌陽郭三海，據平頭寨，相結以起，民爭逃，村墟邱落皆虛。墓誌銘。一意撫字，除苛細，下墾土之令，生聚教訓，示民以自新。畿輔詩傳。取爲政去太甚一語，書之訟堂，而親統銳丁剿李樊，除其根株，一切勿引蔓。會清理藩產，躬驗丈尺，而海上投誠兵適安插真、光之間，凡開屯升稅，極意調劑，令民兵相安。墓誌銘。至於興利除弊，及一切津梁、祠宇，宜毀宜復者，皆受整理。治汝十六年，改補揚州知府。值撤藩兵變，長江上下，風鶴相驚，而維揚適當其衝，城中震恐，一日三徙，至有爭門而奔者。鎮力爲慰諭，且以威怵之始安。間招名士遊讌，修復平山堂，作文誦之，乃事治而民得不擾。陞江甯驛傳鹽法道副使，兼署鹽運司事，陞江南按察使。大計，入覲，召對，令敷陳時事。時所對有二：其一、請定盜案嚴減之例，謂江左連年災，盜賊多，有三載之中題報八十餘，而其中饑寒逼迫可減者衆，如一時窮困被誘，並不傷事主，或得財未俵分，或於事主家雜取棍械護身，原未嘗攜帶器杖，皆宜飭部，分別量減，永定爲例。至捕役營兵，豢縱勒財，以致先取贓物，然後報官，甚有指稱打點，代行錢，令行刦償還，是盜有時盡，而捕盜之盜反無窮也。如此得實，宜從竊盜律一體重擬，則犯盜者少而民得安矣。其一、請定旂下買人及獲盜審訊之律，謂江甯、京口二旂，買人多有無籍者，自立買契，旂主但送上元、江甯、丹徒三縣用印，而竝未行文原籍，察其真僞，多有展轉掠賣而不之知者。嗣後請三縣用印官將所買之人，申報巡撫，巡撫按季報部，隨卽行文原籍，出示招驗，其有疑者，令旂主還契、追價，其用印官不報，照新例治罪。至於旂下逃人，奉有承審官夾訊之例，獨旂人爲盜被獲，難以刑訊，其狡賴展脱，將何底極？嗣後旂人爲盜，倘夥證甚明，贓據已確，許承審官徑行刑訊，則奸宄畏法，而盜風息矣。疏聞，稱旨。時以足疾被議。畿輔詩傳。上不聽，敕令回任。墓誌銘。又明年，卒。有清美堂詩集。畿輔詩傳。子敬敷，北城兵馬司指揮，候補主事。墓誌銘。

許世昌，號中軒，順天人。大興張志。生而有大志，寬厚端廉，以古道自處。姻婭交游，賴以舉火者數十家。婚喪貧乏，無不周濟，鄉有盛德稱。宛平王志。國朝定鼎，初任兵部。軍政因革，資其謀畫，出師征伐，多所贊襄，大興張志。每當上意。宛平王志。特簡巡按江西，糾劾貪墨，誅鋤强暴，激濁揚清，風紀振肅。陞福建巡撫。閩地新定，下車之日，即興利除害，威惠兼施。兵戢於伍，民安於野，閩人至今猶謳思之。著有西巡奏議數十卷。大興張志。

杜懋哲，寶坻人。畿輔唐志七十六。明貢生。見天下大亂，隱居不仕。闖賊破京師，搢紳俱迎降，懋哲曰：此賊特爲真主驅除耳。及章皇帝定鼎，乃曰：天下自此一統矣。以薦，出知長治縣，清勤盡職，寶坻洪志。除驛馬之弊。民歌之曰：漢有召父繼杜母，我公之來邑安堵。遷知岷州，值猖寇之變，被執，脅令降。畿輔唐志。懋哲瞋目罵曰：狂賊無多談，吾讀聖賢書，而臨難苟免乎！寶坻洪志。不屈而死。事平，贈按察司副使。畿輔唐志。

崔應鳳，字鳴陽，霸州人。明天啟四年副榜。潛心理學，著述日富，以月川、白沙諸大儒自勵。至國朝，順治初以明經高第，除鎮原令。值土寇賀珍攻城，應鳳誓衆死守，城賴以全。遷西安府通判，兼攝同州篆。同有織造絲價，及協濟潼關郵傳，額設無幾，而每歲所費甚鉅，且科賦有金、銀、銅三則，爲例不一，故吏胥得上下其手。應鳳一一釐正，俾有定數，著爲令，官民兩便焉。朱之弼崔公鳴陽墓誌銘。秩滿，陞福甯州知州。福甯當兵火後，士子硯田荒廢，爲建書院，課生徒，人文蔚興，其民至今尸祝之。因事解任，復補山西朔州知州。以母年高，遂解組歸。應鳳孝友出於天性，慷慨，多智略，與人交不設城府，意念之誠，可格鬼神。諸生時，以避兵與母相失，夜行尋覓，仰天哀號，欻見所識宗姓者，告以渡河，奔詣，果得母所在，及詣宗謝，宗乃茫然，莫識所謂，是亦奇矣。子之瑛，由翰林官至雲南布政使，以覃恩封應鳳如其官，卒。年八十有四。康熙二十七年，祀鄉賢。畿輔唐志。

紀元，字季愷，號子湘，文安人。順治十二年進士。畿輔詩傳十三。初任杭州推官，丁未量移江南徐州河防同知。辛亥，陞湖廣漢陽府知府。庚申，再起爲陝西鞏昌府知府。所任皆繁劇地，而元處之裕如。杭爲東南都會，訟獄繁多，元才長心敏，一見了然，多所平反。向時罪無大小輕重，共繫一獄，牢户湫隘，疫氣薰染，多致斃命。元惻然憫之，於錢塘空地別建官倉數十楹，以居輕犯，全活不可勝數。杭嚴道范印心，爲御史汪之洙參糾，落職逮問，元知其冤，力爲剖雪。時汪適典試兩浙，各憲重違其意，復行駁審。元俟棘闈事竣，即攜案卷詣汪，汪蓄怒以待。元笑曰：此朝廷三尺法，豈容私意於其間耶！手摘疑件，逐條指示，曰：必如公意，請公出一讞語，職當平署之，可乎？汪愕然汗下，遜謝曰：不意風聞誤聽，一至於此！君執法不撓，直包孝肅一流人也。遂引入座上，締交盡歡，而范事得白。是時浙中有通海、逆書諸大獄，元嚴禁波累，民賴以安。其防河淮、徐也，茶菴堤決，城不浸者三版，闔郡惶惶，争避水登雲龍山。時值大風雨，紛傳堤岸盡潰，夫役迸散。吏胥懼，固請元，元屹不爲動，曰：吾任河工，避將焉往？此身與堤，當委命陽侯耳。馳騎河干，從者僅三四人，張蓋堤上，人夫望見，稍稍進，遂辦布袋數萬，囊土以塞之，堤完，城無恙。守漢陽時，兼攝武昌府事。武昌駐防官兵數千，因糧芻不給，將圖不軌。元聞之，請於撫軍，持三月糧至營開諭之，三軍戢然。是時，王師數十萬下楚，軍需絡繹，元咄嗟立辦。蒲圻縣紅石等團，跳梁負固，大將軍欲遣官招撫，皆畏難不敢行。元曰：叛在賊，不在民，朝廷赤子，豈敢久抗耶！遂慨然銜命而往，單騎入營，開誠勸諭，果相率歸命。王士正紀太守傳。官鞏昌時，畿輔詩傳。鞏昌邊徼荒涼，民無完堵。元招徠有法，始漸次復業，修整學宫，講明祀典，博求遺籍，其士人彬彬多文學之風焉。元平生慷慨好施予，遇事敢言，無所迴互，批詳導窾，動中機宜，以故所至，上臺加器重。然亦以才爲人所忌，又性疏直，不能闒媚趨時，故蹷而起，起而復蹷，以卒。有卧游山房稿。文安楊志。

米漢雯，字紫來，號秀巖，宛平人。畿輔詩傳。明太僕少卿萬鍾孫。畿輔唐志七十九。順治十三年進士，授江西贛州府推官，改補建昌知縣。丁憂，起復，補長葛知縣，行取考選主事。鶴徵録二。康熙十八年，召試博學鴻詞，畿輔詩傳。由大學士李霨、杜立德、馮溥薦舉，鶴徵録二。授翰林院編修。畿輔唐志。漢雯好學工詩，有漫園詩集、始存集。畿輔詩傳。善畫，頗得家法，當時呼爲小米。尤工金石篆刻。鶴徵録二。書法學米南宮，徑寸外者尤勁媚，或評之曰：紫來天才造詣，當在友石先生之上。說鈴。性放不羈，爲王崇簡之壻。鶴徵録二。典試雲南。先正事略三十九。故事，試差復命，不得過一年。漢雯六月朔赴雲南，事竣，浪跡江楚，至十二月猶未還。婦兄王熙遣人敦迫，乃就道，及至都，自言：我爲相公押解來京。衆咸笑之。鶴徵録二。丁卯，主試江南，八月八日，甫當唱名，忽有飛蝗蔽天，迴翔試院，禾苗無損，人咸異之。迨揭曉日，金陵諸生見榜多紈袴，羣聚而譁，幾成大獄。好事者競作檄文歌曲，唱傳遠近。事聞，漢雯削籍。識者謂蝗能食米，蓋所以儆之。柳南隨筆四。久之，召入供奉内廷，遷侍講，賜宅西華門。香祖筆記三。家蓄古硯，太僕物也。嘗渡江，沈於水遺没，人求之弗得，將解纜，忽紅霞起水面，光燭天，舟人索之，硯隨手出焉。先正事略。尋病卒。漢雯少喜交游，所交皆海内名士，其詩惜爲書畫所掩，亦散佚無傳矣。香祖筆記三。

楊正中，字爾茂，通州人。畿輔唐志七十四。少有至性，七歲喪父，哀慟如成人。事母盡孝，將娶，母卒，或勸從俗婚於未成服時，正中悲號拒之。砥節讀書，順治十五年進士，選庶吉士，授編修，累官禮部左侍郎。通州高志。時天下又安，釐正百度，正中考據精詳，爲時所稱重。畿輔唐志。居家，事從父母如父母，撫從弟妹如同胞。娶婦朱，賢而早歿，終身不再娶。育甥女，爲擇配。贍族中貧乏者。又嘗捐貲修學宮。蓋所受禄不置田産，故貴顯猶儒素云。雍正二年，祀鄉賢。通州高志。

趙之符，字爾合，武清人。一統志。父完璧，幼篤學好修，與兄連璧同敦孝行，由薦舉任山西榆次縣主簿；巡方廉其材幹，委以查核，多所釐剔，旋攝縣篆，清操更著，吏民畏愛，建祠勒石，見榆次名宦。武清吳志。之符登順治十六年進士，選庶吉士，授户科給事中，掌吏科，畿輔唐志七十四。陞鴻臚寺卿，擢都察院左僉都御史。王熙怡齋趙公墓誌銘。在諫垣十有三載，前後建白，不下數萬言，畿輔唐志。以直聲著天下。其言而允行者，謂江南藩司既分駐，宜以逋賦分責左右司；又謂緝旗人逃，當杜濫解之弊；又謂練餉未輸者，數無多，當免；又謂陝西、山東旱、蝗，請行賑窮之法，緩徵國賦；又謂明廢藩遺産不宜刻期變價；又謂近畿小民多失業，田土圈撥未已，請還換給之地予民；又謂桃源、高郵、寶應既以被水蠲其漕米，興化亦宜豁免；又謂畿輔旱，當命大臣清刑獄。天子悉從之。其言而未得行者，謂户部綜理財賦，判牘孔繁，而八旗以田土相訐者衆，請別設官審理；又謂五歲一恤刑，部差宜復；又謂道臣整理郵傳，不可懸闕；又謂漕運剥船六百艘，每艘給地十頃，照地僉船，行之既久，積弊甚衆，夫以六千頃地按額計之，可徵一萬五千金，莫若罷之，徵其銀貯庫，遇運河水淺，則雇船應剥，何必留此或用或不用之船，以重累民爲？又謂予奪大權，出自朝廷，邇者督、撫諸臣去官，百姓詣闕保留，以數人之奔愬，豈遂可信！揆之政體失宜，當禁止。聞者皆服其敢言。怡齋趙公墓誌銘。康熙二十五年卒，年六十有二。子璘、珣、琮、瓚。畿輔唐志。

之篆字爾樸，立身制行，以古人自期，敦孝友，重然諾，周急扶危，出自天性。有族叔趙某，素不甚相能，瀕死，察肝膽可託無如篆者，遂以幼孤相託。篆卽脱夙怨撫養之，且爲經其家事，卒至成立。鄉人服其義舉。武清吳志。之篆無子，繹亭趙君墓誌銘。以弟之符子珣爲後。杭世駿候補主事趙君墓誌銘。以子珣貴，贈奉政大夫、河南提學道、按察使司僉事。武清吳志。

璘字雯玉，號冰崖。至性純篤，兄弟怡怡，同爨四十年，内外無間言。宗族里黨，無貴賤少長，悉接之以禮。渾厚之德，鄉俗化之。康熙十六年舉人，銓授廣信府同知。信爲江右山郡，林箐多伏莽。璘至，示威信，懸賞格，期年而道梗除。間攝屬邑事，以循良稱，治行爲一時最。八年，陞惠州府知府，潔己率屬，皭然不滓。武清吳志。諮訪民瘼，寬厚如官廣信時，而精勤過之。凡興學校，禁刁訟，立保甲，課農桑，諸大政次第興釐。以惠民瀕海，時修津渡，往來稱便。又濬淤滯，以資蓄洩，一時水利畢興，郡人比之韓、蘇二公焉。辛卯，奉盤查之命，道路奔走，感患暑濕，竟卒於道。號送者數百人，逾境乃絶。年六十有四。劉謙冰崖趙公墓誌銘。

珣字仲琳，號繹亭，夙有至性。十歲時，遭本生母劉喪，哀慕毁瘠，執禮如成人。沈毅好學，博覽羣書，記誦輒不忘。少時在京邸，兄弟相師友，學業精醇。康熙十四年舉人，長洲韓菼、華亭王鴻緒得卷歎賞，以爲有古作者風。二十一年進士，授中書科舍人，遷吏部驗封司主事，陞稽勳司員外郎，調文選，復陞稽勳司郎中，調考功，王掞趙繹亭墓誌銘。徧歷四司，鬱然負清望。徐本趙養公墓誌銘。康熙四十九年，雲南上計簿，廣南知府盧詢列在卓異，而格於成例。珣倡言，盧君天下賢吏，顧可以常法拘耶！駁如法，仍別敘其賢附議末。上亦素知盧，破格用之。於是直道之言，喧傳班列。珣前後在吏部久，時冢宰熊賜履、富甯安並雅相推重。己丑會試，充同考官。會河南學使缺，以名特薦，奉俞旨以往。比至官，墓誌銘。整肅規條，擯絶苞苴，振拔寒畯，中州人從教嚮風，至今稱道之。任滿北還，過濬縣，愛其風土，因以僑寓。康熙五十四年卒，年六十有二。崇祀名宦、鄉賢。武清吳志。子方觀、方頤。墓誌銘。

瓚字贊王，澄溪其別號也。康熙二十年舉人，才名籍甚，累上春官不第。甲申秋，選河南西平。西平當南北孔道，土瘠而民貧。瓚下車，訪求利弊，爲次第修剔之，一時秏派以清，苞苴盡絶，桑麻偏於野，絃誦騰於庠，循卓之聲，甲於中土。居西平八年，胡作梅澄溪趙公墓誌銘。以治績行取。乙丑之夏，山水陡發，鄰邑田禾盡淹，親率邑農，相視河流要害，預爲隄防，邑賴無恙。武清吳志。庚寅春，汝甯大飢，米價騰貴，百姓冀發常平之粟，諸邑宰率以未奉上行爲辭。瓚慨然曰：小民嗷嗷待哺，必申請後舉，溝中瘠能久竢乎！爲民父母，畏得罪而坐視民死，吾不忍爲也。遂盡發倉穀萬二千石賑之。及秋大熟，民感君恩，争先樂輸，不旬日而前數已足。墓誌銘。人比之汲黯、召信臣云。卒年五十一，崇祀鄉賢。武清吳志。子六人：方震，歲貢生；方豐，太學生，爲琮後；方履，增廣生；方謙，康熙四十七年舉人，候補内閣中書舍人；方需，歲貢生；方巽，附學生。墓誌銘。

方觀字用賓，康熙十一年舉人，内行修謹，譽著閭里，以文章經濟自負。徐本趙養公墓誌銘。歲甲辰，大興黄叔琳以吏部左侍郎出撫兩浙，廉方觀賢，薦於朝。召見稱旨，立命以主事擢杭州北新關税。關務向領於撫臣，檄一丞倅主之，官攝而權輕，豪胥舞智，囊橐爲奸，故商困而額屢缺。方觀下車，搜剔前弊，杖其魁，一切陋例悉報罷，杭世駿候補主事趙君墓誌銘。吏畏若神，商賈便之。武清吴志。不數月，叔琳以蜚語罷，後事者疑方觀有私，秘相偵察，遂歸，不復出。卒，年六十六。方觀事繼母如母，事兩叔母如繼母，一味之甘，必獻而後嘗。補衣縮食，躬自節儉，解推所及，累什伯而不惜也。有六子，皆有聞於時。墓誌銘。

楊之柄，字柏梁，號九春，良鄉人。順治十六年舉人，除稷山縣知縣，陞刑部主事，簡甯波府知府。爲人性直而通敏，處事一以是非爲斷，不徇人毁譽，曰：行吾心所安而已。爲文疏宕有奇氣。山東有黄家瑞者，令良鄉，奇其才，厚遇之。黄文力追兩漢，少許可而獨心折之柄，自以爲不及。後移宰他邑，招入幕，其讞獄之文，必假手成之，嘗曰：吾堂可無吏，吾幕可無客。其莅稷山也，初下車，聞前令賢，慨然曰：居官當如此矣。稷經瘠痏後，之柄殫心撫字，不遺餘力，其大者，請蠲荒地逋糧三萬餘，減舊額之半，編邑户三十六里爲二十四里，均役輪差，以故賦薄傜輕，民至今賴之。其官比部也，佐以經典，所全活居多。曹郎例分覽案牘，一字失簡，則有堂責，人多厭苦之。之柄封繳，獨先同官，每私託代直，之柄欣然應之，爲兀坐署中，循閱無倦容，曰：吾卽以此練勤，且諳習故事，不猶愈乎！故其守甯波也，凡六年，精密宏達，處盤錯能迎刃解，如除吏弊，裁差擾，折訟獄，懲豪猾，賑荒、弭盗諸政，罔不措理適如。其尤難者，舟山之役，軍書旁午，凡備糗，儲茭，造舟，治甲，百務畢萃於一身，之柄目矚，耳聽，口答，手揮，環中四應，不病民而事舉濟。之柄初至郡，時浙大吏欲廉某陰事，之柄曰：良令也，保無他。大吏又命監司示意，必欲實其言。之柄又曰：不可。令竟賴以全。其持正不阿如此。未幾，以疾卒。卒之日，城門卒若聞有呵殿而出者，或云見之柄從騎入廟，故民爲立祠，至今尸祝之不忘焉。事聞，入祀名宦。（楊公墓誌銘。）

查日乾，字天行。高祖秀自江西臨川遷宛平，遂家焉。日乾三歲而孤，母劉以育以教。姊登山陰馬章玉，知儀徵縣事，迎之往，除夕陳諸裘服，恣親串所欲取。日乾年甫十二，獨端坐不爲動。既長，奉母來天津，時倉場總督洪尼喀、順天府尹劉元慧皆其父舊交，數請相見，久始報謁，卒不一通竿牘。有爲讎所誣，陷京兆獄，獄急，闔室聚泣，不知所爲。日乾聞之，立白府尹，直其事。德日乾甚，奉三千金爲壽。笑曰：某故貧，肯爲京兆鬻獄哉！卒卻之。後用鹽筴，家漸起。長蘆逋賦累萬，艱於稽核，朝使來，熟日乾名，坐之堂上，輒詢條目，日乾口陳手畫，洞中窾會，匝月悉定。又以商力彫敝，陳請爲善後計，使者用其言上請，利貽至今。天津爲禹貢九河下游，白、衛二河水，遇淫雨輒建瓴而下，孤城懸水中，廣野無廬井。日乾倡首設賑，屢拯民於墊阸，全活無算。環城隄岸，如渠黄口、老君堂、教場、單街等地，衝決不時，夙稱險要，日乾親督畚鍤，增高蘊厚，卒用安堵。長蘆奏銷，屆時官商屢以稽緩罣吏議，日乾措施有方，藉以全者，不形德於唇吻。城西旅舍數十區，每歲逼除，客之不能舉火者隱爲償之，歷久無怠色。晚乃放意山水而卒，年七十有五。日乾長身鶴立，音旨洪朗，料事若神，應變不測。攬環贈佩之好，幾徧天下，而生死不相負。山陰王揆、長洲談汝龍、會稽陶良玉，先客死京師，皆親視含斂，以輛車數千里歸其喪。太原郭氏貲累鉅萬，託孤日乾，日乾翼而長之，弭其内難，家賴以不毀。母劉疾革時，緣事繫都門，不能盡大事，痛毀幾絕。得歸營葬，築室墓旁，三年不忍去。慕園，所自號也。讀書不爲章句，於史事尤精，撰史腴若干卷。嘗曰：學不爲世用，縱文彩彪炳，猶瑶檝之不可以川，玉弦之不可以矢也。雍正九年，子爲義貤封承德郎、江南淮南儀所監掣通判。子爲仁、爲義、學禮。杭世駿查君墓誌銘。

爲仁字心穀，年十九舉康熙辛卯鄉試第一。主試事者武進趙申喬也。申喬故以革銅商事與執金吾陶和氣者相水火，欲甘心焉。謂榜首固富人子，且少年名不出里閈，是奇貨可居，遂鉤致以興大獄。既鍛鍊成，而爲仁當死罪，長繫請室。爲仁固才士，既顛蹶無生理，乃就白雲司葺板屋數間，日讀書習静其中。高雲上人爲榜曰花影庵。國朝詩人小傳三。數年而後得釋，蒲褐山房詩話。遂絕意華膴，類首書窟，萬光泰蔗堂稿序。七略四庫，恣意佃漁。國朝詩人小傳。作爲詩歌以自娱，萬光泰蔗堂稿序。皆清新微婉，耐人尋繹。蓋爲仁嘗學詩於初白庵主，又與厲鶚、杭世駿、萬光泰、汪沆諸人游，故一洗粗獷浮廓之習，歸諸雅正。紅豆樹館詩話。爲仁既出獄，國朝詩人小傳。築水西莊，濱運河，有南碕草堂、數帆臺、攬翠軒、枕溪廊、水琴山、畫堂諸勝。雨村詩話八。慕古人顧阿瑛、徐良夫之風，蓄積書籍，廣開壇坫，名流宴詠，殆無虛日。許佩璜刺史贈之曰：庇人孫北海，置驛鄭南陽。其豪可想。隨園詩話三。於丙寅春，夢雙鳳飛集樹，各銜金篆字，一曰貞，一曰福。後納二小姬，名適與之同，因作雙鳳圖。鶚題句云：蕙蘭原自含貞性；風雅何妨號福人。蓋用元廉夫晚號江山風月福人事也。雨村詩話八。導師爲贈道號曰蓮坡，故又稱蓮坡居士云。國朝詩人小傳。有蔗堂未定稿六卷、外集八卷。畿輔詩傳二十九。子善和，字用咸，號東軒。畿輔詩傳四十三。學問博雅，善自韜晦，好吟詠，所著甚多，津門詩鈔小傳。有東軒詩草。善長，字樹初，乾隆十九年進士，官刑科給事中，寄籍天津。善和子誠，字衞中，號海漚，乾隆四十二年舉人，官郎中，畿輔詩傳四十八。詩酒自娛，有蓮坡遺風。家起小園，疊石蒔花，積書萬卷，無不披覽，津門詩鈔。有天游閣詩集。畿輔詩傳。妾程亦能詩。津門詩鈔。

爲義字集堂。畿輔詩傳三十一。少倜儻，八歲卽能作大字，長益博綜經史，期爲有用之學，不屑屑以文藝求進取。會國家有事西陲，爲義投筆，轉餉塞上，論功授安徽太平府通判。通判雖散官，爲義獨留心民事，利弊無不言，同僚莫不嚴憚。鄰郡偏災，飢民過境者，爲義具粟分贍，各以舟護出境，所活無算，而郡人亦賴以無擾。時兩淮鹽法敝，制軍尹繼善欲更張整飭，乃奏設鹽掣，擇廉能吏司其事，遂合舉爲義，擢淮南儀所通判。在任八年，覈虚實，絶苞苴，介然不避利害，積弊以清。方以治行尤異薦，而適以父喪歸，遂不再出。紀昀查公墓誌銘。爲義風期清遠，學無不窺，善蘭竹花卉，具簡淡蕭疏之趣。津門詩鈔。年六十三，卒。子三：長溶，次田，次杰。紀昀查公墓誌銘。孫彬，字憩亭，乾隆四十九年進士，歷官河南信陽州知州。畿輔詩傳四十七。

禮字恂叔，號儉堂。畿輔詩傳四十七。能吟詠，喜賓客，襟抱與兄相似。蒲褐山房詩話。蓮坡居士闢水西莊，館大江南北之彦，時禮甫弱冠，每有倡和，出語已驚一座。紅豆樹館詩話。乾隆十三年，授户部陝西司主事。查淳銅鼓書堂遺稿後序。輦下名士，咸與攬環結佩，文酒之讌無日無之。紅豆樹館詩話。以同知發雲南，旋改廣東，補慶遠府理苗同知，擢守太平。太平界安南，爲廣西邊境，猺獞雜處，禮撫循教擾，瘴鄉窮谷，巡行殆徧；以母王年高，陳請終養。起補四川甯遠府知府。明年授川北道，調松茂道。三十六年，有小金川之役，隨營總理糧餉。三十八年，將軍温福進剿大金川，駐軍木果木。賊勢猖獗，禮時駐美諾，請兵往救，兵遠不驟至，遂調糧臺兵二百餘人，募丁壯百餘人，偕遊擊穆克登阿往援。行至猛固橋，聞喇嘛寺糧站已失，士卒狼顧不敢進。禮曰：我退，賊必躡我，我軍亂，賊必乘亂擊我，勢難免矣。整旅而進，以待後軍，必無患。會松茂總兵福昌亦自美諾至，行次破碉，遇伏，擊之，擒斬寨首二人、喇嘛一人，餘賊驚遁。聞賊攻八角碉甚急，分兵救之，而已偕福昌馳回美諾禦賊，多舉號火，賊不敢下。是時木果木已失，美諾勢不能保，乃退守達圍。三十九年，將軍阿桂進軍谷噶山，籌改運道，召禮問計。請開楸坻之日爾拉山以通饋運，山高五十里，無蹊徑，積雪六七尺，終歲不消。禮縱火燒凍，鑿石爲磴，匝月功成。四十七年，大兵凱旋，仍留綜理屯政，而果羅克復有劫殺蒙古公里塔爾之事，奉旨緝犯。禮發成都，而總督於前二日已撥兵出紅橋關。禮曰：果羅克生番獷悍，土地遼廓，無城郭室廬之聚，我兵出關，賊已遠遁，何益之有！乃檄官兵入關，揚言塞外苦寒，俟來春再舉，而密調三雜谷土練四千，會于松岡，銜枚疾進，至境始宣諭奉旨來緝賊，餘人無罪。酋長麻克蘇爾袞布進見，禮問賊所在，對言不知，禮怒，命檻車解送成都，酋惶怖，具言賊主名區處，悉擒之。由是西北諸夷皆震悚。四十四年，授四川按察使，次年轉四川布政使。四十七年，升湖南巡撫。入覲，留京。卒，年六十有八。禮少好學問，老而彌篤，雖戎馬倥偬，簿書填委，未嘗一日廢書。於軍國機宜，民生利病，講求最悉。其温柔敦厚，慈祥愷惻之意，往往見於歌詩，查淳銅鼓書堂遺稿後序。有銅鼓書堂遺稿二十二卷，畿輔詩傳。清新婉約，出入王、孟、韋、柳間者，出守粵西以前作也；登山臨水，慷慨振刷，駸駸乎闖杜陵之室，滇、蜀軍興，馳驅戎馬間作也。清而能腴，雄而不肆，誠與蓮坡居士異曲同工，而驅役卷籍、刻畫性靈之處，殆欲突過伯氏。嗜畫梅，紅豆樹館詩話。尤嗜古印章，金玉銅瓷，自吾子行、王厚之而下，名人鐫刻者，無所不備，藏弆至有千餘。生平莅蜀最久，而居西南松潘徼外者十嘗八九，崎嶇險阻，爲羌人所服。偶歸省，重築楊文憲升庵，藝花竹，招邀爲文酒之會，士大夫至今猶樂道之。蒲褐山房詩話。子淳。

淳字厚之，國朝正雅集小傳。善篆刻，故別字篆仙。工詩，爲沈德潛、厲鶚、萬光泰諸人所器，畿輔詩傳五十三。著有梅舫集。正雅集小傳任四川南江令。邑有大巴坪，深林密箐，人蹟罕通，淳白大吏，闢榛莽，招士著。歷攝通江、巴州、南部事，每曰：所謂知縣、知州者，於州縣民瘼無弗周知，興利除害，乃爲稱職耳。旋調宜賓。時金川軍興，奉檄總理軍需，政務填委，綜理裕如，欽使李湖、將軍阿桂深倚重之。升雲南趙州知州，後擢廣西平樂府知府。有事安南，上曰：查淳向在四川理軍需，稱幹練，其令速董厥成。阮藩籲降，以卓異薦。所屬全州饑，窶民肆掠，勢張甚，淳密遣幹役，偵獲首從，分別懲創之，居民安堵。簡江蘇常鎮道。糧艘膠水次，淳剋日濬治，漕船無滯。補湖南糧儲道。黃水泛溢，轉運維艱，淳擘畫有方，履險如夷。晉江西按察使。贛州民變，或欲興大獄，淳曰：吾不忍以人命爲菅蒯也。置渠于法，餘省釋。入爲大理寺卿，旋賜六品銜，致仕。淳天性肫摯，尤篤於任卹。宗人二瞻居士，國初老宿，流寓維揚，沒無子，淳爲表墓立嗣焉。生平邃於學，尤殫心經史，少隨父任粵西，講求水利，著靈渠紀略三卷。孔昭焜查君行狀。子林字松生，號花農，官雲南州判。畿輔詩傳六十。天資高邁，所學甚深，自少卽聞其祖若父之教，黎訥花農詩鈔序。足跡徧天下。其詩不主一家，沈鬱頓挫，間以流麗，史昺花農詩鈔序。於君家初白老人衣鉢獨得，黎訥花農詩鈔序。有花農詩鈔六卷。畿輔詩傳六十。

井在，字存士，文安人。順治十六年進士，山西平陽府推官。精敏獨任，吏畏之莫敢仰視，而決讞多所平反，疑案不可究詰者務寬，期以致正兇，不急於煅鍊入人罪，嘗曰：事固有，急之則兇奸之彌縫益密，緩之則無意之洩漏可期。誠聽斷者之明鑑也。畿輔詩傳十三。值裁缺，改補永安令，縣隸惠州。惠與潮犬牙相接，而永安之南嶺大山，四周交連四邑之界，最稱險利。撫目李唐宗者，大猾也，盤踞其中，蓄髮陰謀不軌，矢石械器俱備，聚不逞之徒千餘人，又使其子如冕等統礦徒四五百人於赤溪開採，招集亡命，横於一方。前令莫敢問。在至，則修浚隍障，團練鄉勇，爲未事之防。已而三藩煽亂，潮鎮劉進忠密授僞符，陰納唐宗爲犄角。在遣役林奇等，以鐵匠入山，具得其狀。密申撫鎮，陳擣穴之策，選勇之精壯者三百餘人爲親丁，結以恩信，日椎牛饗士。先是，副賊李海政焚掠邨寨，在設伏擒之。已而撫檄下，鄧副將進兵協剿，在部分鄉勇，扼據要塞，而自以親軍會鄧抵山下。賊兵在海上者不得合，而逆鎮劉進忠亦以先期未發，救援路絕。

唐宗遂薙髮出山詐降，冀以緩師而待援也。在決計剿蕩，遂麾兵梯山，抵其巢，搜得僞隆武印、勅各一，及與潮鎮往來書，遂斬唐宗於軍前，而殲其黨與，獲旗甲器械無算，雪其民之脅於賊者百餘家，南嶺平。撫軍劉秉權上其功，格於部議，未敘績而計至，黃叔琳青溪先生傳。北歸。服闋，再補興縣。還里，以詩酒自娛。家居九年而卒。所著有天文纂要八卷、鐵潭詩集六卷、鐵潭文集二卷、合河署詩集一卷、讞語録八卷、講約六諭解一卷、篋蟫集四卷。文安楊志。

尹肅京，通州人。畿輔唐志八十。康熙初，以貢生授吴橋訓導。官舍傾圮，通州高志。賃居邑之劉氏宅，見壁中藏白金四甕，戒弗啟，立召劉氏子還之。畿輔唐志。吴橋前令某罷官後，旋卒，以子女託，肅京爲撫養婚配。年八十九卒。祀鄉賢。通州高志。

王綱肅，字清寰，宛平人。性至孝，由太學生選鴻臚寺序班，父亡，每退直述先訓，必潸然泣下，因號曰修嚴，志不忘也。有親故，以貧依居越二十年，賴其舉火。偶買一婢，詢係南昌士族，遂訪其夫還之。鄉里羣推爲長者。陞福建鹽運同知，釐剔積弊，力請捐豁逋欠一萬七千有奇，商民便之。遷台州府太守。時台駐兵馬數萬，與軍府約，兵不居民舍，民不供軍食，軍民以安。有重辟獄十八人，鞫其誣，盡釋之。台民咸曰：昔之召杜，今則王公。未幾卒。宛平王志。

紀愈，字孟起，文安人。畿輔詩傳十八。父克揚，崇禎戊寅，大兵破文安，克揚不屈死。愈哀毁骨立，奉母訓，鍵户讀書，不涉外務。壬午，霸州道趙課閫屬士子以七藝，糊名分投，如棘闈例，愈居第二，人争目色之。一時雁行之盛，大城則稱劉漢儒，霸州則稱郝惟訥，同里則有陳侍郎，愈以文章聲氣頡頏其間，名噪畿南。乃每試輒躓，益復拓落，往往使酒投博，習爲名俠，能濟人之困，遠近交稱之。張英紀都諫傳。國朝康熙六年進士，授内閣中書，遷兵部職方司主事，擢户科給事中，掌科。愈夙具偉畧，迴翔禁密有年。己酉，土寇攖城，愈倡先守禦，邑賴以安。康熙十二年，隨大將軍剿江西逆賊，恢復撫州。畿輔唐志。其時居民爲賊所迫脅者衆，幾有火烈昆岡之懼。愈以至誠感悟將帥，爲敷陳朝廷好生之德，紀都諫傳。且言：若從重典，必堅人從賊之心。畿輔唐志。故皆得招徠安集，全活者甚夥。或遺以所俘婦女，貯之别室，訪其夫還之。其爲諫官，即首言逃人株連之害，禁其妄指主家，詐陷良善，禁網得寬。愈之於事，必舉其利澤久遠、福及庶兆者言之，其指瑕抵隙，摭拾瑣屑以塞言責者，深恥不爲也。典試中州，號稱得人。視榷龍江，能祛積弊，至今綸扉諫垣之間，稱爲老成持重，可爲同官模楷者，則必推愈云。殁之日，早起，日色向午，呼取棋枰，與韓子叔錦對局，子未數行，而溘然逝。其仲弟炅哭以詩，有云：手拈棋子端然逝，更得人天正路開。蓋實録也。紀都諫傳。康熙三十二年，入祀鄉賢。

（畿輔唐志。）子遴宜，字毅亭，康熙三十三年進士，仕蕭山令，歷官吏科給事中，有式綸堂集。（文安楊志。）遴宜子恆，字任甫，諸生，有藤花書屋詩草。（畿輔詩傳三十一。）咸字中涵，雍正元年舉人，官安徽旌德縣知縣。孫晉。（文安楊志。）晉字企瞻，乾隆三年舉人，（畿輔詩傳三十五。）以明通榜授祁州學正，俸滿遷邑令，得江南之當塗，調桃源。辦災賑，請開倉，不俟報牒，全活無算。既而堵禦六塘河水，明年督捕蝗蝻，與民夫兵弁雜作，歲以無害。調甘泉。甘泉爲揚州附郭縣，水陸之衝，號爲難治。晉下車而商民帖然，過邵伯湖，知二牐將壞，急牒請當道爲先事防，或阻之，不果。已而牐陷隄壞，部議落職，遂卒。年五十有二。（李中簡紀公墓志。）有寶樹軒詩二卷。（畿輔詩傳。）

井睦，字方思，文安人。康熙十七年進士，內閣中書舍人，出爲衢州同知。衢當兵燹之後，人物凋敝久，制府移鎮於兹，供應復繁。睦至之日，茹素布衣，不受民一詞，不擅差一役；自以職司捕務，清嚴保甲，禁絶匪人，而諭民以孝弟、力田，數年之間，民安盜息。又篤愛兄姊，赴衢之日，盡以田廬給諸兄子，以爲寡嫂之奉。而族子甥姪輩之困乏者，皆以自隨，至署共食粗糲，久而不厭。睦樂於作人，講學不少閒，一時士風振厲，才俊騰達，其遠者聞風相慕，以不獲出門下爲恨。由是睦名震兩浙，撫軍趙士麟尤愛重之，故多所委任，兩署金華、嘉興篆，及繪畫河山，催運皇木，分校文、武闈，清丈西安田諸欽部大案，咸以委睦。睦匪躬竭節，勤敏清純，位不易府佐，而勞苦過之。去金、嘉之俗素健訟，化之如化衢人，而嚴飭屬員，禁革火耗，肅清漕白，兩郡稱治。去之日，襆被蕭然，身無長物，惟送者哭聲數十里而已。繪圖、運木、供給，皆稱貸以行，不動父老一塵；所過不知有官，民攜婦子夾路縱觀，以爲歡笑。撫軍入朝引見，上問循良吏，以四人對，而睦其首也。詔以爲河南知府。得命卽去署，僦居杭州，薪米之費，朝不保暮，時河南屬吏遣役投批遠迎，所齎長途公費約千金，拒弗受，併其批還之，而自以典質度日。是時也，積勞病作，藥餌無資，遂卒。年五十三。衢人巷哭者相聞，遂列其政蹟，上之學使者，請以名宦祀。孥與櫬不能歸，馬如龍知杭州府，始援以北還。韓菼井太守傳。

張烈，字武承，大興人。一統志。按：陸隴其三魚堂集云，先世浙江金華府東陽縣人，嘉靖時，先生之曾祖始自浙江遷居大興。生而英敏，喜博聞强記，北學編二。讀書數行俱下。長卽潛心性學，李集鶴徵録一。毅然以閑邪衛道爲己任，畿輔唐志七十八。所著書皆有關人心世道之言。康熙九年進士，授內閣中書。一統志。按：鶴徵録、四庫全書總目皆云授中書，惟尹會一北學編作除思平令，互異。由禮部侍郎楊中正、刑部侍郎任克溥薦舉，鶴徵録一。召試鴻詞科，授編修，先正事略三十。充纂修明史官。每立一傳，必博考詳徵，傳信傳疑，勿得附會。北學編二。分撰朱之馮、金鉉、史可法、張縉彦、羅俊、金毓峒等傳，淋漓痛快，極得史遷筆意。全祖望己未詞科録二。著讀史質疑，云：明道學傳可以不立。初甚駭其論，潛玩味之，此言非孟浪。陸隴其三魚堂隨筆。遷贊善，預纂修典訓館事，盛暑嚴寒，從不一假。每朝會，敝車羸馬，蹣跚風雪中，弗少懈也。北學編一。性至孝，事繼母委曲承順，人無間言。畿輔唐志。自爲諸生，以至立朝，始終以清白自勵，不屑世俗榮利，純如也。三魚堂文集。然性好施與，每有所入，必留其半爲利濟之用。凡同年已故，有親老子幼，婚喪未終者，竭力區畫如家事。北學編二。年六十四卒。祀鄉賢。畿輔唐志七十八。

高裔，字素侯，宛平人。畿輔唐志七十四。父以事戍黑龍江，父母命裔守市肆。裔且市且讀，方苞高素侯先生壽序。成康熙十五年進士，畿輔唐志。入翰林。上書求代戍，詣通政司、都察院，皆不達。會贖罪例開，乃涕泣告請於師友，卒贖父以歸，壽序。以孝聞天下。畿輔唐志。父少豪宕，不可羈束，而母謹禮法，不相中。父自戍所歸，裔以爲難後天屬復完。方苞高公墓志。又二親篤老，當更歡洽，而居常漠然，遇事仍嗃嗃。裔用事雖富貴，恆蹙蹙如窮人，無所歸終其身云。及視學湖南，壽序。凡科歲試，所拔弟子置前列者，後皆掇巍科，或爲世名儒。桐城方苞，其尤著者也。得人之盛，世比之敬輿、永叔云。飛鴻延年室筆記。累官大理寺卿。卒，祀鄉賢。畿輔唐志。

范瀛珮，字蜚鳴，寶坻人。康熙戊午歲貢生。少穎悟，讀書一過目即通曉。嘗苦家少藏書，乃悉鬻所遺産，購書數千卷，風朝雨夕，披吟不輟。貧至無以自給，人或尤曰：聚書能療飢耶？瀛珮坦腹示之，笑曰：此殊不枵。其風致如此。康熙甲寅，奉詔修志，邑令牛一象選文望秉筆，瀛珮居首。無何，大學士杜立德家居，遂主其事。瀛珮曾偶脫一稾，立德欲有所更動，固執不可，曰：易隻字卽難以傳信。學士頷之而已。未竟志局，竟謝去。後任廣平訓導。所著有詩、古文各二卷。寶坻洪志。

王采，初名宷，字同侯，寶坻洪志。順天寶坻人。父乃餘，順治甲午舉人。朱筠北臺先生墓誌銘。生而敏雋，出語驚長老。康熙四十三年貢成均，爲大司成所器，寶坻洪志。分教習胄子。采終日莊坐，程課有法，肅若朝典，所教多成材者。錢名世王君墓誌銘。期滿，當銓次爲令，采弗就也。讀書善考訂，發四庫書，紛紛薈萃，靡不條貫，爲文日渾博無涯涘。會子枚士由鉅鹿教諭選常州同知，采年已六十餘矣，猶應試，再不售，乃曰：自今當撥棄舉子業，一以詩古自娛耳。枚士迎至江陰署，訪邑中名宿朱近庵、蔡嶽樵、孔秋岩輩，登君山，望長江，飲酒賦詩，淋漓盡致。逾年歸，枚士亦旋以養親還也。每扶杖攜壺，眺遺臺，尋古碣，徘徊空山老樹間。興之所至，短歌長吟，卽蘸筆書之。書法逼古人，以擬唐詩晉筆。寶坻洪志。子枚士。錢名世王君墓誌銘。

枚士字北臺，早入縣學，爲諸生有名。遇試於鄉，輒報罷。久之，聞考官某執其卷固争，欲置上第不得。枚士曰：命也。請於父，循例就選，得鉅鹿訓導。三年，所指授皆有程式。晉常州同知。常故劇郡，而同知有清軍海防之任。枚士一治以嚴明，明斥堠所在，猾胥奸民，愕眙跼蹐，不敢縱趾。居數月，常人頌之曰：風何清清，公門無塵生。時巡撫張伯行察枚士能，令視青浦縣事。縣有疑獄，數十年莫能斷決，吏奉牘送案上，牘積等人立，了不可竟首尾，枚士到纔逾月，盡發其情，吏驚以爲神。枚士乃徐徐問弊政，配刺一切去之，名大起。而一時嘉定有河患，鎮江運道歲淤久當濬，及蘇郡督視漕糧，若煩劇紛錯之會，必以屬枚士。往嘉定時，中流舟覆，從者倉皇出之，曰：勞苦吾分，死生吾命，何憚乎！其治常也，郡俗好禨鬼於城隍祠，則爲土偶役夫立於旁，民病，輒曰土役爲厲，禳之愈。其間南蘇北鎮，雜遝羣來走，盜賊得因緣爲奸利，心固恨之，會攝府事，卽大書署之通衢曰：城隍有神，豈令役夫厲吾民也耶！取土役笞碎之，民俗以革，盜賊稍解去。其勇直守正有如此。自枚士之任，奉迎父母官所。父不欲以家口累其清節，自載耕入所餘，而南出以佐之。枚士益用自刻厲，每出反，則必以所設施旦晚陳之堂上爲笑樂。枚士强敏，才氣百倍，遇事以爲無不可刻舉者。同官咸服其能，亦坐是爲有力者所忌。已，當内遷爲郎，竟嗾之罷去。時枚士父母已先歸，枚士到家，父母迎謂曰：汝不阿上官，得爲清白吏歸來，豈不善哉！自是終父母之身不出。乾隆四年卒，年六十。子詢、讚，湖北荆州府清軍水利同知；讌，候補州同知。朱筠北臺先生墓誌銘。

詢字舜夫，縣學生，入貲爲七品京官。其冬，選授奉天府經歷，數啟事於府尹，輒言其大者。一言復州當改爲州治，曰：復州所在，廣袤數百里，一切田畝、錢糧、盜賊、人相殺與州縣等，今止設通判一員駐劄，旁無所屬官吏，一人不得兼顧，請汰省通判，改設知州一員、吏目一員；並請立學設官，令復州士子故隸蓋平者咸歸新學良便。一言古義州當仍爲州，曰：今廣甯有古義州遺址，按其地在漢當遼西郡之絫縣；唐置巫閭、守捉城；遼爲宜州，領宏政、開義二縣；金置義州、崇義軍統三縣；元義州屬大甯路；明屬廣甯衛，後廢州改衛；我朝定鼎初，義州間錯入蒙古地界，康熙四年始隸版圖。十六年設巡檢於此。雍正初元，分錦州府通判駐義州。五年，又移通判於復州，而義州仍設巡檢，隸廣甯縣。按義州當廣甯迤西九十里，中間以巫閭山，山西一帶半隸錦州，旗界錯綜，人易滋事，加以毗連蒙古部落，五方商賈雜遝，涉訟、徵糧，越嶺阻險，延稽時日，官民掣肘，受事累月以來，備稔其艱，請改設義州州治，以復古名。州東則當以牽馬嶺嶺脊爲界，其三面並據現在義州城守尉所隸界，無論錦與廣甯所在地丁，當界以內者，悉歸隸新州。州設知州一員、吏目一員；且請廣建學宮，定諸生額如廣甯數，增設訓導一員，訓迪士子，而界內一切，知州、吏目，治之有餘裕矣。時府尹武陵楊超曾俞其言，曰：吾行奏請之。既而雍正十二年，竟陞隸蓋平之復州所在爲復州，隸奉天府；又陞轄以廣甯巡檢司之義州爲真州，隸錦州府。於今兩州人士，冠蓋相望，甲關以東矣。其議並自詢實發之。又以世廟有宣諭直省先事備火，多貯水桶、水銃、鉤鐮、麻搭之旨。請令奉天民家置水缸及桶一於門，貯水恆滿，官出入爲躬驗，並移奉天將軍令各旗，處處行之，以備不虞。又言：奉天錦州所屬諸倉廒，積糧多至十餘萬石，年深糧腐，所司代去，數以償逋爲病。今請大縣存糧以十萬石爲率，中縣六、七萬石，小縣三、四萬石，計歲歉足，以備民食，餘悉糶賣，輸直於盛京户部充餉，庶以歸實濟而釋官負。又言：北鎮廟在廣甯縣西，自虞舜封醫巫閭山以鎮幽州，歷代並加封祀，著爲令式。比者益崇修葺，每遇大典，遣官祭告，而守土有司，未獲以春秋致祭，近比混同江例殊異，詢愚以爲當移文盛京禮部，以時具備祭物，檄廣甯知縣行禮宜。凡所言，先後悉采用。詢在官，輒據所是爲上官言，侃侃不少推隱，幾忘其官之爲七品也。上官異其才，欲試以事。一，檄攝廣甯縣，再攝府通判；一，攝治中，皆舉其職。八年癸丑，罣事降調。歸，年三十有五。家居閒而業豐，則好行其德。乾隆乙丑，會歙洪肇楙來知縣事，重葺明袁先生黄所建城東文昌閣，濬閣前池，如泮壁狀，中植菡萏，環以隄柳。詢喜，爲力肩其事，輒出橐金營社學於閣下，延師以教鄉之秀者，凡數年，人人成學以去。

平生慕重薊州李先生孔昭之高行，爲刻其遺集秋壑吟一卷，凡遇前賢遺墨，自晉、唐宋、明以來，或家所藏，及假諸他氏者，召工摹勒上石，銜諸櫪園之壁。園中築青箱樓，高出一城中，中貯書萬卷，登樓讀書，暇則周眺環縣諸山以娱老焉。卒，年七十有九。子三：長振聲，兵部司務；次振翮，貢生；次振翮。朱筠王舜夫先生墓誌銘。

杜立本，字華生，文端公立德弟。年十七，補諸生。旋丁贈公憂，時染疾卧牀匝月矣，聞變，披跣哀號，伏苫次，勺水粒米，杖而後起。立德回翔臺閣，受兩朝聖主之知，由大冢宰洊登政府，時立本往來京邑，於京則任贊佐，於家則任督理，訓誡宗人，無有招摇炫惑，竿牘於縣吏者；約束僮僕，無有鮮衣怒馬，呼飲於酒家者，至今稱家法之善推杜氏焉。遇覃恩，立德篤念同氣惟立本在，遂以名上，授刑部陝西司員外郎。奏讞無所阿徇，一歸於正。辛酉，恭送仁孝皇后梓宫事畢，賜宴及幣。四月，轉户部山西司郎中，奉職益謹。癸亥，以積次出爲江南廬州府知府。時立德方致政里居，母劉亦春秋高，立本戀戀不欲行，曰：吾不欲叱馭易南陔，擁麾違雁序也。母責以大義，始勉就道。廬州雖江南大郡，然瀕江帶山，地瘠民悍，徵求科派，率官一而吏十，故刁民藉爲口實，訟訐無虚日。立本下車，卽革牙帖之陋規，凡千餘金。詳慎刑獄，無枉濫者；推求民隱，無陳滯者。興學校，嚴僚屬，絶苞苴，尤急於荒政，遇歲歉，煮賑請蠲，緩征寬役，以一古循吏之道治之。悃愊無華，不爲矯異。廬之人勒碑頌之。後以微累罷。人咸欲立本往白，當事可寬其咎，立本曰：吾不奉菽水十一年矣，鬱鬱居此，望雲興歎，縱官三公，曷若歸侍高堂之爲樂耶！圖書數卷，蕭然抵家，課田園，督種植，杖藜布褐，往來田坂間，遇之者不知爲太守也。性好施與，歸家後益甚。邑常遭水歉，立本捐家粟數百石以賙親友鄰里之貧乏者。或曰，是宜留爲來歲備。立本曰：邑之人非吾族黨卽姻婭，人飢吾能獨飽乎！一無所惜。王之樞杜公墓誌銘。迄今里閭間猶嘖嘖稱道不衰云。康熙五十三年，從祀鄉賢。甯河關志。

紀炅，字朏菴，號仲霽，文安人。諸生，畿輔詩傳二十二。九赴棘圍，坎坷失職，輪囷鬱塞之氣，一發於詩，故其詩益進。陳儀紀徵君傳。康熙十八年，薦舉博學鴻詞。畿輔詩傳。以天性疏放，恐妨游覽，稱疾不與試。鶴徵錄。車轍馬跡，幾徧天下，所至皆有題詠，故所傳爲最富，王企靖七家詩選序。有桂山堂集八卷。畿輔詩傳。尤工於賦。紀昀紀邁宜儉重唐詩序。戊子三月，卒。紀徵君傳。

郝士錞，字子希，霸州人。康熙十八年進士，授直隸順德府教授，卽以振興文教爲己任。數年，卓異，薦陞山西盂縣。革陋規，清耗羨，緩催科，興教化，他人行之以名者，士錞獨以實心出之。行取兵部督捕主事，缺裁，改户部陝西司主事，遷山西司員外郎，晉禮部儀制司郎中。歷三部四任，聲望蔚然。歲乙酉，陞湖廣漢陽府知府。漢陽所轄祇兩邑，然漢口一鎮，當數省之衝，舟車往來，百貨輻輳，官斯土者，向納商税之贏以自潤。士錞至，盡請裁革，大吏笑謂曰：曷留少許以養使君之廉乎？士錞正色對曰：釐弊務盡，甯敢自爲計而留遷就之私！卒勒石永禁，商民德之。總督密疏上聞。值甲午秋，上預簡學臣，在廷又交薦，遂陞按察使司副使，提督雲南學政。試雲、武兩府，拔孤寒，杜請託，以校閲積勞疾作，請告。將去滇，紳士作爲詩文以志去思。撫軍入告，疏曰：學優守潔，考試公明，惜其不能終事。蓋公論也。北上，抵漢陽，舊屬父老，競治酒漿、具雞黍送之舟次，請暫留。士錞重違羣情，遂緩解維，遂卒於漢陽。年六十有五。子三：長霈，歲貢生；次霑，歲貢生；次霈，監生。雲南學政按察使郝子希先生墓誌銘。

楊雍，字西涇。畿輔詩傳二十。先世居沙漠，以軍功世襲指揮千户，因成寶坻，遂家焉。曾祖來復，祖翻，父孝純，皆諸生。趙執信楊君行狀。雍康熙十一年舉鄉試第一。畿輔唐志七十九。京兆人文之盛，莫如是年，而雍爲解頭。楊君行狀。學術深醇，文體一準先正，畿輔唐志。由是名大噪。從崑山顧亭林先生游，受左氏春秋，邃於經術。十八年成進士，授庶吉士，習國書。雍資既絶倫，誦讀蚤夜不輟，凡所繙譯，雖先輩精於是者無不稱歎焉。辛酉秋，御試優等，授檢討。寶坻洪志。甲子夏，朝廷以會典未成，開館纂修。雍分纂工部，案積如山，窮力爲之，凝寒盛暑，披閲不倦，以勞瘁卒。楊君行狀。生平以清白自矢，蕭然自樂，卒之日，幾不能殮。造其室，荻簾土銼，布被不覆身。人尤重其清操。康熙五十年，祀鄉賢。畿輔唐志。

李可翹，保定民也。己丑，土寇陷城，縣役馮某與可翹父有隙，以乘機竊取官物陷之。適總兵勦賊至縣，索之甚急，可翹謂父曰：事急矣，無可救免，兒請代死。語未竟，兵役畢至，可翹挺身認之，遂被殺。保定成志。

芮濟，字允康，寶坻人。幼有至性。年十六，怙恃兼失，搶地呼號，寶坻洪志。毀幾滅性。含殮之日，直願身殉。舉宗環號守之，得不死。三年中，濟濟漆漆，未嘗一破涕。撫兩幼妹、一穉弟，李堂芮君墓誌銘。左提右挈，日久不離，常含糗糒口哺之，保護惟謹。其弟淮也，稍長，出入必偕，偶不見，卽急覓，負以歸。時家計不支，濟僇力爲治生計，然未嘗廢學。既有室，乃以家事委之，獨與弟攻舉業，雨榻風窗，篝燈不輟，遂得先後游庠。顧中年久困場屋，恒鬱鬱不自得。及壬午、乙酉間，兩姪連舉於鄉；己丑，復傳成進士，濟且喜且悲曰：祖宗緒始不墜矣。天性儉，食不兼肉，年過七十，爲具甘旨費，輒却之曰：我茹淡久，不慣他味也。然睦親族，厚交游，遇緩急，又往往傾囊爲之佽助。復傳筮仕錢塘令，濟悉裒其歲入爲宦資，令弟寄語云：此去當不名一錢，乃不負都憲家聲也。李堂芮君墓誌銘。厥後復傳歷任越中，寶坻洪志。廉隅不移，苦節清操，冠於兩浙，濟實有以玉成之。寶坻洪志。雍正九年，卒，年八十九。李堂芮君墓誌銘。

復傳字宗一，號衣亭。康熙四十八年進士，畿輔唐志二十九。掣籤得錢塘縣。時例繕履歷三百字於暢春園，聖祖命南書房記復傳名。行之官，召縣吏，悉除諸無名錢，曰：官足給饔飧，辦已。吏竊笑之。縣有金三者，故交通上官署，爲姦利暴省中，縣故莫能制。復傳立逮之，至曰：某有罪無案，公柰我何！復傳曰：若罪信也，若不克自贖，吾爲若贖之。杖且械，斃焉。一府大快。縣民有僕婦無故雉經於門，尸家居以爲奇貨，復傳立至門，驗無他，令曰：尸家速收婦尸。士民戴激。會庚子秋，浙江省試，檄分校，朱筠芮君墓碣銘。所得皆知名士，嚴海珊遂成，其一也。紅豆樹館詩話。己丑，杭旱，復傳履畝勘實，上其狀，上官以錢塘首縣，躊躇欲寢不報，復傳固争，曰：律有揑災、匿災並當劾，某今日請受揑災劾矣。時同城仁和災報先寢，民千人跣走圍署，呼曰：錢塘父母我，仁和獨不父母我耶！須臾自縣呼達院，上官感動，是年杭竟以災聞，開永濟倉行賑，復力請，於縣之上四鄉、下八鄉設粥廠二十有七。水陸轉米屬之廠，令曰：食米者應轉米役，則更擇其鄉之端謹有行者，廠坐四人董賑事，復傳間微行覘曰：善則勞勉之，而撻其胥役之行擾者。上官聞之，喜曰：帑不費而賑溥，其令他縣以爲法。省有駐防營卒，往往出城馳躪民田，復傳申文上總督署，願以便宜治營卒。縛躪者來，立鞭之，民相語曰：卒不踏吾田，畏公黑頭鞭。復傳聽訟，既無留獄，他縣訟者咸籲上官，甘就復傳鞫，有疑獄，上官亦輒以委之。居五年，民謡之曰：芮青天，邊清廉。時總兵官邊某鎮杭，與復傳名相媲也。雍正初，以卓異薦，未上，世宗特詔來京，諭曰：錢塘地大，若在官有聲，其命爾知温州府，往，益勵初節也。復傳頓首謝。温故例，民應輸織造府相貢，歲期至，則檄封園樹，禁民毋走；其納也，擇色擇枚，中斤中兩，累民百端。復傳飭所在相取足貢數，織造不得言其他。民勒石府門以頌之。境商辦官鹽不行，而私鹽積，復傳爲設三團，集竈户定直，竈直益足則私鹽息，官賣直益廉，則鹽不督自行，人以是服其平也。天台山東南有山曰玉環，廣袤八百里，隔海洋數百里而遠，明方國珍所保也。或曰山中有田，可墾十萬畝。時李敏達衛總督浙江，聞之以入告，卽檄復傳往勘。復傳乘舟抵山，從鳥道登峰頂，還言：玉環山雖四面，中可墾者無多；況海盜所出没，良民孰肯往墾以糧齎盜？脱肯往者，亦盜醜也。卽墾，不過數萬畝，計費無底，傷財，增盜，無益，不若罷之便。李公怒，更檄他屬往，授意指必墾之。大索山中，田僅二萬畝。不足，則取山麓潮退之地充之，又取近天台縣田丈量畝有所餘，並以屬之；又不足，更取樂清縣民田歲輸糧者距城四十里外，盡隸玉環。玉環經費不敷，輒支帑金，則令捐浙江省官俸半，及關津一切雜税，增税其半，用給經費。時又檄弛温之禁山令，漁者往來並税之，曰塗税。既而，民之漁者不走山中，度關納税如故，吏乃重征漁者塗税。漁者來控，復傳具文上辯曰：入山漁者有塗稅，出山漁者有漁稅，今關稅漁又稅塗，是重稅也。凡七上，上官怒，以爲阻撓玉環墾田，有蜚語頗聞。時諸城劉文正統勳奉使視海塘，過温，謂之曰：聞君與李宫保兩雄不相下，不移不屈，君之謂乎！戊申，擢分巡温處道，用儉訓俗，民益翕然安之。會商人辦銅積弊露，復傳爲定期給直，持以法，商人窘。時方劾揭温州府知府尹士份不職狀，士份反誣以阻商誤銅，上官固疾復傳，因劾之，有旨解任，赴江南總督趙宏恩質問。於是兩府士民聞將去，則書旛於山上揭之，曰：昔唐太學生魯郊、季償二百餘人，能詣闕留陽司業，我輩今日不能止芮公之行，何面目立於清世！旦夕集旛下者益衆，則擁之館中，積石塞其門，夜則爇火以守途。復傳諭之，僉曰：吾儕安敢違公，欲籲上官於朝，留公治我耳。復傳召父老曲諭：若不得爾。則巷哭失音聲，爇香奉酒走送，自府沿江干數十里，睎舟之行，人人伏地不能起。久之，竟坐以失察關吏舞弊革職。高宗御極，免勿治，仍留浙江辦銅，事竣，例當請復官，聞父及母卒，奔喪，服除，遂不出。家居三十餘年，尤篤於兄弟之愛，呼諸子及孫前，曰：汝曹視我輩式相好矣，世世勿忘也。乾隆二十一年卒，年九十四。朱筠芮君墓碣銘。復傳天才雋朗，學有本原，畫仿南宋，骨格蒼秀，紅豆樹館詩話。有衣亭詩草一卷。畿輔詩傳二十九。

朱綸，通州人。父殁，家貧，事母至孝。畿輔唐志八十。尤尚氣節，有海甯范姓者寓通，與綸僅一識面，疾亟，以子女託綸，檢其橐得三十金，爲經營數年，婚嫁得所，仍以原貲歸其子。北關郜楊節婦，年十四，夫出不歸，繼母逼改嫁，不從，守三十年，綸高其節，爲捐貲置地贍之，且旌以傳，後其夫歸完聚如故。山左歲祲，流民踵至，綸倡立善社施濟，全活無算。康熙四十七年，以五經舉京兆試第一。四十八年進士，改庶吉士。平居好學，博覽羣籍，兼通岐黃術。乙未冬，聖祖召對乾清宮，命校玉樞等書。雍正二年，祀鄉賢。子元仲，官山西甯縣知縣。通州高志。

劉殿衡，字伯玉，寶坻人。父兆麒，兵部尚書；本生父兆麟，順治辛丑進士。張大受劉公墓誌銘。祖世累代仁厚，嘗夢雙石麟入其室，故二子皆以命名。寶坻洪志。殿衡自少喜讀書，負經濟才名，以蔭就銓，爲兵部武選司員外郎，陞刑部江南司郎中，劉公墓誌銘。大小咸辦。分巡井陘道，遷保定守道，未幾又調西甯巡道。西甯，邊塞咽喉，蕃、回人雜處，每春豫徵糧粒、草束給戍軍，民力甚罷。殿衡請期至秋收後，並乞河西五衛一例緩徵；其蕃長車馬供應，先期符驗，郵傳肅清。有治大魁者，寶坻洪志。掌回教，素樹氣節，或密告其通外蕃爲亂，已就逮矣，回人數千，環殿衡車前鳴其寃。殿衡請於總督佛倫，佛密疏剖，上矜而赦之，賜以世職。劉公墓誌銘。諸回皆歡忭羅拜，以是聲震湟中。擢江南布政使。清隱冒，除版荒，經水利，贍飢民，舉節孝。政暇循行田野，翺游山水間，集名流觴咏，如布衣交。再遇聖祖南巡，嘉勞之，親灑宸翰以賜，遂擢湖北巡撫。武昌，故兆麒駐節處也，殿衡周知其利弊，而次第興革之。與湖南巡撫趙申喬會勘土司，區處允協，荆、巫諸土司皆佩威德，無敢梗者。以憂歸，服闋，仍撫其地，寶坻洪志。不易條約，而人情帖然。惟荆楚澤國，宜籌百世之利，江陵、監利諸縣，水溢堤壞，部議失防，官俱褫職。殿衡以江堤民自修築，非比河工費帑金，請獨當不職之罪，而免其餘。上一切宥之。荊門、沙陽堤勢險，工鉅，倡捐金采石，調淮陽埽夫築堤建鍤，以時開閉。蜀江出峽，下夷陵，直公安，危磯峭石，出没奔流，行舸一觸輒碎。殿衡乘水涸，募工剷截牙角，連築月堤以護泊步，沿江多設救生船。劉公墓誌銘。時大學士高安朱公軾方爲潛江令，以折獄平，忤上官意，將置下考，殿衡與制府力争，卒舉卓異。朱公嘗語人曰：吾自爲縣令，時守直道而不變者，由劉都憲之知我也。在任數年，勞悴備至，卒於官。仲兄殿邦字安侯，累官至蘇松糧道，署布政使。聖祖書一州之表四字賜之。人以爲一門盛事云。寶坻洪志。

李長白，字素心，大興人。早歲開敏，讀書通大義。性磊落，遇人不爲諭諭熱，直行其意。通曉世務，人以疑難告，一言而決。父澍之，官山西，留侍其祖，能色養。以國子監生考職，以州同注籍。鄉黨稱之曰：李君質重而神遠，千里才也。未幾，父以强項不善事上官，尤爲巡撫噶禮所嫉。嘗發常平倉，出陳易新，民便之。澍娶於袁，而它袁有官御史者，與噶禮有隙，遂疑御史私人也，恚甚欲置之死，掎摭無所得，則以擅發常平爲罪。當是時，祖父卒於家，而父之獄尤急，長白乃遣執友馮某馳之山西省視，且出奇計以釋疑於行臺，事得少緩。然原疏稱盜用官錢甚夥，澍不置辨，獄成，吏責償官逋，乃盡斥其生産，不足，又奔走求救於所知者。或慰之曰：孺子豈長貧賤哉！事解，行致通顯矣。長白流涕曰：我知救父而已，敢望榮名哉！聞者感動，得貸三千金，寄太原知府趙鳳詔，代輸於官。書甫達，而鳳詔亦被劾，籍没。長白恐其敗乃事，而不能脱父於縲絏也，夢寐中忽躍起數尺，母拊慰之，乃已。會鳳詔具以事白，乃得以寄金償官如約。久之，卒得奉父歸里。家雖貧，暇輒治具召賓客宴樂以娱老。時人爲之語曰：廉吏可爲而不可爲，不見李太守之瀕於死也？廉吏不可爲而可爲，不見李太守之有良子也？長白少有經世才，驟遭困頓，而卒能匍匐勞瘁，以免親於難，以終其天年，其性有過人者，要其才足以濟之。自往來燕、晉，吏胥乘間以恫疑恐喝，風波之震撼，無日無之，然當事多感其誠，臧獲於相依不忍去。異時山西急遞至都，率繫鈴於騾頸以相警，及事平，長白聞道上鈴聲即色變，曰：我聞郎當，輒心膽墮地。蓋一生精力盡此矣。長白頎而豐，面頳，美髭鬚，衣冠莊飭，議論多慷慨，見者皆以遠大相期，而不知其終身於憂患也！父卒後數年，山西屬有以侵兵餉被劾者，有司稽故牘，令舊時統轄上官分償之，移檄大興治親屬，長白償二百金。未幾，復有屬吏被劾者如前制，當分償六百餘金，長白計無所出，約居待罪。旋奉母喪，葬畢而疾大作，沈緜遂不起，彌留猶以未完父事爲憾。嗚呼！可哀也已！子兆嘉，監生；兆瑞，雲南平彝典史。邵晉涵李君家傳。

韓畕，字經正，號石耕，大興人。畿輔詩傳十五。善鼓琴，池北偶談。所操北音，恥作娓娓兒女之語。終身不娶，游覽江湖以終，今之牧犢子也。明詩綜小傳。尤工五言詩，五律清穩，頗足名家。亂後游江南，徧歷台、宕諸勝。客死平湖，有句云：春愁當二月，酒渴起三更。池北偶談。著有天樵子集。感舊集七。

程可式，字松村，香河人。康熙五十年舉人，時年甫冠也。上春官，屢不第，與纂古今圖書集成，擢内閣中書舍人。奉使西蜀，事竣，授河南縣令。所涖有聲。未幾歸田，乃增嵩雲、涉江、東野三集，其志趣所尚，情隨境遷，性與理洽，靡所不宜。有來山堂詩鈔八卷。畿輔詩傳二十九。

華陽吴祖椿校

光緒順天府志一百一

人物志十一

黃岡洪良品纂　江陰繆荃孫覆輯

先賢十一

國朝

劉獻廷　牛鏈　王文雄

井焜　黃叔琳弟叔璥 子登賢　崔恂

馬侗　賈鋐子澎 澎子慶檀　高元愷

王澤博　張楨　朱一鳳

陳謨　吴履中　郎大乾

何國宗　陳儀　史全義

張化光　紀逵宜　陳浩

劉佐　張肱　陳瑺

劉順　杜遹文　鍾畹子光豫

金鎔　艾子誠　劉文燦孫錫信

何琇

國朝

劉獻廷，字君賢，號繼莊，大興人。畿輔詩傳十六。先世本吴人，以官太醫，遂家順天。獻廷復寓吴中，其學主於經世，自象緯、律曆、邊塞、關要、財賦、軍政之屬，旁及岐黄、釋老家言，無不窮究。崑山徐尚書乾學好士，多藏書，大江南北宿老争赴之。獻廷遊其間，别有心得。萬徵君斯同於書無所不讀，獨心折獻廷，引參明史館事。顧祖禹、黄儀長於輿地，亦引獻廷參一統志事。獻廷謂諸公考古有餘，而未切實用。其論向來方輿書大抵詳於人事，而天地之故，概未有聞，當於疆域前别添數則，先以諸方之北極出地爲主，定簡平儀之度，别爲正切線表；而節氣之後先，日蝕之分杪，五星之陵犯占驗，皆可推矣。諸方七十二候，各各不同，如嶺南之梅，十月已開，桃李二月已開，而吴下梅開於驚蟄，桃李開於清明，相去若此之殊。今世所傳七十二候，本諸月令，乃七國時中原之氣候，今之中原已與七國時不合，則曆差爲之。今於南北諸方，細考其氣候，取其核者詳載之爲一則，則天地相應之變，可以求其微矣。燕京、吴下，水皆東南流，故必東南風而後雨；衡、湘水皆北流，故必北風而後雨。山水之向背、分合，皆當按籍而列之，而風土之剛柔，暨陰陽燥濕之徵，可次第求矣。諸方有土音，又有俚音，蓋五行氣運所宣之不同，各譜之爲一則，合之土產，則諸方人民性情風俗之微，皆可推而見矣。其論水利，謂西北乃二帝三王之舊都，二千餘年未聞仰給於東南，何則？溝洫通而水利修也。自石、劉雲擾，以訖金、元，人皆草草偷生，不暇遠慮，相習成風，不知水利爲何事，故西北非無水也，有水而不能用也。不爲民利，而爲民害，旱則赤地千里，潦則漂没民居，無地可瀦，無道可行，人固無如水何，水亦無如人何。虞學士始奮然言之，郭太史始毅然行之，未幾竟廢，三百年無過問者。有聖人出，經理天下，必自西北水利始。西北水利莫詳於水經酈注，雖時移勢易，十猶可得六七。酈氏略於東南，人以此少之，不知水道之當詳，正在西北。擬取列史中關於水利、農田、戰守者，各詳考其所以，附以諸家之説，以爲之疏，俾施行者有所考鏡。又言：聖王之治天下，自宗法始，無宗法，天下不可得治，宜特爲一書以發明之。又謂：綱目非紫陽親筆，故多迂而不切，而關繫甚重者反遺之，當别作紀年一書。獻廷所欲著述多未成，其徒黄景夏裒輯其所見者爲廣陽雜記。其書述大兵征俄羅斯，及王輔臣叛平涼，文俱可喜。生平自謂於聲音之道别有所窺，足窮造化之奥，嘗作新韻譜，自華嚴字母悟入，而參之以天竺陀羅尼、泰西蠟頂話、小西天梵書，暨天方、蒙古、女真等音，又證以遼人林益長之説，而益自信。同時，吴修齡自謂蒼頡以後一人，獻廷則曰：是其於天竺以下書皆未得通，而但略見華嚴之旨者也。獻廷之法，先立鼻音二，以鼻音爲韻本，次定喉音四，爲諸韻之宗，以喉音互相合，凡得音十七，喉音與鼻音互相合，凡得音十，又以有餘不盡者三合之，凡得音五，共三十二音爲韻父，而韻歷三十二音爲韻母，横轉各有五子，萬有不齊之聲，攝於此矣。嘗欲譜四方土音，以窮宇宙元音之變，乃取新韻譜爲主，而以四方土音填之，逢人皆可印證。蓋是書多得之大荒以外，囊括浩博，學者或驟見而未能通也。與梁份、王源友，所嚴事者曰梁溪顧培、衡陽王夫之，而尤心服者曰南昌彭士望與萬斯同。同在尚書邸第，斯同好終日危坐，獻廷好遊，或兼旬不返，各以館脯所入，鈔史館秘書，連甍接架。尚書既去官，獻廷亦返吴，邀斯同共歸，曰：與我共成所欲著之書乎？斯同諾之而不果。未久，獻廷亦卒。全祖望劉繼莊傳。所著書亦散佚，廣陽雜記獨存。畿輔詩傳十六。

牛鏈，字金臣，寶坻人。三歲失怙，母撫之，稍長，至性過人，每念母氏劬勞，益自感奮。中康熙二十年武舉人，母故賢，喜行善事，鏈能先意承志，得其歡。母没，廬墓三年，中夜念及，則噭然而哭，親朋來唁，輒悲咽不能出聲。邑人將以孝請旌，鏈頓首固謝之。王盤峯曾有詩曰：匍匐救顛危，殷勤敦舊故。立身若太山，輕動恐有誤。慈訓何諄諄，多君憶朝暮。事死如事生，六十猶孺慕。蓋實録也。寶坻洪志。

王文雄，大興人。康熙二十二年，由行伍隨提督施琅勦海賊鄭克塽于臺灣，僞侯劉國軒率賊二萬餘踞澎湖，文雄隨遊擊藍理由銅山進攻，衝鋒奮擊，連敗賊兵，叙功加左都督銜。二十九年，大軍征噶爾丹，詔緑旗候缺有職銜人員赴軍前効力。文雄隸火器營，敗賊于烏蘭布通，得旨録用。部議以遊擊候補。尋授張家口遊擊。三十五年，上親征噶爾丹，文雄隨軍至拖諾山，遷張家口副將。三十八年，調江南督標中軍副將。四十二年，擢登州總兵。四十三年八月，疏言：東省沿海二千餘里，自開海禁以來，商民舟楫往來，奸宄不無覬覦，登州坐臨大海，控禦尤要。向來水師無船，額設兵僅三百八十六名，請增至一千二百，於所屬各官抽調足數，酌撥鎮江、松江、狼山、崇明等處，趕繒船二十備用，改設遊擊一、守備一、千總四、把總六，操演水師，防汛巡島，商民均有裨益。下部議行。四十六年，上南巡回鑾，文雄扈從，至臨清，賜孔雀翎，并御書輯和東土扁額。四十八年，擢貴州提督。先是，提督李芳述疏言：黎平一協，孤懸邊徼，最易藏奸，距省窵遠，呼應不及，請以黎平府割歸湖南，改協爲鎮。部議令二省督、撫、提督會議。僉以地畝錢糧，分省已久，應仍舊制。文雄言：黎平一隅，界連粵西邊徼，逼近九股生苗，所轄西山一汛，尤爲緊要，應專設一營，增守備一、千總一、把總二，移兵三百名駐防彈壓，仍歸黎平副將管轄。又黎平至省必經湖南之天柱、靖州往返四五十日，若由所屬之湖耳司經天柱縣及瓦寨卽抵鎮遠，祇十餘日，宜安設塘汛，以便往來文移。與巡撫劉蔭樞會疏以聞，下部議，從之。五十年八月，疏言：安籠鎮所轄之黄草壩，接連滇粤，逼近三江，去普利州二百餘里，必須大員駐守，原係安籠鎮左營汛地，以左營遊擊一、千總一、把總二、兵三百名駐防，庶足控扼要隘。其右營遊擊之分汛新城者，撤回鎮標操防。又安籠一鎮，深處萬山之中，與滇屬之羅平、廣南，粤屬之西隆、泗城接壤，去石門坎二十里，卽鄰粤西煙瘴之地，實爲貴州要區，請照威甯、大定等處事例，遇武職缺出，遴人地相宜之員題補，以收得人之效。得旨俞允。五十一年，調廣東提督。尋以流匪陳四等沿途搶奪，經由貴州，與巡撫劉蔭樞同議降四級調用，得旨：從寬留任。五十二年五月，疏言：廣州府番禺縣之市橋，人煙輻輳，兼有附近之石碁等處，奸民相濟爲匪，漁船而外，私造花魚奶船，一船可容四五十人，出海截劫商民。如此要區，既無文員駐劄，僅有千總一、員兵三十四名，不足資防守。又歸善縣屬之飯籮岡一汛，濱臨大海，密邇外洋，土著之民無幾，多聚無籍之徒，日有漁船四五百出入，澳口雖有水汛把總一員、兵六十六名，遠駐稔山，相隔數里，未免鞭長莫及，請撥虎門協都司，千、把總各一員，兵三百駐守市橋内外，千總一員、兵百名，分防石碁，互巡外海内河，並移沙灣巡檢同駐市橋，以廣州協大龍汛把總及兵六十名移駐石碁，以平山汛守備及兵百名移駐飯籮岡，又移平海營稔山水汛把總及兵船駐海口，以文官稽核甲保漁船，以武官盤詰海口奸匪，水陸交嚴，庶可戢奸弭盜。部議從之。五十六年六月，疏言：海洋商船，准帶軍器，原爲禦賊之計，但商船被刼，從未聞與賊相拒，所帶軍器不特不能禦賊，翻以資賊。請嗣後沿海各省商船出洋貿易，不許攜帶鎗炮等軍器，其原有者，盡繳入官。事下九卿核議，器械爲防禦之具，不宜概行禁止，應照前閩浙總督金世榮奏，礮不得過二位，槍不得過八桿，腰刀、片刀不得過十五。得旨：令閩浙總督滿保等公同定議。如文雄所請。是年十月，疏言：參將裴鱒緝獲三盜於海陽，縣官避處分，妄行搶奪。巡撫法海疏言：擒賊實係縣役，營將奪賊捏功。詔總督楊琳核奏，仍下部議。以文雄平時不能禁戢盜賊，又思脱罪，粉飾陳奏，應革職。得旨：王文雄屢著戰功，著自備鞍馬，赴進藏軍營効力。時其子廷梅官侍衛，奉使軍營，文雄因偕行，尋以疾還京。雍正元年卒，年六十二。乾隆八年，祀山東名宦。漢名臣傳。

井焜，字季韞，别號虞章，文安人。築山房，讀書其中。劉眉平署之以白衣，乃又號曰白衣山人也。好讀書，多識古文奇字，爲諸生，博極載籍，通十三經注疏，補注文選諸賦，發昔人所未逮。康熙二十三年舉人，出襄陽汪□□門。汪亦熹廟時璫人所指爲門户人，蓋端人也。於是焜問學之功，益得所趨向。謁選，（傳青主白衣山人傳。）授蕪湖令。（黃叔琳青溪先生傳。）時蕪湖有九江警，焜協守將先計折衝之，蕪湖人以爲才。丁内艱，服闋，補浙藩照磨，（文安楊志。）再授湖北竹溪。慕陶靖節之爲人，（青溪先生井在傳。）以病辭歸白下，益肆力著述。己亥北歸，再理蕪園，綴輯殘籍，摩研編削，年七十四卒。（白衣山人傳。）有家乘遺詩文十卷、示兒詁六卷、古文奇字一卷、袖中簡一卷、縣志二十卷。縣爲九河下流，苦水患，故志獨詳於河渠。幽貞賦一卷、幽貞達旨一卷。焜早師桐城左光斗，而友大興史可法、高陽孫承宗、容城孫鍾元諸先生。殁後，錫山許子韶爲作神園圖，歷歷寫所謂曰方塘，曰松林，曰止亭，曰野客巖，曰寒香院，曰菜畦，曰藥圃，曰白衣山房，曰鑿坯隱，曰静寄軒者，既用小李法金碧丹青，復以細字歷書焜諸小記，不雕不野，按圖讀之，樸奥簡雋，髣髴如在焉。（文安楊志。）

黃叔琳，字崑圃，大興人。本安徽歙縣程氏子也。祖伯起，（先正事略十。）字瑞芝，順治初嘗攝鄖縣篆，既罷任，流寓京師，後索逋西遊，爲盜所害。（陳兆崙黃公墓誌銘。）父華蕃，（先正事略。）字澗采，生甫髫而家難起，養於繼母舅黃爾悟，遂後黃氏。（墓誌銘。案：先正事略云，祖伯起，與僚壻大興黃中丞善。父華蕃方九歲，爾悟子之。與此稍異。今從墓誌。）叔琳有神童稱，（墓誌銘。）年二十，以康熙三十年一甲三名進士授編修。益自淬礪，與衛檢討既齊討論宋人語録，恂恂然有醇儒風，見者不覺其爲少年甲第也。遷侍講，督學山東，先正事略。毅然以興賢育才爲己任。修三賢祠於泰山之麓，奉胡安定、孫明復、石徂徠，俾學者知所景從。北學編四。又興白雪、松林兩書院，延師儒，選才雋，所造士多窮經致用之英，翕然稱盛。先正事略。遷鴻臚寺少卿，留學政任。漢名臣傳。除通政司參議、僉都御史、太常寺卿。六十一年，遷内閣學士，尋遷刑部右侍郎。先正事略。雍正元年，充江南鄉試正考官，調吏部侍郎。九月，命偕兩淮鹽政謝賜履赴湖廣，同總督楊宗仁酌定鹽價，革除陋規，漢名臣傳。商民勒石紀事。三年，授浙江巡撫。先正事略。奏言：各部書吏紹興人冒籍順天，已定議改正，現任浙江首領佐雜及在部候選候補之員，掣得浙省缺及各省俸滿升補浙省者，籍開順天、直隸，如實係原籍浙江，均請咨部改補。從之。時御史錢廷獻請濬浙江東西湖，蓄水灌田。會叔琳會同總督滿保勘議，奏言：仁和、錢塘、海甯三縣，田數萬頃，全藉省城上下兩塘河水灌溉，自閘廢土淤，民佔爲田，埂内植桑柏，蕩内栽荷蓄魚，利甚微，而所損三縣田畝逾鉅萬，漢名臣傳。請照西湖舊址，清出歸湖，去其梗塞，開通水源，所屬官塘、運河、支港、壩堰、斗門，俱一律疏濬，以興水利。浙民便之。先正事略。杭州旁邑多里巷豪猾，把持鄉里，慢侮縉紳，善爲飛語巧中，官莫能制。叔琳鋭意欲除之，取其魁十許人，杖而械之通衢，用示媿創。就中有病死者一人，而適與叔琳姻眷同里，遂以疑似被劾落職聽勘。謫海塘工次効力。閲六七年，事漸白，放歸。乾隆元年，墓誌銘。授山東按察使，明年遷布政使。先正事略。四年，丁憂。七年，服闋，授詹事，以山東布政司任内誤揭屬員諱盜，革任。漢名臣傳。晚以詹事加侍郎銜家居。墓誌銘。嘗手一編，以至耄耋不廢。北學編。性好著書，隨時與所善商榷參校，藏書萬卷，日事披覽，有得輒筆記之，其好學如此。墓誌銘。生平著述，有硯北易鈔、詩經統説、夏小正傳註、史通訓故補註、文心雕龍輯註、紅豆樹館。硯北雜録諸書。尤負人倫鑒，以造就人才，扶植善類爲己任。嘗曰：善人，國之紀也，吾樂與善人交，此吾所以報國也。湖海文傳三十。所賞拔如萊州守嚴有禧、長清令劉輝祖，皆以循良遷秩。而分校禮闈，主試江南所拔取者，先正事略。儒林文苑名臣，多出其中，若潘敏惠思榘、胡恪靖寶瑔、陳司業祖范、任宗丞啓運、張詹事鵬翀、徐檢討文靖，其尤著者。初，新城王文簡士禎詩文，爲海内宗師，叔琳弱冠登進士，實出其門，一脈相承，遠有代序。湖海文傳。平生接引後進，孜孜若不及。墓誌銘。人有一長，揄揚無須識面。隨園詩話四。四方寒畯，持行卷來謁者，雖一篇一句之工，必加獎賞。湖海文傳。方苞爲諸生時來謁，一見稱莫逆交，凡所著周禮春秋之學，皆與叔琳往復指畫。紅豆樹館詩話。竊嘗論本朝以文章致位通顯者多矣，至於主持騷雅，宏奬風流，爲海内所共推者，則前有新城，後有北平云。湖海文傳。叔琳再起，年六十有五，母垂九十矣。雍正中，帝嘗撤御座木瓜，盛以青龍瓷盤，漬以薇露，而諭曰：供母聞香。又御書德門壽母四大字榜以賜，所謂德壽堂者，以是得名。墓誌銘。乾隆十六年，重賦恩榮宴。卒，八十有五。紅豆樹館詩話。弟叔璥、叔琬己酉進士，官太僕卿；叔琪舉人，官甯國知府；皆有賢聲。子登賢。先正事略。

叔璥字玉圃，康熙三十四年進士，由太常博士遷户部雲南司主事，調吏部文選司，遷稽勳司員外郎，再調文選。以薦擢湖廣道御史，巡視東城。北學編。時王公貴人多以追私逋相屬，且曰：務親治。叔璥正告同列曰：御史非王府官屬，何瑣瑣爲？下所司理之。有銜邸命至公署者，昂然坐滿御史上。叔璥詰以何時奉差視事，噤不能對，則立使撤坐，將劾之，其人悚然謝去。自是無敢干以私者。先正事略。時久停御史巡邊海之制，上以臺灣亂初定，學案小識。命擇臺臣廉静有才識者往巡視，而叔璥實承命以行。方苞送黄玉圃巡撫臺灣序。至則翦餘孽，釋脅從，反仄以安。雍正元年任滿，特旨留一年。命以所行告代者。爲列海疆十要。先正事略。既還京，怨家以蜚語中之，遂落職。乾隆初，起河南開歸道，調驛鹽糧道。豫省大水，叔璥撫災民，勤卹周至。濬永城河口，開儀封引河，築虞城隄岸，皆中窾要。學案小識。在豫四年，以母憂歸。服除，補江南常鎮揚道。遇疾，暫解任。疾已，復原官。又三年致仕。家居七年卒。年七十七。晚歲所養益粹，嘗語人曰：道學卽正學也。親正人，聞正言，行正事，斯爲實學，不然空談性命，胡爲哉！著有近思録集註、愼終約編、既惓録、廣字義、南臺舊聞、中州金石考諸書，藏於家。先正事略。

登賢字雲門。叔琳三十七而生登賢。雍正二年舉順天鄉試，年才十六。叔琳不欲其速化，會撫浙，攜以自隨，兼從諸名流遊，所學益進。乾隆元年進士，分部學習，得户部河南司額外主事。越七年，實授江南司主事，轉員外郎。又二年，進陝西司郎中，皆在户部。長官器其才能劇繁，常令兼攝他司，恢恢而辦，洞悉利弊，吏不能欺。遇興革大事，推之定議，奏上，靡不報可。爲尚書海公望撰皇后躬蠶儀，上覽之稱善。詢：何人爲之？海以實對。由是擢廣西道監察御史，遷吏科給事中，再任刑科掌印，巡視江南漕務。前任臺察給諫，凡十一年，所陳奏皆切於時務。可施行者，山東災，運奉天、河南、天津米接濟。登賢言：如此則東省西界、北界爲有備矣。惟青、萊鉅濟東寫遠，利津、昌邑以南諸縣，山徑崎嶇，陸運復不易，謂宜豫糧仍舊運通，而以南漕如數抵撥，近從淮安、鹽城出口，由海港直達沂州府屬之夾倉口，青州府屬之宋家口，萊州府屬之膠州東門外海口，分貯平糶，則東界、南界亦俱得資接濟。又言：飢民就食他方，向有留養資送之例，然其中有本來游惰之民，無業可資轉，以荒年爲幸，及資送回籍，往往成羣滋事，有於經過鄉村搶食作踐者，臣以爲賑卹之恩難容濫及，遞送之例别有區分，被災之區，自有賑濟，勸其無輕遠出，其已出者，惟老弱殘疾留養外，餘聽其自爲謀食。至願回籍者，陸續資送，按日分遣，多不過三十人。有如强梁之人混入隊中者，即繩以法，別行遞解回籍，庶乎主客相安，不受外來之擾。其他如除幕客盤踞省會之弊，杜經紀巧昂錢價之害，提比捕役等，責成府廳；磨勘試卷，令考官迴避；漕丁餘米，許在通出糶諸議。咸奉旨允行。廢員劉光訓，以縣丞署知縣被黜，賄通文選司書吏，藉起復原官，又躐補知縣。登賢劾奏，論如法。其巡南漕歸也，復命稱旨，擢太常寺少卿，尋遷光禄寺卿，又升授太常寺卿，蓋駸駸嚮用矣。會上御門，班退，登賢素短視，不知駕猶未起，卽於班後憩坐。部議革職。及所司別請簡人，復奉恩旨留任。三十二年，改宗人府府丞。明年，擢都察院左副都御史，命往湖南審覈茶陵州城工，覆奏有平允之褒。又明年，擢授倉場侍郎。甫三月，簡署漕運總督。是冬實授，加兵部尚書銜。登賢在農部久，又兩任巡漕，於漕政素熟悉，處置輕重，咸得其宜。丁有所資，運乃速達。明年，督運北上，命隨軍機大臣同入見。旋因越常例奏請調濟湖南疲幫，并水次州縣建倉事宜，且請親往鎮江察勘挑濬，奉旨申飭，部議降調去官，需次當得運使，上加恩以三品京堂用。三十六年，復補授都察院左副都御史。三十九年，奉命提督河南學政，特調山東。蓋是時壽張賊初平，士習民風，亟須整頓。上以登賢有威重，故改用焉。登賢之生也，其父叔琳正提學山東，今相距六十六年，而復繼斯任。凡整飭士習，崇勵風教，一以其父所行者爲法。先是，東人於大明湖三賢祠增祀施愚山閏章及叔琳，爲五賢祠。登賢至，瞻謁，重加修葺，并置祭器，且默自矢，以毋貽先人之玷。視事年餘，恭遇聖駕東巡，於界首祇迓。上見其容瘦，諭加意調養。蓋是時已積勞成瘵矣。及是按試曹州閱卷，不異常時，忽命子嘉績具遺疏，且曰：生於山東，死於山東，命也。生於學署，死於學署，數也。吾分止此，夫復何憾！遂卒。年六十有八。盧文弨忍廬黄公墓志。

崔恂，字漢雍，霸州人。應鳳孫。恂兄弟六人，皆力學有聲。恂尤卓犖，博通典籍，肆力於今古文辭，爲文不假繩尺，頃刻數千言，奥衍閎博，試輙冠其同列。屢薦不售，因泣曰：吾先君子有文行，督學熊鍾陵先生以國士期之，乃竟賫志以没。今不自奮，何以慰先靈於地下！時韓長洲菼文名滿天下，遂徒步入都，遊其門，韓一見，驚曰：冀北自古多倜儻不羣士，自吾官京師，所接見不下數千人，如子之克自樹立不因循者，蓋不多覯。盡授以讀書作文法。康熙二十九年舉人，辛未會試，本房首薦，副總裁王士禎欲置第一，正總裁張玉書曰：第一已有人矣，可置第二。士禎曰：此人豈作第二人想者！今既已有人，留爲後科第一人可也。遂見擯。恂悉其顛末，乃自嘆曰：某今得遇知己，可無憾矣。其不得，則命也。遂决意不再試，乃就中書職。每入直，與諸名士唱和。其詩取法盛唐，間亦效漢、魏、六朝體。書法尤得二王意，逾年以目眚告歸。既歸，日與其羣從講學，遠近從遊之士，每不下百數十人。恂教人必以經術爲根柢。嘗立家規，每月朔望入宗祠，以宗老一人率族人拈香，三揖，行四拜禮，皆以齒序，隨班行禮，禮畢，首讀遺訓，卽晏子所云：父慈而教，子孝而箴，兄愛而友，弟敬而順，夫和而義，妻柔而正，姑慈而從，婦聽而婉，所以勸善也。次讀遺誡，卽石碏所云：賤妨貴，少陵長，遠間親，新間舊，小加大，淫破義，所以懲惡也。次讀遺規，卽程子所作視、聽、言、動四箴，所以修身也。讀畢，衆人皆應曰：諾！復向上三揖，然後退。恂又嘗誡子弟曰：近世風俗澆漓，口角輕薄，最是惡習。宋朝晁氏子弟，皆克遵法度，羣居相呼，外姓尊長必曰某姓第幾叔。若諸姑，尊姑之夫必曰某姓姑夫，某姓尊姑夫，未嘗敢呼字也。其言父黨交遊，必曰某姓幾丈，亦未嘗敢呼字也。如此行之，自不失謹厚之風。又嘗手製一杖藏於家祠，囑其家人曰：吾子孫有不肖者，無論老少，卽禀明宗子，入家祠焚香請杖以懲之，三懲而不改，卽逐出之不可令污吾姓氏也。因銘其上曰：人禽之辨，爭此幾希。幾希既失，何異鴞飛。飛鴞惡鳥，反噬遺譏。忘本反噬，祇欲自肥。晝藏其貌，夜逞其機。禽醜匪類，人避祟機。作羹食汝，不孝同譏。今銘此杖，永遵勿違。讀其銘詞，猶令人中心懍懍也。年六十有三。所著有薇垣吟草，藏於家。（儲在文崔漢雍家傳。）

馬侗，字汝誠，寶坻人。康熙三十年歲貢。不爲口耳之學，一以實踐爲宗。幾微言動，無少忽。每爲從遊者陳說經義，必正襟危坐，動色而道之，雖盛暑未嘗一解衣、一脱帽也。嘗引朱子彈琴心不遠，及程子某寫字甚敬語以勗學者。故及其門，莫不循循有規矩，後進遵於道必却立，指示曰古先生。寶坻洪志。

賈鉉，字惠生，永清人。榛元孫。祖爆，順治辛丑進士。鉉幼篤天性，母王氏惡聞雷聲，鉉六七歲時，聞雷聲即就母左右，不敢暫去。方九歲，見天末雲起，即起潄席掩窗間。父怪問之。鉉曰：天生雲則雷將發，兒爲此恐雷聲驚吾母也。家人以是異之。康熙丙寅，母王氏疾篤，鉉年始十二，即借五歲幼妹夜出。父令家人蹤跡之，不知所向。比明，城隍廟道士元禄早起，聞香風自殿前來，急奔視之，見鉉與妹匍匐神前，案亦無炷香也。道士詢其故。鉉曰：吾母疾篤，冀以吾二人年益母壽也。道士大驚，即送歸其家。是日母疾漸減，越三日疾竟愈。一時縣人競傳爲純孝天佑。年十八歲，娶韓氏女。韓侍舅姑亦以孝聞。鉉性穎敏沉潛，好讀書，年二十三歲補諸生。學使者故大學士安溪李光地，見鉉文，賞其詞意懇摯有志性，不類文士所爲，遂特拔之，人以李公爲明鑒云。壬午，乙酉，累薦不第，鉉力學益篤。後以遺産數頃爲永定河衝潰，口食無資，因賃種旗地，躬自課耕，以給父母甘旨，遂廢誦讀，不復規進取，而孝友爲政於家。女弟適生員劉菁莪。劉甚貧，鉉雖艱食資，給衣食無少吝。甲午，地震，鉉在村落課耕，偶遇小疾，不遑顧息，急歸省視父母，疾趨五十里，汗出浹膚，所患遽瘳。父墺，年躋百歲。鉉年至七十餘，孫曾遶膝，侍父飲食起居，不殊少壯。父卒，鉉典質莊田得百金，將營棺槨，是夕有盜毀門而入，持刀篝火，向鉉索金。鉉具以實告，羣盜不信，內有鉅魁向鉉熟視之，驚曰：此永清孝子賈鉉也，吾不忍奪孝子金。遂揮其衆散去。遠近異之。乾隆丙寅卒。年七十二。子四：澐、漢、澎、涞。澎最知名。永清周志。

澎字東瀾，初讀經書，二年卽通大義，鄉舉輒薦不售，於是力田養親，不求聞達。憲皇帝卽位，詔舉孝廉方正，知縣丁棟以澎應舉。澎以親老不出，課耕讀書，凡三十年。永清僻陋，鮮學古者，澎獨探索經史，欲以著述成一家言。其餓鄉記曰：距醉鄉、睡鄉三萬六千里，有餓鄉焉。王子、蘇子所未曾遊也。其土地人物與三鄉畧同，然其俗節尚介，行尚高，氣尚清，磨礪聖賢，排斥庸俗，則又二鄉之人所未逮也。非大聖人孰能居之！昔者伯夷、叔齊造是鄉，愛其境，婆娑不忍去。鄉之人謂夫夫真而主也，爲築壇拜之。後凡有過者，悉稟問納否。孔子去衛適陳，道經是鄉，伯夷率鄉人郊迎伏謁，禮甚恭，且致位焉。孔子笑不應，然重違其意，乃偕諸弟子爲停驂者七日。其後曾子、顔淵、原思輩嗜其趣，數往遊焉。或三旬九回，或並日一歸，與夷、齊兄弟甚相得。於陵陳仲投是鄉，三日希見收於伯夷。夷笑而麾之曰：若避兄離母，非吾徒也。去其籍。故後世稱仲子者咸於陵之，而不以餓鄉繫也。漢周亞夫慕是鄉高義，棄通侯之貴，徒步款里門。伯夷蹙額曰：亞夫粗人，豈足以辱吾土哉！然恐絶來歸者心，顧左右搆數楹於里門使居之，亞夫樂焉。而幸臣鄧通亦貿貿然來。夷、齊勃然怒曰：吾鄉，清白鄉也，豎子敢來相涴！命左右捽之數十里外，撲殺之。司馬遷未深考，誤謂鄧通老是鄉焉，豈不誣哉！伯夷既誅鄧通，不懌者累日，因使人延晉處士陶潛，以其高風，蕩滌污穢，潛亦舍彭澤令，與夷、齊交，稱莫逆焉。然潛習游蕩久，每越境與王無功遊，夷亦不之禁。梁武帝爲侯景所逼，逃入是鄉，伯夷不納，因叩頭力請不肯去，卒免侯景之刃。夷懼爲天下逋逃藪，爰集鄉人，更訓典，嚴條約，日出數十人，覘客於路上，凡有聖賢、豪傑、孝子、忠臣、高人、義士辱臨者，迎之致敬，無敢失禮。其爲賤隸、鄙夫，有托而逃者，撲殺之無赦。至於富貴要人亡命至此，亟遣之去，無辱唇齒。自是之後，遊者雖日以衆，而得入其門者蓋寡。其幸得邀優款，去來不阻者，若唐韓愈，宋吕蒙正、范仲淹而外，代不過數人。近世士大夫罕有問津者矣。吾友仲樂園嘗遊是鄉，歸爲余言此中佳景，非俗人所知。余初未之信，歲丙辰，樂園招吾同往，涉半塗，苦其路險巇，甚不可耐。復勉行數百步，入外郭，覺有異，後漸至佳境，則似别有天地，其山茫茫，其水淼淼，其民渾渾噩噩，忘貧賤富貴，三光如飛彈，大塊如轉圜，下視王侯將相，與一切持粱齒肥、醉飽而死者，直螻蟻不啻焉。夷、齊爲余言是鄉來歷，及君子之至於斯者。

且言先時虞帝大舜，及商臣傅説、膠鬲故嘗遊是鄉，後又有管夷吾、孫叔敖、百里奚其人者，謁吾徒而來請，後皆不久留，梯青雲而去。非惡此而逃之也，蓋天將有意於斯人，必先使閲斯鄉以磨勵之，二君其亦借徑於吾鄉歟！余無以應。然樂其鄉人之不余拒也，輒數數往，往則與夷、齊上下其議論，久益暢然快。吾二人爰得樂土而悲王與蘇之未獲從吾遊也。士之有志斯鄉者，自行束脩，吾將誨之。澎天性友愛，賈氏有先業爲旗莊圈佔，官給静海荒地百二十頃，名撥補地。地濱海潮，遠不可種，而官租輸納，歲以爲常。澎獨任之，不以累兄弟子。乾隆丁酉，以負租種不可勝，乃出四百餘金，始得除地隸他人户貫，諸伯仲後裔由是免追呼憂。乾隆戊戌卒，年七十有七。子慶檀。永清周志。

慶檀，字櫟園。舉乾隆三十六年武闈第一，歷官河南王禄店營守備。嘉慶元年，調征川楚教匪，每戰輒先登，凡荆門白雲山、襄陽七里山、穀城沈家岡、南漳倒座廟、四川界之畫石溝數大戰，慶檀功最。從經略額勒登保屢殲藍號賊張漢潮於竹谿縣，賊擾別營，別營乞援，他將多畏縮不敢往，慶檀請行。帥卒三百人，與楊占偕，楊占，武舉之效力者也。途遇潰卒，告慶檀賊勢張甚，必勿往。所親卒控馬諫曰：我爲援師，彼奔矣，將誰援？且進必無功，退固不獲罪。慶檀叱曰：援師亦殺賊耳，彼奔，賊固在，奈何不見敵而返！急進，與賊遇。慶檀持火器，挾弓矢，以佩刀俱，賊衆萬餘，三百人皆鏖戰。

賊少却，潛出兩翼衷我師。師潰，楊占没於陳。慶檀施火器，藥盡；左右射，矢盡；掣佩刀刃數十人，透圍出，佩刀折矣。顧從卒三人，將由間道歸，復遇賊數百遮鬭。慶檀謂從卒曰：吾今死矣。汝等速去，他日收吾骨。竟前徒手搏賊，遂遇害。其地爲湖北竹谿縣之九里岡，時嘉慶四年四月九日也。戰之翌日，三卒一得歸，率其伍求尸於故戰地，望見腹隆隆高尺許，衫袂蒙面，迫視之良是，有創自胸達背，其旁漬草偃者半畝許。衆皆哭，遂舁歸，具冠服殮之。時已入夏五日，而尸不變，目炯炯，終不瞑，年五十二。事聞，贈卹有加，予祭葬，入祀昭忠祠。永清續志。

高元愷，字際斯，寶坻人。鍵户窮經，無間寒暑。其治詩也，尤於箋疏傳註外别有心得。門人嘗問三百篇蔽以一言，其旨云何？曰：人於思慮之微，毫無邪曲，則性情正矣。性情正，則興觀羣怨無不中於自然之節。事父，事君，無不盡其當然之道。下至鳥獸草木，無不窮陰陽剛柔之理。擴而論之，内聖外王，悉統於思無邪一言。蓋自道其所得力也。諸弟子中，王師旦最著。寶坻洪志。

王澤博，字卓菴，寶坻人。以貢授中書，出爲廣東肇慶府同知，兼攝曲江縣篆。擢四川馬湖府知府。馬湖轄有四土司，澤博綏靖有方，中外悦服。以憂歸。服闋，仍補四川順慶府知府，未之官而卒。澤博所在有聲，而見於曲江政紀者尤詳，汰除耗羡，至爲民損解費，賃夫役。去之日，幾不能具舟車，貸新令百金，乃得發。其聽訟尤有神明稱。有楊辛閏者，報被盜，指火光中識楊觀養、蕭文輝二人。捕至，澤博視文輝，非盜類也。而觀養堅謂合夥皆由文輝，并供其夥某某，及驗贓多敝帳破衫類。辛閏以爲是觀養自承。他日乃取舊袍衫各一，雜諸贓内試之，識認復如前。澤博大怒，掠治，乃得其賄盜誣扳狀，如律論，釋文輝等。又一日，平明往鄉檢驗，見數人負巨擔疾走，足沾泥，似遠來者。呼詰曰：若輩安往？曰：遷家。自何許來？曰：某村。遽命致之。及就訊，果自隔縣化仁譚家行刼者也。其他發奸摘伏，大率類此。寶坻洪志。

張楨，字翊公，永清人。性醇質，言動不苟。康熙己卯，有族人生子，甫舉而妻殞。其人家貧無以活，將棄之，楨取以歸，爲擇乳，長養之，及娶婦成立，乃命歸承祀。乙酉，在京師旅店，偶出便旋，見人自縊馬廐。呼救得甦。詢其始末，則鄉人業販魚者，以博喪其貲，不能歸里。楨給錢二緡，諭以習勤，無爲遊博。及歸家，其人已改行，餽楨三鯉。里人賢之，因呼爲三鯉翁。有遺業在楊家營，佃户逋負田租，積累無算。楨往索逋，其人父子俱喪，遺孩幼弱，不自存。楨見之惻然，即諭其家，不復納租，但上官税得免徵索足矣，惟子孫世耕爲業，不得更鬻於人，遂爲要約，其家至今賴之。父汧，有舊僕忠謹，爲父所愛，父卒，楨爲焚券，資贈遣之。其人後以貿布起家，數十年後猶至永清，見楨已卒，設祭於墓，瞻視楸柏，徘徊旬日乃去。楨卒於康熙六十一年，年六十六。子二人，日新尤知名。永清周志。

朱一鳳，字詒庭，號丹崖，涿州人。康熙四十八年進士，改翰林院庶吉士，授編修。雍正元年，改御史，敷奏多稱旨，命巡視北城，吏民安之。屢典試事，所拔多知名士，如李錦、徐陶璋、陳祖范、王步青、雷鋐、林之春輩，皆出門下。時上方鋭意圖治，而江南尤號繁劇，詔復蘇松監司，擇廉幹吏。命一鳳仍以御史爲蘇松太道，給白簡，俾便宜條奏。會海關司榷難其人，巡撫以一鳳請，報允。一鳳至則釐剔積弊，百姓稱爲神明。調兩淮鹽運使。明年，西陲用武，召還，命轉餉甘涼，遠道爭輸，民忘其勞。粟額七萬八千九百七十石有奇，得餘粟三千六百石有奇，而軍儲以實。延綏總兵米國正奏請於黄河開運道，上命督臣遴賢能大員勘議。一鳳總匯道里遠近，具黄河議，謂害大利小。奏聞，事遂止。蘇州奸民有私鑄錢事發，一鳳坐前任失察降官，奉旨：以知府用。知江西瑞州府。府俗惑堪輿家説，多以此訐訟。一鳳嚴爲禁止，訟者自解。調知盧州，以年老乞休歸，賃僻巷茅屋爲棲遲所，饔飧不給，言笑晏如。卒，年八十五。貧無以葬，人咸目爲廉吏云。涿州續志。

陳謨，霸州人。家貧屢空，意泊如也。嘗行於途，見遺金而守之，移時有賈客芒芒然至，已過矣，呼而止之，則遺金者也，詢其字記，其言符，遂與之。賈客感而泣，分其半以贈之，固辭而返。嘗應試昌平，時值六月，淫雨連緜，而謨忽不食不寢，戚戚焉憂。問之，則曰：吾母生日近矣，向之來，以爲試而返，猶及拜，不意其遲滯如斯也，勃焉欲返，而場期之牌已懸矣。同人止之曰：素無賓客之慶，亦無盛饌之設，子之還，不過至家一叩首耳，生辰一事，歲歲有之，何必然！不聽，卒冒大雨以行，五日而返，往來皆徒步也。同寓者笑其迂，或曰：此茅容也，不遇郭林宗，誰其識之！雍正初歿。蔡子謩孝義陳先生傳。

吴履中，武清趙甫莊里民也。事父吴光大以孝聞。光大雙目瞽障，履中以舌餂目，晨昏不倦，三年如一日，光大雙目復明，里人以孝稱之。武清蔡志。

郎大乾，字容巖，昌平人。康熙五十三年舉人。畿輔詩傳二十九。父之正，令平原，有惠蹟，罷官後，貧不能歸。大乾善書。其兄大曾字魯巖，善畫。兄弟並耽吟詠，尤豪于飲。大乾以中酒卒。大曾亦客死金陵，俱無子，詩稿散佚無知者。山左詩鈔流寓傳。

何國宗，字翰如，大興人。康熙五十一年進士，改庶吉士，内廷行走，學習算法。五十二年五月，命御前校對。九月，彙編御製律歷淵源。十月，授編修。五十四年，遷中允。五十六年，充日講起居注官，遷侍講。五十九年，遷庶子。雍正元年五月，遷侍講學士。六月，遷少詹事。三年，擢内閣學士。七月，命閲視黄運河道。四年正月，疏請於戴村壩增築石壩一。五月，奏言：東昌府城南有七里河口，下歸徒駭河；城北有魏家灣河口，下歸馬頰河；德州南有減水閘，下歸老黄河；皆運河東岸洩水入海故道，與大鹽河、小鹽河爲四支河，各渠皆歸此四河以洩民田之水，年久淤塞，應挑濬。七月，奏言：山東汶、泗泉源，紆迴二千餘里，請設管泉通判一，專司疏濬。又言：高家堰以南石隄，上臨湖，鑲墊葦柴，高三四尺不等，但大隄頂寬八丈三尺，鑲墊僅丈餘，應於柴工後將土隄一律加高，於歲修案内逐漸增修。九月奏：運河自臨清以北，賴衛水濟運，而衛水發源百泉，益以丹河、洹河，其流始盛，向例三日開閘濟運，一日閉閘灌田，日久弊生，至運河淺阻。臣等查勘百泉，議分作三渠，中爲官渠，東、西各一爲民渠，東口門寬五尺五寸，西口門寬四尺五寸，小民灌溉有資，亦無損於漕運。洹河萬金渠口外有石壩一，上年水溢，止露壩頂二十丈，餘坍入水，將石壩拆去十五丈，迎水入渠。今水消，壩南淤成沙灘。灘南有石橋一，涵洞四十有三。請自東頭第十洞處，許民于需水灌田時，自築石子壩，北接沙灘，灘東開小渠一，引水入渠。其西三十三洞，盡行疏濬，無庸拆去石壩，洹河之水自可一分灌田，三分濟運。皆下部議行。十二月，充經筵講官。巡撫塞楞額以州縣供應國宗等，應于何項開銷，請旨。諭曰：前差何國宗等七人往山東查勘水道，朕俱給與夫馬廩糧，不使煩擾地方，其遶路踏勘不通驛遞之處，令州縣酌量應付。今據塞楞額奏稱：歷城等二十二州縣，詳報供應欽差食物車馬等項，用過銀兩，無項可抵，除德州、泗水、恩縣、高唐、聊城五州縣情愿將用過銀兩一千五百九十九兩自行捐備不請開銷外，其餘州縣用過銀七千六百二十餘兩，應於何項開銷？等語。何國宗查勘河道，既已給與驛站夫馬廩糧，其餘遶地之處，地方不遠，日用之費甚屬有限；今覽塞楞額所奏，各州縣應付，將及萬金之多！何國宗不惜地方物力，負朕任使，交部嚴察議奏！尋議降三級調用。五年十月，補大理寺卿。六年十一月，遷内閣學士，尋遷工部侍郎。八年正月，命同侍郎牛鈕督修北運河減水壩，並濬引河工程。二月，奏勘河西務城北老岸舊隄，及要兒渡舊河口魚鱗壩，俱大溜頂衝，宜保護堅固，方資捍禦。請先撥銀二萬兩發通永河道高鑛，將壩門加寬四十丈，則引河亦須通身加寬，舊引河南岸廢隄拆去，方爲暢順。但工作特久，應先于新引河中間沿舊隄開一深槽，直達塌河淀，並將河口淤高及舊河内淤淺開挖，自然水流較暢。再查塌河淀下口有陳家溝舊〔河〕一道、東隄頭舊河一道、賈家沽新河一道，計三河寬不及三十丈，擬于賈家沽新河旁再開洩水河一，寬三十丈，方足暢流歸海。得旨，允行。是月，又奏言：三里淺險工，應建挑水壩一，並將鷄嘴壩修整，其隄灣回溜處，應修排樁一路。又筐兒港壩門急溜汕刷，應建挑水小板壩一、大板壩一、順水排樁一路。又孤雲寺係大溜頂灣，排樁損壞，應修補。西岸華家口，係舊河上口，原有攔河壩一，頂衝汕刷，僅存靠隄陡岸壁立，舊河地勢窪，應修葦工一段。張家莊老莊刷去僅存月隄，應建挑水板壩一，後接排樁。火燒屯險工舊有排樁，應修補。又上年水漫隄頂二十處，應加培，令河道動道庫歲修銀修濬，估報水利營田衙門。詔：如議速行。九年四月，兼河東總河田文鏡疏：戴村向建玲瓏、亂石、滚水三壩，汶水漲，由壩面滚入鹽河歸海，沙從三壩洞隙隨水滚瀉，冬春水弱，築土堰匯流濟運，自國宗等增築石壩，汛水漲發，並無尾閭洩水，又無罅隙通沙，瀕河連年被患，汶水沙淤，有礙運道，請拆石壩，仍修爲玲瓏、亂石、滚水壩。得旨：何國宗勘議錯誤，貽害地方，著交部嚴察議奏。尋議革職。乾隆二年，命充算書館總裁。四年，充國子監算學總管。六年，充律吕館總裁。九年二月，詔給三品頂戴，在樂部大臣内行走。十月，律吕書告竣，議敍加一級。十二月，授左副都御史。十年，兼管欽天監正事。十二年，因議御史馮鈐條奏，含糊題覆，降一級留任。十三年，遷工部侍郎。二十一年正月，命同侍衛努三、哈清阿率西洋人往伊犁測量度數，並繪地圖。十月奏言：由巴里坤分西北兩路查勘，臣努三從山後至伊犁，將博羅塔拉齊爾、哈布塔克、拜塔克、瀚海等處勘明繪圖。臣何國宗、哈清阿、越托來嶺，將博克達額琳哈畢爾噶山，及吐魯番、伊拉里克、哈喇沙爾等處，南北度數測量，自海都河上行，由裕勒都至小裕爾都斯哈布齊垓，所至地方繪圖，復回至巴里坤，將兩路地圖合繪呈覽。報聞。旋命將諸部節氣及日出入時刻入時憲書。十一月，署左都御史。二十二年正月，授禮部尚書。四月，因京察保送親弟何國棟，照狥庇例，降三級調用。旋得旨：何國宗年老龍鍾，著革任。五月，賞給編修，在上書房行走。二十四年，遷内閣學士。二十六年，遷禮部侍郎。二十七年，原品休致。三十一年卒。漢名臣傳。

陳儀，字子翽，號一吾，文安人。畿輔詩傳三十。自爲童子時，已崇本力學，卓然自命，凡經史子集之編，濂洛關閩之學，天文、地志、河渠、樂律之要，兵、刑、錢穀之詳，坐而言起而行者，靡弗瞭如指掌。于辰陳學士文鈔序。而以畿輔河道，尤關桑梓利害，畿輔水利叢書二。於一切水性、地形，知之較悉。四庫全書提要六十九。康熙五十四年進士，改翰林院庶吉士。五十七年散館，授編修，與修三朝實録。國史文苑傳。嗜爲古文辭，相國高安朱文端軾亟賞其文，嘗從容與論經濟，益奇之。雍正三年，畿輔大水，諸河泛溢，壞民田廬無算。世宗憲皇帝軫念民艱，命怡賢親王偕朱軾相度濬治。王欲得善治者與俱，而難其人。軾以儀對。王延見於直廬，訪以治河所宜先。儀對曰：朱子有言：治河先從低處下手。天津上應析木，古渤海逆河之會，百川之尾閭也，今南北二運並漲，東西兩淀争奔，駢趨於三岔一口，而强潮復來，距之牴牾，洄漩而不時下，下隘則上溢，其勢宜然。故欲治河，莫如先擴達海之口，欲擴海口，莫如先減入口之水。入口之水減，則達海之口寬，而北之永定，南之子牙，中之七十二沽，乃得沛然入三岔口，而東注矣。手畫口陳，洞中機宜。王稱善久之。四年春，隨王行視畿内水利，教令牒奏，皆出儀手。王雅重儀，上念治水勞，命以侍講攝天津同知，轉侍讀，陞庶子。五年，設水利營田官，分四局，（符曾陳學士家傳。）以儀領天津局，文安、大城隄工皆隸焉。二邑形如釜底，積潦不消，秋復大水，夾隄内外皆巨浸，（文苑傳。）波衝浪嚙，勢將不支。儀購菰蔣十餘萬束，立表下楗，以禦險要。（陳學士家傳。）隄本民工，（文苑傳。）儀言於王，奏請發帑金數萬，爲民興修，用以代賑，隄遂完固，至今賴之。南運長屯隄，地隸静海，不過數武，吏舞法，歲調發霸州、文安、大城民協修，百里裹糧，疲於奔命。儀除其籍，民以爲便。儀既深悉河道，（陳學士家傳。）凡桑乾、沽、白、漳、衛、滹沱諸水之脉絡貫注，及遷徙壅决之由，疏瀹濬導之法，若燭照數計。（畿輔水利叢書二。）畿輔七十餘河，所勘定者十六七。（陳學士家傳。）蓋籍文安，而祖居則在東淀旁之西，自登賢書後，遊於津門者殆二十年，計其扁舟往返，目覩利病者已久，一旦獲佐營田之任，遂抒其素藴，以爲施設，雖元郭太史、明潘印川殆無以易之。（吴邦慶陳學士文鈔跋。）時善來營西有水怪窟焉，頹岸數十丈，隨築輒壞，至於再四。儀投牒河神，期以三日必徙，是夕雷電大作，怪徙去，隄乃成。八年，陞侍講學士。廷議設營田觀察使二員，分轄京東、西，以督率州縣。命儀以僉都御史領豐潤諸路營田觀察使。儀營田於天津，陳學士家傳。倣明汪司農應蛟遺制，築十字圍，三面開渠，與海河通，潮來渠滿，則閉之以供灌溉。文苑傳。白塘葛沽之間，斥鹵盡變膏腴。豐潤、玉田，負山帶水，湧地成泉，多沮洳之區。儀教之開渠築圩，皆成良田。十一年大雨，山水暴漲，淹没田廬萬計，儀卽草疏上聞，或以侵官爲疑，不顧。詔制府賑之，命儀董其事。凡賑三十四萬七千餘口，所全活甚衆。十二年，田園生螻蛄億萬，閭閻作聲，禾苗大損。儀爲文禱方社田祖，一夕寂然。寶坻營田患蝗，忽飛鴉啄食之立盡，咸以爲精誠所感，與前驅水怪事若出一轍。轉侍讀學士，尋罷觀察使，領史職如故。先後所營田七萬畝有奇，民間自營田亦數千畝，溝洫既修，歲以比登。又慮穀賤傷農，奏請發帑金採買，以充天庾。其隨事立效類如此。陳學士家傳。篤於內行，先世所遺田數百畝，悉推以讓其兄。既仕，禄入悉分給諸昆弟，無餘財。乾隆七年卒，年七十有三。文苑傳。平生無聲色博弈之好，性嗜書，手不釋卷。著有集十八卷，季子玉友刻于閩中，其未刻者有毛詩臆評、鄉黨私記、學庸私記、南華經解、蘭雪齋讀離騷、廣前定録、天游録，藏於家。子夔友，舉人；鳳友，進士，韶州府知府；玉友，進士，臺灣府知府，所至有惠政，閩人稱之。陳學士家傳。

史全義，字漢英，先世浙江山陰人。父玉節，康熙初，遊京師，隸籍宛平，受知於新城王文簡士禛，一時偏交秀水朱彝尊、仁和湯右曾、慈谿姜宸英、海甯查慎行、崇明何焯、長沙任份諸老輩，有名。仕至四川威州知州，晚歲學仙，年八十餘卒。全義早食貧，年三十餘來京師，求爲小官，不獲選，則去從幕遊，學爲刑名家言。然其性蓋長者，歲所入脯金微，積則付之友，令爲賈，賈有息則喜，益付之。久之，友來謁，曰：嗟！賈不逢時，并前息俱盡。全義則一笑罷，無他語，其貧如故。其所遊幕，主人以其長者，故重全義。全義每遇獄之當死者，固欲生之不可得，則太息，書寄其子積容曰：吾不幸不學而爲此，此非人所爲，汝其益勸學。積容聞之以自警，用是學有成。全義在山西，獄有男子調一婦人，倉卒持其手而逸，婦慚，雉經。全義以爲婦烈當旌，而調者無强暴狀，疑可杖而生之。爲申文具上，上司駁曰：近法，持婦人手而死者，絞，輒予勾，縣之幕何誖耶！縣幾得過。於是俗吏相譁曰：史先生乃以囚擲官。全義則自謝去，貧益甚。會積容成進士，官禮部，山西諸縣乃稍稍更延請全義，人以是嘆天之報全義之厚於仁也。歲辛卯，遇覃恩，獲封奉直大夫、禮部儀制司額外主事，如積容官。雖貴，貧尚如故，就幕於山西臨縣，遇疾而卒。卒年五十有六。子積容，乾隆辛卯進士，禮部儀制司額外主事。朱筠史先生墓誌銘。

張化光，通州庠生。平居尚氣節，不屈於勢利。以剛直故，爲仇家所陷，將就刑，與妻訣曰：吾生爲義士，死爲厲鬼，任爾他適可也。妻曰：君爲義士，吾願爲節婦。化光拜謝。死後，擊殺仇家；妻食言，亦擊殺之。里人歎其英烈。通州高志。

紀逵宜，字肖魯，號可亭，文安人。雍正元年進士，畿輔詩傳三十二。令黄陂，有惠政。時甫更赦令，諭盗魁令改行，皆感動悲泣而去。初授訟牒累三百紙，剖析無遁情，兩造驚以爲神。容美土司佔長陽田，民訟之，土人不就理，反虜掠數十人以去。逵宜移書諭之，酋懼，卽還所虜人，解犯聽勘，論如其律。陳儀紀可亭傳。歷官刑部員外郎。畿輔詩傳。政事之暇，吟咏弗倦。紅豆樹館詩話。其詩陶鑄融冶，一歸大雅。紀可亭傳。尤工倚聲，有閒雲詞一卷、藕甕集八卷。畿輔詩傳。

陳浩，字紫瀾，昌平人。畿輔詩傳三十二。生長京師，幼從舅氏張文樞學，授以孝經、小學，習幼儀，動止有法。年十五，從仁和諸生嚴自公習舉子業。次年夏，移居南鄉，借田里而耕，鄰居無一知書者，所業將欲廢矣，嚴自都門寄詩以勗之。其父覽之，撫膺長歎，因聘嚴於家。是年以第一入州庠。後二年，家益貧，授徒窮鄉，終日不滿百錢，困於饑寒，父母又相繼亡。雍正二年成進士，改庶吉士，授編修，昌平宋志。蜚聲詞館，與趙副憲大鯨、李編修重華、諸贊善錦齊名。湖海詩傳三。詩各體皆工，陶冶性靈，清剛雋上，卓然名家。（紅豆樹館詩話。）兼工書法，得蘇文忠墨妙。（蒲褐山房詩話。）雍正七年，典福建鄉試。乾隆二年，充日講起居注官，（昌平宋志。）陞詹事府少詹事。（畿輔詩傳。）七年，被議落職。次年，命提調經史館事。至十五年八月，與降革諸臣引見，補授侍讀，充武英殿總裁。十八年，視學湖北。二十年，復拜詹事。越二年，原品休致。遂游於汴，主大梁書院講席。辛卯，逢皇太后八十萬壽，蒙恩命爲九老，賜游香山，時年已及八十矣。浩侍直武英殿書局最久，所交皆當代賢士大夫，與桐城方苞交尤深。晚年又主講大梁宛南書院，故其學亦因此益進。嘗言：聖人之道至程、朱而大顯，後之學者，亦無可異同。（昌平宋志。）有生香書屋詩六卷、恩光集一卷。（畿輔詩傳三十二。案：陶鳧香紅豆樹館詩話云，紫瀾先生恩光集一卷，賦頌詩三體合編，皆應制之作。生香書屋集六卷，共五百餘首，前無序，後無跋，殆非定本。今考昌平州志，又有生香書屋文集、楚帆集，皆爲陶侍郎所未及見，其云生平志行無可徵考，殆未見昌平州志耳。）所編録者，有明詩約存行世。二子：長本忠，官户部主事；次本敬，官翰林院檢討。（昌平宋志。）

劉佐，武清人。樸質醇謹，鄉里稱善人。雍正三年，歲大饑，免佃户地租房價，追欽差勘賑，佐復自發廩囷，散給佃户，不費朝廷一顆一粒，而所全活者殆數百家。監察御史張喬高其義，旌之曰克廣德心。素精岐黃術，人以禮請者，無分晝夜寒暑，即往診治，遇貧乏之家，往往資以藥餌，其心存利濟若此。以候銓州判終。（武清吳志。）

張肱，字佐周，順天人。父以天文生爲欽天監博士。肱亦以天文生補官博士，歷五官司書、夏官正，垂四十年，始陞户部主事。肱在監，於歷算諸書，悉心稽考，窮極幽渺。時總理欽天監事者爲張尚書照、何侍郎國宗，兩人皆明敏非常，他人繕藁者必覆算再四始發，肱呈藁，曰：君必無誤，不覆審也。性至孝，父素卞急，有同里赴公車者，言某處餅甚佳，時肱已爲博士，命往市，閲數里始至，則已冷。父大怒，撻之流血。肱自若，請復市，乃借鄰馬馳取之。父怒始解。有弟酗酒無賴，一日方宴客，忽與其家人交訌，肱曰：徐之，何乃驚客如是！定，謂坐者曰：吾弟年逾五十，暴戾之氣不改，何怪也。晚歲罷官，會其族人互訟，涉肱及公庭，由是遁迹東郊數十里，不入城市，逾年遂卒。朱彬遊道堂集。

陳瑺，字汝玉，號北菴，通州人。雍正五年進士，歷江南繁昌、貴池、霍山知縣。廉潔自矢，善決獄，務持平允。遇歲饑，設法賑濟，全活甚衆。其治霍山時，俗喜媚神，男女雜沓，瑺舉不經之祀悉毁之。嘗公出，遇童子泣於途，詢之知其父爲人所戕，不得申理。瑺拘其人，訊實抵法。童子方六歲，無所歸，育之至二十餘，贈以貲，俾自營業。去官之日，霍人請建生祠，力却乃已。年七十餘，卒。通州高志。

劉順，順天人。雍正五年進士，授藍翎侍衛。七年，發陝西委用。八年，署甯夏鎮標中軍遊擊。十年，實授。十一年，署平羅營參將。十二年，調署鎮海營。十三年，署同州協副將。乾隆二年，仍署平羅營參將。四年，署定邊協副將。五年，遷鎮番營參將。九年，遷金塔協副將。十三年正月，率甘涼肅兵千五百赴金川軍營聽調。五月，偕副將高雄由甲索一路攻囊得，甫至松林，賊百餘突犯，擊之遁，越日擊斬賊衆，毀其碉。閏七月，隨大軍由卡撒左山梁進勦，各碉以次克，惟普瞻雙單二碉固甚，賊死拒。日暮將旋兵，順潛率所部逼單碉，縱火攻之，賊潰，並奪雙碉，大軍繼進，遂克色底。而是時普瞻之西河利山賊碉林立。八月，順冒雨奮攻，奪山梁木卡，復由山左進擊，斬賊二十四，奪碉一。九月，復以砲擊斃賊衆六十餘，克大碉一、石卡四、平房二十四。經略訥親屢奏順奮勇，報聞。十四年，金川平，議叙功加三級，再擢貴州威甯鎮總兵，尋調補甘肅西甯鎮總兵。十六年陛見，賜戴孔雀翎。二十一年二月，督解駝馬送巴里坤軍營。十二月，署安西提督。二十三年二月，委辦戈壁水泉，實心經理，諭奬之，下部議，敍功加一等。五月，擢甘肅提督，仍留署西安提督。二十四年，調西安提督。二十六年，以病乞解任調理，允之。十二月卒。尋賜祭葬如例，謚壯靖。漢名臣傳。

杜遹文，字紹衣，號若洲。張廷玉杜君墓誌銘。大學士文端公立德曾孫。性至孝，十歲居父憂，讀禮盡哀。雍正七年，世宗憲皇帝念舊勞，特召見，奏對稱旨，寶坻洪志。分發河南，以知縣試用。墓誌銘。歷署内鄉、郾城、西平、臨潁縣篆，政聲翕然。時制府田文鏡治尚嚴明，遹文隱以寬濟之，決獄平公，少枉者。捐養廉，募夫築隄，親督率之，比隄成，水發，不爲害。擢鄧州知州。寶坻洪志。鄧五方雜處，尚氣輕生，遹文示條教，俾知自盡無抵償律，民始悔前之爲，訟牒清簡。墓誌銘。制府方行開墾，令察民間欺隱者。遹文所報獨少。他日詢之，曰：他邑自多，鄧州自少。制府無以難。已乃大修文廟，重建春風閣、百花洲，一時以爲杜母復出。乾隆元年，移知陜州。城中向資渠以濟汲，歲久淺涸，遹文率民疏濬，自分水嶺注城，凡三十餘里，水常不竭。州儲穀萬餘石，時發碾以賑陜，出入數，親較之，猾吏無所措手。會母穆卒於署，扶櫬北歸，哀毀骨立，病遂不起。年四十有四。寶坻洪志。

鍾晼，字勵暇，先世自浙遷京師，爲宛平人。年十三，讀庾信哀江南賦，一過成誦。十八補學生，有聲，與故王吏部澍、徐編修葆光爲忘年交。師事桐城方先生苞，益治經，殫心三禮，而兼及於詩、書、春秋。中雍正六年進士，當得知縣，以親老不就選，省其親於兄曙宿遷官所。苞爲文以贈，言君子之學始于愼獨，而終于獨立不懼。晼終身服之，故其功尤嚴于人所不見。每晨起，正衣冠危坐，無寒暑皆然。乾隆三年，詔修三禮，以鄂文端爾泰、張文和廷玉、方先生苞薦，充纂修。晼主周官，苞謂曰：朱子言周公運用天理，爛熟之書，非子莫能罄其藴，以是屬子矣。未幾，與河南孫用果、河間王之鋭偕薦，以國子監助教用。先是，有以進士在館補外，留改中書者，或勸用其例，晼曰：奉詔修書，而乞外補，又謬爲去者，以邀其留，非正也，不可。及周官書成，聞父病，即日戒行，不待奏，以是不得叙上考。又逾年，還京。孫用果當次補助教，而晼名在其先，遂不以名自列于吏部，迨父母考終，始起就職。在監六載，教人以忠信篤敬爲本。十五年，遷禮部主客司主事。又四年，進祠祭司員外郎。先是，嘗與薦于經學，上以内外所薦多，俾大學士擇其尤以聞。會推之前一日，海甯陳文簡元龍到門索見。晼疑於名在舉中，辭以疾，不獲命見，而詢孰可者。晼乃言某某。明日疏上，竟無晼名。二十二年致仕。晼性剛介，在國子監却諸生贄，或曰：是師弟子之禮也。晼曰：不然，吾堪爲人師，自有負笈相從者。師，其人也；今承乏于此，師，其官也，而可貨取乎！一日分俸，誤有所贏，召主吏趣持去，吏竊歎美。晼嗤之曰：是直不爲盜耳，何淺視而公耶！居恒服御，非甚敝不輒易。子光豫，嘗私爲先生置妾，已入門，不納，令嫁之，而不索其值。居父母喪，蔬食三年，盛寒不衣裘，人以爲難。家祭宿齋戒，祭畢乃敢嘗食。又通酌古禮，參合儒先之説，度今可行爲祭禮纂三卷以示子孫。病革不能言，惟數舉左巨指。蓋晼有兄子某在泰州，家貧，歲資光豫以自存，至是彌留，慮光豫以憂去，而或弗克兼顧也。晼編有春秋比事，又删取吕氏詩紀、嚴氏詩緝爲若干卷，晚年輯春秋義疏，未及竟，卒。年七十餘。子光豫。（王芑孫宛平鍾先生事狀。）

光豫字剛志，號南村，□□□年舉人，充咸安宮官學教習。歷任江西之上猶，豐城、南昌等縣知縣，遷南康府同知，擢知江蘇松江、蘇州、江甯三府事，洊陞松江太倉兵備道。凡其所居，皆繁劇地，皆以廉能著績。大府或始以愛憎之口疑之，光豫處之自若，久而疑亦頓釋，且委任焉。故常以最聞。父卒，寢苫枕塊，隆冬不衣裘。松太兵備道治所實在上海，欲扶柩歸葬，而故里在遠，不能倉猝辦，乃就近權殯，而身亦不離殯所。上海地低濕，風潮往來，氛霧之氣易中人，未終喪而疾作，不省人事。其子琠叩天求代，額爲之腫，歷旬始獲少蘇。逾年，卒。年七十。子三人：長卽琠，候補鹽場大使；次琛，太學生；次瑛。盧文弨曰：南村死孝子矣，乃其子亦孝子也，是皆能知禮意而恪守家學者。（南村家傳。）

金鎔，字廣蘊，順天大興人。（小倉山房文集十三。）父懷瑋，武進士，雲南援勦左協副將。少師事諸先生錦。雍正八年進士，試刑部，授江蘇司主事，歷員外、郎中。元年，主試貴州，（盧文弨金公家傳。）擢山東道監察御史。性忠純梗亮，嶷嶷自立。乾隆元年，皇上求直言，鎔上培養元氣疏，其略曰：國之所恃者民，民之所恃者養，養則安，不養則不安，是以有天下者，必以安民爲急務。

本朝太平久，生齒日繁，金饑木穰之災，間或有之，近年來陝西地震，江南水災，皇上如天之仁，屢發百萬帑金賑濟，恩至厚也。奈鄉曲窮氓，君門萬里，未必能盡達於聖聰；幸而達矣，而蠲賑之下逮者，不無遺漏。臣以爲補苴於既災之後，不若保護于未災之前，臣所願陳者有五事焉：一曰開墾之地，緩其陞科。二曰帶征之項，宜加豁免。三曰官税正額之外，免報盈餘。四曰州縣殿最，首重民事，不以辦差爲能。五曰巡狩之地，崇尚樸素，不以紛華取媚。我聖祖仁皇帝澤被八荒，民到于今，謳歌思慕。所以然者，總在散積聚以充編户，輕珍玩而重人才。我世宗憲皇帝遺詔云：凡各衙門條例，有本嚴而朕改寬者，此從前部臣議定未協，朕登極斟酌改定，以垂永遠，以後應照改例而行。若例本寬而朕改嚴者，此乃一時整飭人心權宜之計，俟諸弊革除後，當仍照舊例而行。大哉王言！其爲國家培養元氣，至深且厚。伏願皇上敬法祖宗，事事以厚生爲急，時時以國本爲念，則社稷之福，蒼生之幸也。小倉山房文集。　時翰林科道輪日奏陳經史。鎔於經，首以損上益下之説進，謂：務鳩歛以裕籯櫝之積者，匹夫之富也；務寬惠以成盈甯之象者，天子之富也。損下益上，上固益矣，卦不名益，而名損，則知下損，上亦損矣。損上益下，上固損矣，卦不名損，而名益，則知下益，上亦益矣。又以繫辭傳釋否九五之辭進，謂天下未安，而求其安，其精神之奮發也恒易。天下既安，而思其常安，其志氣之操持也恒難。故聖人於此，諄諄以不忘致戒。夫不忘，豈但虚縈諸念慮而已哉！必也有其實焉，敬以作所，則其神清，謙以受益，則其氣斂，無衆寡而皆可以勝予，則無可忽之人矣。無小大而皆懔於冰淵，則無可忽之事矣。又以伊尹告太甲聽言之道進，謂：伊古以來，求言之主，未嘗無也，而能收聽言之效者卒鮮。良以正言易逆，不期離而自離；邪言易入，不期合而自合。喜怒所發，猝不及持，以致觀望揣摩者不從其令，從其意，大臣持禄而不肯諫，小臣畏罪而不敢言，比比然矣。夫公爾忘私，國爾忘家，無所畏避，不爲迎合者，能有幾人！妻子之累深，富貴之念重，則不敢言；無剛直之操，無慮遠之識，則不能言。且言之切者，或類於沽名；言之激者，或指爲立異。防患於未然者，近於迂圖；慮事於幾微者，涉於瑣細。則言亦何在而可乎？惟以道立聽言之的。言之逆於耳者，不必盡於道有當也；必求諸道，而道乃出矣，其非道者，亦以道繩之，而自見矣。言之遜於志者，不必盡於道無當也；必求諸非道，而非道乃顯矣，其道者亦先以非道繩之，而道始不爽矣。金公家傳。乾隆九年，湖廣總督孫家淦因扶同撫臣許容事，部議革職，奉旨罰修順義城。鎔上疏云：賞罰者人主御世之大權，向例臣工有罪，于應得處分外，有罰鍰一項，因其素非廉吏，褫職不足蔽辜，是以罰令出貲效力，使天下曉然，知所得者究不能爲子孫身家計故也。今孫家淦歷任以來，其能否優絀，臣未敢深論，至其操守不苟，久在聖明洞鑒之中，亦中外所共信也。今罰令以貲效力，似與用罰之本意有所未協，於國體不無少損。恐天下督撫聞之，謂孫某之操守尚不免於議罰，將來一不得當，罰必相隨，勢必墮其廉隅，預爲日後受罰地步。是罰項行而貪風從此起，不可不慎也。雍正七年，孫家淦爲直隸副主考，臣爲所取之士，不敢避師生之嫌而隱默不言。奏上，部議革職。未半年，上特旨起用爲福建漳州府知府。漳俗强悍，胥吏千餘，交結大府家奴，勢力出長官上。有吴成者，設局誘羣少年淫博，聞拏卽竄。鎔半夜開門，出召徼巡三四輩，突入其家擒治之，合城歡呼。鄉有華葑村，離縣二百里，民納租、赴愬皆不便，康熙間，太守某請設縣丞駐其地，督撫批准，至鎔到已四十餘年，尚未入奏，詢其故，以設官則胥吏無權，故爲所格也。再具詳，又爲藩司所駁。文書不下府而直行縣。鎔大怒，嚴訊縣胥，得其交通狀，乃詳請治罪，而設縣丞葑村。至今父老嘆曰：微金公來，我輩將奔馳道路死矣。乾隆十三年春，閩省旱，斗米千錢，大府檄平糶。鎔計府縣所貯穀止十六萬石，而新穀登場尚早，慮其不繼，乃先勸富家出糶，給印紙，令商人赴糴于豐收處。又請寬臺灣米入内地之禁，一面開倉出糶，而羣穀畢集，民情帖然。其他修文廟樂器，增書院膏火，皆次第舉行。前明燕王之變，有漳州陳教授某，率諸生六人殉節明倫堂，舊祠蕪敗，鎔葺治，歲祭以黄石齋先生配享焉。十四年，遷臺灣道。二十一年，補陝西鹽驛道，署布、按兩司事。二十九年，調浙江糧道。與巡撫熊學鵬牴牾，奏其迂緩不任事，以原品休致。在家十年而卒。年七十三。小倉山房文集。子四人：克誠，瑞金縣知縣；克讓，國子監生；克俊，舉人；克傑，國子監生。一齋公家傳。

艾子誠，甯河艾鄰村人。父文仲，木工也，偶與人鬬，擊之踣，誤以爲死，懼而逃，雖其妻莫知所往，第髣髴傳聞出山海關云。逃兩月，生子誠。文仲不知有子。子誠幼鞠於母，亦不知有父也。迨稍有知識，乃問父所在。母泣語以故。子誠自是惘惘如有失，恒絮問其父之年齒狀貌，及先世之名字，姻婭之姓氏里居，亦莫測其意，姑一一告之。比長，或欲妻以女，子誠曰：烏有父流離而子安處室家者！始知其有志尋父，以母在，不欲遠離耳。然文仲久無音耗，子誠又生平未出里閭，惟力作以養母。越二十年，母卒，營葬畢，遂治裝裹糧赴遼東。有阻以存亡難定者，子誠泫，然曰：苟相遇，生則共返，殁則負骨歸，苟不相遇，願老死道途間，不生還矣。衆揮涕送之。子誠出關後，念避罪亡命，必潛踪於僻地，凡深山窮谷，險阻幽隱之處，無不物色。久而資斧既竭，行乞以餬口。凡二十載，終無悔心。一日，於馬家城山中遇老父，哀其窮餓，呼與語，詢得其故，爲之感泣，引至家，款以酒食。俄有梓人攜具入，計其年與父相等，子誠心動，諦審其貌，與母所説畧同，因牽裾泣述父出亡年月，並縷述家世及親黨，冀其或是。梓人駭且悲，似欲相認，而疑其在家未有子。子誠具陳始末，乃嗷然相持哭，蓋文仲輾轉逃避，乃至是地，已閱四十餘年，又變姓名爲王友義，故尋訪無迹，至是始相遇也。老父感其孝，爲謀歸計，而文仲流落久，多逋欠，滯不能行。子誠踉蹌歸，質田宅，貸親黨，得百金以往，竟奉父歸，年七十，以壽終。子誠得父之後，始娶妻，有四子，皆勤儉能治生。紀昀艾孝子傳。

劉文燦，字公著，通州人。文燦年十五補諸生，屢應鄉試不第，家有田在靜海縣之木廠。雍正九年，靜海大祲，村男婦衣食俱盡，時直隸總督顧琮勘災至木廠，文燦請以田所穫七百餘斛，賑附近村落飢民，活者數百人。故事，士民捐賑近三百石者，授七品散官。總督將疏文燦名，文燦固辭，琮重之。每歲秋赴木廠收穫，道經天津，偶於逆旅聞鄰家哭甚哀，詢之，逆旅主人曰：是家有積逋，將鬻女青樓，得百金以償，明日即書約矣。文燦曰：以貧故而爲娼，吾不忍其喪節也。出百金市之，攜歸，令爲僕張德妻。其拯危救困諸義舉，類如此。子二：塤，諸生；均，舉人，官陝西三水知縣。孫錫信。通州高志。

錫信榜名錫侯。字桐村，幼穎悟，讀書目下數行，及長，博極羣書，淹通史傳，尤長於考据之學。乾隆三十年舉人，屢上公車不售，出宰山左即墨，有政聲。旋援例補户部湖廣司員外郎，趨公之暇，猶日事丹黄。著潞城考古録三卷，訂異參同，足備文獻之缺，舊志多所採擇。又有歷代諱名考、煮石山房存稿、菱溪筆記等書，著作極富，考核精詳。生平不務聲華，深自韜晦，窮達一委之命，而其耄年嗜學，尤人所罕及。朱先生筠器之，稱爲北方第一學者。他如程晉芳、李文藻諸名流，咸相推重。嘗取諸史地理志，參稽史傳，旁徵金石文字及古今水道地輿諸書，訂其訛舛，仿宋王伯厚漢藝文志考證之例，作歷代史地理志考證，卷帙浩繁，迄未卒業，至今惜之。卒，年七十餘。吉光片羽，人多珍藏焉。通州高志。

何琇，字君琢，號勵菴，宛平人。雍正十一年進士，宗人府主事。畿輔詩傳三十三。宦途坎坷，貧病以終。著有樵香小記，多考証經史疑義，閱微草堂筆記。凡一百二十條，論經義者居其半，亦頗及字學、韻學。其論六書，頗與舊説異同，如謂秃字當從禾會意，説文謂人伏禾下，固屬謬妄，即六書正譌改爲從禾諧聲，亦非確論。謂説文訓爲字爲母猴，本末倒置，當是先有爲字，乃借以名猴。謂射字從身，從寸，爲籀文象手持弓形之譌。其説皆獨創立。其解春秋西狩獲麟，解周禮奔者不禁，解詩野有死麕，亦時能發先儒所未發。其學問大旨蓋出入於閻若璩、顧炎武、朱彝尊、毛奇齡諸家，故多衍其緒論云。四庫全書提要。爲詩頗喜陸放翁。閱微草堂筆記。

華陽吴祖椿校

人物志十二

先賢十二

黃岡洪良品纂　江陰繆荃孫覆輯

國朝

劉毓珍（弟毓珣　子錫經　孫英）　王居仁　朱文炳（子垣　筠　珪　珪）

吴　春　李　綬　吕元龍

劉士銘　劉　俊　史猶興

石永山　陳鶴齡　翁方綱（子樹培）

張定國　紀淑曾　王大鶴

雷　鐏（子學淇）　李永貴　孫惟龍

戴聯奎　紀曾藻　蕭鵬起

王書香　王振榮　葉世經

李維寅　楊燕緒

趙　昺　　王　大　　方聯聚子履籛孫恮
舒　位　　劉子權　　崔國祚
王殊渥　　王嵩年　　張乞人
張克城　　史　謙子善載

國朝

劉毓珍，字儒懷，號雨村，甯河縣人。羅源漢劉公行狀。父廷弼，酷嗜詩書，讀通鑑，善論古今得失，至耄年猶手不釋卷，鄉閭咸敬服之。甯河關志。毓珍，其長子也，幼凝重，奮志自立。塾師山左李來祥愛而重之，數爲其父兄稱賞曰：振劉氏家聲者，必此人也。嗣是力學益堅。稍長，涉獵經史，尤貫徹左氏傳。劉公行狀。雍正十年舉人，十一年進士，觀政刑部。期滿，甯河關志。授福建建甯縣知縣。建邑素稱刁悍，前任多罹於辜。毓珍至其地，廉潔自持，爲之逐訟師，禁溺女，勸義倉以裕民食，立義學以振文教，劉公行狀。興剔擘畫，能撫柔之使馴。甯河關志。遇饑歲，平糶穀米，劉公行狀。力爲民籌，如入人室家而謀之，甯河關志。全活甚衆。兩攝邵武篆，及會勘汀漳大案，俱著能聲，所至多歌詠功德，有古循吏風焉。乾隆九年，題陞永春州知州。入京時，舟行過天妃閘，中流騰涌，桅纜斷絶，合家愴惶，舟人撒手，以爲必無生理。毓珍仰天祝曰：吾在閩七年，未嘗受民一錢，今憑天所與。已而風恬浪息，穩載而渡，舟中人盡驚以爲神。歸里，見雙親垂白，卽陳情乞養。服闋，遂不仕。乾隆乙丑卒，年七十三。弟毓珣。劉公行狀。

毓珣字蒼璞，號竹軒，喜讀書，學爲文章，與伯兄毓珍相倡和。雍正十三年舉人。中年善病，因廢學。雅好草書，日聚古人名蹟而臨摹之，三十餘年無少間，筆法遒勁，自成一家，識者多藏之。甯河關志。

王居仁，寶坻人。世業農，克敦孝友，七世同居。居仁祖母李氏善持家，年九十餘矣，目失明，然家口百餘人，事無大小必稟命。一切耕穫所收及貿易所入，悉以白李，貯之公，家無私蓄。男女皆知禮讓，家長未衣食，幼稚不敢先。或問居仁曰：翁何以得此？答曰：只教兒曹不背祖宗耳。家有圃，植杏、棗諸果，非成熟不采摘，卽有風雨搖落者，童稚未嘗著口，必掇拾奉李氏爲之分給。其家法如此。子若孫皆享大年，長令過其間必式之。寶坻洪志。

朱文炳，字豹采，大興人，諸生。康熙五十九年，上虞徐雲瑞爲順天同考官，得文炳卷歎息，必欲置第一人。主試難之，雲瑞爭曰：此卷不中式可，不第一不可。竟置之。自是五、六試輒薦，亦輒報罷。行年三十餘，貢國子監，試八旗教習，期滿需次爲知縣，就吏部揀選。命往陝西，以知縣試用，時雍正五年也。初到陝，廷謁諸上官，大將軍岳公鍾琪方總督陝甘，一見奇其才，檄署咸甯，爲省會劇邑。時西陲用兵，軍書旁午於道，文炳指揮立辦，而官職民事，不曠不弛，無毫髮憾。岳公欲遂奏命爲真，文炳以初服官，力辭，乃改知盩厔縣。莅任後，樂其風土厚美，民人淳樸，嘗加意撫字之，而拂拭其英秀之士。治之七年，不爲赫赫聲，民卒安焉。文炳初到官，有老役夫周，晝行汲，夜擊柝，在官勞苦甚憊，而計所食利，頗微薄。文炳怪之，卽問曰：若家幾口？對曰：無有。曰：然則若何所求？而役者對曰：不得已耳。邑抱終南而負渭水，渭水岸圮而南，則瀕渭以南之田入水，蓋幾百載矣，田没賦存，謂之浮糧，令甲相沿，子孫不得除復，民頗病之。小人在此，一身二役，以輸逋額，獲免鞭搒，復何求耶！文炳惻然，必欲去之。間行官舍中，見古碑，摩視其文，具載開南補北之説，謂縣民有墾終南荒田用作賦者，以當渭水所没田税，前代嘗著於令。得之，欣喜，趣召吏翻故牘，具得其根柢；卽手擘稿達於上官，爲請於朝，有旨悉免除之，所生全者幾萬家。時又議鑿南山以通四川輓輸道，計程可近數十日。上官召文炳勘實，示意指，宜必可行。文炳退則屏去輿馬，足纏行縢，裹糧餌，將吏胥十人，與畫者偕。入山漸深，有道，仄纔容人，兩壁斧削，上瞰天一隙。曲折行十數日，或遇寬處，稍前，復窄，露下溼如漆，轉厓側趾，失足不可救。

中路茇舍，虎狼夜來，蹲繞卧處，旦見蹤跡，從者股栗無人色。文炳曰：徐之。徐前至絶壁萬丈，下俯絶壑，有松一株，亦長數千尺，松身緑毛長二尺餘，其地不獨人無至者，殆亙古不見風日，所謂澗底松也。路絶而返。文炳歎曰：比議勞費，困人無益，不可通，吾不能以口舌順指。卽具圖上，艱險萬端，具言：此道必不可開。或譖之，上官輒呼畫者責問，圖不以實；畫者以死誓對。如文炳議，卒得寢，陜人賴之。初文炳之在盩厔，其時知西安府者衡水王紹文，古循吏也，同官呼曰戇夫。文炳亦伉直，不合於衆，而紹文每延見屬令，獨喜，與語輒移日，以故得行其志。久之，紹文引疾罷去，後來者疾文炳，至則摭他事劾之落職。怡然曰：吾爲清白吏，歸來以教子孫，豈爲失志哉！歸，則置屋一區，閉門約己，不交一人。辛巳冬，恭遇慈壽七旬，文炳以都人獲與祝釐之列。蒙恩予復知縣原銜。以乾隆二十九年卒，年六十九。子四：堂、垣、筠、珪。朱筠先君行述。

垣字維豐，一字仲君，晚號冬泉居士。幼善病，朱筠先兄仲君行狀。年十五始讀書，朱筠先兄仲君墓誌銘。以故父母益憐，勿過督之。垣承庭訓寬假，而行自檢束，愈醇謹。母患乳岩經年，諸方不治，有巫言：有所親者夜夜焚香一束，跪乞禱，可瘳。垣則夜夜長跪，雖卒不治，然竟香燼。垣跪，母則酣睡，跪已，耿耿患如初，以至母終，垣骨立如束，蓋侍疾及喪，幾不勝也。服除，先兄仲君行狀。中乾隆十五年舉人。十六年成進士，仕爲山東濟陽、長清兩縣知縣，有仁聲，先兄仲君墓誌銘。而尤長於折獄。獄初，兩造具，每周測左右遠近，則中其理，解數語立折，人人當其情而罷。其或獄搆糾結，更吏數十不能決者，垣至，輒闚見罅豁，洞達奥窔，言出讞定，舊牘如山可焚也。山東諸老吏皆歎服，推爲斷才。濟陽有少婦周，新嫁王巧，先兄仲君行狀。居亡何，歸甯而歸，明日巧暴死。朱筠少婦周紀事。翁媪及鄰人來證婦毒夫死，先兄仲君行狀。訟於垣。垣駕往死者所，召翁問狀，翁曰：兒與新婦歡甚，日反自母家一夕耳。今天大寒，民呼兒蚤起作苦，新婦起設粥食，兒當食腹痛。趣詰新婦云，嚮夕兒拾紅白粉授新婦，令入粥作食，今死者食粥，是新婦殺予兒也。垣問新婦狀，新婦曰：晨實持粉入粥，夫實食粥死，新婦欲亦食粥死，舅姑奪之，鄰人羣來辱詈新婦，且相禁不得死，今罪當死無辨。垣卽問曰：巧且死何狀？鄰人觀者皆曰：此婦置毒粥中食巧，巧嘔，衆且至，乃汲寒泉浸緑豆、大黄諸物急飲之，毒甚不可解，巧益嘔且泄，死。餘粥及嘔猶在，婦何所辨耶！垣曰：然。趣命投粥與狗食。又趣呼狗來，令食巧所嘔，皆不死。又召吏徧視巧之死，無毒狀，獨齒禁堅不可啟；又啟視其私，入腹中。垣曰：是也。啟其口，吏持銀匕入死者喉驗毒，出以示衆，皆曰：中毒非是。垣曰：然。又召新婦，問曰：嚮夕巧有所御耶？固問，曰：一夕三御。又問：巧蚤起何事？新婦曰：夫起飲水三器而已。已而食粥，遂死，無他狀。令太息久之，乃召翁令前，曰：爾子醫者所謂死於陰淫寒疾是也。爾欲坐爾婦毒爾子乎？翁拜而憮然，少婦周紀事。泣扶婦去，婦竟爲巧守節。先兄仲君行狀。有老婦雉經於民之外户屈戌間，訟曰：昨民擊老婦齒落，故甘心焉。垣驗老婦體，無擊狀，而齒落處有殷血痕，羣里婦羅列屍側。垣念旦落齒而夕卽死，卽齒血不殷，卽詰羣婦曰：若灌飲屍以藥亟捄之，落其齒，而坐民威逼耶！羣婦曰：無之。垣躬入，覸室窗檽上有箸二，其一血痕宛然，卽持出，示仵人曰：探屍口中，當有落齒。果然，衆以爲神。而民僅判爲老婦出埋錢釋之。縣故獄具，有以鳥鎗取皃雉，而鎗火自後發，中人洞胸死者，當抵罪。垣卽争曰：此無死法。上官訶駁數四：慘死如是，而故縱耶！垣曰：律，過失殺條曰，耳目所不及，思慮所不到，正載貪射鳥獸之文，知縣不能枉律斷獄。卒争如所引乃已。他縣有役以事逮民，民死，歸卽斂訖；已而訟役殺之，轉輾三十年不決。上官檄垣會所在檢骨，骨在淺土敗柳棺中，仵人曰：久，疑不可檢也。垣令曰：坎地架木，舁棺其上，弛前和及四牆柳方，土正見，徐徐撥土，正首足鄉，冪以席；燎坎注醯，須臾骨如蒸狀。仵人卽檢訖，告曰：屍獨腦骨紫血，傷見方寸許。衆喜，謂得情。垣熟視之，曰：未也，此傷處，滌可去。衆笑曰：傷三十年，入骨豈可滌耶？垣呼水刷之，骨白無涴，而訟遂息。或曰：於録無此法，公何以辨之？垣曰：傷者紫色中重而外輕，若暈漸減，然此反是，是腐血污耳。衆服垣之所見。己卯，年三十有七，移疾歸。侍父左右克孝，而悌於兄弟。父殁，不出，學釋氏之學，澹然自謂有得。卒，年五十一。先兄仲君墓誌銘。

筠字箌河，又字竹君。學行高朗，少有令譽。徵存録五。年十三，通五經；十五，文成斐然。
朱珪竹君先兄墓誌。與弟珪同補諸生，負文名，順天府尹蔣炳招劉文定綸、程文恭景伊、錢文敏維城、莊侍郎存與、莊學士培因及筠兄弟飲，試以崑田雙玉歌，諸君激賞，先正事略。明日皆來就訪。明年鄉試不售，劉文定綸延之家，修盛京志。竹君先兄墓誌。凡參決大事，每從咨訪，筠從容諷公以古大臣之事，每領之，李威從游記。以爲疏儁奇士。姚鼐朱竹君先生別傳。乾隆十二年舉人，十九年成進士，選庶吉士，授編修。綸喜，謂曰：君無復以古大臣責我，老夫無能爲，望君努力耳。李威從游記。二十六年，分校會試。丁父憂，哀毁骨立。筠素無宦情，服闋，遂徧游天下名山，已乞假矣。上召見珪，詢家事，曰：翰林無定額，汝兄當補官，不比汝需缺也。珪函以告掌院，索假呈歸，曰：兄實無疾，恐上再詰問，不敢欺，其强爲弟起。筠不答，既而听然曰：汝敗我雅興矣。是冬，授贊善。明年五月，御試二等，擢翰林院侍講學士，充日講起居注官。朱珪竹君先兄墓誌。上極賞其才學。故事，御試試差，大臣閱卷，録取優異者引見。辛卯，筠試，不入選。上顧問掌院大學士等曰：今試乃遺朱筠，選中乎？特旨命不選中者一體引見，蓋異數也，遂有安徽學政之命。視學安徽，李威從游記。尤喜以六經訓詁督課士子，洪亮吉朱笥河逸事。爲刊舊藏宋槧許氏説文，廣布學宫，語諸生曰：古學權輿，專在是矣。有詔求遺書，李威從游記。筠奏言：翰林院庫貯明永樂大典，中多逸書，宜就加採録。竹君先生墓誌。又請立校書之官，參考得失。上嘉之，乃命開四庫全書館，王昶朱君墓表。館開凡十有三年而書成，共存書三千四百六十餘種，計七萬五千八百五十有四卷，其得自大典者凡五百餘部，皆世所不傳本也。又請仿漢熹平、唐開成故事，擇儒臣校正十三經文字，勒石太學。先正事略。好金石文字，以爲可證佐經傳，請下郡國，各采部内有鐘鼎碑碣，模印上之，以備甄校。事雖寢，論者仰其雅才。徵存録五。未幾，坐事左遷編修，入四庫館，修日下舊聞。筠既久次，望益重，則言翰林以讀書立品爲職，終歲足不履達官門。竹君先生墓誌。初爲劉文正統勳所知，及統勳在内閣，不肯通刺。遇筠於朝，戲之曰：其忘我也耶？筠正色曰：非公事不敢過丞相門也。統勳稱曰：狷者！狷者！大學士于敏中掌院事，欲筠就見，筠執翰林故事，謂纂修官相見於館，無往見禮。敏中間爲上言，筠纂書不勤。上曰：命侍郎蔣錫棨趣之。不之罪。徵存録五。弟珪自山西歸，從容爲筠言，宜稍和同者，筠曰：子亦作是言耶！珪心愧之。上知之深，特旨督學福建。閩人士聞筠來，無不忭舞，筠益卓然以韓、歐陽、蘇自任，振起古學，奬藉寒畯，天下之士翕然稱之曰竹君先生。朱珪竹君先生墓誌。在福建與弟珪相代，一時傳爲盛事。而閩士攀轅走送者數百里不絶，時士人饋一石，積試院，成山起亭，曰三百三十有三士亭。其後珪主持文教，海内名流皆以暗中索拔，多筠所賞契者，故世稱據經好古之士爲朱派云。孫星衍笥河先生行狀。王司寇昶與筠爲同年友，官京師，齊名，人稱爲北朱南王。紅豆樹館詩話。卒，年五十三。徵存録五。筠之學，經經緯史，包孕萬有，紅豆樹館詩話。古文法班、史，詩歌出入韓、蘇，朱君墓表。賦則陽張陰闔，馬、揚以下不道也。前後遇大典，禮成祝釐，宣上功德，鴻功奥册，裒然推首。書法一本六書，自然勁嫵。朱珪竹君先生墓誌。尤喜汲引人才，輶軒所至，必拔諸生之雋異授業門下。蒲褐山房詩話。如大理寺卿陸君錫熊、吏部主事程君晉芳、禮部郎中任君大椿，皆所取士；而黄君景仁、洪君亮吉皆北面稱弟子。朱君墓表。好交游，稱述人善，惟恐不及，卽有過，輒掩覆之。當校刊説文時，命門生某司其事，某重違筠意，多所乾没，筠待之如初。紅豆樹館詩話。戴震、汪中，兀傲不羣，好雌黄人物，在幕中獨無間言。孫君星衍且以未見爲恨。與客飲酒，連舉數十觥不亂，談笑窮日夜。先正事略。或以爲道廣，然於名節風義之闗，揚清激濁，分別邪正，齗齗不稍假易。朱君墓表。酒酣論天下事，自比李元禮、范孟博，先正事略。聞者悚然。所居室曰椒花吟舫。亂草不除，雜花滿徑。聚書至數萬卷，金石文字數千種，先正事略。考古著録，終身不倦。朱珪竹君墓誌。尤愛山水，嘗再登黄山、武夷，峭壁不通樵徑，必攀蘿造其巔，題名鍥石而後返云。先正事略。

珪字石君，號南厓。少爲文，深慕黄公石齋。祖與高安朱文端軾相友善。父文炳，受經於高安，遂盡傳高安之學。紅豆樹館詩話。年十七，舉乾隆十二年鄉試，與叔兄筠同榜，有二朱之目。昭代名人尺牘小傳。次年成進士，改庶吉士，習國書，尋授編修，累遷侍讀學士。二十四年，主河南鄉試。明年，充會試同考官。秋，授福建分巡糧驛道，兼攝福州府事。毁和合二聖、麻三相公、牛頭大王、鐵頭和尚諸淫祠，民大驚服。朱錫經南厓府君年譜。二十八年，擢福建按察使，兼署布政司。閩人裘自位假平臺灣功，鬻武職，獄連數十人，珪誅正犯一人，諸受欺者皆不坐。有告家譜妄逆者，讞之，僅戮一撰譜者屍，先正事略。子孫得不坐。南厓府君年譜。二十九年，丁父憂。服闋，授湖北按察使。時緬甸用兵，珪司驛務，無遲誤，無擾累。楚北亂民聚衆，珪鞫之不少縱，然脅從者皆得免。三十三年，調山西按察使，明年授山西布政司。阮元朱文正公神道碑。辛卯，護理山西巡撫。議奏籌土默特當差官兵盤費；又奏新開牧地米石，請改徵折色，以便民除弊。奏上，下部議行。南厓府君年譜。以方正，爲巡撫所嫌，謂其不諳吏治。正雅集小傳。按察使黄檢奏珪終日讀書，於地方事無整頓。明年，入覲，授翰林院侍講學士。四十一年，命上書房行走，侍仁宗皇帝學。時初置文淵閣官，特授直閣事。主福建己亥鄉試。四十五年，督福建學政，將行，上五箴於仁宗藩邸：曰養心，曰敬身，曰勤業，曰虚己，曰致誠。仁宗力行之，及親政，亦常置座右。四十九年，扈蹕南巡，授内閣學士兼禮部侍郎，閲浙江、江蘇召試卷。五十一年，授禮部侍郎，主試江南，督浙江學政。五十四年，置蕭山祭田百畝。冬，還朝，充經筵講官。五十五年，經筵進講時，諸皇子侍班聽講，先正事略。珪講尹誥説命之篇，天心愉悦，陳壽祺朱文正公神道碑。顧謂仁宗曰：汝師傅所講甚善。授安徽巡撫。祁門縣築城成，輕騎往驗之。至新嶺，有欲中傷歙縣令者，屬掌亭人以饐餲進，珪恬然飽之。先正事略。五十九年，調廣東巡撫。六十年，兼署兩廣總督。嘆咭唎國入貢，呈土物於總督，卻之。嘉慶元年，授兩廣總督。降旨内召，阮元朱文正公神道碑。將相之。尋以治安南艇盜緩，左遷，復爲安徽巡撫。陳壽祺朱文正公神道碑。鳳陽等屬水災，疏請賑卹，親給之，官吏莫敢侵。先正事略。時楚、豫多邪教，流言安徽有隱伏者，珪曰：疑而索之，是激之變也。乃密籌防禦，偏莅潁、亳等州城鄉，聚長老教勸之，偏張告示，簡明諄切，民大感化。故數年間，安徽無以邪教倡亂者。明年，授兵部尚書，調吏部尚書，皆留巡撫任。阮元朱文正公神道碑。會高宗純皇帝上賓，仁宗馳驛召之。珪哭且奔，先上奏曰：聞太上皇帝龍馭上昇，膽裂呼天，角崩投地。欽惟大行皇帝，十全功德，五福考終，傳器愜心，於昭在上。我皇上純性超倫，報天罔極。竊聞定欲躬行三年之喪，此舉邁千古而欽萬世。然而天子之孝，不以毁形滅性爲奇，以繼志述事爲大。親政伊始，遠聽近瞻，默運乾綱，雰施渙號，陽剛之氣，如日重光，惻怛之仁，無幽不浹。思修身嚴誠欺之介，於觀人辨義利之防，君心正而四維張，朝廷清而九牧肅。身先節儉，崇獎清廉，自然盜賊不足平，財用不足阜。惟願我皇上恒久不忘堯舜自任之心，臣敢不隨時勉行仁義事君之道！上嘉納之。及至京哭臨，上執手哭失聲，旋命直南書房，管户部三庫。〔阮元朱文正公神道碑。〕自是凡國家大政，有所咨詢，皆造膝自陳，不草一疏，不沽直，不市恩，不關白軍機大臣。第在外城，遠且隘，賜第西華門，紫禁城騎馬，加太子少保，充實録館總裁、國史館總裁、己未會試總裁。冬，調户部尚書。時上禁收漕米之弊，外省以運丁貧，仰資州縣，州縣取民不得不浮，於是安徽有加增銀、江蘇有加耗米之請。部議將擬行矣，珪思之不寐，綜其數較原徵加倍，乃決計駁曰：小民未見清漕之益，先受加賦之害，不可行；並令漕司，以後凡事近加賦，皆議駁，以體皇上損上益下之意。長蘆鹽政奏，鹽價一斤加錢二文，珪駁曰：前蘆東因錢價過賤，已三加價，又免積欠二百六十萬兩，餘欠展三年，商力自寬。且今錢價漸貴，所奏應毋庸議。廣東布政司奏，陸濱海沙地賦，珪駁曰：海沙淤地，坍漲靡常，故照下則田減半賦之，今視上中田增賦，是與沿海民計微利，非政體；且民苦加賦，將别有漲地，亦不肯報墾，不可行。後倉場衙門復請預納錢糧四五十倍，準作義監生，珪駁曰：國家正供有常經，而名實關體要，於名不正，於實有傷，斷不可行。凡駁議皆親屬稿奏，上皆韙之。嘉慶五年秋，兼署吏部尚書。坐輿夫毆傷禁門兵，免太子少保，解三庫事。彭文勤墮馬西華門内，珪呼其輿入門舁之，復違例，議降，鐫三級留任。六年，陪祀祈穀壇，未曙，誤行墜甬道下，傷左胯。賜醫，賜食，絡繹於道。遣内監齎硃諭至第視病，且詢事。三月小愈，即趨朝。七年秋，扈蹕灤陽，宣制，以户部尚書協辦大學士，仍加太子少保。八年，兼翰林院掌院學士。春、夏，皆留京辦事大臣。九年春，駕幸翰林院，先期晉太子太傅，及幸院，賜宴，聯句，御書天禄儲才扁摹刻院堂，以墨蹟賜珪。十年正月，宣制，拜體仁閣大學士，管理工部事。上以是命爲遵先帝遺詔也，命詣裕陵謝。明年春，珪感疾，上命游西山諸勝，以散其懷。時年七十六矣。九月乞休。上曰：待卿八十，當爲壽。旋命户部尚書戴衢亨齎賜詩十韻，及玉鳩杖。諭：天寒，間二三日入直，且俟日出後，至南書房候召對。十一月庚午，寒甚，乾清宫召對畢，降階，忽痰壅，歸第；賜御醫視疾。十二月乙亥，力疾作芻獻詩，先正事略。有云：天道神難測，民心惟一中。知人可安衆，居所自持公。阮元朱文正公神道碑。丁卯，夜半薨。上震悼，晉贈太傅，入祀賢良祠。己卯，上親臨，奠三爵，哭不止。回宫降制曰：乾隆朝故大學士劉統勳，蒙皇考鑒其品節，賜謚文正，易名之典特隆。顧劉統勳於署總督任内，曾經獲咎褫職，復蒙恩録用。至朱珪，立朝五十餘年，敭歷中外，從未稍蹈愆尤，絶無瑕玷。憶伊官翰林時，皇考簡爲朕師傅，其所陳説，無非唐虞三代之言，不特非法不道，即稍涉時趨之論，亦從不出諸口，啟沃良多。揆諸謚法，實足以當正字而無愧。毋庸内閣擬請，著即賜謚文正。又曰：本日朕臨奠醊，其門庭卑隘，清寒之況不異儒素，睠念遺風，愴懷未已。復撰抒痛詩十二韻，命南書房翰林黄鉞，於殯前焚之。明年，御製碑文刻石阡門。上巳日，上謁西陵，蹕路距珪墓數里，上遠眺松楸，追懷愴惻，命大臣詣墓賜奠。高宗純皇帝實録成，以珪總修有年，賜祭一壇。長子錫經服滿，以京卿用。珪在翰林時，先正事略。國家有大典禮，撰進雅頌、詩册、文跋，高宗必親覽之，以爲能見其大，頌不忘規。或陳坐隅，或命諸皇子、皇孫寫爲副。聖製詩或寄示命和。阮元朱文正公神道碑。所著知足齋詩文集，上命以刻本進，賜題律詩四章於卷首。先正事略。珪於經術，無所不通，取士務以經策較四書文，鋭力以求樸學。才士黄景仁、張騰蛟死，深惆惜焉。撫安徽，裁蕪湖南關陋規。閩省洋商陋規事發，欽使蒞治，惟珪未受一錢，清操亮節，人皆仰之。阮元朱文正公神道碑。嘗曰：吾三十九歲夜坐，忽腹間自煖，由脊上貫於頂，甘液自顎下注，由是流轉，至老不絶，乃知朱子注參同契，非空言也。年四十餘，即獨居，迄無妾媵。御製抒痛詩有云：半生惟獨宿，一世不貪錢。其知之者深矣。先正事略。子錫經、錫爵。錫爵子英。朱氏家譜。

錫經字習之，別號古華。乾隆四十三年舉人，蔭刑部員外郎。是時文正公珪甫自安徽内召，門下士半天下，履聲車轍盈户巷，一時稱盛。錫經入署供職，朝告夕面，趨庭之暇，卻埽焚香，閉門謝客。以故通家子多不識，其有識之而呼於朝，錫經左右顧，亦終莫能辨。間有一二往來，非寒士必冷官也。嘗歎曰：人生自有分定，胡役役自苦爲耶！初，珪出撫安徽，暨遷兩廣，錫經在都。珪手書寄之曰：吾在外，不以家事爲念。第吾去京師遠，吾力所不辦者，汝以子職代父職可乎？值高宗純皇帝御製五集告成，珪以文學侍從之日久，意有所獻替，草創大略示錫經，錫經乃研心蒐討，排分類比，纖悉莫遺，首以御製古文涉於説經論史者，區爲兩部；又以御製詩合五集爲四門，門之類各四十，名曰紀實。每一編成，郵筒寄珪。珪按編披讀，綴以敍論，以頌揚聖天子敬天法祖、勤政愛民之至意。書進，天子覽而嘉之。歲丙寅，珪卒，方小祥，一日仁宗顧問大臣曰：朱珪之子錫經何如？左右錯愕，皆莫對，上曰：朕見其體豐而質，是殆不能作有司官耳。值高宗實録告成，恭預其事者諸故大臣子並邀議敍，於是特旨以四品京堂用，異數也。歲己巳，補太僕寺少卿。明年庚午春，扈蹕東陵，屢蒙召見，並命和詩，蓋浸嚮用矣。未幾，卒於位。上初聞疾，特命内閣中書梁承福，帶同太醫院官來視疾，既聞其不治，迺命寄信兩江督臣，傳諭候補道朱涂星夜來京。比卒，給内庫銀三百兩於家，命詹事府右庶子黄鉞爲治喪事，蓋聖恩眷念故臣，久而靡已如此。朱錫庚從兄習之行狀。

英字宣初，幼穎悟，卓犖不羣，有矯然出塵之致。經史皆博覽習，由諸生遵例報捐郎中，籤分刑部，後改知府，分發山東而卒。英精於六書，出其餘藝；得顧愷之、吴道子筆妙，山水、人物、花草、鳥獸、蟲魚，潑墨濡毫，出人意表，其運用自然，造於精微。宴游偶憩，醉後乞書者紛至沓來，一一應之無倦色。或筆墨不具，以煙煤隨手寫之，每饒別趣。人得其片楮，珍如拱璧。山水法宋、元，周規折矩，非近今描摹者所能夢見，或深厚沈秀，兼二王之表，而小品超逸淩遠，幾於香光、雲林，無以復辨。朱氏譜傳。

李綬，字佩廷，號杏浦，學者稱杏浦先生，宛平人。父孔嘉，官雲南永昌府知府。綬生而俊邁，有幹略，年十七，父以罷官滯滇中，即能奉母牛太夫人歸里；營大父葬事，豐儉皆中禮。治家嚴肅，而門庭雍睦，兄弟互相切劘；收恤徐氏孀妹，撫孤甥，約以婚姻，而自督之誦讀，訓責之嚴，與諸子無異，稍或懈弛，輒泣涕霑襟，屢陳其母之苦，務使感動而後已。乾隆元年舉人，十六年進士，改翰林院庶吉士，授職編修。乙亥，遷湖廣道監察御史。庚辰，充河南鄉試副考官。壬午，提督湖南學政。乙酉，授奉天府府丞，以保舉教職鐫級，壬辰，授通政司參議。癸巳，再授奉天府府丞。庚子，陞大理寺卿。壬寅，授内閣學士，提督江西學政。甲辰，授江西巡撫，旋調湖北。乙巳，轉兵部侍郎，歷工部、吏部，授左都御史，入直上書房。賜紫禁城騎馬。平生貞不絶俗，不欲嶢嶢露圭角，而義所當爲，未嘗不爲。如官奉天府丞時，奏燬前明違礙碑碣。官湖南巡撫時，奏賑茶陵水災；奏增衡、郴諸路驛馬；奏稽察西洋教，皆蒙俞允。官御史時，奏吏部胥魁受賕；奏浙江巡撫匿災。並邀褒嘉，尤不愧風憲職。性喜讀書，暮年尚手録文選。作詩不下數千首，皆付子孫藏弆，不欲與才士争名。然文章具有法度，一典鄉試，再督學政，兩任奉天府丞，所甄拔皆得人。其奏定盛京宗學章程，增設副管，司察核，併奏修瀋陽書院，聚諸生講肄，教士亦具有規程，即其所學可知矣。卒年七十九。子二人：長之棫，官郴州知州；次之杞，官工部司務。紀昀杏浦學士墓誌銘。

吕元龍，字鱗洲，一字慕堂，大興人。崇禎甲申之變，有名相者，官千户，守永定門，城破罵賊，賊以刀斫之死。旁有卒義之，持一骨出城，歸其家人埋室中。其後亂平，以術者言曰吉，即壙焉，不改葬。元龍七世祖也。元龍生而眉目秀偉，素不善彊記，獨解悟絶人。七歲，丁祖父憂，擗踴就哭位若成人，弔者莫不奇之。及長，果力學，工文章，顧尤摯於天性。其出就外傅也，亟慕父母，日三四入内問安否，而詭以便旋請師，師曰：孺子何數也？元龍肅然以情對。師曰：果然，善矣。居頃，讀禮記至顯揚先祖，所以崇孝，擲卷歎曰：人子不當如是耶！因念先世未嘗以科第顯者，意必欲致之，以得父母歡心。於是斲木爲矮屋如棘闈狀，屬文則日夜坐其中。久之，中乾隆十五年舉人，越日與宴於順天府署，歌鹿鳴而退，携所宴物歸，致祭於先人之廟，既薦，輒大慟，伏不起，曰：吾祖不及食此耶！賀者咸欷歔太息。明年，試禮部，不第，乃益發憤讀書，其出聲如鐘。所善韓生，亦喜讀書，居比鄰，旦旦夜夜，牆東西咿唔相倡答也。韓生妻賢而善品藻人，聞書聲，謂其夫曰：此子聲大而中淒以悲，其心有不自得者乎？韓生以告元龍，喟然曰：夫人知我！既而曰：脱世知我如夫人者，我豈不第哉！卽又慟哭。每早起，則望其家頓首拜，人或以爲狂。是歲壬申，再試禮部，愈苦心爲文，嘔血而罷。又二年，甲戌，以疾甚，不得應試。又一年而卒，年三十有一。妻朱氏，筠姊也，卒後固欲死之，服金約指者一，引鍼自刺其心者一，雉經者一，皆以救得解。數責筠曰：弟胡以姑息愛我！筠與弟珪泣而請曰：姊當强撫此藐孤，使吕氏有後。姊始頷焉。子麟。朱筠吕君行狀。

吳春，固安人，丐者，目瞽。因母與妻不和，遂棄妻子令異居，而己與弟奉母居。弟爲傭，春丐乞，自食粗惡，以美者奉母，二十年不變。後得二子，家頗饒裕，人以爲孝之所致。固安陳志。

劉俊，涿州人，回民也。父武，以御車爲生，因外出，客死於汴梁。俊聞信卽欲往尋父尸，而家貧母老，勢難遠離，每向人言，輒泣下數行。後數年，母殁，遂決意如汴，又苦道遠無貲，親友又無可告貸者，乃沿途行乞，至汴數月，始得父骨，負之以歸，與母合葬焉。涿州續志。

史猶興，初名積書，字若蒙，順天人。家素貧，讀書深自刻苦。武億史若蒙先生狀略。館朱學士筠家。兄積詩，年三十矣，未授室，數來館中，與猶興共土榻卧，卧且病，嘔血良劇。猶興則夜起抱兄坐，而以竹器紙籍其中，手承兄所嘔血，且慰解之。兄嘔益甚，比日出，筠踉蹌入館中，見榻間竹器血盈者八九，猶興顧兄息少定，蹙然捧器而出之於外。逾年，兄竟死。是時見者皆言猶興之侍疾克友也。弟積禮，慧巧而好博簺以游，數抱持館穀爲弟償負，久之，弟竟以博死，猶興哭之，益自悲。初娶於魯，魯遘官事，破其産，徙家而南。已而，癸亥遭母喪，獨與老父居，於是益顛躓無所向。會舅袁儒行爲定興教諭，猶興舉家往依之，而身獨走保定。授經用嚴，課其門弟子，弟子從游者日以進。定興去保定百餘里，歲時節候省老父，雖貧歡甚；婦魯亦撙節館修所入，供甘旨無闕，定興人咸稱道之。然父故倜儻，亦篤嗜博，數謂魯曰：新婦食吾旨而甘，不若吾博之甘也，取兒館所入來！魯不敢言，謹進之，父輒去與博徒游，盡而反。冬寒，猶興自保定裝毳裘以遺父，父亦質而償博，退而反舍，不言寒且饑，倜儻如故。猶興歸輒泣諫，父笑曰：吾助窮者以錢，欲人德焉；何如吾無德名，而窮者受吾錢之益耶！猶興泣不言。良久，父頷之。益竭蹷，爲父具一裘，躬具甘與旨，偕婦進之。父衣裘，卒餐罷，顧曰：吾姑去博徒所，束手觀之，何如？往觀則繼日以夜，輒往侍立不敢言，父顧曰：去！蓋觀十餘日，而父博如故。凡在保定館所入，爲父博盡者七八，雖泣諫而未嘗怨也。猶興嘗以國子監生從吏部試職，可就河工，得小官以給養，朱筠史先生墓碣銘。顧自念父垂老，違左右，失親歡，若蒙史先生狀略。以故不行。歲庚辰，史先生墓碣銘。大興朱珪以翰林出爲福建糧儲道，欲邀與俱，致書、幣以請，父亦促治裝，猶興不獲已就行。歲餘，珪攝鹽道。先是，任鹽道佐幕下者，代收鹽課務苛細，伺微隙摘其過，欲以邀重賂，困商徒。猶興獨持廉平，管支出納，以時收貯，商皆敬悦，高其義，醵千金交歡，猶興固謝不可，而旁睨者乃假居間，漁其利以去。於時衆議洶洶，謂不辨將受垢，猶興顧念事明則彼不復齒於人，即又固謝不可。史若蒙先生狀略。客或饋酒食，對之愀然不舉，以父之遠不得養也。久之，甲申，得父書，字書欹衺，不如其恆，則泣下，辭館即日歸。歸而問父，故無恙，作書時會不適耳。顧父須鬢皓白，退而歎曰：吾歸晚矣！越歲疾作，比卒，執父手曰：兒不獲侍父終天年，天乎！史先生墓碣銘。泣語子兆蘭曰：兒勉事而王父，終吾志，吾目其瞑。遂卒。狀略。

劉士銘，字鼎彝，宛平人。父繼芳，初自保定之雄遷於順天之西路長新店，偕妻朱躬耕西山之麓，而以讀課其諸子。有子三人：長若愚，次以成，士銘其季也。早慧，强記誦，聞郡有藏書家，輒往假，手録其本。閒走書肆，索觀故書，立盡其卷，不錯一字，而歸以校讐録本之善否。里中耆舊咸嗟異之。蓋自是終身得暇未嘗手釋卷也。長新店距京師之廣甯門三十餘里，年十七，行游京師，慨然曰：盛哉乎人文！乃移家入都門，到白紙坊東，購房數楹，以爲讀書之所，而請業於常州謝先生某，學日以肆。年二十，以國子監生應試，舉於鄉，一時榜下相傳得士曰米君。米君者，卽士銘也，後始復其本姓。既而再試禮部，再不第，始入貲謁選司，揀發山西，試爲令，其年知聞喜縣。聞喜故劇邑，會政弛吏偷，逋賦累歲，而催科急，民益大困。士銘至，則召縣之父老，謂曰：令拙於催科，而民賦不輸，是欲見令拙也。願與父老約：行滚單法，何如？滚單法者，縣出單，書賦户名，先甲次乙，甲受單輸賦畢，而單至乙，乙受輸之如甲，以次及於一縣賦户，畢，然後上單於令者也。父老則頓首曰：如約。於是士銘爲畫催租役於單首，行之如法，國賦歲入，民無謗者。又縣故有市集，所在迴遠，盗賊竊發，爲貿遷患，則改市適中之所，民大便利，盗賊亦罷去。尋授朔平府知府。朔平地連北邊，蒙古部人與民相雜處，而郡又新設，民屬府而蒙古人隸都統戲下，訟輒牽掣，號難治。士銘則以禮往謁都統，與之談讌極歡，曰：某奉命來從公偕治天子人，自今誓不得畫彼此界。都統卽前執其手曰：惟公治之。自是，蒙古人或暴恣，立杖決之。久之帖然，而民賴以安。庚戌七月，以母憂當罷，有旨：在任守制。士銘力請反葬而後赴職，許之。服闋，補湖北安陸府知府。漢江在府城西，上去襄陽七百里，下去沔陽七百里。水自北來，經石城西南，與大江合。自石城下抵蔡家橋、板橋灣，由馬公州、小河口以達於南河，迴折三百餘里，土人謂之紅廟堤。堤最要害，在昔石城遠近湖港支分，用洩水勢。其後日以湮塞，而捍水者獨恃堤，堤不固，則風旦霖夕，一蟻所盜，千里爲壑。士銘躬親相視滲漉，與役夫同勞苦，其課工視引錐穿土，毫髮不損乃已。郡人喜曰：我公不寐，我民安睡矣。會孫文定公嘉淦總督兩湖，疏請調荆州。士銘曰：某得荆州，人以美官賀某，豈此間有所利耶？問府四關有東、中、西、北徵税處，卽令曰：商賈自入庭中，投所税錢於櫝，役是土者不得與。又問駐防兵丁糧餉，故事，自府支給，所在州縣歲當輸南米二十餘萬石上府。卽令諸邑曰：至期悉以米來，不得他有所代。令兵丁曰：月至府支餉二日，支糧三日，至期，一如所支，各罷去。諸邑盛稱曰：公若少通，自便亦以便人。士銘曰：人之不便，某任其咎，通則何敢乎？乙巳春，奉特命赴四川辦理臺站，及金川而還。庚午八月，授本省驛傳鹽法道。鹽法，他省價並畫一，獨湖廣未有定式。士銘始令商價不得二，且時取市中權秤，親爲較其斤兩輕重，毋多取民利，民方謳之。明年辛未三月，而士銘以所轄驛站遲誤公事劾去矣。初，士銘之被劾也，同官有軋大吏以去者，繼至者，疑士銘主使之，輒摭細故以劾，且欲窮治其他事以聞，卒無所得；既而以士銘在荆州十年，於是更使蹤跡之，亦無狀。所使者走謁曰：公誠賢者，然上官使某蹤跡公，無所得，某無以報，請自書一二事告我。士銘曰：某不肖，不敢不自愛，惟億爲鹺使令節受商人花燈數物，此破吾檢耳。卽書款付之，所使以反命，上官默然。及按驛站所遲誤者在江南，與士銘無與，人曰：何不白之？士銘曰：某服官三十年，今以釋負戴可矣，復何求！卽束裝入都。其冬，聖母萬壽，士銘在都人祝釐之次，有旨給五品銜，自是林居者且十年。己卯，仲子光汾官長興，士銘就養於浙，買舟命杖，往來西湖中，久之不能去。平生著述散佚，惟西湖詩一卷獨存。卒，年六十有八。士銘束髮好讀書，事兩兄最謹。既仕，曰：某已得禄矣。卽舉郭西田盡歸伯兄，而與仲兄俱之官所。兄歿，哭之，累日不食，子弟無敢勸者。有山西范君與士銘善，輒通財，先後資其金殆八千，他人未嘗知。及官楚中，聞范君疾，卽悉索所有，得八千金，命奴馳數千里抵范氏，范已死，獨其弟在，辭不受，曰：兄臨訣未嘗言此，且家無券也。奴以士銘命，固請，卒致而去。朱筠劉鼎彝先生行狀。

陳鶴齡，名永年，宛平人。家本富，後稍落。其弟永泰先亡，弟婦求析箸，不得已從之。弟婦又曰：兄公男子，能經理，我一孀婦，子女又幼，乞與産三分之二。親族皆曰不可，鶴齡曰：弟婦言是，當從之。弟婦又以孤寡不能徵逋負，欲以貲財當二分，而以積年未償借券併利息，計算當鶴齡之一分，亦曲從之。後借券皆索無著，鶴齡遂大貧。陳氏先無登科者，是年鶴齡之子三立竟舉於鄉。放榜之日，有李步立者居與相近，聞之喟然曰：天道固終不負人！灤陽續録。

翁方綱，字正三，號覃溪，大興人。先正事略。乾隆十七年進士，選庶吉士，授編修。己卯，奉命典試江西。壬午，典試湖北。國朝詩人徵略。榜發後，重九日開讌於黃鶴樓，樓前設插瓶，臨江插菊花千萬枝以侑酒。明日僦裝北歸，渡漢江，至大別山，登晴川閣，迴望黃鶴樓，朗吟崔司勳詩。翁氏家事略記。甲申，奉命視學粵東。國朝詩人徵略。三任，凡八年，異數也。松軒隨筆。己亥，典試江南。辛丑，擢國子監司業，旋擢司經局洗馬。癸卯，充順天鄉試副考官。甲辰，遷少詹事。丙午，奉命視學江西。庚戌十月，上御乾清門，以學士承旨。辛亥，視學山東。嘉慶元年丙辰，賜千叟宴。己未，授鴻臚寺卿。國朝詩人徵略。十二年丁卯，年七十五，賜三品銜，重宴鹿鳴。十九年甲戌，年八十二，賜加二品銜，重預恩榮筵宴。聽松廬文鈔。戊午卒，年八十六。國朝詩人徵略。方綱精心汲古，宏覽多聞，於金石、譜録、書畫、詞章之學，皆能抉摘精審，先正事略。所著兩漢金石記，剖析毫芒，參以說文、正義，幾欲駕文惠而上之。湖海詩傳。著有復初堂集，正雅集小傳。自諸經注疏以及史傳之考訂、金石之爬梳，皆貫徹洋溢於其中，先正事略。實近日文章家所未有。紅豆樹館詩話。生平論詩，謂漁洋拈神韻二字，固爲超妙，但其弊恐流爲空調，故特拈肌理二字，蓋欲以實救虚也。畿輔詩傳三十九。嗜古成癖，使節所莅，殘幢斷碣必多方物色，摹搨以歸；鑒藏之盛，甲於北方。紅豆樹館詩話。所居京師前門外保安寺街，圖書文籍，插架琳瑯，登其堂者，如入萬花谷中，令人心摇目眩。履園叢話。書初學平原，繼學歐陽率更，隸仿史晨、韓敕諸碑。鉤摹舊帖數十本，海内書碑版者畢歸之。先正事略。嘗得宋版施注蘇詩，海内無第二本，履園叢話。因以寶蘇名其室。先正事略。每至十二月十九日，必爲文忠作生日會，即請會中人各爲題名，以及詩文歌詠，盡海内賢豪，垂三十年如一日。履園叢話。後進一篇之美，稱道不去口。先正事略。乾隆間，京師前輩以宏奬風流爲己任，首推朱文正珪、阮文達元兩相國，而方綱鼎峙其間，幾欲狎主齊盟，互執牛耳。紅豆樹館詩話。晚歲罷官家居，巋然爲海内魯靈光焉。先正事略。子樹培。

樹培字宜泉，畿輔詩傳五十。生於乾隆甲申臘月十二日，方綱方渡海試瓊州府，其夕夢筆端若有光，詢之占者，謂是文字祥也。占者曰：此兒壽命不長，宜出繼異姓爲子，或可免。及北歸，以語錢擇石載，載曰：是宜爲吾子，遂携至錢家，名之曰申錫，字曰申之。幼學時，往來錢氏家，篤好摹寫篆隸。載曰：此兒日日手作遊、遼諸字，我所不知也。翁方綱次兒樹培小傳。博雅好古，能傳家學，履園叢話。於史家年月、歷朝年號後先同異，如鍾映建元考、萬光泰紀元韻敍諸編，尤所詳核。小傳。尤明於錢法，凡古之刀幣貨布，皆能辨識，所著有泉幣考，較洪遵泉志，精博殆過之。聞某處有一古錢，雖遠道必躬自往訪以爲快，其天性然也。履園叢話。自來泉譜如唐封演以下諸家多不傳，樹培旁搜博采，垂十餘年，綜括成編，亦可稱專門之學矣。紅豆樹館詩話。乾隆五十一年舉人，明年成進士，改庶吉士，己酉，授檢討，充國史館、會典館纂修官。嘉慶丁巳，御試三等，補刑部主事。辛酉、壬戌會試，充同考官。己巳，陞貴州司郎中，總辦秋審處行走。俸滿，引見，記名以繁缺知府用。小傳。未幾遂卒。履園叢話。有翁比部遺詩一卷。畿輔詩傳五十。

石永山，涿州人。事親孝，制行方鯁，家窶貧。母劉氏年屆八旬，夙有痰喘舊症，時作時止，一經舉發，眠食俱廢，必永山爲之週身按摩半日半夜之久，方能安息。永山侍奉，晝夜無倦，視病少差，急爲甘旨以娱之。村居必市於淶水縣城，瀕行，每切囑家人，毋許刻離，諄囑再三，然後去。去必急歸，四十里之遥，約兩時必返。母病劇，溲便污衣，每夜必换易數次。永山自著敝破單衣，躬親烘澣。里人有憫其寒者，贈以緜衣，悉却不受，以是人愈愛敬之，爲請於州牧郝君，旌其閭。院有石榴一本，有異實，好事者以爲孝之所至，物産發爲瑞徵云。涿州續志。

紀淑曾，字衣盂，號秋槎。正雅集小傳。晉子。乾隆十八年舉人，畿輔詩傳四十。循例謁選，筮仕湖北知縣，授篆長陽。長陽山陬小邑，人文固陋，爲創立書院，延師講習。己丑移天門縣，時征緬甸兵過境，需用舟車，捐俸給價，不以累民。有營兵乘舟，毆舟子斃，竄匿戎伍中，莫獲。淑曾曰：殺人者死，律難宥。録案申諸軍府，詰得其人，置之法。天門獄訟繁多，積牘累年，下車三月，剖斷無留訟。隨州匪民聚衆思不逞，總督吴達善檄調攝州篆，未匝月，匪民聞風解散。擢知沔陽州。州城外有鄉曰大木林，地形窪下，際霖潦水漲，田廬漂没，於上游築隄防禦，一鄉永賴。逆賊嚴金龍案起，株連脅從多人，淑曾奉委鞫勘，所活千餘人。丙申，授漢陽府知府。所部黄陂縣有江西木商，以毆斃人，縣問成獄，咨解到郡；淑曾核非真犯，密訪月餘，匪人果得，而商寃獲雪。戊辰，題任湖南辰沅永靖巡道，改授鹽法長寶道。時方護篆湖北鹽道，前任相沿，鹽課積虧四十餘萬兩有奇，設法籌措，積其存贏，以償虧項。攝臬事，審慎庶獄，片楮隻字皆親寓目。每當秋讞，權其情實，緩決，無輕出入。攝藩篆，革除一切繁費，禁苞苴。歲癸卯，情殷終養，遂於是年夏奉母北歸。己酉卒。紀佩先府君行述。有漢皋集。淑曾襟懷蕭曠，畿輔詩傳。觀察湖南，王蓬心太守時爲永州司馬，時相倡和，清遠蘊藉，獨標靈響，蓋得瀟湘雲水之氣爲多，紅豆樹館詩話。有采楚風者，必以是爲冠云。畿輔詩傳。

王大鶴，字子野，號露仲，通州人。畿輔詩傳四十四。幼慧，及長，博通經史，爲文務根柢，矩矱先正。乾隆二十二年進士，改庶吉士，授編修，三充鄉試同考官，分校禮闈者再，疊簡四川、雲南、湖南正、副主考，提督河南學政，所至輒以得士名。累遷詹事府詹事、日講起居注官、國史館纂修、咸安宮總裁，受高宗純皇帝特達知，充上書房師傅，授皇四子、皇八子、皇十一子、皇四孫讀。嗣以親老乞歸養。高宗純皇帝恭謁東陵，駐蹕通州，命皇子幸私第，垂詢殷殷，恩禮有加焉。大鶴品學器識爲海内重，而持家接物，勤儉寬和，周急難，掖後進，尤見推於閭里。嘉慶初，丁母憂。服闋，被召命，時權貴尚竊威福，大鶴弗善其所爲，遂不起。卒，年七十有一。著有嘯笠山房詩集。祀鄉賢。通州高志。

張定國，武清人，太學生也。至孝性成。父病疽，親嘗湯藥，衣不解帶者數月。母多疾，奄奄牀笫，少劇，則憂形於色，日夜禱神，割左股以食進，母疾獲痊。後母卒，事繼母殷不啻所生。殷性嚴厲，未嘗少假詞色，而定國尤愉悦和婉，每流露於不自覺。用是母子之情彌篤。殷或稍有不豫，見定國而卽釋然，戚里稱之，如出一口。武清吳志。

李永貴，武清人。幼而孤，家無擔石，養孀母，自淡藜藿，而母饔飧常豐。母疾篤，值天寒，跣足夜禱於神，願以身代，逾月而母疾瘳。傭力於人，取值以給母，顓愚而知孝如此。武清吳志。

孫維龍，字勖堂，宛平人。畿輔詩傳四十六。乾隆二十五年進士，選授徽州黟縣知縣，調繁鳳陽。舉卓異，以罰俸銀未清，部議降調，引見，仍以知縣用。二十八年，金川用兵，盧文弨孫勖堂傳。發四川，隨木果木營。管幹珍舊雨集。初，索諾木之留僧格桑也，陰使小金川頭目等由美諾溝出煽故降番，使復叛，先攻陷提督董天弼之營，次刦糧臺，卽潛兵襲木果木大營。時大營兵尚萬餘，會運糧夫役數千爭避入大營，將軍溫福堅閉壘門不納，轟而潰聲如壞隄，於是軍心益震。賊四面揉入，聖武記七。將軍以親兵百人搏戰，與提督馬全、牛天畀皆死焉。維龍出營門，路壅塞不可以騎，與家丁四人相扶掣，遇賊且鬬且行，而僕不能從，時六月十日也。夜半月落，賊火照林樾，維龍行至松林溝，力已憊，踞倚崖壁，脱帽付其僕福兒曰：我死於此矣，汝持此帽歸報主母知之。遂拔刀自引決。盧傳。合州吏目羅載堂，宛平人；秀山縣主簿周國衡，甯河人；納溪縣典史許濟，東安人；同遇害。而維龍死尤慘烈。紅豆樹館詩話。維龍髯而工書，舊雨集。嗜學若性命。官黟縣令時，能以儒術爲治，平訟寬征，民有過犯，僅予笞，未嘗以惡相加。公餘樂與士人談文論藝。邑志久不修，爲加意蒐輯，裒然成書。又博采精擇邑中自宋迄今人之詩，名樵貴谷詩選，皆版行。其調鳳陽也，明鳳陽太守顏容暄死流賊張獻忠之難，賊焚其屍，血漬石，成人形，民葬石於獨山，久失其處，維龍多方訪求，竟得之，爲修其塋域，自爲文勒碑以表其墓道。事聞，贈道銜。盧傳。

雷鐏，字宗彝，號西庵，通州人。讀書目數行下。乾隆二十七年壬午舉人，宰江西崇仁縣，卓著政聲。充癸卯鄉試同考官。其四子學濤，登道光壬午賢書；鐏以是年重赴鹿鳴宴，奉旨加六品秩，賞賚如例。父子先後同科，時人榮之。卒，年八十餘。著有古經服緯。次子學淇。通州高志。

學淇字瞻叔，號竹卿。幼而岐嶷，長尤嗜學。通州高志。乾隆六十年舉人，嘉慶十九年進士，任山西和順縣，改貴州永從縣。歷充丙子、乙未同考官。每慨竹書紀年自五代以來，頗多殘闕，爰博考李唐以前諸書所稱引者，積以九年之蒐輯，頗復舊觀。古榆閣叢談。嘗謂孟子先至梁，後至齊，此經之明文，卽無他左驗，亦當從之爲説。况竹書紀年曰：梁惠成王後元十五年，齊成王薨；十七年，惠成王卒。然則惠王後元十六年，齊宣王始卽位，以此證之，較然可覩，孟子至梁，當卽在後元十六年王卒之前一歲也。史記誤謂惠王立三十六年卽卒，故云三十五年孟子至梁，而以惠王改元之後十六年爲襄王之世。今據竹書，稱梁惠會諸侯於徐州，改元稱王，故孟子呼之曰王。史謂孟子至梁之二年，惠王卒，襄王立，以本經考之，其言可信，但卒於改元後之十七年，非三十六年也。襄王既立，孟子見其不似人君，乃東至齊。據竹書，卽齊宣卽位之二年也。梁至齊，千數百里，故曰千里而見王；若孟子先見齊宣王，由鄒之齊，六百餘里，不得云千里矣。齊人取燕，孟子明謂宣王時事；史記於齊失載悼子、侯剡二代，將威、宣之立，皆移前二十二年，於齊人伐燕事，不知折衷孟子，而年表謂在湣王十年，司馬温公終求其説而不得，乃將宣之卽位下移十年以遷就孟子。自後説者疑信各半，議論滋紛。蓋自史遷移齊年於前，温公移齊年於後，迄今已千年，經儒者百數十人共商此事，非逞其臆説，卽巧作調人，實皆未有定論。今據紀年，則伐燕在宣王七年，實周赧王之元年。凡孟子書所記古人年歲，以史記、漢書之説推之皆不合者，以紀年推之無不合，且以竹書長曆推驗列宿之歲差，歷代之日蝕，自唐虞以來，無有差貸。九經集解。嘗自云，好爲討論之學，每得一解，必求其會通，務於諸經之文無所抵忤。傳箋註疏，取舍多殊，非敢訾議前賢，期於事理之合云爾。九經集解自序。著有竹書紀年考、紀年義證、古今天象考、夏小正經傳考、夏小正本義、亦囂囂齋經義考等書。通州高志。

紀曾藻，字文溪，號小癡，文安人。正雅集小傳。少駿偉，九歲日誦萬言，十五通十二經。王延襄紀曾藻傳。乾隆三十五年舉人，正雅集小傳。出爲縣令，歷任山西陽城、太平、長子諸縣。長子人喜事神，每醵錢賽會，奢麗喧闐，歲以爲常，曾藻立條教禁之。會苦旱，步行五十里，詣發鳩山齋禱，卽雨。丁母憂，服闋，銓廣西永福令。時安南軍興，羽書絡繹，曾藻供頓無煩於民。調貴縣。貴縣界粵東高廉，海匪嘯聚，廖三進者，逞豪枉法，尤强横，官不能制。曾藻至，則躬率民壯入山搜捕，擒三進等十餘人，以次抵法，閭閻以安。擢思恩府理苗同知，以積勞卒，年四十六。詩宗少陵，精思深湛。王延襄紀曾藻傳。學富才贍，下筆千言立就；其古在氣，其俊在骨，所謂才人之作，非僅詩人之作也。黄世發小癡詩藁序。有小癡遺稿一卷。畿輔詩傳。

蕭鵬起，涿州人。八歲失怙，家極貧，母三十八歲守節撫孤。鵬起漸長，勤儉務農，事母孝，友于其弟，凡事皆遵母命。每外歸，必呼其母，不應則悲，見輒喜。母七十二歲殁，鵬起撫尸泣血，三日不食。入殮時浄面水，鵬起盡吸之，曰：吾之身體皆母之血氣也。母生時惡煙忌冷，殁後鵬起不敢忘。一日爨室生煙，近停柩室，鵬起纏大布如扇以揮之，恐煙其母也；至葬，三日不掩棺，有隙處盡塗之，不令進風；冢上蒙黍稭數層，懼母冷也。廬墓三年，然後歸家，每夜必至塋省視。族黨皆以孝稱之。涿州續志。

戴聯奎，字紫垣，大興人。舉乾隆三十九年鄉試解元，明年成進士，授庶吉士，肄國書，散館授編修。嘉慶元年，擢贊善，五遷至詹事，擢内閣學士兼禮部侍郎銜，兵部侍郎，歷禮部、吏部，復調兵部。十八年，遭生母憂。逾三年，起署工部，尋補吏部，擢左都御史。明年進禮部尚書，充經筵講官。二十三年，改兵部尚書，署户部，明年兼署左都御史，再署吏部，後降太常寺卿。道光元年，復禮部侍郎，再復兵部尚書。聯奎少篤學，從邵先生晉涵受經，爲文有聲譽，久官翰詹，故雖歇歷劇要，兩充會試同考官，又充雲南、江西正考官，會試正考官，充殿試及召試讀卷大臣，又出爲安徽、山東、浙江學政，門下所得士最多。聯奎爲人謹慎小心，始終彌篤，自躋卿貳，出入禁闥二十餘年，顧問之語，未嘗一洩。時有密諭，深夜自書復奏，至殁，人莫能見其草。尤好慎言，雖家人未嘗妄發，其周密如此。與人交，無所競，大廷議有不合，惟以理辯，無疾言憤色，退亦未嘗有所菲薄，其和平如此。然風節素峻，在翰林久不遷，掌院爲嵇文恭璜，座師也，將保御史，列其名，滿掌院某曰：吾未識面，何以論其才否？嵇以語聯奎，令往見，則漫應之。及舉京察，又列其名，某言如前。嵇怒，召而責之曰：是汝自誤也！聯奎曰：有命，苟不得，徒往無益；不然，若吾師者，豈有所干哉！嵇咨嗟而罷。大學士和珅掌院莅任，屬官見者皆降禮，聯奎獨長揖。和訪時望爲額駙師。或薦晉涵及聯奎。邵辭不就，和以爲愧；欲延聯奎，聯奎亦辭。邵曰：吾老矣，行移病去，子宜爲後計。聯奎曰：吾師行，弟子從之矣。邵果乞休，和曰：吾非必相强，邵君何爲此悻悻！益重聯奎，禮貌有加。聯奎持躬儉，自少未嘗衣綺，貴後燕居，乃一緼袍，曰：秀才時服不可棄也。每食，盤蔬箸肉，或疑其矯，聯奎曰：仕宦者莫不欲有守，而或改操，華武侯天才，猶一生謹慎，我輩何人，此心一放，則無所不至矣。故惟敬爲入德之基，子其勉旃！道光二年四月卒。賜祭葬如例。姚瑩戴君墓志。

王振榮，字漢桓，號錦堂，寶坻人。乾隆四十二年舉人。畿輔詩傳四十八。生五歲而孤。伯兄啟堂亦未冠，時遠在荆南，風濤險阻，扶櫬維艱；振榮雖孩提，盡哀如禮，臧獲無不感泣，咸拮据贊襄，晏然旋里。嗣就傳，過目輒成誦。莫晉祭王錦堂先生文。性孝友，禮法自持，紀昀王錦堂先生傳。晨昏奉母外，不問家人生産。莫晉祭王錦堂先生文。教子弟以忠孝相勸勉，平生自奉如寒素，至義所當爲，則多金不惜。王錦堂先生傳。性尤嗜古，莫晉祭王錦堂先生文。與同邑芮勵齋講洛、閩之學，韓、歐、蘇之文。座主梁相國詩正深器重之。或有譽之者，以爲王謝風流，由來固遠。振榮徐應云：遠推江左，何如近守家風！辭寡者吉，非尚清也；行篤者至，非飾度也。聞者咸服。畿輔詩傳。

葉世經，字子常，大興人。受業朱學士筠之門。乾隆四十二年舉人，五十二年大挑，以知縣用，分發湖南。初攝道州，民俗健悍，以人命爲詐財計，一月得四十五案，擬抵者二人，餘皆坐誣，其風遂息。逾年補瀘溪，苗人雜處，商賈經其地，率肆搶掠，守土者患之，往往成巨案。世經始至，命一二人諭以理法，苗皆輸其物予民，期年囹圄遂空。

五十五年，調綏甯。次年丁内艱，歸。嘉慶四年，服除，揀發福建，補古田縣。古田俗多溺女、火葬，爲文勸之，民皆感泣，三月餘，民自毁寮房四千餘間。攝侯官，適古田以蘇泉一案聚衆，大府以世經得民心，令回任；世經歸，衆遂散。十年，再攝侯官。有尚幹者，争蜆地，與他姓互毆，五寨巡檢某受賄，以謀逆聞，撫軍調兵千人勦之。世經聞，卽詣撫軍曰：尚幹無知，械鬬或有之，謀逆則未也，某請親詣之。撫軍曰：子輕入其阻，設有不測，奈何？世經曰：某爲民牧，顧聽無辜百姓被戮，又奈何！撫軍色動，徐曰：子必欲親往，命保都司帶兵二百人護送其可。時制軍亦厲兵秣馬矣，世經馳止之。既行，軍二十里外，率僕役三五人至，則衆已潰逃。世經詢其情，果與林姓争地，傷十餘人，幸不死，拘首從，不以獻。世經曰：我無以復上命，勢將以兵，爾曹何利焉！獻其首林是妥。世經曰：一人不能傷十餘人，復獻五人。首擬戍，餘枷杖。案定，全活數千人。大計卓異，引見後，卽投部謝病歸。或問：爲治如何？世經曰：吾初涖湖南，見甯遠令汪君輝祖，虚心請益，每事必諮。後見魯太守習之，曰：良吏無它，視民事如已事，視在官如去官，則無不行其志矣。吾涖政行法，不敢馳逐聲勢者，皆兩君之教也。在古田，一夕擒巨盗黄吾燦，並其黨十六人，平其巢，民害頓除。攝南臺同知，聞海盗蔡牽之黨林佑父子，捕而置諸法，悉得其通盗書，聞風遠遁者五百餘家。在侯官，釋被誣頂囚之生員林某。性伉直，不善事上官，二十年不遷官，無悔色。家居十餘年，退坐手一編，閉門卻掃，春秋佳日，步屧晴郊，尋花藝樹，怡然自得，不知身世之有繫牽也。卒，年六十五。朱彬葉君墓誌銘。

王書香，保定人。廩生，綱揚子。生四十日而綱揚卒，母楊氏撫孤孀居，貧無一椽，疊值凶祲，日不再食。香長成，母命爲人贅壻，香泣曰：母何倚？即終身無婦，不忍一日離母也。於是業捆屨易食以養母。見母不怡，輒學嬰兒嗁笑狀，以求母歡。終身不娶，朝夕不離側，母得温飽，壽八十四而終。當事孝之，扁旌其門。保定成志。

李維寅，字春旭，一字欽伯，大興人。正雅集小傳。父蔚，字青岑，乾隆二十一年進士，官廣東潮州府知府，有嵐秋山房賸藁。春旭少篤學，年十九舉於鄉。乾隆四十九年會試，以國子監學録用，授廣西義甯縣知縣。義甯地瘠民惰，維寅以勤墾種、興學校爲事。鄰邑有僧惑衆作亂，維寅微服入山縛之，散其衆。調宣化。適安南用兵，徵輸饋餉，車舟供帳之役，什倍他邑，維寅經理裕如而民不擾。總督福康安廉其賢，奏擢左州知州。嘉慶二年春，西隆州苗變，時方署養利，得替，乃馳赴舊州，募鄉勇禦賊。總督吉慶率官兵繼至，維寅上書言軍事，略曰：苗不足憂，當安民。民遭焚掠無所容，且從賊，而賊勢成矣。古稱徵兵滿萬，不如招募數千，蓋以募爲賑，民心安則賊氣奪，況其急私讐悉敵情者乎！夫苗不能盡勦也，宜主撫；然不可不威以撻伐。苗性本嗜殺，承平日久，驕而思逞，非使力窮心餒，則翻覆未可知耳。博引宋、明征苗前事，辨論數千言，繪地圖，山川夷險、攻守形勢了然。吉喜，檄維寅隨營辦理糧餉、符檄事。嘗督鄉勇開隆愛山，苗以木石拒山徑，維寅奪其七隘，礮碎馬前蓋，不爲動。山澗湍急，無舟梁，衆相顧逡巡，維寅縱馬涉中流，衆皆奮呼以從，遇賊戰，擒其酋歸。紅水江者，黔粵之限，苗恃以爲險者也，造巨艦十餘將犯我。吉患之，維寅夜至江，察彼岸燈火滅没，使人泅而過，盡斷其纜，沿流鼓噪，守船賊暗中突觸，自相殺；乃得其船渡江，解册亨州之圍。事聞，奉旨升授太平府龍州同知。九月，官兵凱旋，大府檄維寅與左江總兵穆克登布留後。時近江十三寨尚觀望不附，維寅破高寨之匪，招撫餘苗，安其居民，歲盡蕆功。明年將引見，以案被議，不果行。歷署永甯、全州、河池各州事。染瘴，卒，年五十有一。有廉餘詩集二卷。畿輔詩傳二十八。

楊燕緒，字叔翼，涿州人。乾隆五十一年舉人，大挑，以知縣分浙江，母老告近，改河南。時湖北白蓮教齊王氏、姚之富等擁衆拒官兵，淅川適當衝，奉委攝淅川事。縣城武職惟把總一員，步兵二十名，人情洶洶。於是繕城郭，募丁壯，謂淅川爲豫衿喉，賊入則全省動摇，宜厚集兵力阨要隘。上其議於大府，從之，遂調蔡參戎，范、蘇二都司至境協守。聞紅龍廟溝有繆名高者謀不軌，與賊通，江見從爲羽翼，蹤跡詭密。燕緒遂督兵役，潛入名高家縛之，搜獲白布號衣及兵器甚夥。適齊王氏率賊數千侵縣南鄙之李官橋，方肆焚掠，旋卽奔竄。訶之，蓋賊偵知已戮名高，故驚遁，乃約蔡參戎等率兵追勦，捕獲教匪二千餘人置於法，釋矜疑者四百餘人。六月，代理唐縣。八月，復調淅川。時賊方警，適巡境至城隍廟，見廊下一人，顏色有異，嚴鞫之，乃賊黨也，斬之。次年，補内黄縣。十二月，賊目張漢潮由四川犯河南，復檄知淅川。燕緒涖淅既久，民服其威信，每聞有警，不以賊之緩急爲喜懼，而以楊之來去爲安危焉。是以四年之久，賊蔓延三省，卒不能越淅川一步，則扼守之功爲多。丁母憂。起復，權知浙江蕭山縣。蕭，劇邑也，燕緒至，爲之撫孱弱，抑豪强。有某甲以非罪繫，一訊白其誣，釋之，民大悦。補桐廬縣，獲逸犯莊以涖。莊以涖者，温州戕官盜魁也。燕緒才性敏決，每斷一獄，堂下觀者數百人，見其訊判，莫不頌服。袁某者，邑巨猾也，狡賊健險，爲良善害。下車卽擒治之，奸黨斂迹，治聲震遠邇。未幾，以病終。先是，在豫時，奉符檄赴宛，至菊潭界，馬驚逸，傷一童子，老嫗號咷，至聞係燕緒馬，收涕曰：是楊使君耶！使君三涖吾淅，有再造恩，今忍以子累使君耶！行也，此子卽不救，無怨。蓋其德被淅民者深矣。涿州續志。

趙昺，大城人。昺生於河南甯陵縣，生八日而母歿，葬甯陵郭外，勒石於壙中以誌。昺歸，及長，念母必泣。乃行乞至甯陵，葬處已迷，號泣露宿。越半年，遇舊僕，約略其地，掘之，片石宛然，負步而歸。大城采訪册。

王大，三河人。母得暴疾，家貧，不能服藥，割股煎湯以進。母口噤，不能食，復滴血以飲母，病卽愈。三河陳志。

方聯聚，字樹星，大興人。乾隆五十一年舉人，六十年大挑一等，試用甘肅知縣。涼州有疑獄，五年不決，聯聚至，一鞫而服。大府以爲才，累委署安化、碾伯、靖遠。靖遠有瓜果之供，爲民累，聯聚罷之；首令移書力索之，方與往復辨論，而以受代還會城。旋因有兵事，奉檄隨營差委，未至前一日，官軍潰於秦州，督部夜馳入成縣城。聯聚聞之，改道詣成上謁。會督部方急求一書記草奏稿不得，聞聯聚至甚喜，因授以意，言乘月追賊，殺數千人，忽雷雨猝至，不辨彼我，亦折兵數百人。聯聚知其辭不誠，謝弗習。當是時，川、楚賊方熾，出入蹂躪鳳翔、秦、階之間。而禮縣最當其衝，遂以聯聚署縣事。賊首張漢潮、王三槐等，時至城下，或仰攻數日去。聯聚守禮縣九月，屢瀕於危，然遠村難民，輒啟關納之。或以爲疑，聯聚曰：城以衛民，此固禮縣民也，奈何棄之！因下令各鄉，因山築堡以備賊。先是，有某將軍者，素不輯兵，所至攘奪居民衣糧羊豕，嘗過禮縣，呼門欲入，百姓驚懼。聯聚乘城與語，請屯兵城外，而城中具芻秣犒師。將軍怒曰：吾率大兵逐賊，兼爲護汝城而來，汝何官而敢拒我！聯聚曰：逐賊護城，兼應距城結營爲犄角勢，安用入城！某官雖卑，然有守土之責，去留生死在將軍耳，城不可得開也！將軍語塞，飭其衆屯於城西。已而語人曰：行軍以來，所見强項令獨一方君耳。聯聚既全禮縣城，又前後獲賊目數十人，功皆未敍。既受代，特署委階州。尋又以勘災會甯，忤上官意，借補肅州州同。有布政使王某者，從容問論語誾誾之義，聯聚應聲曰：誾誾，和悦而諍也。王默然。聯聚生平爲學，以剛毅節儉爲本，所至倉庫無絲毫虧缺。自度得禍止於失官，故能必行其意，不爲非禮所屈。久之，調知成縣。成卽前督部夜馳所入城也，迺因彫敝之餘，勞來安集，稍稍葺廬舍，事農桑，約法疎略，吏民大和，然後擇其秀者，自爲師課之。凡在成六年，訟幾息。嘉慶十一年大計卓異，入都引見，歸調平番。平番地當孔道，送迎絡繹。自聯聚至，過境者皆戒從騎曰：方君爲平番矣，慎毋擾，彼性剛，不汝怵也。明年擢静甯州，以母喪去官。服除，謁選廣西，初至，署蒼梧。梧州方有水災，方伯來勘，從者索供張食具，費不貲；聯聚自出慰諭之，不可，語益肆。聯聚大怒，叱隸出索縶之，往見方伯，曰：公以水災故，按部至此，見餓殍縱横，雖有珍膳，當不下嚥；而從者横索如此，此必非公意也，特縶之來，請公責之。方伯不懌，徐曰：君甯不可自責之耶？聯聚起立，應曰：諾！趨至階，呼隸牽入杖之。方伯大慚怒，他日言於大府，而大府意奇君。方伯亦適以他事罷去，尋署永安州，又署定明州。定明與安南接壤，而所屬有四土州，聯聚議上宜興革者數事，皆不得請，歎曰：位卑而言高，罪也，吾將終緘其口乎！二十一年補永康。永康距會城二千餘里，民俗椎魯，爲之期年，比屋聞讀書聲矣。而聯聚屢乞致仕，二十五年二月，始得請。代者至，聯聚喟然曰：吾乃今知免矣！會當暑，不得行。以是年八月己丑卒於永康寓舍。子履籛、履筠。陸繼輅方君行狀。

履籛字彦聞。幼隨父任，同官楊芳燦驚爲奇童。中嘉慶二十三年舉人。道光六年，梅曾亮方彦聞墓志。大挑以知縣用，分發福建，署永定縣事，調署閩縣事。期年，卒於官。年四十一。張成孫方彦聞傳。履籛初試吏，持己廉，任事勇。其宰永定時，豪胡鳳兆與族人某甲不相能，殺其子，刦其父棺，棄深山中，前令數年不能捕。履籛爲書諭之，反覆數百言，遣一役持往，鳳兆見書，泣曰：鳳兆死矣！會勘事經其鄉，徑出跽輿前自首，願歸死獄，吏遂論如法。南鄉民許開玉，殺其族幼姪而逃，緝弗獲，履籛禱於神。開玉至厦門，將浮海矣，忽懵然歸，抵縣廨堂皇間，負手躑躅，門吏有識者執之，一訊而服。求之古循吏傳，鮮有異政若斯者也。陳壽祺方彦聞墓誌銘。閩爲會城首邑，事既煩，且一省政治皆得與聞，大吏倚以駢上下，故非久歷劇要者勿信任。履籛試用才一年，未除真而奉調，非故事也。以是益奮勉，晨則摧政治於上官，退則判決訟獄，又常進紳耆而考利弊，間以賓朋酬酢，日幾無刻暇，暇復校誦經史，手丹鉛之。不半載，釐積訟五百餘事，而以文行道民，一如治永定。其俗好鬬，小不適輒持械格殺，棄其尸，官勿得問。履籛集鄉老，多方曉諭之；復偵知其將鬬者，卒馳往杖懲焉，故終其任無械鬬者。會大旱，步禱烈日中，體素豐頎不耐暑，又憂無雨，日焦悶，遽得伏暑症，五日而卒。卒之日，猶問天雨否，蓋其鋭於志，果於行，而不自知體之不支也。履籛讀書善求間，經史百家言皆好之，而能貫其源流。善爲駢儷文，渾厚淵雅，希蹤於范蔚宗。詩則規椝于晉、唐，詞則胎息于北宋。張傳。自天文、地理、氏族、金石、錢幣及六書、九章之法，梵夾之典，靡不綜貫。尤酷嗜金石文字，少壯行萬里，所至深山古刹，必攜氈椎與俱，遇殘碑斷碣，隱隱有字，手自捫拓以歸，如獲拱璧。足所未到，必屬所知代訪，所積幾萬種。著萬善花室文集六卷、續集一卷、詩五卷、詞一卷、河内縣志三十卷、武陟縣志三十卷、永定縣志二十卷、伊闕石刻録六卷、富蘅齋碑目六卷、希姓録一卷、泉譜一卷。陳志銘。子駿謨、駿謐；孫恮，吴育墓志蓋石文。世其學。

恮字子謹，博學能文，好泛覽，後知其寡要，乃求古文義法於桐城諸家，以爲未足；進求之聲音訓詁，以爲未足，進求之典章文物，期致諸實用。又嗜會稽章實齋之書，以爲能推原官禮，深窺六藝之精微、羣言之奥旨，而部次條列，比之劉向、鄭樵，而得其精，可謂專家之學。恮既肆力，性尤精敏，初不解算術，見勞乃寬筆籌算略，數夕即能通其法。光緒四年四月卒，年三十。婦趙殉之。黄彭年常州二子傳。

章宗源，字逢之，大興人，原籍浙江山陰。乾隆五十一年舉人。少聰穎，不喜爲時文，以對策博贍發科，益好學。積十餘年，采獲經史羣籍傳注，輯録唐宋已來亡佚古書盈十餘笈，自言欲撰隋書經籍志考證，書成後，此皆糟粕，可爨之。然編次成帙，悉枕中祕本也。又言：輯書雖不由性靈，而學問日以進，爲此事久之，亦能爲古文，爲駢體文矣。又以今世所存古書，版本多經宋、明人删改；嘗恨曩時輯録已佚之書，不録見存諸書，訂正異同文字，當補成之。其已輯各書，皆爲之敍，通知作者體例曲折、詞旨明暢。古書多亡於北宋，故輯書始於王應麟，近代惠徵君棟踵爲之。四庫全書用其法，多從永樂大典寫録編次，刊布甚夥，至於宗源，則無書不具焉。孫星衍章宗源傳。始欲售之畢督部沅，會楚中有兵事而止。時孫星衍爲山東兖沂曹濟道，欲購之，未果。孫星衍譙周古史考序。初，都門廣慧寺有妖僧明心者，誑人以符録降鬼僊，又賄客僕從，刺探隱事面發之，示神驗。京朝官之佞佛者大爲扇惑，争餽貽之，僧益豪横。事敗，僧以罪遣歸南中，宗源等以牽連斥革。章宗源傳。故事，斥科甲當上請，故相和珅擅權，變亂舊章，曰：我吏部也，去一舉人名，易耳。采訪册。遂罷斥，不能復與會試。僧又潛出遊齊魯間，就大吏之不潔者，網賄遺，易姓名，捐職丞倅，出入詭祕甚；而宗源等猶信之，持長齋，意境寥落，所館居停厭薄之，焚其所授書。嘗言：吾教學，令學徒集十三經夏、殷佚禮，惜爲主人焚之；大矣。其篤好古學如此。古史考序。星衍著三教論，時京朝官惑於妖僧日甚，因以曉譬之；大吏某倚上官勢，屬去其文，不得；宗源亦言之，星衍戲曰：君以生平輯録書付我，我即去此文；君如不忍，是色空之説不足恃也。章宗源傳。宗源卒後，遺書爲中書葉繼雯所得，星衍得數種，爲刻叢書中。古史考序。

舒位，字立人，號鐵雲，大興人。乾隆五十三年舉人。祖大成，康熙壬辰進士，官檢討，有試墨齋詩集。畿輔詩傳五十一。位幼承家學，工詩、古文，先正事略。年十歲，即下筆成章。十四，隨父翼官粤西永福令，讀書署後鐵雲山房，因以自號。冷廬雜識三。安南入貢，隨父迎使者，賦銅柱詩相贈答。弱冠登賢書，陳文述舒鐵雲傳。屢試禮部不第，客黔西道王朝梧所。會苗匪蠢動，威勤侯勒保檄朝梧從征，位爲治文書，勒保大加賞異，數召至軍中與計事。勒保移督四川，邀之同行，以母老辭。先正事略。既歸，貧無以養，乃乞米吳楚間，出行攜二大篋，一儲書籍，一儲絲竹，此外行李蕭然也。冷廬雜識三。當勒保征苗時，檄調土兵，貴州土司龍躍病，命其妹龍氏帥兵馳抵軍門。龍氏年十八，長身白皙，結束上馬，出入矢石間，所戰必捷，秦良玉不是過也。事平後，勸保爲龍氏執柯，將以歸位，位婉辭之。陳文述撰詩集序。位丰神散朗，如魏晉間人。紅豆樹館詩話。國子祭酒法式善以位與嘉興王曇、常熟孫源湘爲三君詠。舒鐵雲傳。在真州，聞母喪，戴星而奔，不納勺飲者彌月，以哀毁卒。冷廬雜識三。

位性情篤摯，好學不倦，於經、史、古文無不讀，尤喜觀仙佛怪誕九流稗官之書，一發之於詩。爲詩專主才力，每作必出新意。舒鐵雲傳。嘗論人無根柢、學問，必不能爲詩；無真性情，即能爲詩亦必不工。所作合騷掩雅，矜奇灑落，雖極意馳騁，而無泛駕之虞。蓋博涉羣籍，性情、根柢，載之以出，非枵腹從事，拘牽格律者比也。誕之夕，母沈孺人夢一僧執桂花自峨眉來，覺而生，故又小字樨禪云。紅豆樹館詩話。

劉子權，字致中，通州人。有至性，母病危，將割股，姊知，洩於母，母責以大義，乃止。焚香籲天，願終身茹素，減己算以益母，病尋瘳。後親喪，鄰人不戒於火，延其廬，權抱柩欲殉，人挽之不去；忽風起，火熄，風頓止，皆以爲至孝所感云。通州高志。

崔國祚，字延齡，寶坻人。貢生。父早逝，奉養後母，極盡其誠，家頗饒，多侍使，然潔修瀡，奉盤匜，不欲令他人代也。母病，移傍母榻旁，跬步不離，中夜聞呻吟，立起。及歿，哀毁如禮，邑人以爲難。國祚性好書，工數理，每占輒奇其中。其讀史至篤行諸傳，輒潸焉出涕以悲，蓋天性然也。康熙中，表其門。弟國祺，字永齡，亦以孝聞。值邑中連大水，以買地濟貧；及災息，仍還其券，鄉人多德之。寶坻洪志。

王殊渥，字佩新，號古愚，寶坻人。乾隆五十九年舉人。畿輔詩傳五十二。初補浙江蘆瀝場大使，調下砂場。俸滿，保薦選山東齊東縣知縣，調歷城，升東昌府同知，調濟甯直隸州知州。殊渥精敏仁恕，通曉治體，服官三十年，大吏倚如左右手。宰歷城，嘉慶十八年九月，定陶一帶白陽教匪爲亂，殊渥偵知反狀，請於大吏，斬先獲教首崔士俊等，以絶覬覦。歷城刑人，嚮在南校場，時匪黨二千人伏南門外，謀刼以叛。殊渥調兵衛南校場，而潛押崔士俊等於西門羅城斬之。其能謀善斷，皆類此。事平，撫憲檄總理審案、軍需、清查局，時三局册卷庋閣如巨束，殊渥手目並用，旬日之間，悉貫其首尾。大吏信久案非殊渥署押，不定，殊渥亦思有以報知己，不自惜其精力，核卷率至漏三四下，一字未安，不敢寢。軍需報銷數百萬，清查虧空數百萬，皆其手定。而平反疑獄，定爲信讞者，亦以萬計。旋有構之於大吏者，奏參冒攤軍需，奉旨革職拏問。已而，審係誤參，開復原官，分發山東，歷署濟東泰武臨道、鹽運使。卒，年六十。高繼珩古愚公墓誌。有且住爲佳軒詩二卷。畿輔詩傳五十二。殊渥詩不多作，然抒寫性靈，時多佳句，如散衙朝判牘，聽雨夜鈔書。移花醒蜨夢，轉枕聽春潮。孤燈聞雁夜，小雨落花時。挹其風味，皆淡而彌旨也。紅豆樹館詩話。

王嵩年，寶坻人。以鹽提舉改選廣東南雄府通判。嵩年性磊落，不善治家人生產，而醇謹任卹，鄉里稱善人。中年喜壯游，南北名勝，履綦幾徧；五十後始服官。三子皆家居，惟少子旭晟夫婦偕往。行至灘河，嵩年以時疫歿。時方溽暑，一葉孤舟，泊於荒野，少年夫婦惟知引涕長號，無棺以斂，亦無所爲計也。忽有老父登舟致唁，唁畢，問里居官閥甚悉，慨然曰：我有一棺，願以相畀。因命僕擕長年數輩上岸，由山螺旋而入，見村落，至翁家，扛棺歸舟。棺輕而堅，刳木爲之，當時亦不知其可貴。方翁之去也，旭晟以斂事悤遽，未遑問其姓名；斂畢，疾覓翁詢棺價，將酬之以直。再循舊路，村落渺然，羣於山路叢雜，迷疑所嚮，及問採樵人，云：此山口百十年前曾有一村，兵燹之後，久廢其址，我樵此有年矣，有當知之，無勞空索也。停舟三日，訖無端緒，夫婦惘惘不得已，張帆而發。抵家，家人視其棺，楠木也，香溢一堂，閭里傳頌，以爲忠厚之報云。蜨階外史三。

張乞人，永清縣南門外貧民也。父歿，行乞養母。止無廬舍，穴土爲居。會天大雪，知縣魏繼齊過其處，聞歌聲出地中，怪之。左右曰：張乞人也。呼出問之，答曰：今日我之母生辰，歌以勸餐耳。命車載其母子至官廨，繼齊母餽其母大布及粟，繼齊餽乞人錢十緡。乞人叩頭曰：官母賜我母，不敢不受；官賜我，我不敢受。繼齊曰：不猶愈於殘杯冷炙，日夕沿門乎？答曰：殘杯冷炙，我母甘之久矣，且無所污也。我愚民，初不知此十緡官何所受之？我母年八十，我年六十，有一爲官清白，百姓足矣。繼齊慚，汗下，不復强授焉。爲營室於城内金花巷，將命居之，乞人負其母去，不知所終。清獻堂集三。

金克城，字孚中，一字恆甫，大興人。學有本原，所涖有政聲。宰江西之新昌、萬載、廣昌、宜黄、瑞金，而於瑞金尤著。又宰甘肅之碾伯、安定。每涖一邑，計月立簿，爲交代總册，曰：吾時以自省，且不使人欺也。又所至之境，必寫四至八到山川地圖於屏几，地勢險阻與利弊所繫，無日不往復於懷也。在碾伯，湟水、高店堡舊有二渠，引湟灌之，廢三十餘年矣，克城捐俸修復。又按修皋蘭紅柳溝渠，民得長享其利。在瑞金，縣西南桃陽隘庵子前，爲章、貢上游，路通閩、粤，舊有石橋，坍壞七年矣，克城捐俸葺之。凡修葺陂塘四十有六，橋梁四十有四。初至瑞金，手釐積年訟牒六百三十餘案。嘗仿王文成編鄉約法，立約長、約副、約史、約贊，定彰善糾惡之牘。邑有貢生張永堯、永亮兄弟訟産，視之，二人鬚髮皆白矣，然氣洶洶，面青白色。迺爲徐徐與説後漢樊重三世共財，唐張公藝九世同居等事。二人者氣色漸和。又呼使近案前，曰：予家大父當分居時，一切財産讓不受，僅取户額數字耳。後它房漸衰替，而吾大父獨享年八十有四，子六人，登科者五，成進士者三。間世難得者兄弟耳，爾二人年皆垂老，知相聚尚有幾日！忍復相構耶？二人噫嗚流涕，相抱持痛哭而去。又條復錦江書院，增膏火，以朱子白鹿洞規條及桑弢甫調元大梁講院課規爲士人式。蓋調元，克城所師事者也。克城篤志諸經，議論有根柢。謂易八卦方位，明著於說，卦傳不可移易。宋儒未達乾西北、坤西南之旨，乃以先天圖爲伏羲所定方位。易注之最古者，無若李鼎祚集解，所列三十餘家，皆未言及此；漢隋唐志亦無易圖之目；朱子謂其出自陳希夷，宋史藝文志，希夷惟傳龍圖一篇，此所謂先天方位圖者，卽以之屬希夷，尚無確據，而况可躐加於文王、孔子之上乎！此論大義與胡渭樵易圖明辨相埒，錢大昕亦有此論，而克城一生殫力民事，其貫穿經訓又如此。克城既罷官歸，里居又十二年而卒。翁方綱金愚巖小傳。

史謙，字昭和，別字牧菴，宛平人。甘肅提督史公墓碑。父名義，茂學早世。配同郡沈氏，時年二十有五，力貧撫其三歲孤。側室王，年二十有二，矢志同心相提抱，以成其宗。嘉慶間，邑人上其事有司，詔旌雙節，史氏雙節合葬墓表。是爲謙之母。謙以兵部則例館效力，敍選尉延平之永安，官二十年，兩攝安沙下淡水巡檢，調尉臺灣之鳳山。廉而卹下，所至民親。漳賊林爽文起漳化，踞諸羅，南及鳳山。鳳山城自鄭氏築，累土數尺耳。營兵號千人，分防十六七。謙度不可守，誓以身殉。入辭其母曰：兒不克終事母矣，願母自愛，强飲食，無復念兒。乃屬其子善載曰：我死，職也；大母老矣，吾力不能滅賊，致震驚老母，罪也。汝奉大母，避寇亟出。民吴永芳者，其人好義，可依恃；居又瀕海，若乘間北渡，庶免於難。大母安，我死瞑矣。處分畢，徑出禦賊，不復顧。賊莊大佃者，薄東門，謙從知縣湯大奎等開城出擊，戰甚利，賊卻走，至十餘里外，俄潛衆右移，突傅北門，殺千總丁得秋以入。謙巷戰不利，馳還縣廨，與大奎朝服坐堂皇，賊大至，奮起斫賊，不殊，瞋目駡不絶，遂遭害。大奎亦死焉。乾隆五十一年十二月十三日也。至夜，百姓號赴爲義斂，與大奎並殯於縣堂。大兵檄調未集，義民四起擊賊，復數縣。顧力不及，俄又俱陷。鳳山之再陷也，縱火縣廨，謙棺及焉。百姓又號赴，掇骸骨櫝之，揭其官氏，奉之野廟中。五十三年春，爽文等伏誅。謙族子積丙方在軍中，先趨護其櫝内渡，善載始奉其喪歸。事聞，高宗褒閔，賜祭葬，世襲雲騎尉，崇祀昭忠祠。子善載。錢儀吉記事續稾。

善載字叔輿，别字松舟，廕雲騎尉。及引見，故事當出隸督標，善載獨被高宗旨，留京營學習。京營有世職，自善載始。繇守備累官至南營參將，清操遠度，不競不絿，境治咸肅。大駕春秋歲事，常從屬車。癸酉秋，畔民闌入宫禁，仁宗自行在旋蹕，善載先路清塵，嚴捕匪黨。九門方戒嚴，善載言於步軍統領索綽羅，請開城便民，以安衆心，仍檄巡密詗匿賊者罔赦。如言事定，時論稱焉。統領以是數引薦，數年間擢中營副將。軍政一等，又以陸路總兵舉。善載德器凝定，每應變如平時，上又稔知之。登極逾月，即拜甯夏鎮總兵之命。至則嚴紀律，除戎器，補佚馬，練部曲，而厚勸賞。擡礮之制，火器至捷，善載始創爲之，遂以入奏。尋敕下各鎮皆用其法。尤善卹士卒，因知其才否、良惡、怯勇，奬拔皆允。其任回疆，五城陷，善載以楊忠武遇春檄，帥千人西討，始扼守庫車沙爾雅。揚威將軍至，調隨營，統吉林索倫兵爲前敵，繼又以糧運將不集，委善載爲翼長，總後路督運，駐第九臺，巴爾楚之生地莊冰澌氾濫路絶，善載於第十一臺衡阿拉克池北得沙岡處，伐木開道十餘里，道通，運以無阻。和闐大臣死事，奏以善載署理，並偵緝玉努斯逸匪。時所過邨堡，大抵空無人，有獲者，反復訊，無從逆迹，即釋之。先是，余步雲斬所獲者，將入告，邀善載連署名。善載謝曰：子之功也。固言之，卒勿署。善載處事以誠，而性仁讓，雖懸軍荒外，不易其素守如此。和闐城被焚，回民畏役四遁。善載先張示，具言使者所以勞徠安集之意，速歸無恐，則葺垣墉，勸屯種，省徵調，民聞風還業。歲適有秋，運麪十萬斤軍中，以繼餉。又送絮襖袴各二萬爲冬備。尋奉命還鎮，復得旨交部議敍。己丑春，署甘肅提督。是冬引疾歸。時長子致蕃官刑曹。善載京居十年，致蕃出守福甯，調福州，擢江蘇常鎮通海兵備道，皆就養。善載頎身廣顙，爲人厚重坦易，其論事，言盡而氣益和，尚信義，一諾死生無變。喜爲詩，工書法，嗜老子道德之旨，觀物從容，蕭然有以自樂。癸卯冬仲，書諭其次子致昌大梁，謂天寒不得游金、焦二山，但看醫書遣日耳。數日病，遂卒。提督史公墓碑。

華陽吴祖椿校